Interpretationen

Romane des 19. Jahrhunderts

Interpretationen

Romane des 19. Jahrhunderts

L. Tieck · *Franz Sternbalds Wanderungen*
F. Hölderlin · *Hyperion*
F. Schlegel · *Lucinde*
Novalis · *Heinrich von Ofterdingen*
Jean Paul · *Flegeljahre*
J. v. Eichendorff · *Ahnung und Gegenwart*
E. T. A. Hoffmann · *Kater Murr*
E. Mörike · *Maler Nolten*
G. Keller · *Der grüne Heinrich*
A. Stifter · *Der Nachsommer*
W. Raabe · *Stopfkuchen*
Th. Fontane · *Effi Briest*

Interpretationen

Romane des 19. Jahrhunderts

Philipp Reclam jun. Stuttgart

Universal-Bibliothek Nr. 8418

Gesamtherstellung: Reclam, Ditzingen. Printed in Germany 1992

ISBN 3-15-008418-0

Inhalt

ERNST RIBBAT

Ludwig Tieck: *Franz Sternbalds Wanderungen*

Ein romantischer Roman

Franz Sternbalds Wanderungen. Eine altdeutsche Geschichte ist ein romantischer Roman, darüber gibt es keinen Streit. Gleichzeitig mit den ersten Heften der Zeitschrift *Athenaeum* der Brüder Schlegel in zwei Teilen zur Frühjahrs- und Herbstmesse 1798 in Berlin erschienen, gehört das Buch zu den Gründungsdokumenten der »romantischen Schule«[1]. Sein Titelblatt nennt als »Herausgeber« Ludwig Tieck, der damit aus der Anonymität seiner literarischen Anfänge heraustritt. Das für die *Volksmärchen* noch benutzte Pseudonym »Peter Leberecht« wird abgelegt – der »dichtende Dichter« der neuen Bewegung beginnt sich öffentlich zu profilieren.[2] Dies tut er gerade auch dadurch, daß er in einer »Nachschrift an den Leser« zum ersten Band auf seinen verstorbenen Freund Wilhelm Heinrich Wackenroder hin-

1 Friedrich Schlegel entwickelt 1798 im *Athenaeum* programmatisch seine Theorie von der »progressiven Universalpoesie« und erklärt den Roman, die »romantische Poesie«, zu *der* Gattung moderner Poesie schlechthin: »Die romantische Dichtart ist die einzige, die mehr als Art, und gleichsam die Dichtkunst selbst ist: denn in einem gewissen Sinn ist oder soll alle Poesie romantisch seyn.« (*Athenaeum*-Fragment in: *Athenaeum.* Eine Zeitschrift von August Wilhelm Schlegel und Friedrich Schlegel, Berlin 1798, Bd. 1, 2. Stück; photomech. Nachdr. Darmstadt 1970, S. 206.)

2 Vgl. Ernst Ribbat, *Ludwig Tieck. Studien zur Konzeption und Praxis romantischer Poesie*, Kronberg i. Ts. 1978. [Sternbald-Interpretation: S. 99–112.] – Ernst Ribbat, »Poesie und Polemik. Zur Entstehungsgeschichte der romantischen Schule und zur Literatursatire Ludwig Tiecks«, in: *Romantik. Ein literaturwissenschaftliches Studienbuch*, hrsg. von E. R., Königstein i. Ts. 1979. – Zum Lebens- und Arbeitszusammenhang Tiecks und Wackenroders vgl. Richard Littlejohns, *Wackenroder-Studien. Gesammelte Aufsätze zur Biographie und Rezeption des Romantikers*, Frankfurt a. M. 1987.

weist, dessen Mit-Autorschaft an den gemeinsam verfaßten *Herzensergießungen eines kunstliebenden Klosterbruders* (1797) publik macht und die eigenen Beiträge darin kennzeichnet. Die Berliner Romantik tritt programmatisch in Erscheinung.

Doch auch ungeachtet solcher literarhistorischen Zuordnung ist der Roman »romantisch« in jedem diesem Attribut assoziierbaren Sinne: Er ist ein Buch der Abenteuer, ein Buch der Liebe und der Religion, vor allem der Künste. Er ist ein Erzählwerk, das sich entschieden vom Diskurs der Aufklärung abhebt und nicht weniger deutlich von klassizistischer Darstellung. »Romantisch« darf man die geographische und kulturelle Spannweite nennen: deutsches Bürgertum, italienische Bohème und ein internationales Adelsleben sind einbegriffen, der Norden wie die Romania sind Schauplätze und Wertzentren. Das Werk ist ein »romantischer Roman«, weil es ein, sei es aus Zufall, sei es aus innerer Notwendigkeit, fragmentarisches Buch ist und zugleich ein Text des nahezu universellen Sprachgebrauchs: In ihm wird erzählt und gesungen, Briefe werden geschrieben und Disputationen geführt, es gibt leichtfertige Plauderei und ergriffenes Gestammel.[3]

So ist zwar die Bedeutung des Romans für eine Charakteristik dessen, was »romantischer Stil« sein könnte, kaum zu leugnen – das Ansehen aber des *Sternbald* als eines literarischen Werkes ist nicht eben hoch. Der *Ofterdingen* und die *Lucinde*, der *Godwi*, der *Maler Nolten* und andere gehören heute unwiderruflich zum Kernbestand deutscher Kunstliteratur. Der *Sternbald* jedoch, dem sie alle entscheidende Anregungen verdanken, scheint nur mehr als Dokument, als ein Beleg für das historische Phänomen ›romantischer Roman‹ interessant. Welche Vorbehalte gegen »Tiecks Künstlerroman« – so ein geläufiges Kürzel – erhoben wurden, im Detail zu referieren, verspricht wenig Erkenntnis. Deren Voraussetzungen, deren ästhetischen, moralischen oder politischen

3 Vgl. zur poetologischen Ortsbestimmung jetzt: Viktor Žmegač, *Der europäische Roman. Geschichte seiner Poetik*, Tübingen 1990, S. 77 ff.

Hintergrund auszuleuchten, wäre wichtiger. Nur würde dies kaum weniger bedeuten, als eine Wirkungsgeschichte der deutschen Romantik generell durchzuführen. Denn wo immer sich Ablehnung dieser Bewegung artikuliert hat, ihrer artistischen Experimente, ihrer philosophisch-religiösen Erkundungen, ihres sozialen Aufbruchs, immer traf die negative Zensurierung vor allem Ludwig Tieck und unter seinen Werken das dem Anschein nach kennzeichnendste, den *Sternbald*. Hier zeigte sich schon für Goethe die schwächste Stelle des irritierenden Phänomens Romantik: Waren die Brüder Schlegel durch Gelehrsamkeit – der ältere zudem durch seine Übersetzungen, der jüngere durch die Esoterik seines Philosophierens – einigermaßen zu salvieren, ließ sich bei Novalis die Originalität der Schreibweise, auch die Faszinationskraft des Märchenhaften nicht gut bestreiten, befriedigte selbst Wackenroder ein Bedürfnis nach aufrichtiger Naivität, so fehlten dem viel und Vielfältiges schreibenden Tieck und seinem weder emotional noch philosophisch homogenen Roman solche Qualitäten. Inkonsequenz, Amoralität, Ziellosigkeit, mangelnder Ernst im Sittlichen wie im Künstlerischen, Aushöhlung der Darstellung durch Reflexion, deren Vermischung mit schlechter Lyrik – dies sind Stichworte der *Sternbald*-Kritik, es sind Topoi zugleich allgemeiner Romantikgegnerschaft.[4]

Die Lebenskraft solcher Prädikate ist beachtlich. Fast vollzählig und nicht ohne Intelligenz formuliert finden sie sich schon in der zeitgenössischen Rezension des Romans durch die *Neue Allgemeine Deutsche Bibliothek*.[5] Die Ausführungen schließen mit der Frage, »wie in Sternbalds Wanderungen ein des allgemeinen Beyfalls sehr würdiges Buch zu finden, und als solches zu genießen sey«. Dies ist nicht nur Rhetorik. Denn damit ist das Problem berührt, daß mit dem Auftreten der Romantiker jene literarische Öffentlichkeit, deren Insti-

4 Vgl. Alfred Angers Dokumentation in seiner Ausgabe des *Sternbald* (s. Anm. 7), S. 503–533.
5 Ebd., S. 514–521.

tutionalisierung das Ergebnis des 18. Jahrhunderts war, sich aufspaltete in Teilbereiche, in voneinander scharf separierte Kreise der Produktion und Rezeption.[6] An solcher Aufspaltung der Literatur, der Schreibenden wie der Lesenden, hat der *Sternbald* in der Tat mitgewirkt. Tiecks »Vorrede« vor allem dokumentiert dies. Sein Buch wendet sich eben nicht an die Gesamtheit gebildeter Deutscher, vielmehr an ein eng begrenztes Publikum:

> Am meisten habe ich bei dem Werke meiner Laune an Euch, ihr Jünger der Kunst, gedacht, die Ihr Euch mit unermüdetem Streben zu den großen Meisterwerken hinandrängen wollet, die Ihr Euer wechselndes Gemüt und die wunderbaren Stimmungen, die Euch beherrschen, nicht begreift, die Ihr gern die Widersprüche lösen möchtet, die Euch in manchen Stunden ängstigen. Euch widme ich diese Blätter mit besonderer Liebe und mit herzlichen Wünschen, daß Euch hie und da vielleicht eine Wolke schwindet, die Eure Aussicht verdeckte. (9)[7]

Die ästhetisch Ambitionierten, die Sensiblen also werden angesprochen, auf die therapeutisch-didaktische Funktion bei ihnen ist – so jedenfalls der Gestus der »Vorrede« – der Text ausgerichtet. Es ist von vornherein darauf verzichtet, »ein des allgemeinen Beyfalls sehr würdiges Buch« zu werden, Konsens also in der literarischen Öffentlichkeit als ganzer zu finden. Doch kommt Tiecks Adresse an eine Specialleserschaft ohne Arroganz, selbst Pathos aus, wie sie anderen Proklamationen ästhetischer Autonomie um 1800 eignen. Kein prophetisches Sendungsbewußtsein führt hier die Feder, nicht

6 Vgl. Jochen Schulte-Sasse, *Die Kritik an der Trivialliteratur seit der Aufklärung. Studien zur Geschichte des modernen Kitschbegriffs*, München ²1977. – *Aufklärung und literarische Öffentlichkeit*, hrsg. von Christa Bürger, Peter Bürger und Jochen Schulte-Sasse, Frankfurt a. M. 1980.

7 Hier und im folgenden beziehen sich die Ziffern in runden Klammern auf die Seitenzahlen der *Sternbald*-Ausgabe: Ludwig Tieck, *Franz Sternbalds Wanderungen*, Studienausgabe, hrsg. von Alfred Anger, Stuttgart 1966 [u. ö.] (Reclams Universal-Bibliothek, 8715).

wird laut der Anspruch erhoben, dieser ästhetische Zirkel sei eine Vorform vollendeter Menschheit. Der hier schreibt, geht vielmehr von den eigenen Bedürfnissen aus, den eigenen Orientierungsschwierigkeiten, und er setzt voraus, ja er weiß, daß es bei anderen ähnlich steht.

Als der *Sternbald* erschien, gab es in Weimar, Jena und Berlin sowohl massive Kritik wie enthusiastische Zustimmung. An den literarischen Maßstäben klassizistischer Herkunft gemessen, mußte das Buch der Form nach anarchisch, dem Gehalt nach leer erscheinen.[8] Dieser Eindruck konnte durch die Lobreden der Freunde, vor allem Friedrich Schlegels, nicht egalisiert werden. Auch wurde das positive Urteil später eingeschränkt oder zurückgenommen. Wichtiger wurde das Echo, das der Roman bei Malern und zum Teil auch Musikern fand. Philipp Otto Runge, der später mit Tieck in ein freundschaftliches Verhältnis tritt, bekennt nach der Lektüre des ersten Teils seine tiefe Betroffenheit und begeisterte Zustimmung. Wie immer man die Frage der Beeinflussung Runges durch Tieck beurteilen mag, jedenfalls ist die Parallelität seiner religiös-allegorisch begründeten Kunst zur Ideenwelt des *Sternbald* unverkennbar.[9] Aus diesem Einzelfall wurde, zunächst in Dresden, dann in Wien und Rom, eine breite Bewegung, ein Schulzusammenhang geradezu. Es ist wohl kein Zweifel, daß die Wiener Sezession von 1809, die zur Gründung der Lukasbruderschaft um Johann Friedrich Overbeck, Franz Pforr, Peter von Cornelius und den Brüdern Philipp und Johannes Veit führte, wesentlich auch vom *Sternbald* inspiriert war.[10] Die Wendung der Nazarener zu Raffael, den Präraffaeliten, zu altdeutscher Malerei vollzog mehr oder weniger bewußt durch eigene Praxis das nach, was im Roman modelliert ist. Ihre Dürer-Feiern und die Formulierungen

8 Goethe an Schiller am 5. September 1798: »es ist unglaublich, wie leer das artige Gefäß ist« (zit. nach: Anger [Anm. 7] S. 505).

9 Jens Christian Jensen, *Philipp Otto Runge. Leben und Werk*, Köln 1977, bes. S. 107 ff.

10 Vgl. Rudolf Bachleitner, *Die Nazarener*, München 1976.

ihres Selbstverständnisses, wie sie etwa der Reisebericht des Schweden Atterbom von 1818[11] spiegelt, benutzten ausgiebig Denkfiguren und Stilformen des *Sternbald*. Insofern aber das »klosterbrudrisirende, sternbaldisirende Unwesen« – so die Formel der klassizistischen Gegenpartei in Weimar um Goethe und Heinrich Meyer[12] – sich bis über die Mitte des Jahrhunderts immer mehr ausweitete, schließlich noch von den romantisierenden Regenten in München und Berlin gefördert, ist bald zwar keine spezifische Wirkung von *Franz Sternbalds Wanderungen* mehr auszumachen, wohl aber ein vages Kursieren seiner Elemente, seiner Themen und Ausdrucksweisen. Verknüpft mit nationaler Legendenbildung, mit gegenmoderner Religiosität, mit apolitischer Ästhetisierung der Privatsphäre lebte der Roman im 19. Jahrhundert fort, und noch vom »Kunstwart« und »Dürerbund« konnte der *Sternbald* ideologisch verwertet werden.[13] Seine literarische Struktur aber, die Individualität seiner Darstellungsform wurden kaum je wahrgenommen.

Zu historisch-kritischer Unbefangenheit ist auch die wissenschaftliche Auseinandersetzung mit Tiecks Roman erst spät gelangt. Denn da der Roman an der weitreichenden und komplexen »Romantisierung« deutscher Kultur als ein Auslöser maßgeblich beteiligt war, provozierten *Sternbald*-Lektüren immer wieder emotionale Reaktionen einer in ihm repräsentierten Tradition »deutschen Geistes« gegenüber. Dies läßt sich besonders gut an Rudolf Hayms Darlegungen in seiner *Romantischen Schule* (1870)[14] be-

11 Vgl. Per Daniel Amadeus Atterbom, *Reisebilder aus dem romantischen Deutschland. Jugenderinnerungen eines romantischen Dichters und Kunstgelehrten aus den Jahren 1817–1819*, Stuttgart 1970.

12 Zit. nach: Anger (Anm. 7) S. 524. Vgl. auch S. 528 f.

13 Vgl. Dieter Bänsch, »Zum Dürerbild der literarischen Romantik«, in: *Zur Modernität der Romantik*, hrsg. von D. B., Stuttgart 1977, S. 61 bis 86. – Jane Campbell Hutchison, »Der vielgefeierte Dürer«, in: *Deutsche Feiern mit 21 Abbildungen*, hrsg. von Reinhold Grimm und Jost Hermand, Wiesbaden 1977, S. 25–45.

14 Rudolf Haym, *Die Romantische Schule: Ein Beitrag zur Geschichte des deutschen Geistes*, Berlin 1870, Nachdr. Darmstadt 1961, S. 129–140.

obachten, die bis in die Details hinein für viele Nachfolger vorbildlich wurden. Für Haym hatte das Buch die Funktion eines Transformators von (verwässerten) Ideen Wackenroders in die (banalisierte) Romangestalt des *Wilhelm Meister*. Dies Deutungsmuster veränderte sich auch kaum, als im Zeitalter der geistesgeschichtlichen Romantikforschung etwa zwischen Ricarda Huch und Friedrich Gundolf[15] nach dem einen starken Lebensimpuls im dichterischen Werk gesucht wurde und die »literatenhaften« Differenzierungen des Erzählers Tieck nur irritierten. Einige wenige Beiträge vindizierten dem *Sternbald* ein Stück Originalität, indem sie sich unbeachteten Aspekten, der Landschaftsdarstellung zum Beispiel, zuwandten.[16] Im ganzen litt die *Sternbald*-Deutung wie die anderer Werke Tiecks darunter, daß der Autor des Buches in großen Bereichen seines höchst vielfältigen Schaffens unbekannt oder doch wissenschaftlich unbeschrieben blieb. Ohne die Integration notwendiger Informationen in einer größeren Monographie verfügten Einzeluntersuchungen über eine zu schmale Basis. Die Gesamtdarstellungen von Zeydel und Minder veränderten in den dreißiger Jahren zwar diese Situation,[17] rezipiert hat man sie aber erst in der jüngsten Forschungsphase, während manche Nachkriegsdissertationen schon im Titel andeuten, daß die

15 Friedrich Gundolf, »Ludwig Tieck«, in: F. G., *Romantiker. Neue Folge*, Berlin-Wilmersdorf 1931, S. 5–139. – Ricarda Huch, *Die Romantik*, 2 Bde., Leipzig [7]1918. Ihrer Ära muß man – jedenfalls was den *Sternbald* betrifft – auch Herbert Marcuse zurechnen: H. M., *Schriften*, Bd. 1: *Der deutsche Künstlerroman. Frühe Aufsätze*, Frankfurt a. M. 1978.

16 George Henry Danton, *The nature sense in the writings of Ludwig Tieck*, New York 1907, Nachdr. New York 1966. – Walter Donat, *Die Landschaft bei Tieck und ihre historischen Voraussetzungen*, Frankfurt a. M. 1925. – Vgl. jetzt die gründliche Untersuchung von Johanna Matzner, *Die Landschaft in Ludwig Tiecks Roman »Franz Sternbalds Wanderungen«*, Diss. Heidelberg 1971.

17 Robert Minder, *Un poète romantique allemand: Ludwig Tieck*, Paris 1936. – Edwin H. Zeydel, *Ludwig Tieck. The German Romanticist*, Princeton 1935, Nachdr. Hildesheim / New York 1971.

Argumentation weiterhin geistesgeschichtlichen Typologien verpflichtet war.[18]
Der letzte Abschnitt der Wirkungsgeschichte beginnt mit einem Aufsatz von Richard Alewyn,[19] in dem das Fragment einer Fortsetzung des *Sternbald* publiziert wird und davon ausgehend »Fragen nach dem Geflecht der äußeren Handlung« gestellt sind, welche darum nicht »müßig« erscheinen, weil auch die Struktur des Geschehens und nicht nur die Entwicklung Sternbalds oder allein die Kunstgespräche als für die Gesamtbedeutung konstitutiv anzusehen seien. Seither ist der Roman *Sternbald* als literarisches Werk der Kritik wichtiger geworden, und die »altdeutsche Geschichte« als Gefäß einer historisierenden Ästhetik des »romantischen Geistes« rückte in den Hintergrund. Die Analysen der folgenden Jahre von Erika Voerster[20], Hans Geulen[21], William

18 Vgl. etwa Hartmut Apfelstedt, *Selbsterziehung und Selbstbildung in der deutschen Frühromantik. Friedrich Schlegel – Novalis – Wackenroder – Tieck*, Diss. München 1958. – Klaus Betzen, *Frühromantisches Lebensgefühl in Ludwig Tiecks Roman »Franz Sternbalds Wanderungen«*, Diss. Tübingen 1959. – Eva Bosch, *Dichtung über Kunst bei Ludwig Tieck*, Diss. München 1962. – Christa Karoli, *Ideal und Krise enthusiastischen Künstlertums in der deutschen Romantik*, Bonn 1968. – Eberhard W. Schulz, »Der mittelalterliche Künstler in Tiecks Roman *Franz Sternbalds Wanderungen*«, in: E. W. S., *Wort und Zeit. Aufsätze und Vorträge zur Literaturgeschichte*, Neumünster 1968, S. 35–48. – Hervorzuheben sind: Armin Giese, *Die Phantasie bei Ludwig Tieck. Ihre Bedeutung für den Menschen und sein Werk*, Diss. Hamburg 1973. – Rosemarie Hellge, *Motive und Motivstrukturen bei Ludwig Tieck*, Göppingen 1974. – Vgl. als Dokumentation der Forschungsgeschichte: *Ludwig Tieck*, hrsg. von Wulf Segebrecht, Darmstadt 1976. – Zur Tieck-Literatur insgesamt vgl. Roger Paulin, *Ludwig Tieck*, Stuttgart 1987.

19 Richard Alewyn, »Ein Fragment der Fortsetzung von Tiecks *Sternbald*, in: *Jahrbuch des Freien Deutschen Hochstifts 1962*, Tübingen 1962, S. 58–68.

20 Erika Voerster, »Tieck: *Franz Sternbalds Wanderungen*«, in: E. V., *Märchen und Novellen im klassisch-romantischen Roman*, Bonn 1964, S. 166–194.

21 Hans Geulen, »Zeit und Allegorie im Erzählvorgang von Tiecks Roman *Franz Sternbalds Wanderungen*«, in: *Germanisch-Romanische Monatsschrift* N. F. 18 (1968) S. 281–298.

J. Lillyman[22] und Alfred Anger[23] haben diesen Ansatz erweitert, indem sie von genauen Beschreibungen einzelner Teile des Romans aus die komplizierte Bauform des Buches und seine irritierend mehrdeutige Sinnsuche erhellt haben. Paul Gerhard Klussmann[24] und Heinz Hillmann[25] gaben in ihren Tieck-Porträts Hinweise darauf, wie Anschauungsweisen und Stilmittel, die für das Œuvre des Autors durchweg prägend sind, sich auch im *Sternbald* auswirken: Sei es, daß die überwältigende und verwirrende Szenenfülle aus der Weltsicht des »inneren Theaters« und der Mobilität der Einbildungskraft verständlich wird (Klussmann), sei es, daß das Scheitern der romantischen Poesie in ihren utopischen Intentionen sich als Konstruktion einer umfassenden Familienidylle niederschlägt (Hillmann). Auch jüngste Interpretationen haben sich um eine »Fortschreibung« dieser Forschung, in der die Literarizität des *Sternbald* ernst genommen wird, bemüht.[26]

In der folgenden Interpretation kann darauf verzichtet werden, die literatur- oder kulturgeschichtliche Repräsentanz des Romans erneut hervorzuheben. Sein Autor war alles andere als ein Schulhaupt und Lehrmeister, vielmehr ein schreibend denkender, schreibend phantasierender und kritisierender, ein mit den eigenen Problemen und den Widersprüchen der

22 W. J. Lillyman, »Der Erzähler und das Bild des Stromes in *Franz Sternbalds Wanderungen*«, in: *Germanisch-Romanische Monatsschrift* N. F. 21 (1971) S. 378–395.

23 Angers Nachwort in seiner *Sternbald*-Ausgabe (s. Anm. 7), S. 545–583.

24 Paul Gerhard Klussmann, Ludwig Tieck, in: *Deutsche Dichter des 19. Jahrhunderts*, hrsg. von Benno von Wiese, Berlin 1969, S. 15–52.

25 Heinz Hillmann, »Ludwig Tieck«, in: *Deutsche Dichter der Romantik. Ihr Leben und Werk*, hrsg. von Benno von Wiese, Berlin 1971, S. 111 bis 134.

26 Gonthier-Louis Fink, »L'ambiguïté du message romantique dans *»Franz Sternbalds Wanderungen«* de L. Tieck«, in: *Recherches Germaniques* 4 (1974) S. 16–70. Der jüngste, methodisch interessante Beitrag ist: Erich Meuthen, »›Denn er selbst war hier anders‹. Zum Problem des Identitätsverlusts in Ludwig Tiecks *Sternbald*-Roman«, in: *Jahrbuch der Deutschen Schillergesellschaft* 30 (1986) S. 383–403.

Epoche poetisch experimentierender bürgerlicher Schriftsteller. Tiecks Buch soll als Text ernst genommen werden, in dem nicht Sachverhalte dokumentiert sind, sondern ein Prozeß neuartigen Formulierens neuer Erfahrungen eingeleitet wird. Eine Dichtung der Revolutionsepoche ist der Künstlerroman, insofern er von Störungen, von Irritationen »normaler« Wahrnehmung, »normalen« Denkens handelt. Damit diese Seite des Werks hervorgekehrt werden kann, müssen Passagen aus ihm zitiert werden, die bislang wenig beachtet wurden, ja von denen man kaum vermutet, daß sie sich in der »altdeutschen Geschichte« finden.

Träume von Kunst und Glück

In einem frühen Abschnitt des Romans, im ersten Kapitel des zweiten Buches (kurz vor Sternbalds Begegnung mit Lukas von Leyden), wird von einem Traum des Helden erzählt, der dem Leser Aufschluß über die intendierte Sinnstruktur anbietet und – darauf soll anschließend eingegangen werden – zu späteren Teilen des Werks in Korrespondenz steht. Vorausgegangen ist Sternbalds kurze Begegnung mit jenem fremden Mädchen, das er schon in der Kindheit geliebt hatte und das ihm fortan als sein »Genius«, sein »schützender Engel« (74) gelten wird. Mit diesem Ereignis endete der Aufenthalt im Heimatdorf, dessen Ergebnis vor allem auch der Zweifel an der eigenen Identität ist: wer war Sternbalds Vater? Die Wanderschaft zu den berühmten Meistern der Malkunst beginnt, Leiden wird die erste Etappe des Wegs sein. Vor dieser Stadt angekommen, gönnt sich Sternbald eine Ruhepause. Dann heißt es:

> [. . .] es war ihm wunderbar, daß nun die Stadt, die weltberühmte, mit ihren hohen Türmen wie ein Bild vor ihm stand, die er sonst schon öfter im Bilde gesehn hatte. Er kam sich jetzt vor als eine von den Figuren, die immer in

> den Vordergrund eines solchen Prospektes gestellt werden, und er sah sich nun selber gezeichnet oder gemalt da liegen unter seinem Baume und die Augen nach der Stadt vor ihm wenden. (87)

Innenwelt und Außenwelt verschränken sich, eine Umkehrung der Perspektiven vollzieht sich, das Reale wird zum künstlerisch arrangierten »environment«, das Bild zum Lebensraum, außerhalb dessen keine andere Erfahrungswelt mehr existiert. Die Tendenz ästhetischer Imagination zur totalen Beherrschung des Bewußtseins ist unverkennbar, auch wenn der Erzähler anschließend durch eine psychologisierende Erklärung den provokativen Vorgang zu entschärfen sucht.

Im Fortgang der Szene ist nach dem Sehen das Hören thematisiert, den optischen Einwirkungen folgen die akustischen, der Umformung der Wirklichkeit in Malerei entspricht ihre Auflösung in Musik. »Sein Schicksal schien ein wunderbares Konzert zu sein« (75), hieß es zuvor. Jetzt schränken zwar »als wenn«-Formeln das evozierte Phänomen in seiner Mächtigkeit ein auf die subjektive Perzeption Sternbalds, aber diese mindern den Anspruch der erzählerischen Aussage nicht, daß nämlich der Natur eine universelle Sprache eigne, daß eine non-verbale, eine musikalische Kommunikation mit außermenschlichen, außergesellschaftlichen Lebenskräften möglich sei:

> [. . .] dann lehnte er sich an den Stamm des Baums, der mit seinen Zweigen und Blättern über ihm rauschte und lispelte, als wenn er ihm Trost zusprechen möchte, als wenn er ihm dunkle Prophezeiungen von der Zukunft sagen wollte. Franz hörte aufmerksam hin, als wenn er die Töne verstände; denn die Natur redet uns mit ihren Klängen zwar in einer fremden Sprache an, aber wir fühlen doch die Bedeutsamkeit ihrer Worte und merken gern auf ihre wunderbaren Akzente. (88)

Hinweise zur romantischen Konzeption der Natursprache,[27] zu Tiecks Jakob-Böhme-Lektüre, zur Hierarchie der Künste Malerei und Musik bei Wackenroder[28] liegen hier nahe. Indessen wird nicht sprachphilosophisch argumentiert, sondern durch Erzählung erweitert sich die Szene. Ein Intermezzo veranschaulicht die unvergleichliche Bedeutung der Liebesbeziehung zu Marie, es folgt ein Traum, in dem vorgreifend mittels einer rapiden Bilderfolge (90 f.) Sternbalds Lebensgang und Daseinsproblem bezeichnet sind. Das Phantasiespiel setzt ein mit dem Motiv der so sorgsam bewahrten Blumen des fremden Mädchens, die »nun wieder frisch« werden und inmitten einer blühenden Wiese leuchten. Darauf wird Dürer sichtbar, Sternbalds Lehrer und die bis jetzt dominierende Vaterfigur – für ihn wie für Sebastian: Er malt lächelnd ein Porträt Maries. In solcher Konstellation muß für den Träumer der Inbegriff aller Wunscherfüllung gesehen werden: Kunst und Liebe versöhnen sich, die Fremde wird in die Heimat eingeholt. Ein rascher ›Schnitt‹ wechselt zum Gegenbild, das Einsamkeit und Angst im Dunkel des Waldes heraufruft. Und wieder ein Kontrast: Mondschein über freiem Feld und Nachtigallen, die »sangen [...] mit süßer Kehle und blieben immer im Takte mit der Musik des Mondscheins« (91). »Franz fühlte sein Herz geöffnet« – so wird lapidar die Reaktion des Träumenden auf diese neuerliche Offenbarung der Naturmusik formuliert, wenngleich die Aussage im folgenden eingeschränkt wird, da die fromme

27 Vgl. Alexander von Bormann, *Natura loquitur. Naturpoesie und emblematische Formel bei Joseph von Eichendorff*, Tübingen 1968; s. auch die neuere Eichendorff-Forschung generell.

28 Vgl. die trotz einer gewagten methodischen Engführung anregende Studie von Klaus Weimar, *Versuch über Voraussetzung und Entstehung der Romantik*, Tübingen 1968. – Zu speziellen, im folgenden besprochenen Problemen vgl. Bengt Algot Sørensen, »Die Symboltheorien Novalis', Wackenroders, Tiecks und Philipp Otto Runges unter besonderer Berücksichtigung des Zusammenhangs mit der naturmystischen Philosophie«, in: B. A. S., *Symbol und Symbolismus in den ästhetischen Theorien des 18. Jahrhunderts und der deutschen Romantik*, Kopenhagen 1963, S. 192–229 [zu Tieck: S. 211–217].

Hingabe des in eben diesem Moment auftauchenden »Waldbruders« Sternbalds Sache nicht sein kann. Während dieser, angerührt von der »liebliche[n] Orgel der Natur«, betet, beginnt der junge Maler die Situation mit Kunstmitteln zu spiegeln: »er sah nun Tafel und Palette vor sich und malte unbemerkt den Eremiten, seine Andacht, den Wald mit seinem Mondschimmer, ja es gelang ihm sogar, und er konnte nicht begreifen wie es kam, die Töne der Nachtigall in sein Gemälde hineinzubringen« (91). Damit ist zwar (träumend) die höchste Erfüllung naturbezogener Kunst imaginiert, aber auch ihr haftet die Differenz zwischen Kunst und Leben an. Gerade weil Sternbald als Maler arbeitet, hat das Glück selbst im Traum nicht Bestand. Ehrgeiz, der Wunsch nach Anerkennung durch die Autorität Dürer mischt sich ein, und schon vergeht die »Lust weiterzumalen«. Zurückgeworfen auf seine Anfängerrolle, erwacht Sternbald »mit einer unangenehmen Empfindung«: Er muß seine Lehrwanderung beginnen, sich realen Widerständen aussetzen. Nur in Intervallen kann der große Glückstraum, dem Franz nachhängt, sich erneuern:

> So ist der Schlaf oft ein Ausruhn in einer schönern Welt; wenn die Seele sich von diesem Schauplatz hinwegwendet, so eilt sie nach jenem unbekannten magischen, auf welchem liebliche Lichter spielen und kein Leiden erscheinen darf; dann dehnt der Geist seine großen Flügel auseinander und fühlt seine himmlische Freiheit, die Unbegrenztheit, die ihn nirgends beengt und quält. Beim Erwachen sehn wir oft zu voreilig mit Verachtung auf dieses schönere Dasein hin, weil wir unsre Träume nicht in unser Tagesleben hineinweben können, weil sie nicht da fortgefahren sind, wo unsre Menschentätigkeit am Abend aufhörte, sondern ihre eigene Bahn wandelten. (93)

Die Polarisierung von Tag und Nacht, Alltagsbewußtsein und Traum, von realer Außenwelt und »magischer« Innenwelt prägen weite Bereiche des Romans wie viele andere Texte Tiecks, man denke nur an die Erzählungen *Die Freunde* oder *Der Runenberg.*[29] In *Sternbalds Wanderungen* erhält diese Opposition noch an später Stelle, in dem umfangreichen Gedicht vom Phantasus (»Die Phantasie«, 348 ff.), eine lehrhaft-explizite Formulierung. Wenn aber das Reich der Freiheit nur im Traum erscheinen kann, wenn der Gegensatz von Erfahrung und Glückshoffnung nicht geschichtsphilosophisch reflektiert wird – wie (bei allen Unterschieden) von Schiller, von Friedrich Schlegel oder Novalis –, wenn statt dessen der Dualismus als anthropologische Konstante fixiert ist, dann kann es eine Lösung durch den individuellen »Bildungs«-Prozeß des Romanhelden nicht geben, auch wenn es den Anschein hat, als sei ein Großteil der Glücksträume Sternbalds im letzten Kapitel, in dem er Marie findet, verwirklicht. Dann muß vollends eine »größere Lösung«, die von vielen Künstlern und Bürgern getragene neue Blütezeit deutscher Kunst und Kultur (deren Patriarch Dürer wäre), eine nicht-darstellbare Utopie bleiben. Denn diese sähe sich dem Anspruch ausgesetzt, nichts Geringeres zu leisten als eine qualitative Verwandlung menschlicher Daseinsstrukturen, und zwar derart, daß die Grenze zwischen Außen und Innen, Tag und Nacht, Handlung und Traum für immer aufgehoben wäre. Wenn denn im *Sternbald* ein glückliches Ende intendiert ist – und diese Zielvorstellung ist allerdings dem Text zu entnehmen –, dann läßt dies sich jedoch nicht unter den Bedingungen, welche der Erzähler als Realität vorstellt, ermöglichen. Künstler- und Kunstgeschichte entwirklichen sich in diesem Roman so weit, daß sie in eschatologische Verheißung übergehen. Der fragmentarische Zustand des Romans war unabwendbar, selbst wenn noch einige Kapitel hätten zusätzlich geschrieben werden können.[30]

Sternbalds Traum von der Begegnung mit dem Eremiten und vom Zugang zur Sprache der Natur korrespondiert in vieler

29 Vgl. zuletzt Gerburg Garmann; *Die Traumlandschaften Ludwig Tiecks*, Opladen 1989.

30 Vgl. Angers Diskussion in seiner *Sternbald*-Ausgabe (s. Anm. 7), S. 582 f.

Hinsicht mit einem an späterer Stelle (Tl. 2, Buch 1, Kap. 5) entfalteten Szenenzusammenhang. Die recht lange Episode, der Tieck in der 2. Auflage die Selbständigkeit eines eigenen Kapitels gegeben hat, erzählt davon, wie Franz vom Schloß der Gräfin aus den Aufenthaltsort eines »wunderbaren Menschen« (247) sucht, der als malender Einsiedler sich von jenen widersprüchlichen Erfahrungen emanzipiert zu haben scheint, denen sich Sternbald, dessen Situation zur Zeit der eines höfischen Porträtmalers gleicht, ausgesetzt sieht. Welche Bedeutung dieser »Exkurs« für Sternbalds weiteren Weg gewinnen könnte, wird eingangs hervorgehoben:

> Unterwegs überdachte er nach langer Zeit wieder die Veränderungen seines Lebens, es schien ihm alles so sonderbar und doch so gewöhnlich, er wünschte die Fortsetzung seiner Schicksale und fürchtete sie, er erstaunte über sich selber, daß ihn der Enthusiasmus, der ihn zur Reise angetrieben, seitdem nur selten wieder besucht habe. (248)

Um eine Neubelebung des »Enthusiasmus« soll es sich folglich hier handeln, das heißt um eine andere, substantiellere Begründung der Kunst als die, die vom singenden Freund Florestan oder der vital-erotischen Gräfin vertreten werden. Der bei festlichen Geselligkeiten in Wald und Schloß vollzogenen Identifizierung von Leben und Poesie, von sinnlichem Genuß und ästhetischer Spiegelung durch Musik, Lied und Malerei wird hier die Erfahrung einer tiefgreifenden Differenz entgegengestellt zwischen der sich selbst offenbarenden, unendlichen Natur einerseits und den sehr begrenzten Erkenntnis- und Darstellungsmöglichkeiten des Künstlers andererseits. Sternbald wandert ins Innere der Wälder und Gebirge, vergleichbar mit der Flucht Berthas im *Blonden Eckbert* vor allem Menschlichen hin zur bald schreckenden, bald bezaubernden »Waldeinsamkeit«. Dort ereignet sich für den Romanhelden ein Augenblick der Erleuchtung, der magisch-mystischen Erkenntnis, welcher sich im Werk nur einmal noch wiederholen wird, nämlich ganz am Ende, bei der

Betrachtung des »Jüngsten Gerichtes« von Michelangelo (396 f.). Wenn dieser Roman darum ein Zentrum hat, eine Stelle, die dem Leser Aufschluß über die konstitutiven Welt- und Kunstanschauungen des Erzählers vermittelt, dann wäre es die folgende Passage:

>›O unmächtige Kunst!‹ rief er aus und setzte sich auf eine grüne Felsenbank nieder; ›wie lallend und kindisch sind deine Töne gegen den vollen, harmonischen Orgelgesang, der aus den innersten Tiefen, aus Berg und Tal und Wald und Stromesglanz in schwellenden, steigenden Akkorden heraufquillt. Ich höre, ich vernehme, wie der ewige Weltgeist mit meisterndem Finger die furchtbare Harfe mit allen ihren Klängen greift, wie die mannigfaltigsten Gebilde sich seinem Spiel erzeugen und umher und über die ganze Natur sich mit geistigen Flügeln ausbreiten. Die Begeisterung meines kleinen Menschenherzens will hineingreifen und ringt sich müde und matt im Kampfe mit dem Hohen, der die Natur leise lieblich regiert und mein Hindrängen zu ihm, mein Winken nach Hülfe in dieser Allmacht der Schönheit vielleicht nicht gewahrt. Die unsterbliche Melodie jauchzt, jubelt und stürmt über mich hinweg, zu Boden geworfen schwindelt mein Blick und starren meine Sinnen. O ihr Törichten! die ihr der Meinung seid, die allgewaltige Natur lasse sich verschönen, wenn ihr nur mit Kunstgriffen und kleinlicher Hinterlist eurer Ohnmacht zu Hülfe eilt, was könnt ihr anders, als uns die Natur nur ahnden lassen, wenn die Natur uns die Ahndung der Gottheit gibt? Nicht Ahndung, nicht Vorgefühl, urkräftige Empfindung selbst, sichtbar wandelt hier auf Höhen und Tiefen die Religion, empfängt und trägt mit gütigem Erbarmen auch meine Anbetung. Die Hieroglyphe, die das Höchste, die Gott bezeichnet, liegt da vor mir in tätiger Wirksamkeit, in Arbeit, sich selber aufzulösen und auszusprechen, ich fühle die Bewegung, das Rätsel im Begriff zu schwinden – und fühle meine Menschheit. – Die höchste Kunst kann sich

nur selbst erklären, sie ist ein Gesang, deren Inhalt nur sie selbst zu sein vermag.‹ (249 f.)

Daß die Motive und Begriffe dieser Rede nicht durchweg originale Prägungen Tiecks sind, daß er vielmehr hier auf Formulierungen des ›Sturm und Drang‹ und besonders Herders[31] zurückgreift, ist offensichtlich. Zugleich wird aber das zentrale Lebensproblem des »romantischen« Schriftstellers Tieck sichtbar, wie es von der Vorrede zu Shakespeares *Sturm* und der *Geschichte des Herrn William Lovell* (1795/96) bis hin zur *Vittoria Accorombona* (1840) thematisch wurde: Wie läßt sich die momentane Evidenz einer naturhaften Welteinheit derart in die Sprache der Kunst überführen, daß aus dem Enthusiasmus des Augenblicks eine dauernde Überwindung der realen Widersprüche, denen das Ich sich ausgeliefert erfährt, entstehen kann? Tiecks Darstellungsproblem ist dessen andere Seite: Wie kann literarische Kommunikation in den zeitgenössischen Schreibweisen des Romans, des Gedichts, der Komödie oder der Novelle Anteil gewinnen an der »Poesie« göttlicher Natursprache? Die Fragen bleiben bei Tieck stets ungelöst. Ja, sein Rang als Autor begründet sich eben darin, daß der ideologisierbare Anschein einer endgültigen Antwort vermieden wird, daß – schärfer als bei anderen Autoren der Frühromantik – der Schmerz der Nicht-Vollendbarkeit sich artikuliert. So folgen auch hier dem zitierten Aufschwung der mystischen Erhebung die Signaturen der Unsicherheit und Zukunftsangst:

Ungern verließ Sternbald seine Begeisterung und die Gegend, die ihn entzückt hatte, ja er trauerte über diese Worte, über diese Gedanken, die er ausgesprochen, daß er sie nicht immer in frischer Kraft aufbewahren könne, daß

31 Vgl. hierzu bes. die Ausführungen von Geulen (Anm. 21). – Hinzuweisen ist auch auf Friedrich Strack, »Die ›göttliche‹ Kunst und ihre Sprache. Zum Kunst- und Religionsbegriff bei Wackenroder, Tieck und Novalis«, in: *Romantik in Deutschland. Ein interdisziplinäres Symposium*, hrsg. von Richard Brinkmann, Stuttgart 1978, S. 369–391.

> neue Eindrücke und neue Ideen diese Empfindungen vertilgen oder überschütten würden. (250)

Damit ist die vorbereitende Phase, die zur Begegnung mit dem malenden Einsiedler Anselm hinführt, abgeschlossen. Im folgenden wird dessen Lebensraum geschildert, auch sein ein wenig kurioses Verhalten. Von größerem Gewicht ist, was Anselm als Theoretiker der Kunst ausführt, denn kaum weniger als den Aufriß einer naturphilosophisch oder naturtheologisch begründeten Ästhetik läßt ihn Tieck hier entwikkeln.

> Wir können in dieser Welt nur *wollen*, nur in Vorsätzen leben, das eigentliche Handeln liegt jenseits und besteht gewiß aus den eigentlichsten, wirklichsten Gedanken, da in dieser bunten Welt alles in allem liegt. So hat sich der großmächtige Schöpfer heimlich- und kindlicherweise durch seine Natur unsern schwachen Sinnen offenbart, er ist es nicht selbst, der zu uns spricht, weil wir dermalen zu schwach sind, ihn zu verstehn; aber er winkt uns zu sich, und in jedem Moose, in jeglichem Gestein ist eine geheime Ziffer verborgen, die sich nie hinschreiben, nie völlig erraten läßt, die wir aber beständig wahrzunehmen glauben. Fast ebenso macht es der Künstler: wunderliche, fremde, unbekannte Lichter scheinen aus ihm heraus, und er läßt die zauberischen Strahlen durch die Kristalle der Kunst den übrigen Menschen entgegenspielen, damit sie nicht vor ihm erschrecken, sondern ihn auf ihre Weise verstehn und begreifen. (252 f.)

Sternbald ist tief beeindruckt, hört »seine eigensten Gedanken deutlich ausgesprochen«. Dies ist es, was er zu werden hofft: ein Maler als Offenbarungsmedium des göttlichen Gesamtlebens, in dem Natur und Begriff aufgehoben sind. Der verstorbene »göttliche« Raffael ist darum Maßstab aller Künstlerschaft, weil seine Bilder von »himmlischem Glanz überleuchtet« scheinen, in ihnen »Gottes Finger hineinwirkte«. Doch Raffael ist tot, und Sternbald sieht sich auf Anselm verwiesen, dem keineswegs Vollendung durch künstlerische Meisterschaft zuteil wurde. Er weiß selbst, daß er »ein verunglückter Künstler« ist (254), dessen Leben am Widerspruch zwischen ästhetischem Enthusiasmus und den realen Bedingungen eines bürgerlichen Daseins gescheitert ist. »Ja, ich habe wahrlich umsonst gelebt« (261) – das bezieht sich zum einen darauf, daß er das wahre Künstlertum eines Raffael nicht erkannt hat, zum andern auf sein moralisches Fiasko, resultierend aus der egozentrischen Hingabe an »müßiges, zeitverderbendes Spielwerk«, an eine ästhetische Lebensform, die sich ihm enthüllt hat als »eine Anmaßung über die leidende und arbeitende Menschheit« (263). Wackenroders Berglinger-Figur wird hier, in diesem späten, unzweifelhaft allein von Tieck konzipierten Romanabschnitt wiederholt, die sozialen »Unkosten« ästhetischer Autonomie sind drastisch aufgedeckt. Anselms Biographie kann als kritische Korrektur verstanden werden jener lustvollen Verirrungen Sternbalds, welche im 2. Buch des 1. Teils und im 1. Buch des 2. Teils dominieren.

Das aber heißt: Auch die späteren Kapitel des *Sternbald* sind keineswegs einschränkungslos als programmatische Darstellung einer Ästhetik des Sinnlichen, die man auf Heinses *Ardinghello* zurückführen könnte, zu lesen. Die emphatischen Bekundungen, man könne – und sei es nur vorübergehend – in einem »Feengarten« (324), »im eigentlichen Stande der Unschuld, im Goldenen Zeitalter« (325) leben, wenn man sein Dasein etwa im poetischen Geiste eines Ariost gestalte, unterliegen als hybride Selbstüberschätzung der Kritik. Vielmehr bleibt die ethisch-religiöse Position Dürers als Bezugspunkt erhalten, auch an den Stellen, an denen nicht ohnehin – durch eine Erneuerung des Briefwechsels mit Sebastian – an sie erinnert wird.

Im besprochenen Erzählzusammenhang ist Dürers Name genannt (254). Doch die mit ihm verknüpfte Kunstanschauung ist nun nicht mehr durch sein auratisches Vorbild beglaubigt, sondern erhält den gescheiterten, exzentrischen Anselm zum

Sprecher. Der dem Leben abgestorbene, durch Leiden erkenntnisfähig gewordene Eremit hat die Aufgabe, den Leitsatz der neuen Ästhetik wie dieses Romans so der frühen Romantik generell zu formulieren: »Alle Kunst ist allegorisch« (257). Seine Begründung entspricht der dem Leser zugemuteten Einsicht in die Nicht-Vollendbarkeit, sei es des Erkennens, sei es eines sich »bildenden« Lebens:

> Was kann der Mensch darstellen, einzig und für sich bestehend, abgesondert und ewig geschieden von der übrigen Welt, wie wir die Gegenstände vor uns sehen? Die Kunst soll es auch nicht: wir fügen zusammen, wir suchen dem einzelnen einen allgemeinen Sinn aufzuheften, und so entsteht die Allegorie. Das Wort bezeichnet nichts anders als die wahrhafte Poesie, die das Hohe und Edle sucht und es nur auf diesem Wege finden kann. (257 f.)

Allerdings vermag der Einsiedler sein Wissen nicht, oder nur partiell, in Lebens- und Malpraxis zu überführen; er bleibt in sehr privaten Interessen befangen. Entsprechend ambivalent ist auch Sternbalds Haltung. Zwar ist es im Sinne des Erzählers gewiß richtig, daß er der vorgetragenen Konzeption einer nicht-mimetischen Kunst zustimmt. Ob aber seine – vielfach zitierte – subjektivierende Modifikation des Allegorischen als gültig und dauernd verbindlich gelten darf oder aber als transitorisch, durch spätere Entwicklungsphasen überholbar, ist im Hinblick auf den Kontext durchaus fraglich.

> Denn was soll ich mit allen Zweigen und Blättern? mit dieser genauen Kopie der Gräser und Blumen? Nicht diese Pflanzen, nicht die Berge will ich abschreiben, sondern mein Gemüt, meine Stimmung, die mich gerade in diesem Momente regiert, diese will ich mir selber festhalten und den übrigen Verständigen mitteilen. (258)

Im übrigen erhält hier Sternbalds früher, von Dürer sehr gelobter Versuch allegorischer Malerei – das Verkündigungsbild in der Dorfkirche (65 ff.) – sein bestätigendes Gegenstück in Anselms Gemälde der Pilgerschaft (257). Von ihnen führt eine Linie über weitere Gespräche zur Eigenart allegorischer Kunst (282 ff.) hin zur gewaltigen Manifestation einer bildnerischen Vision in Michelangelos »Jüngstem Gericht« (396 f.)

Zu beachten jedoch ist: Was hier postuliert oder auch in der Praxis erprobt wird, ist eine Kunst der Einsamkeit, Werk der weltabgeschiedenen Meditation oder der ganz auf die Innenwelt des Ichs konzentrierten Sinnsuche. Zwar besteht die Hoffnung, man könne das Erreichte »den übrigen Verständigen mitteilen« – doch dies gelingt selbst Dürer nicht. So kommt der allegorischen Malerei zwar der Rang höchster Wahrheit zu, aber sie bleibt unverbunden mit jener Welt der Lebensfülle, der Geselligkeit und Liebe, in die Franz im zweiten Romanteil hineingeführt wird.

Es sind die Abenteuer der Sinnlichkeit für Sternbald nicht nur darum notwendig, damit er sich von der (falschen, mittelbar durch die Anselm-Begegnung hervorgerufenen) Nachricht, Marie sei gestorben, ablenken kann. Vielmehr verwirklichen sich erst jetzt wesentliche menschliche Möglichkeiten des jugendlichen Wanderers, so daß der Erzähler ohne Ironie feststellt: »Franz war jetzt in der blühendsten Periode seines Lebens, sein Ansehn war munter, sein Auge feurig, seine Wangen rot, sein Schritt und Gang edel, beinahe stolz« (376). Freilich ist er in dieser Periode kaum mehr Künstler, eher ein im Genuß ausschweifender, im ästhetischen Urteilsvermögen durchschnittlicher Bohemien. Die gesteigerte Lebenslust kann nicht jene scharfe These Ludovikos widerlegen, mit welcher die Lehre des Eremiten ergänzt wird: »Wer sich der Kunst ergibt, [...] muß das, was er als Mensch ist und sein könnte, aufopfern.« (313) Doch wiederum wird man einschränken müssen: Was Ludoviko im Auge hat, ist ein Künstlertum im strengen, provokativen Sinn gegenbürgerlicher Avantgarde.[32] Sein Kri-

32 Ludovikos Thesen sind Anknüpfungspunkte gewesen für die Deutung Marianne Thalmanns, die sie in vielen Publikationen vertrat.

terium ist das schlechthin Neue, und sein Ziel die Potenzierung des Seltsamen und Abweichenden um seiner selbst willen, nach der Willkür einer autonomen Phantasie. Damit nimmt Ludoviko jedoch in der Perspektive des Erzählers eine zwar verständliche, aber subjektiv-einseitige Position ein. Als durch die Welt schweifender Abenteurer ist sein Element das der Wälder und Adelsschlösser, während Sternbald sich immer erneut mit der sozialen Vielfalt der Städte, mit den Normen auch bürgerlichen Familienlebens auseinanderzusetzen hat. Hier aber, so scheint es, wäre die eigentliche Bewährungsprobe der Kunst zu bestehen. Auch begrenzt der wiederholte Hinweis auf Raffaels nicht-provokative, allerdings auch nicht didaktische Malkunst die Reichweite der radikalen Polarisierung zwischen Mensch und Artist. Der Weg Sternbalds »ins Leben« behält sein relatives Recht.

Absichtliche Verschiedenheit und Einheit

> Viele liebliche Sonnenaufgänge und Frühlinge sind wieder da; Tag und Nacht wechseln fleißig, Sonne, Mond und Sterne ziehn auf, die Vöglein singen; es ist das alles sehr artig, aber doch leer, und ein kleinlicher Wechsel von Stimmungen und Gefühlen im Sternbald, kleinlich dargestellt. Der Verse sind nun fast zu viel, und fahren so lose in und auseinander, wie die angeknüpften Geschichten und Begebenheiten, in denen gar viel leise Spuren von mancherley Nachbildungen sind.[33]

So lautete Caroline Schlegels an Goethe orientierte Kritik. Die Gegenposition formulierte Friedrich Schlegel in einem *Athenaeum*-Fragment:

> [. . .] der Sternbald vereinigt den Ernst und Schwung des Lovell mit der künstlerischen Religiosität des Klosterbruders und mit allem was in den poetischen Arabesken, die er

33 Zit. nach: Anger (Anm. 7) S. 507.

> aus alten Mährchen gebildet, im Ganzen genommen das Schönste ist: die fantastische Fülle und Leichtigkeit, der Sinn für Ironie, und besonders die absichtliche Verschiedenheit und Einheit des Kolorits. Auch hier ist alles klar und transparent, und der romantische Geist scheint angenehm über sich selbst zu fantasiren.[34]

Die Frage, die an den Roman zu richten ist, ist damit deutlich: Will er darstellen – Geschichte, Kunstauffassungen, Bildungsprozesse –, oder tendiert er zu einer »fantasierenden« Autonomie des romantischen Geistes? Analoges gilt für Tiecks Lyrik: Ist ihre »Leerheit« substanzlose Spielerei mit Lauten und Rhythmen, oder wird durch sie die Heteronomie einer darzustellenden Wirklichkeit abgestreift, um die Selbstbestimmung einer rein-poetischen Sprache zu gewinnen, welche, indem sie nur mit sich selbst befaßt ist, die für das moderne Bewußtsein kennzeichnende Unendlichkeit der Reflexion vergegenwärtigt? Literarhistorisch formuliert: Läßt sich aus dem Defizit der romantischen Poesie Tiecks – verglichen mit Goethes symbolisierender Konkretion von Totalität – eine antizipatorische, auf die Moderne verweisende Leistung gewinnen?

»Leben und Kunst« – dem bürgerlichen Schriftsteller Tieck war zugewiesen, sich an dieser Antinomie abzuarbeiten, wie nach ihm E. T. A. Hoffmann, Gottfried Keller, Thomas Mann. Daß er die im Horizont seiner Epoche erfahrenen Ambivalenzen am Modell einer Künstlerexistenz in einer vergangenen Phase der Kulturgeschichte sichtbar und hörbar gemacht hat, spricht noch nicht gegen den Ernst oder die Aktualität des Dargestellten. Die schon zitierte Adresse an die jugendlichen Leser »Am meisten habe ich [. . .] an Euch, Ihr Jünger der Kunst, gedacht« impliziert, daß von historisierender Distanzierung keine Rede sein kann. Vielmehr ist die Aneignung von »Altem« angestrebt, weil mit diesem nicht-alltägliche, unnormierte Empfindungen und Stimmungen, sensuelle und intel-

34 Ebd., S. 508.

lektuelle Reize verbunden sind, weil solche Aneignung der Bereitschaft zur Reflexion des eigenen Standorts und der eigenen Zukunftserwartungen vorarbeitet. Der Romantext illustriert dies mehrfach: Sei es, daß »ein Lied eines alten Minnesängers« (80) oder »alte niederländische Bauernlieder« (188) gesungen werden, sei es, daß bei der Restaurierung des Genoveva-Bildes (353 ff.) der musealen Traditionspflege, wie sie die Äbtissin vertritt, widersprochen ist.[35]
Die »altdeutsche Geschichte« von *Franz Sternbalds Wanderungen* gestattet ihren Lesern zwar immer wieder emotionale Identifikationen, vor allem mit »positiven«, gutmeinenden, tüchtigen, schönen und geistvollen Figuren. Insofern wird ein anderes Darstellungskonzept realisiert als in dem vorausgegangenen Roman Tiecks, der »nihilistischen« Abrechnung mit der Gegenwartsepoche in der *Geschichte des Herrn William Lovell*. Die »Krisis«[36] jedoch des Revolutionszeitalters, deren Auswirkungen bis in die privateste, subjektive Krise desorientierter, nach Lebensnormen suchender Jugendlicher Tieck beobachtet und wie in der Prosa so im Gedicht oder als dramatische Szene erkennbar gemacht hat, prägt auch das vorliegende, das »romantische« Werk.

> ›So sind wir denn nun endlich aus den Toren der Stadt‹, sagte Sebastian, indem er stillestand und sich freier umsah.
> ›Endlich?‹ antwortete seufzend Franz Sternbald, sein Freund. ›Endlich? Ach nur zu früh, allzufrüh.‹ (11)

Vom Abschiedsschmerz in dieser Eingangsszene bleiben die Wanderungen stets überschattet. Auch am Ende noch sind Vergangenheit – wer war der Vater? – wie Zukunft – wie kann eine Rückkehr zu Dürer begründet werden? – dem Blick des Helden und dem des Lesers verdunkelt. Darum wirkt »das

35 Vgl. zum Horizont der Problematik: Hannelore und Heinz Schlaffer, *Studien zum ästhetischen Historismus*, Frankfurt a. M. 1975.
36 Von »Krisis« spricht Tieck in der Einleitung zum *Poetischen Journal*, Jg. 1, 1. Stück, Jena 1800, Nachdr. Nendeln 1971, S. 7.

Glorreiche der Sinnenwelt« (369) ephemer, verglichen mit dem mystischen Ernst der »Allegorie«. Eine angemessene Lektüre wird sich weniger an den Exempeln ästhetischer Bildung orientieren oder an den rhetorischen Ausschweifungen in der Schilderung von Glücksmomenten in außergesellschaftlicher Natur bzw. vor Meisterwerken der Renaissancekunst, vielmehr *Sternbalds Wanderungen* verstehen als eine durch alle evozierte Weltfülle letztlich unbeirrbar fortschreitende Analyse dessen, daß in der Negation des Erfahrbaren eine Hoffnung zu begründen wäre.

Erleichtert wird solches Verständnis, wenn man nicht versucht, den Text entgegen seiner Schreibweise auf eine Botschaft hin auszulegen. Denn kennzeichnendes Merkmal des Erzählverfahrens ist, anders als in Goethes *Wilhelm Meisters Lehrjahren* (dem Initialwerk aller romantischen Romantheorie und -praxis), eine konsequent durchgeführte Auflockerung epischen Berichtens zugunsten spontaner, diskontinuierlicher Sprachäußerungen. Monologe und Gesprächssequenzen, Briefwechsel und Gedankenreden evozieren Unmittelbarkeit, Gegenwärtigkeit. Pragmatische Folgerichtigkeit oder gedankliche Systematik stellen sich nicht her. Vor allem aber wird eine Stabilisierung der Erzähler-Leser-Kommunikation durch die lyrischen Einlagen verhindert: Abgesehen von den Einleitungskapiteln und den Kunstgesprächen in Leiden gibt es keinen längeren Erzählabschnitt ohne Liedstrophen.[37] Deren Gestalt ist nicht festgelegt, Tieck erprobt wechselnde Versarten, mannigfache Reimanordnungen. Verbunden sind die Gedichte einzig durch ihren Sprachgestus. Charakteristisch ist die variierende Reihenbildung, die meist sehr rasche Abfolge von Bildelementen und Abstrakta, verkettet durch Assonanzen und Reime. Hier wird allegorische Poesie vorgeführt im Sinne der Anselm-Sternbald-Gespräche: Nachbildung konkreter Realität ist sekundär, dominant

37 Vgl. Paul Neuburger, *Die Verseinlage in der Prosadichtung der Romantik*, Leipzig 1924, Nachdr. New York 1967.

vielmehr ist die Kombinatorik, die spontane Verklammerung im Sprechakt, sind assoziative Umschreibungen von »Stimmungen«.[38] Die Abweichung von prosaischer Erschließung des Wirklichen ist spürbar an der »romantischen« Motivik – in Anlehnung an Minnesang und Volkslied –, an der Reduktion der Syntax auf schlichte Nach- und Nebenordnung, an einer Rhythmisierung, die einzelnen Worten höchste Emphase verleiht. Ein beliebiges besonders kurzes Beispiel:

Treulieb' ist nimmer weit,
Nach Kummer und nach Leid
Kehrt wieder Lieb' und Freud',
Dann kehrt der holde Gruß,
Händedrücken,
Zärtlich Blicken,
Liebeskuß.

Treulieb' ist nimmer weit,
Ihr Gang durch Einsamkeit
Ist dir, nur dir geweiht.
Bald kömmt der Morgen schön,
Ihn begrüßet,
Wie er küsset,
Freudenträn'. (223)

Reflektierendes und imaginierendes Sprechen des Subjekts emanzipiert sich schon hier von der ihm vor wie nach der Romantik zugewiesenen Funktion im Dienste eines durch Wertkonsens gesicherten Gefüges von Erfahrungswelt und sie darstellender Rede. Zwar ist die Situation vor und nach dem Realismus des 19. Jahrhunderts nicht dieselbe, Romantik und abstrakte Kunst sollten nicht zu nahe aneinandergerückt werden. Aber jene Zeilen, die ganz am Ende des Romans stehen, sind schon aus verzweifelter Hoffnung geschrieben, als

38 Vgl. die bedeutende Untersuchung von Manfred Frank, *Das Problem »Zeit« in der deutschen Romantik. Zeitbewußtsein und Bewußtsein von Zeitlichkeit in der frühromantischen Philosophie und in Tiecks Dichtung*, München 1974.

Traumsprache gegen alle Wahrscheinlichkeit entworfen, sehr Verschiedenes setzend, um eine mögliche Einheit zu beschwören. Ob ihre suggestive Kraft noch heute berührt, kann der Interpret allerdings nicht mehr entscheiden.

Mit Zitherklang kam sie mir entgegen,
Mein Geist in Netzen von Tönen gefangen,
Ich fühlte schon dies Beben, dies Bangen,
Entzücken überströmte, ein goldner Regen.

Sie saß im Zimmer, wartete mein,
Die Liebe führte mich hinein,
Erklang das alte Waldhorn drein.
Dein voller Klang
Mein Herz schon oft durchdrang,
Meiner Liebe vertraut,
Von deinem Ton mein Herz durchschaut.
Nun verstummen nie die Töne,
Lautenklang mein ganzes Leben,
Herz verklärt in schönster Schöne,
Wundervollem Glanz und Weben
Hingegeben. (401)

Literaturhinweise

Ausgaben

Franz Sternbalds Wanderungen. Eine altdeutsche Geschichte herausgegeben von Ludwig Tieck. Berlin: Johann Friedrich Unger, 1798.
Ludwig Tieck: Werke in vier Bänden. Hrsg. von Marianne Thalmann. München: Winkler, 1963–66. [*Franz Sternbald* in: Bd. 1, S. 699–986.]
Ludwig Tieck: Schriften in zwölf Bänden. Hrsg. von Manfred Frank [u. a.]. Bd. 1 ff. Frankfurt a. M.: Deutscher Klassiker Verlag, 1985 ff. [*Franz Sternbald* in: Bd. 4, in Vorb.]
Ludwig Tieck: Franz Sternbalds Wanderungen. Studienausgabe. (Mit 16 Bildtafeln.) Hrsg. von Alfred Anger. Stuttgart: Reclam, 1966 [u. ö.]. (Universal-Bibliothek. 8715.)

Forschungsliteratur

Alewyn, Richard: Ein Fragment der Fortsetzung von Tiecks *Sternbald*. In: Jahrbuch des Freien Deutschen Hochstifts 1962. Tübingen 1962. S. 58–68.
Begemann, Christian: Eros und Gewissen. Literarische Psychologie in Tiecks Erzählung *Der getreue Eckart und der Tannenhäuser*. In: Internationales Archiv für Sozialgeschichte der deutschen Literatur 15,2 (1990) S. 89–145.
Betzen, Klaus: Frühromantisches Lebensgefühl in Ludwig Tiecks Roman *Franz Sternbalds Wanderungen*. Diss. Tübingen 1959 [Masch.]
Donat, Walter: Die Landschaft bei Tieck und ihre historischen Voraussetzungen. Frankfurt a. M. 1925.
Fink, Gonthier-Louis: L'ambiguïté du message romantique dans *Franz Sternbalds Wanderungen* de L. Tieck. In: Recherches Germaniques 4 (1974) S. 16–70.
Frank, Manfred: Das Problem »Zeit« in der deutschen Romantik. Zeitbewußtsein und Bewußtsein von Zeitlichkeit in der frühromantischen Philosophie und in Tiecks Dichtung. München 1974.
Garmann, Gerburg: Die Traumlandschaften Ludwig Tiecks. Traumreise und Individuationsprozeß aus romantischer Perspektive. Opladen 1989.
Geulen, Hans: Zeit und Allegorie im Erzählvorgang von Tiecks Roman *Franz Sternbalds Wanderungen*. In: Germanisch-Romanische Monatsschrift N. F. 18 (1968) S. 281–298.
Giese, Armin: Die Phantasie bei Ludwig Tieck. Ihre Bedeutung für den Menschen und sein Werk. Diss. Hamburg 1973.

Günzel, Klaus: König der Romantik. Das Leben des Dichters Ludwig Tieck. Berlin 1981.

Hellge, Rosemarie: Motive und Motivstrukturen bei Ludwig Tieck. Göppingen 1974.

Hillmann, Heinz: Ludwig Tieck. In: Deutsche Dichter der Romantik. Ihr Leben und Werk. Hrsg. von Benno von Wiese. Berlin 1971. S. 111–134.

Hölter, Achim: Ludwig Tieck: Literaturgeschichte als Poesie. Heidelberg 1989.

Kluge, Gerhard: Idealisieren – Poetisieren. Anmerkungen zu poetologischen Begriffen und zur Lyriktheorie des jungen Tieck. In: Jahrbuch der Deutschen Schillergesellschaft 13 (1969) S. 308–360.

Klussmann, Paul Gerhard: Ludwig Tieck. In: Deutsche Dichter des neunzehnten Jahrhunderts. Ihr Leben und Werk. Hrsg. von Benno von Wiese. Berlin 1969. S. 15–52.

Lillyman, William J.: Der Erzähler und das Bild des Stromes in *Franz Sternbalds Wanderungen*. In: Germanisch-Romanische Monatsschrift N. F. 21 (1971) S. 378–395.

Littlejohns, Richard: Wackenroder-Studien. Gesammelte Aufsätze zur Biographie und Rezeption des Romantikers. Frankfurt a. M. [u. a.] 1987.

Matzner, Johanna: Die Landschaft in Tiecks Roman *Franz Sternbalds Wanderungen*. Diss. Heidelberg 1971.

Meuthen, Erich: »Denn er selbst war hier anders.« Zum Problem des Identitätsverlusts in Ludwig Tiecks *Sternbald*-Roman. In: Jahrbuch der Deutschen Schillergesellschaft 30 (1986) S. 383–403.

Minder, Robert: Un poète romantique allemand: Ludwig Tieck. Paris 1936.

Paulin, Roger: Ludwig Tieck. Eine literarische Biographie. Aus d. Engl. von Hannelore Faden. München 1988.

– Ludwig Tieck. Stuttgart 1987. (Sammlung Metzler. 185.)

Ribbat, Ernst: Ludwig Tieck. Studien zur Konzeption und Praxis romantischer Poesie. Kronberg i. Ts. 1978.

Schweikert, Uwe (Hrsg.): Ludwig Tieck. 3 Bde. München 1971. (Dichter über ihre Dichtungen. 9,1–3.)

Segebrecht, Wulf (Hrsg.): Ludwig Tieck. Darmstadt 1976. (Wege der Forschung. 386.)

Zeydel, Edwin H.: Ludwig Tieck. The German Romanticist. Princeton 1935. Nachdr. Hildesheim / New York 1971.

Žmegač, Viktor: Der europäische Roman. Geschichte seiner Poetik. Tübingen 1990.

DIETER KIMPEL

Friedrich Hölderlin: *Hyperion*

> Philosophie mußt Du studiren, und wenn Du
> nicht mehr Geld hättest, als nöthig ist,
> um eine Lampe und Öl zu kaufen, und nicht mehr Zeit,
> als von Mitternacht bis zum Hahnenschrei.[1]

> Gut auch sind und geschikt einem zu etwas wir,
> Wenn wir kommen, mit Kunst, und von den Himmlischen
> Einen bringen. Doch selber
> Bringen schikliche Hände wir.[2]

Der Roman *Hyperion oder der Eremit in Griechenland* erschien in zwei Bänden 1797–99 in Tübingen. Doch bereits in einem Brief an den Dichterfreund Christian Ludwig Neuffer vom Juli 1793 schrieb Hölderlin von dem »Entwurfe eines griechischen Romans [...], in dem ich wirklich lebe und webe«.[3] Bekanntlich hatte der Zweiundzwanzigjährige noch im Tübinger Stift den Gedanken an diese Arbeit gefaßt, auch schon Teile ausgeführt, die er Gotthold Friedrich Stäudlin zur Aufnahme in dessen Musenalmanach vorlegte. Wir hören in Briefen an Neuffer aus dem Jahre 1794, daß von diesen Papieren »fast keine Zeile« geblieben sei in der Neufassung[4], deren erste fünf Briefe in Schillers *Thalia* abgedruckt wurden[5]. Den

1 Friedrich Hölderlin, *Sämtliche Werke*, Große Stuttgarter Ausgabe, hrsg. von Friedrich Beißner, Stuttgart 1943 ff. [im folgenden zit. als: StA]; hier StA, Bd. 6,1, S. 218 (Brief 126: An den Bruder, Frankfurt a. M., 13. Oktober 1796).

2 StA, Bd. 2,1, S. 66 (»Blödigkeit«).

3 StA, Bd. 6,1, S. 86 (Brief 60: An Neuffer, Tübingen, zwischen 21. und 23. Juli 1793).

4 Ebd., S. 137 (Brief 88: An Neuffer, Waltershausen, 10. Oktober 1794).

5 Abgedruckt im 5. und 6. Stück des Jahrgangs 1793, aber erst Ende des Jahres 1794 erschienen. (Die Jahrgänge 1792–93 der Zeitschrift trugen den Namen *Neue Thalia*.)

Briefmitteilungen an den Freund entnimmt man ferner Hinweise Hölderlins auf seine Schwierigkeiten mit Fabel und Gattung. Er wage sich an eine »terra incognita im Reiche der Poesie«:[6] fest entschlossen, die »Region des Abstracten«, der er mit dem subjektiven Enthusiasmus jener frühen »Hymnen an die Ideale der Menschheit« vorübergehend verfallen war, »in die ich mich mit meinem ganzen Wesen verloren hatte«,[7] zu verlassen.

Risikobereit und hoffnungsvoll geht Hölderlin die selbstformulierte Aufgabe an, deren existentieller Ernst für ihn außer Frage steht. Die »Vorrede« zum *Thalia*-Fragment enthält das thematische Konzept, demzufolge »die exzentrische Bahn, die der Mensch, im Allgemeinen und Einzelnen, von einem Punkte (der mehr oder weniger reinen Einfalt) zum andern (der mehr oder weniger vollendeten Bildung) durchläuft« (StA 163)[8], dargestellt werden soll. Der Weg, den wir von der anfänglichen Einbettung in die ursprüngliche Einheit der Natur zur differenzierenden Entfaltung unseres Denkens und Wollens, »bey unendlich vervielfältigten und verstärkten Bedürfnissen und Kräften [...], nebst ihrer Zurechtweisung« auszuschreiten haben, geleitet »durch die Organisation, die wir uns selbst zu geben im Stande sind« (StA 163), hält freilich eine Schwierigkeit bereit. »Der Mensch möchte gern in allem und über allem seyn, und die Sentenz in der Grabschrift des Loyola: ›non coerceri maxime, contineri tamen a minimo‹ kann eben so die alles begehrende, alles unterjochende gefährliche Seite des Menschen, als den höchsten und schönsten ihm erreichbaren Zustand bezeichnen. In welchem Sinne sie für

6 StA, Bd. 6,1, S. 87 (Brief 60: An Neuffer, Tübingen, zwischen 21. und 23. Juli 1793).

7 Ebd., S. 113 f. (Brief 77: An Neuffer, Waltershausen, gegen Mitte April 1794).

8 *Hyperion* ist zitiert nach: Friedrich Hölderlin, *Sämtliche Werke* (StA, vgl. Anm. 1), Bd. 3, 1957. Zitate aus der letzten Fassung sind zusätzlich nach der Ausgabe in Reclams Universal-Bibliothek, Nr. 559, mit einem Nachwort von Ernst von Reusner, Stuttgart 1961 [u. ö.] – hier zit. als: R –, ausgewiesen.

jeden gelten soll, muß sein freier Wille entscheiden.« (StA 163) Die »zwei Ideale unseres Daseyns«, von denen die Vorrede des *Thalia*-Fragments spricht, sollen also nicht in abstrakter Isolierung und Konfrontation verharren, weder gesetzesfixierte Nötigung ausstrahlen noch geltungswillkürliche Herrschsucht praktizieren, sondern vielmehr durch die romanhafte Darstellung hindurch in die konkrete Idee der menschheitsgeschichtlich »vollendeten Bildung« sich aufheben.

Versuchen wir uns im Überblick klarzumachen, was Hölderlin mit dieser Problemstellung seinem Dichtermut abverlangte.

Der geistesgeschichtlich Gebildete erkennt unschwer das Thema wieder, das Friedrich Schiller nach überstandenen Karlsschuljahren im Briefwechsel mit Theodor Körner, der Vorlage für die *Philosophischen Briefe* des Julius an Raphael,[9] beschäftigte. Die *Anthologie auf das Jahr 1782* veröffentlichte das Gedicht »Die Freundschaft« mit dem Zusatz »aus den Briefen Julius' an Raphael, einem noch ungedruckten Roman«.[10] Es darf angenommen werden, daß Hölderlin den Text kannte,[11] der in der »Vorerinnerung« Gedanken anklingen läßt, die der Grundkonzeption des *Hyperion* verwandt erscheinen: »Die Vernunft hat ihre Epochen, ihre Schicksale wie das Herz, aber ihre Geschichte wird weit seltner behandelt. Man scheint sich damit zu begnügen, die Leidenschaften in ihren Extremen, Verirrungen und Folgen zu entwickeln, ohne Rücksicht zu nehmen, wie genau sie mit dem Gedankensysteme des Individuum zusammen hängen.«[12] Raphael,

9 Abgedruckt in: *Thalia*, Bd. 1 (1786), H. 3 und Bd. 2 (1789), H. 7.

10 *Anthologie auf das Jahr 1782*, hrsg. von Friedrich Schiller, Faksimiledruck der bei J. B. Metzler in Stuttgart anonym erschienenen 1. Auflage, mit einem Nachw. und Anm. hrsg. von Katharina Mommsen, Stuttgart 1973 (Sammlung Metzler, 118), S. 148.

11 Das vermutet bereits Franz Zinkernagel, *Die Entwicklungsgeschichte von Hölderlins Hyperion*, Straßburg 1907, S. 44.

12 Friedrich Schiller, *Sämtliche Werke*, auf Grund der Originaldrucke hrsg. von Gerhard Fricke und Herbert G. Göpfert, München [14]1965/67, Bd. 5, S. 336 (*Philosophische Briefe*).

der Erzieher, hat den in seliger Einfalt, einig mit der Natur empfindenden Julius »denken gelehrt«, und der unsanft Aufgeweckte beginnt zu begreifen, daß ihm mit der Erschaffung seines Bewußtseins sowohl die schmerzhafte Einsicht in die Entzweiung von Ich und Welt als auch der daraus resultierende Vermittlungsauftrag im Sinne möglicher Selbstverwirklichung unwiderruflich zugefallen sind. Die »Theosophie des Julius«, das Kernstück der *Philosophischen Briefe*, spricht, inspiriert durch Leibnizens Monadenbegriff,[13] von der dichterischen Existenz als der humanen Bildung schlechthin, in der wesenhaftes Denken (Theorie, Begriff, Bild) und wahrhaftes Sein (Praxis, Handeln, Arbeit) die zwar in sich unterschiedene und doch unauflösliche Einheit bilden: »Ich bin überzeugt, daß in dem glücklichen Momente des Ideals der Künstler, der Philosoph und der Dichter die großen und guten Menschen wirklich sind, deren Bild sie entwerfen.«[14] Und um bei dem schwärmerischen Glaubensbekenntnis nicht stehenzubleiben, fundiert der junge Schiller das, was er Ideal nennt, durch Analogien – der Totaleinsatz des Daseins in der Liebe und im Einswerden mit den schaffenden Gedanken Gottes –, die geeignet sind, an die konkrete Idee heranzuführen. – Der geplante Bildungsroman blieb Fragment. Die dritte »Epoche der Vernunft«, auf die es Schiller ankam, konnte erst nach der Lektüre von Kants *Kritik der Urteilskraft* (1790), die 1791/92 erfolgte und zuerst in den »Kallias«-Briefen an Körner vom Februar 1793 sich niederschlug, nun im Geiste des Transzendentalismus ausgeführt werden. Das bezeugen die drei großen philosophischen Abhandlungen, besonders die Schrift *Über die ästhetische Erziehung des Menschen in einer Reihe von Briefen* (1795).

Mit seiner *Kritik der Urteilskraft*, der zu Recht so genannten »Kritik der Kritiken«, hatte Kant den Versuch unternommen,

13 Hierzu Erich Heintel, »Die ›Theosophie des Julius‹. Ein Beitrag zum Problem der dichterischen Existenz bei Schiller«, in: *Wissenschaft und Weltbild* 12 (1959) S. 582–590.

14 Schiller (Anm. 12), Bd. 5, S. 347.

die »zwei Gesetzgebungen« der »einen Vernunft« aus der analytischen Isoliertheit herauszuführen.[15] Theoretische Vernunft, d. h. Gegenstandskonstitution oder Naturbegriff, und praktische Vernunft, d. h. regulative Idee oder Freiheitsbegriff, sollen nicht an sich oder für sich in bloß negativer Vermittlung gegeneinander verharren, sondern durch Aufweis ihres gegenseitigen Voraussetzungssinns zur Einheit gebracht werden. Die Gegenstandserkenntnis des theoretischen Verstandes verhilft der menschlichen Praxis erst zur Objektivierung ihrer Motive, damit das Freiheitspostulat nicht zur leeren Geste verkommt. Und die Geltungseinschätzung der praktischen Vernunft überantwortet die erkannte Macht des Faktischen den regulierenden Freiheitsbestimmungen, damit Naturgesetz und positives Recht für den Menschen nicht blinde Notwendigkeit bleiben und als vermeintlich beliebig ausbeutbar und manipulierbar mißverstanden werden. Derart soll die Urteilskraft dafür sorgen, daß Theorie und Praxis, Sachanspruch und Emanzipation, gegenständliche Eigenbedeutung und vernünftige Selbstbestimmung, Sinnlichkeit und Sittlichkeit, Natur und Freiheit in der Synthesis aneinander ihre Möglichkeiten und Grenzen erfahren. Das transzendentale Prinzip der reflektierenden Urteilskraft ist die »formale Zweckmäßigkeit«, so bezeichnet, weil sie sich weder auf ein bestimmtes Handlungsinteresse (deshalb »Wohlgefallen ohne Interesse«) noch auf eine bestimmte Gegenstandserkenntnis (deshalb »zweckmäßig ohne Zweck«) berufen kann, vielmehr »nur« die konkrete Einheit beider im Blick hat. Diese Synthesis kann niemals endgültig gegeben sein, sie ist stets aufgegeben, deshalb auch bloß im Sinne des »Als-ob« vorstellbar. Für Kant ist die einheitsstiftende Urteilskraft nicht im philosophischen Begriff (der seinem Verständnis nach wieder nur ein bestimmender der theoretischen oder praktischen Vernunft sein könnte und somit zur Vermittlung beider unfähig wäre), sondern in der

15 Hierzu Peter Heintel, *Die Bedeutung der Kritik der ästhetischen Urteilskraft für die transzendentale Systematik*, Bonn 1970.

ästhetischen Anschauung des Symbols, dem »Natur durch ein Genie die Regel gab«. Per definitionem soll das Geschmacksurteil zu einem Besonderen (Zusammenhang von Natur und Freiheit) das Allgemeine (in der Übereinkunft des Verstehens) suchen. Seine auf Überzeugung, Zustimmung, Vereinbarung angewiesene gemeinschaftsbildende Kraft demonstriert es am Paradigma ästhetischer Erfahrungsgehalte. Der so begründete Gemeinsinn (sensus communis) aber ist, das führt Schiller über Kant hinaus, in dem durch ästhetische Erziehung geförderten Zusammenhang von bestimmter Erfahrung (Stofftrieb, Naturstaat, physische Existenz) und möglicher Erfahrung (Formtrieb, Vernunftstaat, sittliche Existenz) Ziel der menschheitsgeschichtlich »vollendeten Bildung«.[16] Ästhetische Erziehung hat »das eigentlichste Merkmal der Gottheit absolute Verkündigung des Vermögens (Wirklichkeit des Möglichen) und absolute Einheit des Erscheinens (Notwendigkeit alles Wirklichen)« zu ihrer »unendlichen Aufgabe«.[17] Mit ihren Ausgleichsbemühungen zwischen natürlichem Stofftrieb und vernünftigem Formtrieb bedenkt sie, wie der Naturstaat als ein notwendiges Gebilde des Überlebens (der absolutistische Staat) unter Umgehung des unkontrollierten Gewaltausbruchs zu einem von freien Bürgern geschaffenen und getragenen Vernunftstaat (der republikanische Staat) werden kann. Schiller, der vormals, wie die Tübinger Stiftler (Hegel, Hölderlin, Schelling), mit der Französischen Revolution die Hoffnung auf den Eintritt der Freiheit in die Geschichte des Menschen verbunden hatte, war später nicht gewillt, den Teufelskreis des Pariser Terrors als Erfahrung unwidersprochen hinzunehmen. Geschichtlicher Umsturz und Wandel, der keinen Gedanken

16 Vgl. Dieter Kimpel, »Die Hermeneutik des ›als-ob‹. Zur transzendentalistischen Begründung der sprachästhetischen Erfahrung«, in: *Literaturwissenschaft. Probleme der theoretischen Grundlegung*, hrsg. von Volker Bohn, Stuttgart 1980, S. 83 ff.

17 Schiller (Anm. 12), Bd. 5, S. 602 (»Über die ästhetische Erziehung des Menschen«, 11. Brief).

daran verschwendet, »daß um der Würde des Menschen willen seine Existenz nicht in Gefahr geraten darf«,[18] ist für ihn als abstrakte Entgegensetzung wider den formalen Machtanspruch des Tyrannen bloß ein Zweig vom gleichen Baume, d. h. Rückfall in die Barbarei:

> Von der Freiheit erschreckt, die in ihren ersten Versuchen sich immer als Feindin ankündigt, wird man dort einer bequemen Knechtschaft sich in die Arme werfen und hier, von einer pedantischen Kuratel zur Verzweiflung gebracht, in die wilde Ungebundenheit des Naturzustands entspringen. Die Usurpation wird sich auf die Schwachheit der menschlichen Natur, die Insurrektion auf die Würde derselben berufen, bis endlich die große Beherrscherin aller menschlichen Dinge, die blinde Stärke, dazwischen tritt und den vorgeblichen Streit der Prinzipien wie einen gemeinen Faustkampf entscheidet.[19]

Eben dies zu vermeiden, empfiehlt Schiller die ästhetische Erziehung des Menschen: als »Freiheit in der Erscheinung« erinnert sie den Menschen ständig daran, daß er nicht kontemplativ verweilen darf, sondern angehalten ist, die »Freiheit in der Tat« zum Zwecke der »vollendeten Bildung« immer erneut geschichtlich zu bewähren: »*Darum* ist das Reich des Geschmacks ein Reich der Freiheit – die schöne Sinnenwelt das glückliche Symbol, wie die moralische sein soll, und jedes schöne Naturwesen außer mir ein glücklicher Bürger, der mir zuruft: Sei frei wie ich.«[20]
Hölderlin kannte diese Gedankengänge, sie waren ihm seit den Tübinger Diskussionen mit Hegel und Schelling über

18 Ebd., S. 575. Vgl. hierzu auch Joachim Ritter, *Hegel und die französische Revolution*, Frankfurt a. M. 1965; Pierre Bertaux, *Hölderlin und die Französische Revolution*, Frankfurt a. M. 1969; Lawrence Ryan, »Hölderlin und die Französische Revolution«, in: *Deutsche Literatur und Französische Revolution*, Göttingen 1974, S. 129–148.
19 Schiller (Anm. 12), Bd. 5, S. 590 (»Über die ästhetische Erziehung des Menschen«, 7. Brief).
20 Ebd., S. 400 und S. 424 (Kallias-Briefe).

Kants Transzendentalphilosophie vertraut. Mit Schiller verband ihn die Orientierung der frühen Hymnen und vermutlich die Anregung zum Hyperion-Thema, bevor er sich dem übermächtig empfundenen Einzugsbereich des Bewunderten durch die Abreise aus Jena im Mai 1795 entzog.[21] Die Auseinandersetzung mit Fichtes *Wissenschaftslehre*, dessen Jenaer populärwissenschaftliche Vorlesungen er im Winter 1794/95 hörte, brachte der andauernden Überarbeitung des Romans erneuten Auftrieb, dem Hölderlin dann in der Begegnung mit Susette Gontard (Diotima) und nicht zuletzt während dieser Frankfurter Hauslehrerzeit (Januar 1796 bis September 1798) sowie der anschließenden Bad Homburger Zuflucht bei dem Freunde Isaac Sinclair (September 1798 bis Mai 1800) im Umgang mit dem Hegel der *Theologischen Jugendschriften* (Bern 1793–96, Frankfurt a. M. 1797–1800) und dem Schelling des *Systemprogramms* (1796/97) die persönliche Wendung und eigenständige Form abringt.

Von Fichtes Philosophie des »Absoluten Ich« konnte sich Hölderlin für seinen *Hyperion*-Roman insoweit angesprochen fühlen, als jenes transzendentale »Ich« ein Problem austrägt, das auch die »exzentrische Bahn, die der Mensch [...] nach ihren wesentlichen Richtungen« durchläuft, im Innersten bewegt. Fichte tat sich schwer damit, das »Ich« als das konstituierende Prinzip der Welthabe zu denken. Einerseits müßte das Ich zur prinzipiellen Wahrung seiner Selbstgewißheit unterschieden und frei sein von allen empirisch-gegenständlichen Bestimmungen, d. h., Denken und Handeln sind im »reinen Tun« der Ich-Setzung, die die Selbstbeschränkung durch Setzung des Nicht-Ich mitbedingt, ein und dasselbe. Andererseits müßte das Ich zur prinzipiellen Wahrung seiner Lebensfähigkeit nicht nur Voraussetzung des Denkens überhaupt sein, sondern zugleich irgend etwas Gegenständliches denken können, denn nur als bestimmende Tätigkeit ist uns das Bewußtsein als solches erfahrbar, d. h., das »reine Tun«

21 Wilhelm Michel, *Das Leben Friedrich Hölderlins* (1940), Frankfurt a. M. 1967, S. 89 ff.

des wechselseitig sich setzenden und entgegensetzenden Ich nimmt »Anstoß« an Tatsachen, die »fühlbar« im Bewußtsein vorkommen und es als gleichermaßen bestimmend und bestimmt ausweisen. Als das zwischen der Unendlichkeit des »reinen Tuns« und der Endlichkeit des bestimmenden und bestimmten Bewußtseins in der Mitte schwebende Vermögen, in dem das Ich als zugleich tätig und leidend, d. h. in seinem Widerstreit oder »idealreal« sich erfährt, nennt Fichte die Einbildungskraft. Sie vermittelt zwischen der Freiheit des reinen Denkens, das Fichte als die Insichreflektiertheit des Ich auch als »intellektuelle Anschauung« bezeichnet, und der Eingeschränktheit des empirischen Bewußtseins, dem Fichte in unendlicher Annäherung den vernünftigen Zusammenschluß von Setzung (Ich) und Entgegensetzung (Welt) als das höchste Ziel menschlichen Strebens verheißt.

Diese Systemgedanken, hier vereinfacht referiert, mögen für Hölderlin, wie der Brief vom 26. Januar 1795 an Hegel vermuten läßt, in doppeltem Sinne »merkwürdig« gewesen sein.[22] Das philosophische Schicksal des Ich zwischen Setzung und Entgegensetzung, Unendlichkeit und Endlichkeit, ist dem Romanthema gewissermaßen verwandt. Gewichtiger noch scheint mir der Hinweis, den Hölderlin der Fichteschen Lehre von der Einbildungskraft für die dichterische Sprachform entnehmen konnte.[23] In der Schrift *Über die Verfahrungsweise des poetischen Geistes* überantwortet Hölderlin das, was Fichte als vermittelnde Vorstellung des vom Ich in ihm selbst Entgegengesetzten der Einbildungskraft aufgege-

22 StA, Bd. 6,1, S. 156 (Brief 94: An Hegel, Jena, 26. 1. 1795).

23 Diesen Zusammenhängen geht die Frankfurter Dissertation von Andreas Thomasberger, *Von der Poesie der Sprache. Gedanken zum mytho-logischen Charakter der Dichtung Hölderlins*, nach. – Zuvor hatte Bruno Liebrucks im 7. Band seines großen Werkes *Sprache und Bewußtsein* die Dichtung Hölderlins vom sprachphilosophischen Verständnis der Hegelschen Logik aus gewürdigt: »In der Kunst wird die Spannweite des Problems von Sprache und Bewußtsein dargestellt. Sie ist Darstellung des ›und‹. Der Schein des Wesens an Dingen und Kunstwerken ist die Aura, die im Begriff nicht verschwindet, sondern aufgehoben ist« (S. 36 f.).

ben hatte, der Sprache. Sie ist das Symbol des prinzipiellen Gedankengangs, demzufolge das ursprünglich in sich ruhende Ich seine schicksallose »Innigkeit« aufgrund des Strebens nach tatsächlichem Erkennen und Empfinden in die Differenz von Ich und Natur entäußert, bei dem Unterschiedensein, der Trennung, dem Widerstreit aber nicht verharrt, sondern die durchlittenen Dissonanzen als das »Harmonisch-Entgegengesetzte« begreifen lernt: »Das Product dieser schöpferischen Reflexion ist die Sprache.«[24] Freilich kann das »Harmonisch-Entgegengesetzte« nur für denjenigen Menschen in Sicht kommen, der in Freiheit sich selbst und die Welt zur Vernunft zu bringen strebt; dem »nemlich in der *Äußerung* jener höchste Punct der Bildung, die höchste Form im höchsten Leben vorhanden war [...], wo *Geist und Leben auf beiden Seiten gleich ist*«.[25] Da diese Idee des Menschen als »die Vereinigung des Subjects und Objects [...] theoretisch aber nur durch eine unendliche Annäherung möglich ist, wie die Annäherung des Quadrats zum Zirkel«,[26] ist das »tragische, dem Schein nach heroische Gedicht« als »die Metapher einer intellectuellen Anschauung« dazu berufen,[27] den Geist auf die Idee hin wachzuhalten.

> Alles kommt also darauf an, daß das Ich nicht blos mit seiner subjectiven Natur, von der es nicht abstrahiren kan ohne sich aufzuheben, in Wechselwirkung bleibe, sondern daß es sich mit Freiheit ein Object wähle, von dem es, wenn es will, abstrahiren kann, um von diesem durchaus angemessen bestimmt zu werden und es zu bestimmen. Hierin liegt die Möglichkeit, daß das Ich im harmonischentgegengesezten Leben als Einheit, und das Harmonisch-

24 StA, Bd. 4,1, S. 263.
25 Ebd., S. 262.
26 StA, Bd. 6,1, S. 181 (Brief 104: An Schiller, Nürtingen, 4. September 1795).
27 StA, Bd. 4,1, S. 266. Hölderlin bevorzugt sonst durchgehend »intellectuale Anschauung«. Er verbindet mit dieser Wendung etwa das, was Fichte »Einbildungskraft« nennt.

> Entgegengesezte, als Einheit erkennbar werde im Ich in reiner (poëtischer) Individualität.[28]
> [...] wenn es der Gang und die Bestimmung des Lebens überhaupt ist, aus der ursprünglichen Einfalt sich zur höchsten Form zu bilden, wo dem Menschen ebendeswegen das unendliche Leben gegenwärtig ist [...], so ahndet der Dichter, auf jener Stuffe, wo er auch aus einer ursprünglichen Empfindung, durch entgegengesetzte Versuche, sich zum Ton, zur höchsten reinen Form derselben Empfindung emporgerungen hat und ganz in seinem ganzen inneren und äußeren Leben mit jenem Tone sich begriffen sieht, auf dieser Stuffe ahndet er seine Sprache, und mit ihr die eigentliche Vollendung für die jezige und zugleich für alle Poësie.[29]

Die Dichtersprache geht in solchem Verständnis über das hinaus, was Sprache an und für sich eignet: die Distanzierung der natürlichen Unmittelbarkeit und das Bewußtsein des Unterschiedenseins von Subjekt (Mensch) und Objekt (Natur). Als »Metapher einer intellectuellen Anschauung« weiß die Dichtersprache um die Erkenntnisfähigkeit des Scheins als Schein. Durch ihn hindurch vermag der Mensch sich im Transzendieren der Gegenstandssprache (intentio recta) als die Vermittlung von Subjekt und Objekt, von Ich und Welt, Vernunft und Natur (intentio obliqua: Einsicht in das »Harmonisch-Entgegengesetzte«) erst wahrhaft zu begreifen. Deshalb sind in der so verstandenen Sprachkunst, die bestimmte und mögliche Erfahrung, die Endlichkeit und Unendlichkeit der Vernunft im Bild synthetisiert, das Göttliche ebenso anwesend wie der Tod. Das Durchhalten dieser Spannung geht über alle Vernunft, verbindet man sie zudem mit der Forderung nach einer »sinnlichen Religion« aus dem *Ältesten Systemprogramm* und vor allem mit der vom Geist der Liebe getragenen bildhaften Rede Jesu, an der Hegel in

28 Ebd., S. 254.
29 Ebd., S. 261 ff.

den *Theologischen Jugendschriften* die Vorläufigkeit aller (sprachlichen) Verstandesfixierungen angesichts der Verbindlichkeit des Daseinsopfers aufzeigt. Darauf komme ich später zurück (vgl. S. 64).
Es ist nicht die gewöhnliche Überheblichkeit des jeweils letzten Interpreten, wenn ich, von der Vorgeschichte zur Endfassung des *Hyperion*-Romans ausgehend, beim Streifzug durch die Hölderlin-Forschung feststelle, daß hier die Wortführer selten sind, die aufgrund philosophischer Bildung und sprachästhetischer Bewußtheit dem komplexen Gestaltcharakter dieser Dichtung sich gewachsen zeigen.

Die Zeitgenossen, mehr vom Lebensschicksal des Dichters betroffen und davon auf das abgründige Geheimnis seines Gesangs schließend, blieben dem reflexiven Spannungsfeld des Gedichts als der »Metapher einer intellectuellen Anschauung«, die das »Harmonisch-Entgegengesetzte« wahrnimmt und diesem Anblick standhält, fern. Sie waren von der Ambivalenz des »Bildes«, das den vorgestellten Gegenstand im Lichte des Scheins (die »Als-ob« Anwesenheit des Gemeinten im sprachlichen Meinen) auf den Weg des Bedeutens bringt und doch am gegenständlich Seienden, freilich als Reflexionserscheinung, festhält, nicht in gleicher Weise ergriffen wie Hölderlin und konnten das, was seine Dichtersprache bewegt, deshalb weder sehen noch hören: »So wie die Erkentniß die Sprache ahndet, so erinnert sich die Sprache der Erkentniß.«[30] Die Verständnislosigkeit gegenüber der im Bild auszuhaltenden Spannung betrifft die formstrenge Wirklichkeitserledigung der Weimarer Klassik ebenso wie den von Hegel als »Nichtigkeit des leeren eitlen Subjekts« gescholtenen Versuch der frühromantischen Ironiker (Friedrich Schlegel)[31], die im Zurücknehmen oder Zerstören des endlich bedingten

30 Ebd., S. 261.

31 G. W. F. Hegel, *Vorlesungen über die Ästhetik*, Einleitung, III. Begriff des Kunstschönen, B. Historische Deduktion des wahren Begriffs der Kunst, 3. Die Ironie; Ausg. in Reclams Universal-Bibliothek, Nr. 7976, hrsg. von Rüdiger Bubner, Stuttgart 1974 [u. ö.], S. 122.

Objektiven ihren erhabenen Anspruch der »Progressiven Universalpoesie« zureichend gesichert ansahen. – Das treue Andenken, das Bettina und Clemens Brentano sowie Achim von Arnim dem »armen Hölderlin« bewahrten, kam über eine gewisse Ehrfurcht vor dem Mysterium nicht hinaus. – Und auch die ersten biographischen Darstellungen, der einfühlsam psychologische Bericht von Wilhelm Waiblinger aus dem Jahre 1831 und die biedere Lebensbeschreibung, die Christoph Theodor Schwab der ersten zweibändigen Werkausgabe bei Cotta 1846 einfügte, erreichten von wissenswerten authentischen Details aus keinen Zugang zum Dichterwort.

Den Beginn einer substantiellen Hölderlin-Rezeption entnehme ich dem kulturkritischen Denken des frühen Nietzsche. Für ihn stellte sich das Problem, das Hölderlin in bildhermeneutischer Transformation der idealistischen Bewußtseinsphilosophie aufgegriffen hatte, historisch radikalisiert dar. – Nietzsche sieht die Geschichte der abendländischen Kultur durch sokratischen Intellektualismus und christliche Religion dem Leben fortschreitend entwöhnt und von Erstarrung bedroht. Die traurigen Folgen, der weltanschauliche Positivismus der Naturwissenschaften und der Historismus der Geisteswissenschaften sowie analog hierzu die zu Trieb- und Lustverzicht anhaltende klerikale Gesellschaftsmoral, sind jedermann erfahrbar: »Überall, wo man noch nicht kausal zu denken vermocht hat, dachte man moralisch. [...] Dieser Antagonismus – Das, was wir erkennen, nicht zu schätzen und Das, was wir uns vorlügen möchten, nicht mehr schätzen zu dürfen – ergibt einen Auflösungsprozeß.«[32] Das entstandene Vakuum bevölkern Rationalisten, die die Natur den Fixierungen des Verstandes unterwerfen bzw. die Natur entmythologisieren, und Bildungsphilister, die den Menschen

32 Friedrich Nietzsche, *Nachgelassene Schriften* (Aus dem Gedankenkreise der ›Geburt der Tragödie‹, Stücke und Entwürfe aus den Jahren 1869/71), Großoktav-Ausgabe in 19 Bänden, Leipzig 1894 ff., Bd. 9, S. 244 und S. 12; vgl. auch ebd. S. 184 ff.

nach moralischen Konventionen domestizieren bzw. ihm die Spontaneität austreiben. Wie hätte eine derart organisierte Lebenswelt Hölderlin annehmen können, wie er selbst in ihr Resonanz entfalten sollen, fragt Nietzsche in den *Unzeitgemäßen Betrachtungen*.[33] Hölderlins Schicksal ist ihm gleichsam Indiz für den Wahrheitsgehalt seiner Zeitkritik und für die Notwendigkeit seiner Konzeption der »Kunst als der höchsten Aufgabe und der eigentlich metaphysischen Tätigkeit dieses Lebens«:[34]

> Gegen die ikonische Geschichtsschreibung und gegen die Naturwissenschaften sind ungeheure künstlerische Kräfte nötig. [. . .] Ungeheure Aufgabe und Würde der Kunst in dieser Aufgabe. Sie muß alles neu schaffen und ganz allein das Leben neu gebären. [. . .] Aber vielleicht vermag die Kunst sogar sich eine Religion zu schaffen, den Mythus zu gebären? [. . .] Dagegen kann ich mir eine ganz neue Art des Philosophen-Künstlers imaginieren, der ein Kunstwerk hinein in die Lücke stellt, mit ästhetischem Werte.[35]

Die Wiederbelebung des uneingeschränkten Daseinsgefühls, die Nietzsche mit seinem kühnen Verständnis der altgriechischen tragischen Kunst einzuleiten hofft, dafür er den »Philosophen-Künstler« beruft, der das Täuschungsgespinst konventioneller Metaphern, d. h. die »poetische Lüge«, durch ständiges Umwerten oder kraft sprachlicher Neuschöpfung zerreißt[36] – dieser große Wiederbelebungsversuch wird seit der Jahrhundertwende in vielfältigen, untereinander divergierenden Strömungen weiterwirken. Die Jugendbewegung[37],

33 Friedrich Nietzsche, *Werke in drei Bänden*, hrsg. von Karl Schlechta, München [5]1966, Bd. 1, S. 148, 255 f., 297; vgl. auch ebd. Bd. 3, S. 96 ff.
34 Ebd., Bd. 1, S. 20.
35 Nietzsche (Anm. 32), Bd. 10, S. 114, 119 f., 123.
36 Hierzu die kleine Schrift von 1873 »Über Wahrheit und Lüge im außermoralischen Sinne« (Nietzsche [Anm. 32], Bd. 3, S. 309–322).
37 Waldemar Nöldechen, *Die deutsche Jugendbewegung. Versuch einer Deutung*, Osnabrück 1953; Karl O. Paetel, *Das Bild vom Menschen in der deutschen Jugendführung*, Bad Godesberg 1954.

der George-Kreis[38], Rudolf Euckens *Sammlung der Geister* (1913), der Paul Natorp, Georg Simmel und Max Scheler angesichts der Ereignisse von 1914 gefolgt sind,[39] haben eines gemeinsam: die neo-idealistische Aufbruchstimmung zum Zwecke der »Erneuerung des geistigen Reichs«, zur Wahrung der nationalen Einheit durch Rückbesinnung auf die klassische deutsche Philosophie (Kant, Fichte, Hegel) und Dichtung (Schiller, Hölderlin), zur Geburt des »neuen Menschen« aus den opferfordernden »Sittlichen Kräfte[n] des Krieges« (Eucken, 1914) als der »Weltbewährungsprobe deutscher Innerlichkeit«[40]. Dieser Weltanschauungsmetaphysik verfaßte Wilhelm Dilthey mit den *Typen der Weltanschauung* (1911) die Grundlegung. In den bereits zwischen 1860 und 1880 entstandenen Aufsätzen *Das Erlebnis und die Dichtung* (1906) hatte er für seine »Kritik der historischen Vernunft« zur Erkenntnisvoraussetzung der Geisteswissenschaften das »Erlebnis«, die ursprüngliche Einheit von Weltanschauung und Werkleistung, zur nicht weiter hintergehbaren Erfahrung des geschichtlichen Lebens erklärt und, da an den Gestaltungen der dichterischen Einbildungskraft besonders durchsichtig, u. a. auch an Hölderlin erprobt. – Um die gleiche Zeit unterschied der 1892–1916 in Freiburg i. Br. und danach bis zum Tode (1936) in Heidelberg einflußreich lehrende Heinrich Rickert mit seiner Abhandlung *Kulturwissenschaft und Naturwissenschaft* (1899) zwei Bedeutungssysteme, die handlungsvermittelte Werte (Kultur) und verstandeslogische Gesetze (Natur) zum Gegenstand haben. Wobei die transzendentale Geltung eines wertorientierten Handelns, das historisch einmalig und objektivierbar sein soll, ungelöst blieb.

Im Zuge der skizzierten Entwicklung erfolgte die philologische Erschließung Hölderlins (besonders des Spätwerks), die

38 *Der George-Kreis*, hrsg. von Georg Peter Landmann, Köln/Berlin 1965.
39 Hermann Lübbe, *Politische Philosophie in Deutschland. Studien zu ihrer Geschichte*, Basel 1963. Auch dtv, 4154, 1974.
40 Ebd., dtv-Ausg., S. 182 f.

wir Norbert von Hellingrath (1913 ff.) und Franz Zinkernagel (1923–26) verdanken. Auf der vorläufig gesicherten Textgrundlage erarbeitete Wilhelm Böhm die erste große werkbiographische Gesamtdarstellung (1928–30), schrieben Wilhelm Michel (seit 1911, zusammenfassend 1940), Paul Böckmann (1935), Pierre Bertaux (1936), Kurt Hildebrandt (1939), Johannes Hoffmeister (1942), Ernst Müller (1944) ihre forschungsgeschichtlich lesenswerten Monographien, erschien 1944 zum 100. Todestag des Dichters am 7. Juni 1943 die von Paul Kluckhohn herausgegebene Gedenkschrift als erste Jahresgabe der Hölderlin-Gesellschaft. Aufbruchsmentalität und Lebensideologie des Jahrhundertbeginns, denen aus der starken nationalpolitischen Resonanz die bekannten Folgen erwuchsen, verursachten aber auch den weltanschaulichen Umgang mit Hölderlin, bevor die Literaturdoktrin des »sozialistischen Realismus« noch weitaus entschiedener hier zugriff.

Über die historisch-kritische Philologie möchte ich an dieser Stelle nur so viel sagen, daß sie bei allen Unterschieden in den Editionsprinzipien ihren guten Sinn immer behalten wird, weil die verbindliche Treue zur Quelle für den Historiker die einzige methodisch qualifizierbare Grundlage seiner Arbeit bedeutet und durch schlechthin nichts zu ersetzen ist. Das gilt auch für die entstehungsgeschichtlichen Beiträge zum *Hyperion* von Franz Zinkernagel (1907), Joseph Claverie (1921) und Elisabeth Stoelzel (1938), die inzwischen durch Friedrich Beißners Textgeschichte überholt sind.

Ist die Wichtigkeit der Quellensicherung gewiß unstrittig, so darf Gleiches für das geschichtliche »Verstehen« nicht unterstellt werden. Denn im verstehenden Subjekt treffen bestimmte Gegenstandsreflexion (Wissen, Erkenntnis) und mögliche Geltungsreflexion (Handeln, Interesse) aufeinander und müssen, soll es zur Formulierung einer argumentativ vertretbaren Hypothese kommen, zusammenfinden. Gewinnt nun im Verstehen das methodisch unverzichtbare Sachwissen im Sinne der historischen Macht des Faktischen die Oberhand, wird Historie leicht gewissenlos, d. h., sie eliminiert mit der Betroffenheit des erkennenden Subjekts ihre eigene Voraussetzung und erstarrt zum hermetischen Geschehen, das noch als Vergangenheit ein Recht über gegenwärtigen Handlungssinn hinaus beansprucht und dabei meist den jeweiligen Status quo gewähren läßt. – Triumphiert dagegen im Verstehen die methodisch unumgängliche Lebenspraxis des erkennenden Subjekts im Sinne der uneingeschränkt gegenwartsdienlichen Weltanschaulichkeit, wird Historie leicht gegenstandslos, d. h., sie verfällt zum beliebig ausbeutbaren Fundus für Willkürakte, die das Vergangene nach durchsichtigen politischen Absichten manipulieren. Derartige Reduktion oder Verfälschung der historischen Vernunft, die den Verlust der Tradition und ihrer Maßstäbe nach sich ziehen, haben außer Abschreckung keinen Bildungswert. Motiviert und das heißt quellenorientiert geschichtsbewußt wird das erkennende Subjekt nur dann in der Historie auch als ein betroffenes methodisch vermittelt zugegen sein, wenn es begriffen hat, daß Motivwissen immer Differenzwissen bedeutet, in dem vergangener und gegenwärtiger Sinnvollzug sich hinsichtlich der Zukunftsbewältigung ständig etwas zu sagen haben, und daß die Diskussion dieser Entscheidungsbasis für aktuelle Moral und Politik verantwortlich zu führen ist. Das erst wäre Bildung durch das Studium der Historie. Ihr droht ideologische Entstellung überall dort, wo bereits im Prozeß des geschichtlichen Verstehens die Differenz von Überlieferung und Aufgabe durch außerwissenschaftliche Instanzen, unter Hinweis auf die Präferenz des »eigentlichen« Gewesenseins oder des »wesentlichen« Hier-und-Jetzt, d. h. über den Schleichweg des suggestiven Vorurteils, abgespannt und gleichgeschaltet wird.

Es bezeichnet den allgemeinen methodologischen Stand der historischen Wissenschaften zu Beginn unseres Jahrhunderts, wenn Fahrlässigkeit und Selbstverführung auf die Anfänge der Hölderlin-Forschung starken Einfluß ausüben konnten. Hier haben Wert- und Lebensphilosophie sowie Erneuerungsideen seit 1914 die Literaturwissenschaft deutlich beeindruckt. – Rudolf Ungers Betrachtungsweise der Dichtung als einer Kundgebung der »wahren Lebensprobleme des Geistes« brachte Vergangenes und Gegenwärtiges, Individuelles und Übergreifendes derart unkenntlich zusammen,[41] daß allein aufgrund der Undifferenziertheit bona fide die oben erwähnten Polarisierungen konsequent sich einstellten. Da weder Dilthey noch Unger den geistes- bzw. problemgeschichtlichen Grundsätzen methodische Hinweise beigefügt hatten, ihren exemplarischen Veröffentlichungen aber lediglich die Rückführung geschichtlicher Sachverhalte auf Abstraktionen und Schemate allgemeinmenschlicher Welteinstellung (Gott, Natur, Seele, Freundschaft, Liebe, Vaterland, Tod) abzulesen war, nahm der positive Betrieb seinen Lauf. Jedenfalls beherrschen zwischen 1918 und 1945 eindeutig diejenigen Titel das Feld, die am Aufweis der weltanschaulichen oder problemgeschichtlichen (synonym!) Grundlagen in Hölderlins Dichtung interessiert sind. Von politischem Ehrgeiz kann bei den meisten der Autoren nicht die Rede sein. Noch am ehesten wird zuweilen Genugtuung spürbar, an einer Bewegung beteiligt zu sein, die den großen Menschheitsthemen nachsinnt, an deren Ausstattung wiederum der deutsche Idealismus in Europa hervorragenden Anteil hat. Die Durchführung dieser Arbeiten verfolgt gleichförmig den Weg einer ideengeschichtlichen Einbindung der Motive und Figuren, oft nach Art der Einflußforschung, in den von historischen Geltungsbedingungen abstrahierenden idealtypischen Wertzusammenhang (M. Crayssac, 1924; L. Strauss, 1933; J. Schottdorf, 1934; P. Böckmann, 1935; K. Hildebrandt, 1939; W. Allgöwer, 1939; H. A. Korff, 1940). Dessen Elemente, da aus ihrem zeitgeschichtlichen Bedeutungskontext herausgelöst, geraten

41 Rudolf Unger, »Literaturgeschichte als Problemgeschichte. Zur Frage geisteshistorischer Synthese, mit besonderer Beziehung auf W. Dilthey«, in: *Schriften der Königsberger Gelehrten Gesellschaft*, Geisteswiss. Kl. 1 (1924) H. 1; ders., »Literaturgeschichte als Geistesgeschichte«, in: *Deutsche Vierteljahrsschrift für Literaturwissenschaft und Geistesgeschichte* 4 (1926) S. 177–192.

rasch zur konvertierbaren Münze und damit in die Gefahr der Verführbarkeit durch außerwissenschaftliche Mächte. Die daraus resultierende Versuchung hat »völkische« Spuren hinterlassen. Etwa zu gleicher Zeit entdeckt der »sozialistische Realismus« in Hölderlin den deutschen Jakobiner und Mitläufer der Französischen Revolution (G. Lukács, 1935). Der These sind nach Kriegsende eine Reihe von Stimmen gefolgt, zunächst aus der DDR (C. Träger, 1952) und aus Frankreich (M. Delorme, 1958; P. Bertaux, 1968, auf der 10. Jahrestagung der Hölderlin-Gesellschaft in Düsseldorf), seit der Studentenbewegung auch aus der Bundesrepublik (H. W. Jäger, 1970[42]; I. Gerlach, 1973). Andere haben widersprochen (A. Beck, 1968; L. Ryan, 1968).

Seltener sind die Beiträge vor 1945, die die wichtige Frage der »dichterischen Ausdrucksform« erörtern: entweder im Anschluß an Heinrich Wölfflins *Kunstgeschichtliche Grundbegriffe* (1915) und Oskar Walzels *Wechselseitige Erhellung der Künste* (1917) vom »sinnlichen Gesamteindruck« auf das Problem im »Bild« schließen (A. v. Grolman, 1919) oder systematische Sprachanalyse betreiben, Syntax, Metrum, Rhythmus und metaphorische Struktur untersuchen (H.-W. Bertallot, 1933; D. Seckel, 1937).

So verdienstvoll oder aufschlußreich im Detail die genannten Darstellungen sich heute noch lesen mögen, so wenig reichen sie an den *Hyperion*-Roman als »Metapher einer intellectuellen Anschauung« heran. Hölderlins Auffassung vom Dichterwort läßt wohl die Unterscheidung, nicht jedoch die Auflösung des Zusammenhangs von Aussage- und Ausdrucksstruktur zu, weil ihm dieser Zusammenhang als die Vermittlung des »Harmonisch-Entgegengesetzten« (Voraussetzung der Einsicht in das Vernünftigwerden von Ich und Welt: Freiheitsidee) für inhaltlich unüberbietbar gilt. Gegen-

42 Hans Wolf Jäger, *Politische Kategorien in Poetik und Rhetorik der zweiten Hälfte des 18. Jahrhunderts*, Stuttgart 1970; Diskussionsbeitrag »Zur Frage des ›Mythischen‹ bei Hölderlin«, in: *Hölderlin ohne Mythos*, hrsg. von Ingrid Riedel, Göttingen 1973, S. 81–90.

über dem Vorrang der transzendentalhermeneutischen Erfahrungs- und Darstellungskonstitution im »Bild« kommen die gegenständlichen Sachverhalte, der Griechenaufstand 1770 und die Französische Revolution, über den Charakter aporetischer Paradigmen nicht hinaus; deren logischer Status darf »kontingent« genannt werden, d. h. gemessen am Gesetzesgeschehen der Natur »zufällig« und doch im Rahmen von natürlichen und gesellschaftlichen Umständen »verbindlich«, jedenfalls vorläufig und überholbar. Deshalb brauchte die auf Vernunft statt Terror im geschichtlichen Wandel setzende Hoffnung der Tübinger Freunde, gequält durch die »Furie des Verschwindens«[43], nicht zu Skepsis oder Sentimentalität verkommen.

In der »Vorrede« zur Endfassung des *Hyperion*-Romans warnt Hölderlin den Leser davor, das »fabula docet« zu überschätzen und entweder handgreiflich oder erbaulich damit umzugehen: »Wer blos an meiner Pflanze riecht, der kennt sie nicht und wer sie pflükt, blos, um daran zu lernen, kennt sie auch nicht.« (StA 5; R 5) Offenbar bedeutet die Sprachform des Romans dem Dichter mehr als das, was die Briefe Hyperions an Bellarmin inhaltlich besagen. Darauf haben nach den Hinweisen von W. Böhm (1944) und W. Binder (1961) ausführlich L. Ryan (1965), F. Aspetsberger (1971) und H. G. Schmiz (1988) aufmerksam gemacht.

Dem Verständnis der ganzheitlichen Form bereitete Böhm den Weg, indem er die abschließende Pointe – »So dacht' ich. Nächstens mehr.« (StA 160; R 178) – als Inversion deutete: »Der Schlußsatz des Romans weist nicht über das Gegebene hinaus, sondern in dieses zurück.«[44] Beißner hat diese These aufgegriffen und präzisiert: »Die Ankündigung ›Nächstens mehr‹ bringt dann in den Abschluß kontrapunktisch den auf-

43 G. W. F. Hegel, *Phänomenologie des Geistes* (1807), hrsg. von Johannes Hoffmeister, Hamburg [6]1952, S. 418. – Vgl. hierzu Joachim Ritter, *Hegel und die französische Revolution*, Frankfurt a. M. 1965.

44 Wilhelm Böhm in: *Hölderlin-Gedenkschrift*, hrsg. von Paul Kluckhohn, Tübingen 1944, S. 224.

hebenden Gedanken des Offenen, des Offenseins [. . .], und wie am Anfang des Romans das Motiv des Abschlusses den Ton gibt, so hier am Ende, im letzten Brief, das des Offenseins.« (StA 489) – Binder gelang innerhalb der philologisch wie hermeneutisch subtilen Abhandlung über *Hölderlins Namenssymbolik* die mythologisch und geistesgeschichtlich begründete Wesensbestimmung Hyperions: Er ist der »Drüber-Hingehende«, der die gegenständlich tätige und leidende Lebenswelt Transzendierende. »Hyperions Transzendieren besagt nur, er könne niemals im ›gewöhnlichen Dasein‹ Fuß fassen und in einem begrenzten Tun seine Bestimmung verwirklichen. [. . .] Eben darum ist er zum Dichter bestimmt.«[45]

Mit diesen Hinweisen, die den Blick auf die »dichterischen Tage« lenken, zu denen der Held im Roman über Widersprüche und Dissonanzen hinweg sich den Weg bahnt und erschreibt, kommt Ryan in seinem *Hyperion*-Buch insofern überein, als er erstmals umfassend den Zusammenhang von Lebensvollzug und Erzählvorgang interpretatorisch vorführt. Leitfaden ist ihm das von Hölderlin im *Thalia*-Fragment angebotene Schema der »exzentrischen Bahn«: »[. . .] die Exzentrizität spiegelt den Abfall des bewußten Wesens von der unmittelbaren Zugehörigkeit zum Seinsganzen wider. [. . .] sie kommt der Selbstzentrierung eines vom Ganzen abfallenden, sich somit zentrifugal verhaltenden Wesens gleich.«[46] Die Schwierigkeit für das Ich besteht demnach darin, daß die zentrifugale Bewegungsrichtung des Selbstbezugs durch »Zurechtweisung« auf die Seinszugehörigkeit zurückgelenkt und so einer »umfassenden Harmonie« teilhaftig wird, »die letztlich vom strebenden Menschen selber nicht ›errungen‹ werden kann«.[47] Wenngleich Ryan um das Form-

45 Wolfgang Binder in: W. B., *Hölderlin-Aufsätze*, Frankfurt a. M. 1970, S. 188 ff.

46 Lawrence Ryan, *Hölderlins »Hyperion«. Exzentrische Bahn und Dichterberuf*, Stuttgart 1965, S. 12.

47 Ebd., S. 13.

prinzip des Romans weiß, so ist doch fraglich, ob es vom Ansatz der »Exzentrizität« aus zureichend beschreibbar ist. Die »von außen« kommende »Zurechtweisung« läßt es einfach nicht zu, daß der zentrifugal sich bewegende und bewegte Held, der erzählend sein Schicksal überdenkt und dabei »zum Vollzugsorgan der auf sich selber reflektierenden Innerlichkeit« wird,[48] auch zu gewissen Einsichten in die Dissonanzen der Welt gelangt, seine Erzählleistung als vermittelnde Aufhebung der exzentrischen Gegenläufigkeit begreift.[49] Deshalb bleiben dem Verfasser dieser verdienstvollen Arbeit Teile des im Erzählen zur dichterischen Gestaltung drängenden Weltentwurfs unzugänglich. – Die zu Recht angemerkte Kritik veranlaßt Aspetsberger dazu, die episch repräsentierte Welteinheit aus der Ichform des *Hyperion*-Romans konsequent zu deduzieren. Innerhalb der Ich-Einheit der Erzählerperspektive unterscheidet er den erzählten oder zitierten Hyperion, der den Athener Daseinsentwurf eines ästhetischen Welt- und Selbstverständnisses durch den von Diotima verkörperten und an ihn herangetragenen Praxisanspruch bis zur scheiternden politischen Tat bewährt (H1), und den rückblickenden Schreiber und Kommentator dieses Vorgangs in Briefen an Bellarmin (H2). Aspetsberger erkennt, daß die beiden Erzählebenen in der durchgehenden Einheit der Ich-Perspektive verschiedene Bewußtseinsstufen bezeichnen und schließlich in den beiden letzten Briefen als Erfüllung jener Verheißung der »dichterischen Tage« ihre wesentliche Aufhebung erfahren (H^2). Die »am Anfang des Romans als elegisch erfaßte Differenz, Selbstbestimmung

48 Ebd., S. 4.

49 Ebd., S. 220 und S. 226: »[...] weil das Erzählen und das Erzählte ja letztlich Stufen eines einzigen kontinuierlichen Entwicklungsprozesses sind. Es ist auch kennzeichnend, daß Hyperion selber sich an keiner Stelle über den vollen Sinn seines Erzählverfahrens bewußt wird: er meint an den Freund Bellarmin Briefe zu schreiben und nicht etwa einen Roman.« – Zum problematischen Ansatz der »exzentrischen Bahn« vgl. Ulrich Gaiers Rezension des Buches von Ryan, in: *German Quarterly* 39 (1966) S. 244–249.

und defiziente Wirklichkeit«, führt in der Vereinigung beider Ebenen (H1 und H2 zu H^2) »zu dem grundlegenden Angriff (Rede über die Deutschen), den Hyperions Menschlichkeit immer führen muß« und der mit der Kunstform als zweiter Motivation bzw. mit der Reflektiertheit entschiedenen Daseins ein Äußerstes hat: »Hier ist die Kunstdefinition des Romans, wie sie das Athengespräch bietet, von Hyperion durch seine Lebensbahn, die dort ausgeschlossen war, erfüllt.«[50] Fraglich bleibt m. E., ob die Aufhebung der beiden Erzählebenen in die sprachkünstlerische Reflexion gescheiterter Praxis für die »dichterischen Tage« Hyperions das letzte Wort sein darf.
Unter dem Begriff der »Kritischen Gewaltenteilung« hat der Theologe und Germanist H. G. Schmiz 1988 Hölderlins Idee der menschheitsgeschichtlich »vollendeten Bildung« aus dem Spannungsfeld von antikem Mythos, christlicher Offenbarungsreligion und aufklärerischem Rationalismus als »Wagnis« oder »risikoreiche Vermittlungsleistung« des epischen Vorgangs im *Hyperion*-Roman dargestellt. Überzeugend wird die Interpretationshypothese diskutiert, derzufolge Hölderlins mythenkritische Rezeption des »sympathetischen Weltumgangs als Korrektiv an der bloß enggeführten Verstandesaufklärung noch einmal umgriffen ist von Grundmotiven des christlichen Schöpfungsglaubens, daß die Anverwandlung des antiken Mythos für den Dichter nur durch die christliche Offenbarungsreligion hindurch möglich wird«.[51]

Einleitend war schon kurz die Rede davon, daß es dem »Julius« Schillers und dem »Hyperion« Hölderlins nach den prometheischen Anmaßungen des sich aufklärenden Subjekts darum geht, die Differenzen oder Dissonanzen der

50 Friedbert Aspetsberger, *Welteinheit und epische Gestaltung. Studien zur Ichform von Hölderlins Roman »Hyperion«*, München 1971, S. 134 ff.

51 Heinz Gustav Schmiz, *»Kritische Gewaltenteilung«. Mythenrezeption der Klassik im Spannungsfeld von Antike, Christentum und Aufklärung*, Frankfurt a. M / Bern / New York 1988, S. 135.

Welt, die mit erwachtem Selbstbewußtsein dem menschlichen Denken und Handeln unwiderruflich als Vermittlungsaufgabe zugefallen sind, vernünftig zu schlichten. Seit Kants *Kritik der Urteilskraft* rekurrieren alle Bemühungen um eine »Neue Mythologie« oder »sinnliche Religion« auf diesen Befund. Die Tübinger Stiftler gehen mit dem erst 1917 von Franz Rosenzweig veröffentlichten *Ältesten Systemprogramm des deutschen Idealismus* voran. Vermutlich ist es nach einem Besuch Schellings bei Hölderlin im Frühsommer 1796 verfaßt worden; Hegel hat die überlieferte Abschrift angefertigt. Aus Diskussionen über Fragen der christlichen Verkündigung ist den Freunden geläufig, daß es mit der Absage an die Götter, daß es mit der Abwendung von den alten Mythen und den Glaubensformen des mittelalterlichen Kirchenchristentums für den aufgeklärten Geist nicht getan ist. Das, was antiker Mythos und christliche Offenbarung – das Zeugen der Götter im kosmogonischen Prozeß oder die Schöpfungstat des Gottes – an geschaffener Welt vorgegeben haben, das wird nun dem sich motivierenden Subjekt in freier Verantwortung zur Aufgabe. Ihm erwachsen die Probleme in Raum und Zeit, zentriert in der Frage nach dem vom Menschen zu schaffenden Sinn der Geschichte. Der Entwurf des *Systemprogramms* bringt das deutlich zum Ausdruck. Es gibt kein naives »Zurück« zum Ursprung. Das Sinnpotential von Mythos und Kerygma bedarf fortan der vernünftigen Aneignung durch den Menschen: »Die neue Mythologie muß im Dienste der Ideen stehen, sie muß eine Mythologie der Vernunft werden.«[52] Diese »Mythologie der Vernunft« geht also sowohl über die Wirklichkeit der alten Götter als auch über deren Nachfolger, die Theorie der Naturerkenntnis (Mathematik, Physik) sowie die Verfaßtheit des absolutistischen Staates, hinaus. Das heißt: Die Gesetzmäßigkeit der (natur-) wissenschaftlichen Theorie und die Rechtmäßigkeit der politischen Praxis bedürfen der Legitimation durch die regulie-

52 StA, Bd. 4,1, S. 299.

rende Idee, sie müssen also erst noch zu einem Werk der Freiheit werden. Ohne die Anleitung durch ästhetische Bildung erscheint neuzeitliche Rationalität nicht in der Lage, mit den Gegenständen ihrer Erfahrung frei umzugehn; ohne den sensus communis der Urteilskraft kann der Verstand weder zur Notwendigkeit des Naturgeschehens ein vernünftiges Verhältnis gewinnen noch den absolutistischen Staat human überwinden. Die ausgebeutete Natur wird dem hemmungslosen Fortschrittsdenken lebensfeindlich begegnen, und politische Zwangsherrschaft wird noch wider die besseren Motive der Gegengewalt durch deren Terror hindurch den eigenen bestätigt finden, so daß in beiden Fällen, unter Berufung auf die Macht des Faktischen, Herrschaftswillkür und Aufstandsraserei ihresgleichen geschehen lassen. Demgegenüber betonen nach Kant und Schiller die Wortführer der neuen Mythologie die Idee der ästhetischen Bildung,[53] die in der anschaulichen Synthesis das Voraussetzungsverhältnis des gegenseitigen Bestimmtseins von Natur und Freiheit, von Gesetz und Gewissen demonstriert, damit die geschichtliche Vernunft den Vermittlungssinn nicht aus den Augen verliere: demzufolge der Mensch gegenüber der Natur nur insoweit vernünftig verfährt, als er ihre Eigenbedeutung ernst nimmt und der Staat seinen Bürgern nur dann vertraut werden kann, wenn er in ihnen den Menschen achtet:

> Es scheint nicht, daß die jezige Physik einen schöpferischen Geist, wie der unsrige ist, oder seyn soll, befriedigen könne.
> Von der Natur komme ich aufs Menschenwerk. Die Idee der Menschheit voran – will ich zeigen, daß es keine Idee vom Staat gibt, weil der Staat etwas mechanisches ist [. . .]. Nur was Gegenstand der Freiheit ist, heist Idee. Wir müssen also auch über den Staat hinaus! – [. . .] Zulezt die Idee, die alle vereinigt, die Idee der Schönheit. [. . .]
> Ehe wir die Ideen ästhetisch machen, d. h. mythologisch

53 Vgl. Kimpel (Anm. 16) S. 92 ff.

> machen, haben sie für das Volk kein Interesse und umgekehrt ehe die Mythologie vernünftig ist, muß sich die Philosophie ihrer schämen. So müssen endlich aufgeklärte und Unaufgeklärte sich die Hand reichen [...]! Dann herrscht ewige Einheit unter uns. Nimmer der verachtende Blik, nimmer das blinde Zittern des Volks vor seinen Weisen und Priestern. Dann erst erwartet uns gleiche Ausbildung aller Kräfte, des Einzelnen sowohl als aller Individuen. Keine Kraft wird mehr unterdrükt werden, dann herrscht allgemeine Freiheit und Gleichheit der Geister.[54]

Schillers Forderung einer »ästhetischen Erziehung« mit menschheitsgeschichtlicher Dimension, der Ruf nach einer »Mythologie der Vernunft« oder »sinnlichen Religion« durch Schelling und Hölderlin, später auch von Friedrich Schlegel und anderen vorgetragen, ist also nicht der Einbruch eines idealistischen Obskurantismus in das aufklärerische Denken, sondern die notwendige Einsicht des selbstbewußten und freien Subjekts in seine Voraussetzungen und Grenzen wie in seine unendliche Aufgabe. Das selbstbewußt und frei werdende Subjekt erfährt derart seine Voraussetzungen und Grenzen, d. h., es lernt die von ihm nicht geschaffene Naturordnung in ihrer Widerständigkeit und die Macht der Tradition in ihrem Beharrungsvermögen als ständige Herausforderung kennen und verstehen. Das selbstbewußt und frei werdende Subjekt erfährt derart seine unendliche Aufgabe, d. h., es begreift seine Bestimmung, das »An-sich« der Natur und Tradition zu einem »Für-sich« umschaffen zu müssen, als unabschließbar. Das erst begründet die Vorstellung von der Geschichte des Menschen und von der möglichen Autonomie in ihr. Die frühaufklärerische Doktrin von der Affinität zwischen Natur und Vernunft, die dem linearen Fortschrittsoptimismus grundgelegt war und einer vermeintlich wachstumsähnlich prosperierenden Menschheitsent-

54 StA, Bd. 4,1, S. 297 ff.

wicklung wie selbstverständlich den Weg zu ebnen schien, bleibt hinter einer Einschätzung der Vernunft, die ihre Voraussetzungen ins Auge faßt und sich geschichtlich sehen lernt, noch weit zurück.
Den entscheidenden Übergang vom schicksallosen In-sich-Ruhen zum schicksalhaften Heraustreten aus der Unschuld des natürlichen Einsseins mit sich und der Welt in das motivierte Umgehn mit dem geschichtlichen Werden und Vergehen hat Hölderlin im Briefroman, dem »Gedicht« als »Metapher einer intellectuellen Anschauung«, zu gestalten versucht. Aber der Dichter beschreibt diesen Vorgang nicht einfach. Es ist der Held selbst, der seine Vertreibung aus paradiesischer Einfalt in die Verantwortlichkeit des Denkens, Tuns und Erleidens (erste Motivation geschichtlichen Daseins als die Fähigkeit, Geschichte zu machen) aufgrund von Erinnerungen und Aufzeichnungen in Briefen dem Freund Bellarmin mitteilt. Die Selbstreflexion Hyperions im Überleben weiß sich der Wahrheit der »intellectuellen Anschauung« unwandelbar verpflichtet, so daß weder die Einheit der Person zerstört wird noch die Glaubwürdigkeit des Geschichtsverlaufs Schaden nimmt (zweite Motivation geschichtlichen Daseins als die Fähigkeit, Geschichte zu schreiben), vielmehr erste und zweite Motivation in die Verheißung der »dichterischen Tage« sich aufheben.

> Warum erzähl' ich dir und wiederhole mein Leiden und rege die ruhelose Jugend wieder auf in mir? Ists nicht genug, Einmal das Sterbliche durchwandert zu haben? warum bleib' ich im Frieden meines Geistes nicht stille?
> Darum, mein Bellarmin! weil jeder Athemzug des Lebens unserm Herzen werth bleibt, weil alle Verwandlungen der reinen Natur auch mit zu ihrer Schöne gehören. [...] ich habe nun so viel Frieden in mir, um ruhig zu bleiben, bei jedem Blik ins menschliche Leben. O Freund! am Ende söhnet der Geist mit allem uns aus. Du wirsts nicht glauben, wenigstens von mir nicht. Aber ich meine, du solltest sogar

> meinen Briefen es ansehn, wie meine Seele täglich stiller wird und stiller. Und ich will künftig noch soviel davon sagen, bis du es glaubst. (StA 102 f.; R 114 f.)

Die Ich-Einheit Hyperions spricht aus einer beziehungsreichen Spannung heraus. Sie besteht aus Hyperion dem Handelnden, der zitiert wird, der für den Athener Daseinsentwurf bis zur scheiternden politischen Tat einsteht, und aus Hyperion dem Erzählenden, dem erinnernden und kommentierenden Geschichtsschreiber. Erst aus der selbstgewiß spannungsreichen Beziehung von Planung, Vollzug, Überprüfung des Handelns im Schreiben und Zusammenfügen der Briefe (auch mit den zwischen Hyperion und Diotima gewechselten), der Adresse des Freundes zugedacht, wird Hyperion sich und dem Leser als Subjekt und Objekt der Geschichte begreifbar, als bewegendes Prinzip des Vorgangs und zugleich als dessen Resultat. In der Stille der Reflexion aber lernt er nicht nur, sich historisch zu sehen, Bedingungen der kontemplativen und tatkräftigen Existenz gegeneinander abzuwägen: er wird durch die geistige Aussöhnung von Selbstauslegung und Weltbezug darüber hinaus zur dichterischen Weltperson, die um die Vorläufigkeit und Überholbarkeit aller Verstandesfixierungen weiß, an die das Schöne sich gleichwohl immer erneut wagen muß.

> O Seele! Seele! Schönheit der Welt! du unzerstörbare! du entzükende! mit deiner ewigen Jugend! du bist; was ist denn der Tod und alles Wehe der Menschen? – Ach! viel der leeren Worte haben die Wunderlichen gemacht. Geschiehet doch alles aus Lust, und endet doch alles mit Frieden. (StA 159; R 178)

Hölderlin war der Auffassung, daß die Aufhebung der von mir so genannten ersten und zweiten Motivation geschichtlichen Daseins in den Gestaltcharakter des Briefromans die neue Mythe repräsentiere, das »Eine in sich selber unterschiedene« als die harmonische Entgegensetzung von Subjekt und Objekt, Sein und Sollen, von bestimmter und möglicher

Erfahrung, zur Darstellung gebracht habe. Es ist ihm klar, daß gegenüber dem ursprünglich schaffenden »anfänglichen Wort« (Johannesevangelium) des absoluten oder göttlichen Logos das endliche Bewußtsein sich selbst und die Welt als das Geschaffene immer voraussetzt. Ist jener denkend und setzend Ineins, so zerfällt diesem jede Sinngebung in die Differenz von Wissen (Entwurf) und Tun (Handlungsvollzug), die ihrerseits aufgrund der zweiten Motivation, d. h. gestaltet im Roman, zur Erscheinung des »Harmonisch-Entgegengesetzten« wird: es ist dies für Hölderlin die Offenbarung des Göttlichen nicht etwa als empirisch gegenständliches Ereignis, sondern als sprachreflexive Transzendierung aller endlichen Verstandesrelationen, angesichts der unendlichen Vermittlungsaufgabe, die der Dichter von der Idee der Freiheit her mit Blick auf Natur und Geschichte zu erschreiben versucht. Wenn Hölderlin in den »Anmerkungen zur Antigonä«, die Fragen der Übertragung des griechischen Textsinns in die Literatursprache des deutschen Idealismus erörternd, schreibt: »Wir müssen die Mythe nemlich überall beweisbarer darstellen«[55], so denkt er sicher nicht an eine naive Positivierung der göttlichen Offenbarung (Erscheinung der Schöpfung im Ganzen und deren Erhalt in der Gnaden- und Liebesgestalt des eingeborenen Sohnes) im Sinne verstandesfixierter Realität; vielmehr gilt die Wendung seinem Glauben an die Evidenz der poetischen Sprache, die, im Vertrauen auf den christlichen Logos, dem endlichen Bewußtsein zumutet, seine Endlichkeit als Sinn zu ergreifen und d. h. noch im Vergehen das Wirklichwerden der Freiheit sichtbar zu behaupten und an den spannungsreichen Dissonanzen und Differenzen der Lebenswelt aufzuweisen – »ein furchtbarer aber göttlicher Traum«. Mit dieser Intention erfüllt sich für Hölderlin die Poesie »als ein (transcendentaler) schöpferischer Act«:

> Aber das Mögliche, welches in die Wirklichkeit tritt, indem die Wirklichkeit sich auflöst, diß wirkt, und es bewirkt so-

55 StA, Bd. 5, S. 268.

> wohl die Empfindung der Auflösung als die Erinnerung des Aufgelösten. [...]
> Im Zustande zwischen Seyn und Nichtseyn wird aber überall das Mögliche real, und das wirkliche ideal, und diß ist in der freien Kunstnachahmung ein furchtbarer aber göttlicher Traum. [...] Diese idealische Auflösung ist furchtlos. [...]
> [...] die idealische Auflösung unterscheidet sich von der sogenant wirklichen endlich dadurch, daß diese ein reales Nichts zu seyn scheint, jene, weil sie ein Werden des idealindividuellen zum Unendlichrealen, und des unendlichrealen zum individuellidealen ist, in eben dem Grade an Gehalt und Harmonie gewinnt, [...] so daß die Auflösung des Idealindividuellen nicht als Schwächung und Tod, sondern als Aufleben, als Wachstum, die Auflösung des Unendlichneuen nicht als vernichtende Gewalt, sondern als Liebe und beedes zusammen als ein (transcendentaler) schöpferischer Act erscheint [...].[56]

Für die »Metapher einer intellectuellen Anschauung« bleibt Freiheit stets an die Gegenstände des Verstandes gebunden, dem tätigen und leidenden Dasein zugehörig, aber sie geht nicht in dem Unumgänglichen auf. Das »Fortschreiten im Bewußtsein der Freiheit« (Hegel), das der Dichter im Roman zur Sprache bringt, will »mehr« sein als das, was Aufklärung über mittelalterliches Kirchenchristentum triumphieren läßt oder auch das, was der fragwürdige Verlauf bestimmter geschichtlicher Ereignisse (Griechenaufstand gegen die Türken, Französische Revolution) an realer Erfahrung und partieller Einschätzung hergibt. Insoweit legt die »Metapher einer intellectuellen Anschauung«, mit deren Hilfe der Dichter den Menschen aus allen Verfremdungen immer wieder vor sich selbst bringt, in sprachästhetischer Form die Anstrengung der Selbsttranszendierung nahe, von der Hyperion seinen Namen hat. Die Titelfigur repräsentiert derart in viel-

56 StA, Bd. 4,1, S. 283ff.

schichtiger Weise sowohl die Kritik an mittelalterlich religiöser Weltverachtung und neuzeitlich rationalistischer »Entgötterung der Natur« als auch deren Überwindung durch Freilegen der christlich soteriologischen Fundamente, auf denen der deutsche Idealismus den Prozeß der »wahren Aufklärung« einleitete. Mit anderen Worten: Sie betreibt Distanzierung der alten Naturgötter und deren klerikalistischer sowie verstandesaufklärerischer Nachfahren (Ideologiebildungen in Religion, Wissenschaft, Politik etc.) durch »ästhetische Bildung« (»Mythologie der Vernunft«, »sinnliche Religion«), die im Verlauf ihrer stufenweisen Entfaltung deutlich christologische Züge annimmt.
Hölderlin hat immer den jünglinghaften Charakter des vorsokratisch griechischen Geistes betont, der mit seiner Vorstellung von der göttlichen Natur nie eine wirkliche Differenz verband, vielmehr vertrauensselig ihrem Einklang sich hingab. Darauf bezieht sich seine sehnsüchtige Griechenlandverehrung, der auch Hyperion nachsinnt. Dennoch konnte er sich mit dem abstrakt-transzendenten Schicksalsbegriff der Griechen, der über die Besonderheit und Einzigartigkeit menschlicher Existenz absolut gebietet und denkender Aneignung sowie individueller Praxis unzugänglich ist, nicht abfinden. In seiner wesentlichen Selbstdefinition hatte der Christengott unserer Tradition, der aus Liebe zur Welt endliche Gestalt annimmt, um dem Menschen die Gotteskindschaft zu erleichtern, für Hölderlin letztlich die größere Anziehungskraft. Christus ist für ihn der persönlich ansprechbare Schicksalsgrund, der über sentimentale Schicksallosigkeit und fatalistische Schicksalhaftigkeit gleichermaßen erhaben ist. Die Bedeutung des Selbstopfers aus Liebe verheißt dem Gläubigen die Überwindung von Trennung und Gegensatz. Im Dienst dieser Verheißung kann sich der Mensch, das Ebenbild der Gottheit, in einer befreiten Welt wiederfinden. Insoweit ist die Griechenlandsehnsucht, das Einssein mit der göttlichen Natur, im *Hyperion* von der christlichen Liebe als des Gesetzes Erfüllung überformt. Ja,

man möchte fast sagen, daß der Zugang zum antiken Mythos für Hölderlin sich eigentlich erst von dem Auslegungsangebot her erschließt, das die christliche Offenbarungsreligion durch den Gott, der sein Wort in Schöpfung und Bund gegeben und dem Menschen zur Nachfolge anempfohlen hat, gewährt.

Verfolgen wir anhand der sechs Stufen, wie der epische Vorgang mit diesen Ansprüchen eines menschheitsgeschichtlich dimensionierten Bildungsganges verfährt.

Grenzbegrifflicher Ausgangspunkt ist der vorreflexive Zustand naiver Unmittelbarkeit, in dem der Mensch, der von Gottvater umsorgten natürlichen Alleinheit hingegeben, ein Dasein fristet, das von den Differenzen, Problemen, Irritationen bewußter Existenz noch nichts weiß. Im natürlichen Urstand, jenseits von Gut und Böse und ohne Wissen um Sünde und Tod, ist seine »Freiheit« allenfalls eine Freiheit des Gehorsams in der schöpfungsverbürgten ontologischen Vollkommenheit.

> Ruhe der Kindheit! himmlische Ruhe! wie oft steh' ich stille vor dir in liebender Betrachtung, und möchte dich denken! Aber wir haben ja nur Begriffe von dem, was einmal schlecht gewesen und wieder gut gemacht ist; von Kindheit, Unschuld haben wir keine Begriffe.
>
> Da ich noch ein stilles Kind war und von dem allem, was uns umgiebt, nichts wußte, war ich da nicht mehr, als jezt, nach all den Mühen des Herzens und all dem Sinnen und Ringen?
>
> Ja! ein göttlich Wesen ist das Kind, solang es nicht in die Chamäleonsfarbe der Menschen getaucht ist. Es ist ganz, was es ist, und darum ist es schön. Der Zwang des Gesezes und des Schiksaals betastet es nicht; im Kind' ist Freiheit allein.
>
> [...]
>
> Und wenn ich oft dalag unter den Blumen und am zärtlichen Frühlingslichte mich sonnte, und hinaufsah in's heitre

> Blau, das die warme Erde umfieng, wenn ich unter den Ulmen und Weiden, im Schoose des Berges saß, nach einem erquikenden Regen, wenn die Zweige noch bebten von den Berührungen des Himmels, und über dem tröpfelnden Walde sich goldne Wolken bewegten, oder wenn der Abendstern voll friedlichen Geistes heraufkam mit den alten Jünglingen, den übrigen Helden des Himmels, und ich so sah, wie das Leben in ihnen in ewiger müheloser Ordnung durch den Aether sich fortbewegte, und die Ruhe der Welt mich umgab und erfreute, daß ich aufmerkte und lauschte, ohne zu wissen, wie mir geschah – hast du mich lieb, guter Vater im Himmel! fragt' ich dann leise, und fühlte seine Antwort so sicher und seelig am Herzen. (StA 10 f.; R 10 ff.)

Es kann Hyperion nicht erspart bleiben, aus der glückhaften Unschuld des Werdens, aus der paradiesisch schicksallosen Ursprungseinheit von Ich und Natur herauszutreten. Wobei das Erwachen, der »Sündenfall der Reflexion«, aus der Begegnung mit dem Erzieher Adamas entwicklungsgerecht erfolgt: »Aber schön ist auch die Zeit des Erwachens, wenn man nur zur Unzeit uns nicht wekt.« (StA 10; R 11) Mit Adamas ist Hyperion der pflegliche Begleiter zugefallen, der die jugendliche Begeisterung auf naturkundliche und geistesgeschichtliche Wissensgehalte hin differenziert, ordnet und beruhigt: »Es ist ein köstlich Wohlgefühl in uns, wenn so das Innere an seinem Stoffe sich stärkt, sich unterscheidet und getreuer anknüpft und unser Geist allmählig waffenfähig wird.« (StA 14; R 15) Hyperion lernt sich als geistige Existenz von der objektiven Realität zu unterscheiden und gewinnt damit erst eigentlich als Subjekt ein liberales Verhältnis zur Welt. Unwiderruflich sind nun die Differenzen aufgebrochen. Aus der Entzweiung von Ich und Welt, Wesen und Erscheinung, Sollen und Sein, Gut und Böse, Freiheit und Notwendigkeit, Immanenz und Transzendenz erwächst dem Menschen das Problem der Versöhnung bzw. die mit seiner geschichtlichen Existenz verbundene unstillbare Sinnfrage. Diese ist ihm nicht mehr, wie in natürlicher Ursprungseinheit, geschenkt, sondern fortan mit dem Ziel der Bildung seiner selbst im geschichtlich gesellschaftlichen Rahmen aufgegeben. Der Erzieher deutet Hyperions Herkunft und Bestimmung aus der ewigen Jugend des alten Sonnengottes, der freilich in konkreter Auslegung dann unverkennbar christologisch heilsgeschichtliche Gestalt annimmt:

> Sei, wie dieser! rief mir Adamas zu, ergriff mich bei der Hand und hielt sie dem Gott entgegen [...].
> In uns ist alles. Was kümmerts dann den Menschen, wenn ein Haar von seinem Haupte fällt? Was ringt er so nach Knechtschaft, da er ein Gott seyn könnte! Du wirst einsam seyn, mein Liebling! sagte mir damals Adamas auch. [...].
> Und das ist's, Lieber! Das macht uns arm bei allem Reichtum, daß wir nicht allein seyn können, daß die Liebe in uns, so lange wir leben, nicht erstirbt. [...]
> Es ist ein Gott in uns, sezt' er ruhiger hinzu, der lenkt, wie Wasserbäche, das Schiksaal, und alle Dinge sind sein Element. Der sey vor allem mit dir! (StA 16 f.; R 17 ff.)

Es ist nur folgerichtig, wenn angesichts des liebenden Gottes »in uns«, den Adamas der Aufmerksamkeit Hyperions empfiehlt, die nach dem Sündenfall der Reflexion verstärkt einsetzende Entmythologisierung oder »Aufklärung« wie die dürre Nützlichkeitsideologie der traditionslos überlebenden Verstandesborniertheit erscheint, aus deren reduktiver Weltanschaulichkeit die Sinnfrage des Menschen als Bildungsaufgabe zugunsten pragmatischer Opportunität bis zur Unkenntlichkeit gewichen ist:

> Es war mir wirklich hie und da, als hätte sich die Menschennatur in die Mannigfaltigkeiten des Thierreichs aufgelöst, wenn ich umher gieng unter diesen Gebildeten. Wie überall, so waren auch hier die Männer besonders verwahrlost und verwest.

Gewisse Thiere heulen, wenn sie Musik anhören. Meine bessergezognen Leute hingegen lachten, wenn von Geistesschönheit die Rede war und von Jugend des Herzens. Die Wölfe gehen davon, wenn einer Feuer schlägt. Sahn jene Menschen einen Funken Vernunft, so kehrten sie, wie Diebe, den Rüken.
[...]
Es gebärdet' auch wohl einer sich aufgeklärt, machte dem Himmel ein Schnippchen und rief: um die Vögel auf dem Dache hab' er nie sich bekümmert, die Vögel in der Hand, die seyen ihm lieber! Doch wenn man ihm vom Tode sprach, so legt' er straks die Hände zusammen, und kam so nach und nach im Gespräche darauf, wie es gefährlich sey, daß unsere Priester nichts mehr gelten. (StA 22 f; R 24 f.)

Mit der grenzbegrifflichen Erinnerung an seine göttliche Herkunft (1. Stufe) und mit der Erfahrung dessen, was der von Adamas umrissenen Humanität (der liebende Gott in uns) in »aufgeklärter« Realität zu widerfahren pflegt, ist Hyperion auf dem Wege, aus dem Bereich der ruhig betrachtenden Aneignung theoretischen Wissens (2. Stufe) in die Stufen 3 (Alabanda und die Revolutionsideologie) und 4 (Diotima und der Athener Daseinsentwurf, das »Älteste Systemprogramm« des deutschen Idealismus) einzutreten, in denen es darum geht, Erinnerung und Wissenserwerb auf ihre praktische Vernunft hin zu überprüfen und damit als Bildungsaufgabe einsehen zu lernen; wenn wir »Bildung« hier im Sinne Kants, Schillers, Hölderlins und Hegels verstehen wollen als die Synthesis von Wissen und Tun, als das habituell angeeignete Wissen, das den Menschen in seiner Lebenswirklichkeit motiviert und zu dem Selbstbewußtsein verhilft, aus dem heraus er sich als Ursache seiner Handlungen zu begreifen vermag.
Initiationsmetapher des Übergangs von theoretischer zu praktischer Vernunft, des Wechsels aus dem Bereich des behüteten Lernens, Verstehens und Irrens in den der gefahrvol-

len Bewährung und des risikoreichen Überlebens ist für Hyperion die Situation, in der er, unter die Räuber gefallen, sich behaupten muß, um wenig später auf Alabanda zu treffen. Dieser, »vom Schiksaal und der Barbarei der Menschen heraus, vom eignen Hause unter Fremden hin und her gejagt, von früher Jugend an erbittert und verwildert, und doch auch das innere Herz voll Liebe, voll Verlangen, aus der rauhen Hülse durchzudringen in ein freundlich Element« (StA 26; R 29), sieht sich mit seinen Anhängern getrieben, die humane Lebenswelt durch politische Aktion, gewaltsamen Umsturz und Errichtung des besseren Staates, notfalls über den Willen beharrlicher Barbaren und zögernder Knechte hinweg, zu erzwingen:

> Ihr wollt ja nie, ihr Knechte und Barbaren! Euch will man auch nicht bessern, denn es ist umsonst! man will nur dafür sorgen, daß ihr dem Siegeslauf der Menschheit aus dem Wege geht. O! zünde mir einer die Fakel an, daß ich das Unkraut von der Haide brenne! die Mine bereite mir einer, daß ich die trägen Klöze aus der Erde sprenge! (StA 29; R 31 f.)

Der fragende, zweifelnde, nachdenkliche Hyperion erscheint mit der Macht des Faktischen als dem gleichen Willen zur Macht zwecks Erhalt oder Veränderung konfrontiert:

> So würden wir dir sagen, daß wir da sind, aufzuräumen auf Erden, daß wir die Steine vom Aker lesen, und die harten Erdenklöse mit dem Karst zerschlagen, und Furchen graben mit dem Pflug, und das Unkraut an der Wurzel fassen, an der Wurzel es durchschneiden, samt der Wurzel es ausreißen, daß es verdorre im Sonnenbrande.
> [...]
> Wir sind am Abend unsrer Tage. Wir irrten oft, wir hofften viel und thaten wenig. Wir wagten lieber, als wir uns besannen. [...] Wir spielten mit dem Schiksaal und es that mit uns ein Gleiches. Vom Bettelstabe bis zur Krone warf es

> uns auf und ab. Es schwang uns, wie man ein glühend Rauchfaß schwingt, und wir glühten, bis die Kohle zu Asche ward. Wir haben aufgehört von Glük und Misgeschik zu sprechen. Wir sind emporgewachsen über die Mitte des Lebens, wo es grünt und warm ist. Aber es ist nicht das Schlimmste, was die Jugend überlebt. Aus heißem Metalle wird das kalte Schwert geschmiedet. Auch sagt man, auf verbrannten abgestorbenen Vulkanen gedeihe kein schlechter Most. (StA 33 f.; R 37 f.)

Alabanda warnt davor, zu »schwelgen [...], wir tödten im Rausche die Zeit« (StA 31; R 34), er nennt denjenigen einen »Schwärmer«, der ihm, wie Hyperion, entgegenhält, die Idee der menschheitsgeschichtlich »vollendeten Bildung« erschöpfe sich nicht in der Schaffung eines besseren Staates, sondern bedürfe darüber hinaus in seinem Wesen der Sittlichkeit und der Liebe. Diesen Wirklichkeiten, die außerhalb des Gewissens unbelangbar seien, durch Gesetz und Recht nicht einzuklagen, habe die Staatsräson allenfalls freie Entfaltung einzuräumen, wenn anders sie nicht totalitär entarten wolle:

> Du räumst dem Staate denn doch zu viel Gewalt ein. Er darf nicht fordern, was er nicht erzwingen kann. Was aber die Liebe giebt und der Geist, das läßt sich nicht erzwingen. Das lass' er unangetastet, oder man nehme sein Gesez und schlag' es an den Pranger! Beim Himmel! der weiß nicht, was er sündigt, der den Staat zur Sittenschule machen will. Immerhin hat das den Staat zur Hölle gemacht, daß ihn der Mensch zu seinem Himmel machen wollte.
> [...]
> Das sind Betrüger! riefen alle Wände meinem empfindlichen Sinne zu. Mir war, wie einem, der im Rauch erstiken will, und Thüren und Fenster einstößt, um sich hinauszuhelfen, so dürstet' ich nach Luft und Freiheit. (StA 31, 35; R 35, 38)

Die Kontroverse zwischen Hyperion und Alabanda scheint mir kaum zureichend gewürdigt, wenn sie hinsichtlich des

Titelhelden als entwicklungsbedingt und somit »durch den weiteren Erzählverlauf relativiert« verstanden wird.[57] Geht es doch hier um die ernste Frage, wie weit der neuzeitliche Staat mit der Moralität und Gläubigkeit seiner Bürger umgehen darf, um nicht selbst in der Unmittelbarkeit der beanspruchten absoluten Herrschaft tyrannisch zu werden oder in der Unmittelbarkeit der gewährten anarchischen Freiheit dem Gesinnungschaos und Bürgerkrieg anheimzufallen. Für Hyperion ist es »greller Aberglaube des Verstandes« (Hegel), Selbstüberschätzung, mangelnde Demut angesichts des Unverfügbaren, Hybris als eine Art resignativer Ausflucht, wenn der gewaltsame Weltverbesserer die Politik über die Moral sowie über Glaube, Liebe, Hoffnung dominieren lassen will und damit den Beziehungssinn von bestehender Positivität (das technisch Praktische und das politisch Praktische) und regulierender Idee (das moralisch Praktische und das religiös Praktische) zugunsten totalitärer Anmaßung preisgibt.

Was der ungestüm und suggestiv fordernde Alabanda, jener »Geist auf seiner Irrbahn« (StA 30; R 33), für Hyperions Vernunft ideologisch verfehlt, das wird diesem in der Begegnung mit Diotima zur nunmehr entscheidungsreifen Überzeugung.

> Das erste Kind der menschlichen, der göttlichen Schönheit ist die Kunst. In ihr verjüngt und wiederholt der göttliche Mensch sich selbst. Er will sich selber fühlen, darum stellt er seine Schönheit gegenüber sich. So gab der Mensch sich seine Götter. Denn im Anfang war der Mensch und seine Götter Eins, da, sich selber unbekannt, die ewige Schönheit war. – Ich spreche Mysterien, aber sie sind. –
> [. . .]
> Der Schönheit zweite Tochter ist Religion. Religion ist Liebe der Schönheit. Der Weise liebt sie selbst, die Unend-

57 Ryan (Anm. 46) S. 91.

> liche, die Allumfassende. [...] Und ohne solche Liebe der Schönheit, ohne solche Religion ist jeder Staat ein dürr Gerippe ohne Leben und Geist [...].
> Das große Wort, das ευ διαφερον εαυτῳ (Das Eine in sich selber unterschiedne) des Heraklit, das konnte nur ein Grieche finden, denn es ist das Wesen der Schönheit, und ehe das gefunden war gabs keine Philosophie. – (StA 79 ff.; R 89 ff.)

Nicht zufällig wird Hyperion von Diotima zu dem Athener Daseinsentwurf inspiriert: Diotima, die Priesterin aus Mantineia in Platons *Symposion*, von der Sokrates sagt, sie habe ihm Wesen und Wirkung des Übergangs von Eros zu Philia und Agape gelehrt, als das »Zeugen im Schönen um der Unsterblichkeit willen« (206b ff.). Liebe sei demnach ein Mittleres zwischen Gott und Mensch, über pragmatische Lebensfristung, Arterhaltung und ontologische Vollkommenheit hinaus die Opferbereitschaft oder Hingabefähigkeit im Anblick und Dienste des höchsten Gutes, der Idee des Guten und Gerechten als Ziel aller Menschenbildung. Der eigentliche Logos sokratischer Existenz als einer Erkenntnis- und Erziehungsleistung aber ist im Sprachethos des literarisch maieutischen Dialogs als Form gemeinschaftsbildender Liebe, die die Momente des Wissens, Glaubens und Tuns aufgehoben in sich trägt, wirklich und mächtig.
Es erscheint ratsam, den Athener Daseinsentwurf vor dem Hintergrund des von Sokrates/Platon repräsentierten praktischen Primats (dem auch die »Theosophie« des jungen Schiller nahesteht) zu sehen: Sprachethos im Dienst der Idee des Guten und Gerechten zeugt im Schönen vom Menschenmöglichen über geschichtlich gesellschaftliches Gelingen oder Mißlingen hinaus und wird derart zum regulierenden Prinzip aller Bildung des Menschen für den Menschen. Deshalb soll, dem »Ältesten Systemprogramm« entsprechend, die Dichtung »Lehrerin der Menschheit« sein, Inbegriff aller übrigen Wissenschaften und Künste, Anfang und Ende einer Philoso-

phie, die aus dem Wesen des Schönen sich versteht, d. h. aus dem Bild des »Einen in sich selbst unterschiedenen« bzw. des »Harmonisch-Entgegengesetzten«. – Erinnern wir uns: Der Geschmack, der Gemeinsinn oder sensus communis, von Kant und Schiller formuliert, ist wesentlich dadurch gekennzeichnet, daß in seinem Namen gerade nicht die Dichotomien festgeschrieben sind (der cartesianische Leib-Seele-Dualismus bzw. eine mechanistische Anthropologie und Gesellschaftslehre), daß in seinem Namen gerade nicht das Prinzip der Subsumtion, der Unterordnung gilt, wie in der rationalistischen Logik und im hierarchisch gegliederten Ständestaat, sondern nach Maßgabe des transzendentalistischen Geniebegriffs das Prinzip des Einzigartigen und Außerordentlichen, des individuellen (unteilbaren) Subjekts. Seiner Bestimmung nach soll das Geschmacksurteil zu einem Besonderen das Allgemeine suchen; in ihm waltet nicht das Ordnungskriterium der füglichen Subordination, sondern das Differenzierungskriterium der freien Übereinkunft. War dieses Bild, die »Metapher einer intellectuellen Anschauung«, des »Einen in sich selbst unterschiedenen«, des »Harmonisch-Entgegengesetzten«, als Ursprungseinheit auf der Kindheitsstufe noch ohne Begriff, erschien es später im Zuge der Wissensaneignung bloß abstrakt theoretisch, danach als Fluchtpunkt sehnsüchtigen Strebens, von Alabandas Vorstellung einer objektivistischen Welt bedroht, so wird es nun in der Gestalt des Schönen, die der Dichter hingebungsvoll umsorgt, zur Aufgabe für die konkret bildsame Vernunft im Rahmen menschenwürdiger Praxis überhaupt.

Der Athener Daseinsentwurf, soll seine Intention nicht in selbstgenügsamer Exklusivität oder musealer Betrachtung verkommen und abdanken, fordert von seinen Vertretern konsequent die praktische Bewährung. Die Gestalt des Schönen (»Spieltrieb«), die »Mythologie der Vernunft« oder die »sinnliche Religion« als das Postulat der Übereinkunft von Natur (»Stofftrieb«) und Vernunft (»Formtrieb«), von Besonderem und Allgemeinem, von Notwendigkeit und Freiheit, Sinnlichkeit und Sittlichkeit, soll die abstrakten Gegensätze und falschen Alternativen der religiösen Orthodoxie und der Verstandesaufklärung überwinden helfen. Sie drängt darauf, als die gläubig wagende Form des »ich will«, alle unsere Motive und Interessen regulierend zu begleiten. Die Erfahrung der Liebe zum Schönen oder der Hingabe an das in ihr Gestaltete (die Freiheit oder das Absolute in der Erscheinung) aber läßt im Grunde keine andere Wahl, sie setzt die Liebenden dem Totaleinsatz im Handlungsvollzug aus: ein Risiko, das Diotima, die Repräsentantin des Schönen, einzuschätzen weiß und Hyperion, dem zukünftigen Verkünder des Schönen, mit guten Gründen abverlangt:

> Hyperion! – hier ergriff sie meine Hand mit Feuer, und ihre Stimme erhub mit Größe sich – Hyperion! mich deucht, du bist zu höhern Dingen geboren. Verkenne dich nicht! [. . .] Willst du dich verschließen in den Himmel deiner Liebe, und die Welt, die deiner bedürfte, verdorren und erkalten lassen unter dir? Du mußt, wie der Lichtstral, herab, wie der allerfrischende Regen, mußt du nieder in's Land der Sterblichkeit, du mußt erleuchten, wie Apoll, erschüttern, beleben, wie Jupiter, sonst bist du deines Himmels nicht werth. Ich bitte dich, geh nach Athen hinein, noch Einmal, und siehe die Menschen auch an, die dort herumgehn unter den Trümmern [. . .].
> Was kann ich für sie thun, rief ich.
> Gieb ihnen, was du in dir hast, erwiederte Diotima, gieb –
> (StA 87 f.; R 98 f.)

Auch wenn Diotima die kriegerische Auseinandersetzung, zu der Alabanda aufruft, fürchtet, vor ihr warnt und durch die Anfechtung des Versagens geht, so ringt sie sich angesichts des hin und her gerissenen Hyperion schließlich doch zu der Überzeugung durch: »Deine volle Seele gebietet dirs, antwortete sie. Ihr nicht zu folgen, führt oft zum Untergange, doch, ihr zu folgen, wohl auch. Das beste ist, du gehst, denn es

ist größer. Handle du; ich will es tragen.« (StA 97; R 108) Von Diotima wird gesagt, daß sie in der Selbstüberwindung »ein höheres Wesen« geworden sei: »Sie gehörte zu den sterblichen Menschen nicht mehr.« (StA 98; R 109) Ihren Hinweis, demzufolge der Berufene, der die Liebe als Im-andern-bei-sich-selbst-Sein erfahren durfte, eben diese Erfahrung dem bildenden Dienst am Menschen widmen soll, vollzieht sie an sich selbst. Dem zur kämpferischen Tat aufbrechenden Hyperion, der kaum ahnt, was ihm widerfährt, bringt sie das Opfer der Liebe aus Liebe: »Wir standen still unter dem Hause. Ewiges war in uns, über uns. Zart, wie der Aether, umwand mich Diotima. Thörichter, was ist denn Trennung? flüsterte sie geheimnisvoll mir zu, mit dem Lächeln einer Unsterblichen.« (StA 102; R 114)
Während für den weltimmanenten Ideologen Alabanda (»Ich glaube, daß wir durch uns selber sind«, StA 141; R 157), nachdem die militärische Aktion am Verrat der eigenen Ideen gescheitert ist (5. Stufe), die Weltgeschichte im Weltgericht endet (»Diß ist der Bund der Nemesis [...]. Geh, Vollendeter! ich gienge mir dir, wenn es keine Diotima gäbe.« StA 139 ff.; R 155 ff.), ist die das Unverfügbare bestehende Liebe in Diotima zur Überwindung allzumenschlicher Endlichkeit gediehen. Und in dieser unüberbietbar erfüllten Gestalt prophezeit sie zu guter Letzt dem katastrophenverstörten Hyperion die »dichterischen Tage« (6. Stufe). Noch einmal schwankt Hyperion zwischen schicksalverfallener Todessehnsucht und schicksalloser Naturträumerei. Aus der Bedrohung durch Fatalismus und künstlicher Naivität (Hyperions Schicksalslied) erwecken ihn die Briefe Diotimas; ihr »Schwanenlied«, kein Abgesang, vielmehr die gestalthafte Vollendung ihrer Mission:

> Nur Eines muß ich dir noch sagen.
> Du müßtest untergehn, verzweifeln müßtest du, doch wird der Geist dich retten. [...]
> O seid willkommen, ihr Guten, ihr Treuen! ihr Tiefvermißten, Verkannten! Kinder und Älteste! Sonn' und Erd'

> und Aether mit allen lebenden Seelen, die um euch spielen, die ihr umspielt, in ewiger Liebe!
> [. . .]
> Es leben umeinander die Naturen, wie Liebende; sie haben alles gemein, Geist, Freude und ewige Jugend.
> [. . .]
> Trauernder Jüngling! bald, bald wirst du glüklicher seyn. Dir ist dein Lorbeer nicht gereift und deine Myrthen verblühten, denn Priester sollst du seyn der göttlichen Natur, und die dichterischen Tage keimen dir schon.
> O könnt' ich dich sehn in deiner künftigen Schöne! Lebe wohl. (StA 147 ff.; R 164 ff.)

Der Dichtermut wird für Hyperion darin sich bewähren, die Liebe als Offenbarung des Göttlichen aus ihrem »An-sich« der natürlichen Ursprungseinheit herauszuführen und sie in der »beweisbar dargestellten Mythe«, d. h. in symbolischer Gestalt, zu einem »Für-uns« zu machen. Deshalb ist er angehalten, die anfängliche Gottesnähe zu verlassen und am Zwiespalt von Ich und Natur zu leiden, weil aufgrund der radikalisierten Differenz zugleich Selbstbewußtsein und Freiheit erworben werden, die zusammen mit dem Mächtigwerden der Person auch die Kraft der »intellectuellen Anschauung« und der Bildsamkeit befördern: »Ich hatt' es nie so ganz erfahren, jenes alte feste Schiksalswort, daß eine neue Seeligkeit dem Herzen aufgeht, wenn es aushält und die Mitternacht des Grams durchduldet, und daß, wie Nachtigallgesang im Dunkeln, göttlich erst in tiefem Laid das Lebenslied der Welt uns tönt.« (StA 157; R 175 f.)
In dichterischer Umschreibung, d. h. in Gestalt der Briefe Hyperions an Bellarmin, kommen alle Figuren vorgängiger Reflexion und Kontemplation (Athener Daseinsentwurf), denen um ihrer Wahrhaftigkeit willen die Positivierung im Faktischen (politisch militärische Aktion des griechischen Freiheitskampfes) und damit die Erfahrung der Vergänglichkeit nicht erspart oder geschenkt werden kann, im

Lichte der Einbildungskraft und des ihr überschaubar Möglichen erneut vor sich selbst; dies der Evidenz zuliebe, daß sie den Geist nur dann auf das (noch) Nicht-Vorhandene, Sein-Sollende, wachzuhalten vermöchten, wenn sie die Risiken im Verhältnis von Selbstbestimmung und Fremdbestimmtheit immer wieder wagen, darüber hinaus das Schicksal der Endlichkeit, d. h. die Erfahrung des Unverfügbaren nicht scheuen: »So dacht' ich. Nächstens mehr.« (StA 160; R 178) Das ist der unabschließbare Sinn opferbereiter Liebe, die ihr endliches Schicksal erkennt, annimmt und damit zugleich auch als Grenze überschreitet, die Hyperion letztlich zum Dichterberuf und Priesteramt befähigt. Denn an die Liebe als der Offenbarung des »Göttlichen glauben die allein, die es selber sind«, während »der Menge gefällt, was auf dem Marktplatz taugt«.[58]

Hier ergeben sich nun allenthalben die wichtigen Bezüge zu den *Theologischen Jugendschriften* Hegels, die ihn in seiner Berner und Frankfurter Zeit beschäftigt haben und sicher Gesprächsthema der Freunde gewesen sind. Ich muß mich mit wenigen Hinweisen begnügen. – Es geht Hegel in diesen Fragmenten um die Frage nach dem Anfang der positiven Religion, im Kern dann vor allem um das Verhältnis von Kirchenchristentum und Vernunftreligion. Seiner Überzeugung nach sind weder die Rechtssatzung von Kirche und Staat noch das philosophische Sittengesetz imstande, die Gehalte des substantiellen christlichen Glaubens zu fassen, der immerhin jene Revolution vollzog, die zur Verdrängung der antik heidnischen Religionen führte. Die Substantialität des christlichen Glaubens sieht Hegel in der Offenbarung Gottes fundiert, der seine Liebe zu den Menschen im leibhaftig wirkenden Wort, in Jesu, dem Gottes- und Menschensohn, mitgeteilt hat. Was allen verstandesfixierten gegenständlichen Aussagen ein unauflöslicher Widerspruch bleiben muß, das löst sich im Reich der

58 StA, Bd. 1,1, S. 250 (»Menschenbeifall«).

lebendigen Liebeserfahrung, die »das Göttliche in seiner besonderen Gestalt [. . .] als ein Mensch« erscheinen läßt.[59]

> In der Liebe hat der Mensch sich selbst in einem andern wiedergefunden; weil sie eine Vereinigung des Lebens ist, setzte sie Trennung, eine Entwicklung, gebildete Vielseitigkeit desselben voraus; und in je mehr Gestalten das Leben lebendig ist, in desto mehr Punkten kann es sich vereinigen, und fühlen, desto inniger die Liebe sein; je ausgedehnter an Mannigfaltigkeit die Beziehungen und Gefühle der Liebenden sind, je inniger sich die Liebe konzentriert, desto ausschließender ist sie, desto gleichgültiger für andere Lebensformen.[60]

Analog dazu versteht Hegel die bildhafte Rede Jesu, der nur mit dem unendlich lebendigen Geist, der von der Idee der Freiheit bewegt wird, beizukommen ist. Denn »sobald man Bildlichem die Verstandesbegriffe entgegensetzt und die letzteren zum Herrschenden annimmt, so muß alles Bild nur als Spiel, als Beiwesen von der Einbildungskraft ohne Wahrheit, beseitigt werden, und statt des Lebens des Bildes bleibt nur Objektives.«[61] Die bildhafte Rede Jesu vertritt also einen Sinnanspruch, der auf der Verstandesebene des Widerspruchs und Gegensatzes, der Trennung und Gebrochenheit, der Unvereinbarkeit von gegenständlichen Objektivationen, Unverständnis zur Folge hat. »Aber zwischen Mensch und Gott, zwischen Geist und Geist ist diese Kluft der Objektivität nicht; einer ist dem andern nur einer und ein anderer darin, daß er ihn erkennt.«[62] Von einem derart motivierten Verständnis der Ebenbildlichkeit mag Hölderlin seinen Dichtermut genommen haben, vor dem die Dissonanzen der Welt nur deshalb als vorläufig und überholbar sich erweisen, weil

59 *Hegels Theologische Jugendschriften*, hrsg. von Herman Nohl, Tübingen 1907, Nachdr. Frankfurt a. M. 1966, S. 309.
60 Ebd., S. 322.
61 Ebd., S. 309.
62 Ebd., S. 312.

der Dichter, seine endlichen Grenzen vor Augen, diese auch wider die eigene Person zu überschreiten bereit ist: »Sonst haben wir keinen [Gedanken] für uns selbst; sondern er gehört dem heiligen Bilde, das wir bilden.«[63]

Wir wissen jetzt auch, was Hölderlin meint, wenn er die Widerständigkeiten im Verhältnis von verbindlicher Selbstauslegung und notwendigem Weltbezug als schicksalhaft für den Menschen bezeichnet. Schicksal bedeutet dem Dichter und seinem Helden die Betroffenheit des Menschen hinsichtlich dessen, was an ihm wirklich wurde, was bewußtem oder motiviertem Dasein erreichbar gewesen und was ihm versagt geblieben ist, nicht ein vom Gesamtvollzug menschlicher Existenz Losgelöstes, Äußerliches, Abstraktes. Nur die Liebe vermag dem Schicksal eine alle Endlichkeit transzendierende Gemeinsamkeit mit dem Göttlichen abzugewinnen. Die freilich ist über allen Verstand:

> [. . .] ein unbegreiflich Sehnen war in mir. Diotima, rief ich, wo bist du, o wo bist du? Und mir war, als hört' ich Diotimas Stimme, die Stimme, die mich einst erheitert in den Tagen der Freude –
> Bei den Meinen, rief sie, bin ich, bei den Deinen, die der irre Menschengeist miskennt!

63 StA, Bd. 6,1, S. 433 (Brief 240: An Böhlendorff, 1802). Vgl. hierzu auch Hölderlins Brief an Immanuel Niethammer vom 24. Februar 1796, in dem er »Neue Briefe über die ästhetische Erziehung des Menschen« ankündigt, die aber wohl mit den Briefen Hyperions an Bellarmin und dem Fragment »Über die Religion« (Winter 1796/97, später fortgesetzt: 1799?) sowie dem »Systemprogramm« (Frühsommer 1796) als abgegolten angesehen werden dürfen: »In den philosophischen Briefen will ich das Prinzip finden, das mir die Trennungen, in denen wir denken und existiren, erklärt, das aber auch vermögend ist, den Widerstreit verschwinden zu machen, den Widerstreit zwischen dem Subject und dem Object, zwischen unserem Selbst und der Welt, ja auch zwischen Vernunft und Offenbarung, – theoretisch, in intellectualer Anschauung, ohne daß unsere praktische Vernunft zu Hilfe kommen müßte. Wir bedürfen dafür ästhetischen Sinn, und ich werde meine philosophischen Briefe ›Neue Briefe über die ästhetische Erziehung des Menschen‹ nennen. Auch werde ich darin von der Philosophie auf Poesie und Religion kommen.« (StA, Bd. 6,1, S. 202).

> Ein sanfter Schreken ergriff mich und mein Denken entschlummerte in mir. (StA 158 f.; R 177)

Im geordneten Nacherzählen (»Lieber Bellarmin! ich hätte Lust, so pünktlich dir, wie Nestor, zu erzählen [...].« StA 15; R 16) erwirbt Hyperion jenes liberale Verhältnis zur Lebenswelt, das alle Wirklichkeitserfahrungen mit der menschheitsgeschichtlichen Sinnfrage des Woher und Wohin konfrontiert, die ihrerseits dem unabschließbar symbolischen Gestaltcharakter des Dichters am nächsten ist. »Die Auflösung der Dissonanzen in einem gewissen Karakter« erfolgt weder durch die allmächtig willkürliche »Moira« noch über den Anstoß oder Eingriff durch einen deistisch oder theistisch gedachten Gott, sie ergibt sich auch nicht naturnotwendig oder gattungsgesetzlich, sondern resultiert aus der geschichtsphilosophisch gestalteten Aneignung der christlichen Offenbarungswahrheit, die in der schöpfungsbewußten und kontingenzerfahrenen Vermittlungsleistung, dem Zusammenfügen von Naturbindung und Freiheitstat im dichterischen Bild, ihr Äußerstes hat. Die in der Romangestalt zur vorläufigen Ruhe des »Harmonisch-Entgegengesetzten« gediehene Exzentrizität erschließt sich der vom christlichen Liebesgebot aus vorgenommenen Mythenkritik. Sie läßt im Sinne der Forderung Hölderlins, man müsse im Lichte einer Mythologie der Vernunft »die Mythe nemlich überall beweisbarer darstellen«, im *Hyperion*-Roman die Potenzen gestalthaft hervortreten, auf die das der »sinnlichen Religion« zuneigende Gedicht mit Blick auf die menschheitsgeschichtlich »vollendete Bildung« nicht verzichten darf. Die »Metapher einer intellectuellen Anschauung« vereint den Athener Daseinsentwurf als die Manifestation der theoretischen Vernunft mit der in den Freiheitskampf der Griechen (1770) sich aufhebenden praktischen Vernunft zur reflektierenden Synthesis des Erzählvorgangs im Roman.

Dieser in der poetischen Sprache Hölderlins sich austragende »transcendentale Act« legt eine Auffassung von der Bildungsaufgabe des Menschen nahe, die uns konkreter anspricht als jener Mann der Revolution, der, nach Ausrufung des Vernunftkults in Notre Dame zu Paris, im Frühsommer 1794 den Kult des »Höchsten Wesens« als neue Staatsreligion einführte, ehe man ihm wenige Wochen später den Kopf vor die Füße legte und andere eine neue Vernunft inthronisierten. Seither steht die Frage, wie das Menschenmögliche dargestellt und erfahren werden kann, damit es in der Geschichte als Freiheit sich verwirkliche, unverändert ernst zur Diskussion.

Literaturhinweise

Ausgaben

Friedrich Hölderlin: Hyperion oder der Eremit in Griechenland. 2 Bde. Tübingen: Cotta, 1797–99.

Friedrich Hölderlin: Sämtliche Werke. Begr. durch Norbert von Hellingrath, fortgef. durch Friedrich Seebaß und Ludwig von Pigenot. 6 Bde. München/Leipzig: G. Müller, 1913–1916. Berlin: Propyläen-Verlag, 1922–23.

Hölderlin: Sämtliche Werke. Hrsg. von Friedrich Beißner und Adolf Beck. Große Stuttgarter Ausgabe. 8 Bde. Stuttgart: Cotta Nachf. / Kohlhammer, 1943–85. [Hyperion in: Bd. 3, 1957.]

Friedrich Hölderlin: Sämtliche Werke. Frankfurter Ausgabe. Hist.-Krit. Ausg. Hrsg. von Dieter E. Sattler. Bd. 1 ff. Frankfurt a. M.: Verlag Roter Stern, 1975 ff.

Friedrich Hölderlin: Hyperion oder der Eremit in Griechenland. Nachw. von Ernst von Reusner. Stuttgart: Reclam, 1961 [u. ö.]. (Universal-Bibliothek. 559).

Forschungsliteratur

Allgöwer, Walther: Gemeinschaft, Vaterland und Staat im Werk Friedrich Hölderlins. Diss. Basel 1939.

Aspetsberger, Friedbert: Welteinheit und epische Gestaltung. Studien zur Ichform von Hölderlins Roman *Hyperion*. München 1971.

Beck, Adolf: Hölderlin als Republikaner. In: Hölderlin-Jahrbuch 15 (1967/68) S. 29–52.

Bertallot, Hans-Werner: Hölderlin – Nietzsche. Untersuchungen zum hymnischen Stil in Prosa und Vers. Berlin 1933. S. 29–62.

Bertaux, Pierre: Hölderlin. Essai de biographie intérieure. Paris 1936.

– Hölderlin und die französische Revolution. Frankfurt a. M. 1969. Auch in: Hölderlin-Jahrbuch 15 (1967/68) S. 1–27.

Binder, Wolfgang: Hölderlins Namenssymbolik. In: Hölderlin-Jahrbuch 12 (1961/62) S. 95–204. Wiederabgedr. in: W. B.: Hölderlin-Aufsätze. Frankfurt a. M. 1970. S. 134–260.

Böckmann, Paul: Hölderlin und seine Götter. München 1935. S. 103 bis 152.

Böhm, Wilhelm: Hölderlin. 2 Bde. Halle a. d. S. 1928–30.

Buhr, Gerhard: Hölderlins Mythenbegriff. Frankfurt a. M. 1972. S. 108–349.
Cassirer, Ernst: Idee und Gestalt. Goethe, Schiller, Hölderlin, Kleist. Berlin [2]1924. Nachdr. Darmstadt 1981.
Claverie, Joseph: La jeunesse d'Hoelderlin. Jusqu'au roman d'Hyperion. Paris 1921.
Crayssac, Marie: Etudes sur l'Hyperion d'Hölderlin. Nancy 1924.
Dilthey, Wilhelm: Das Erlebnis und die Dichtung. Göttingen 1906. [12]1950. S. 248–262.
Gadamer, Hans-Georg: Hölderlin und die Antike. In: H.-G. G.: Kleine Schriften II. Tübingen 1967. S. 27–44.
Gaier, Ulrich: Hölderlins *Hyperion*: Compendium, Roman, Rede. In: Hölderlin-Jahrbuch 21 (1978/79) S. 88–143.
Gaskill, Howard: Hölderlin's *Hyperion*. Durham University 1984.
Gerlach, Ingeborg: Natur und Geschichte. Studien zur Geschichtsauffassung in Hölderlins *Hyperion* und *Empedokles*. Frankfurt a. M. 1973.
Gockel, Heinz: Mythos und Poesie. Zum Mythosbegriff in Aufklärung und Frühromantik. Frankfurt a. M. 1981.
Grolman, Adolf von: Hölderlins Hyperion. Stilkritische Studien zu dem Problem der Entwicklung dichterischer Ausdrucksformen. Karlsruhe 1919.
Henrich, Dieter: Hegel und Hölderlin. In: D. H.: Hegel im Kontext. Frankfurt a. M. 1971. S. 9–40.
Hildebrandt, Kurt: Hölderlin. Philosophie und Dichtung. Stuttgart/Berlin 1939. [3]1943. S. 46–157.
Hoffmeister, Johannes: Hölderlin und die Philosophie. Leipzig 1942.
Jäger, Hans Wolf: Politische Kategorien in Poetik und Rhetorik der zweiten Hälfte des 18. Jahrhunderts. Stuttgart 1970.
Jamme, Christoph / Pöggeler, Otto (Hrsg.): Homburg vor der Höhe in der deutschen Geistesgeschichte. Studien zum Freundeskreis um Hegel und Hölderlin. Stuttgart 1981.
– (Hrsg.): »Frankfurt aber ist der Nabel dieser Erde«. Das Schicksal einer Generation der Goethezeit. Stuttgart 1983.
Jamme, Christoph / Schneider, Helmut (Hrsg.): Mythologie der Vernunft. Hegels »ältestes Systemprogramm« des deutschen Idealismus. Frankfurt a. M. 1984.
Jamme, Christoph: »Ein ungelehrtes Buch«. Die philosophische Gemeinschaft zwischen Hölderlin und Hegel in Frankfurt 1797–1800. Bonn 1983.
– »Jedes Lieblose ist Gewalt«. Der junge Hegel, Hölderlin und die

Dialektik der Aufklärung. In: Hölderlin-Jahrbuch 24 (1984/85) S. 191–220.
Janz, Marlies: Hölderlins Flamme – Zur Bildwerdung der Frau im *Hyperion*. In: Hölderlin-Jahrbuch 22 (1980/81) S. 122–142.
Kluckhohn, Paul (Hrsg.): Hölderlin. Gedenkschrift zu seinem 100. Todestag am 7. Juni 1943. Tübingen 1944.
Konrad, Michael: Hölderlins Philosophie im Grundriß. Bonn 1967.
Korff, Hermann August: Geist der Goethezeit. Versuch einer ideellen Entwicklung der klassisch-romantischen Literaturgeschichte. 4 Bde. Leipzig 1923–53. Hier Bd. 3 (1940). S. 101–128 und 391–397.
Kurz, Gerhard: Mittelbarkeit und Vereinigung. Zum Verhältnis von Poesie, Reflexion und Revolution bei Hölderlin. Stuttgart 1975.
Lepper, Gisbert: Zeitkritik in Hölderlins *Hyperion*. In: Literatur und Geistesgeschichte. Festgabe für Heinz Otto Burger. Hrsg. von Reinhold Grimm und Conrad Wiedemann. Berlin 1968. S. 188 bis 207.
Liebrucks, Bruno: »Und«. Die Sprache Hölderlins in der Spannweite von Mythos und Logos, Realität und Wirklichkeit. (Sprache und Bewußtsein. Bd. 7.) Frankfurt a. M. / Bern / Las Vegas 1979.
Lukács, Georg: Hölderlins Hyperion. In: Internationale Literatur 6 (1935) S. 96–110. Auch in: G. L.: Goethe und seine Zeit. Berlin 1955. S. 145–164.
Michel, Wilhelm: Das Leben Friedrich Hölderlins. Bremen 1940. 2. Aufl. Frankfurt a. M. 1967.
Müller, Ernst: Hölderlin. Studien zur Geschichte seines Geistes. Stuttgart / Berlin 1944. S. 174–304.
Pott, Hans-Georg: Natur als Ideal. Anmerkungen zu einem Zitat aus dem *Hyperion*. In: Hölderlin-Jahrbuch 22 (1980/81) S. 143–157.
Ryan, Lawrence: Hölderlins *Hyperion*. Exzentrische Bahn und Dichterberuf. Stuttgart 1965.
– Hölderlin und die Französische Revolution. In: Festschrift für Klaus Ziegler. Tübingen 1968. S. 159–176. Auch in: Deutsche Literatur und Französische Revolution. Göttingen 1974. S. 129–148.
– Hölderlins *Hyperion*: ein romantischer Roman? In: Über Hölderlin. Hrsg. von Jochen Schmidt. Frankfurt a. M. 1970. S. 175–212.
Schmidt, Jochen: Nachwort zur Textausgabe. Friedrich Hölderlin, Hyperion. Frankfurt a. M. 1980.
– Hölderlins idealistischer Dichtungsbegriff in der poetologischen Tradition des 18. Jahrhunderts. In: Hölderlin-Jahrbuch 22 (1980/1981) S. 98–121.
Schmiz, Heinz Gustav: »Kritische Gewaltenteilung«. Mythenrezep-

tion der Klassik im Spannungsfeld von Antike, Christentum und Aufklärung: Goethes *Iphigenie* und Hölderlins *Hyperion*. Frankfurt a. M. / Bern / New York 1988.

Schottdorf, Josef: Die weltanschaulichen Grundlagen von Hölderlins Hyperion. Diss. Würzburg 1934.

Seckel, Dietrich: Hölderlins Sprachrhythmus. Leipzig 1937. S. 246 bis 297.

Stoelzel, Elisabeth: Hölderlin in Tübingen und die Anfänge seines Hyperion. Tübingen 1938.

Strack, Friedrich: Ästhetik und Freiheit. Hölderlins Idee von Schönheit, Sittlichkeit und Geschichte in der Frühzeit. Tübingen 1976.

Strauss, Ludwig: Das Problem der Gemeinschaft in Hölderlins *Hyperion*. Leipzig 1933.

Thomasberger, Andreas: Von der Poesie der Sprache. Gedanken zum mythologischen Charakter der Dichtung Hölderlins. Frankfurt a. M. / Bern / New York 1982.

Träger, Claus: Hölderlins *Hyperion* als Widerspiegelung der progressivsten Tendenzen der französischen Revolution. In: Wissenschaftliche Zeitschrift der Karl-Marx-Universität. Leipzig 1952/53. S. 511–516.

Zinkernagel, Franz: Die Entwicklungsgeschichte von Hölderlins Hyperion. Straßburg 1907.

ERNST BEHLER

Friedrich Schlegel: *Lucinde*

Bei einer Beschäftigung mit Friedrich Schlegels *Lucinde* ist zu berücksichtigen, daß dieser Roman 1799 in Berlin geschrieben wurde, der Stadt, die damals an der Spitze der deutschen Aufklärung stand und wo die Auffassungen des liberalen Bürgertums wie nirgendwo sonst in Deutschland Geltung gefunden hatten. Mehr noch als in den christlichen Häusern des bürgerlichen Mittelstandes von Berlin zeigten sich Geistigkeit und Geselligkeit aber nach den Beobachtungen von Henriette Herz[1] in einigen jüdischen Familien von damals, in denen der Geist einer neuen Zeit unter dem Eindruck der Französischen Revolution und der neuartigen Dichtung Goethes stark empfunden wurde. Hier waren auch die weiblichen Familienmitglieder, junge Mädchen und Frauen, aktiv in die geistige Geselligkeit einbezogen. Tatsächlich ist die emanzipatorische Tendenz der *Lucinde* mit diesen Zügen des Berliner Gesellschaftslebens eng verflochten. Bei den Reaktionen auf dieses Buch im deutschen Publikum von damals ist zu beachten, daß sich diese gleichzeitig, wenn auch nicht ausgesprochen, auf diese besondere Form des Berliner Gesellschaftslebens bezogen.

Aber Henriette Herz weist noch auf einen anderen historischen Umstand hin, welcher der *Lucinde* ein charakteristisches Gepräge verleiht, und der besteht darin, daß der 1799 erschienene Roman noch den letzten Jahren des 18. Jahrhunderts angehört, deren Gesellschaft und Sitte von der des beginnenden 19. Jahrhunderts grundverschieden war.[2] Sie beschreibt diese Lebenswelt als durch »eine etwas laxere Moral«

1 Henriette Herz, *Ihr Leben und ihre Erinnerungen*, hrsg. von J. Fürst, Berlin [2]1858, S. 121–132.
2 Ebd., S. 333–343.

beherrscht, was später zu dem häufig erhobenen Vorwurf der Unsittlichkeit führte.[3] Für Henriette Herz hatte man sich mit dieser laxeren Moralauffassung aber nur gegen »Unwahrheit und Heuchelei« gewandt. Die Sinnlichkeit äußerte sich damals nicht roh und verborgen, sondern zeigte »Raffinement« und war stets mit einem »ästhetischen Moment« verbunden. Henriette Herz bezeichnet die *Lucinde* ausdrücklich als Beispiel für diese Verbundenheit.[4] Die Liebesbeziehung sei ferner durch ein ständiges »Reflektieren über sich und den Anderen« gekennzeichnet gewesen, in dem sich eine »echt humane Gesinnung« bekundete. Und aus dieser Freimütigkeit in der Liebe seien auch die vielen Ehescheidungen von damals zu erklären, in denen nicht Leichtfertigkeit zum Ausdruck komme, sondern das Bestreben, Ehen nicht anzuerkennen, in denen »Geist und Gemüt« der Paare nicht genügende Befriedigung fanden und die damit zu einem »Konkubinat« herabgesunken erschienen.[5] Wie man sieht, hat Friedrich Schlegel im *Athenaeum*-Fragment 34, das mit dem Satz beginnt: »Fast alle Ehen sind nur Konkubinate«,[6] diese geistige Atmosphäre im Berlin des ausgehenden 18. Jahrhunderts umschrieben, oder vielleicht hat sich Henriette Herz auch von der *Lucinde* und den *Athenaeum*-Fragmenten leiten lassen, als sie den emanzipierten Liberalismus der von ihr so geschätzten Stadt rückblickend beschrieb.

Wie uns Henriette Herz ferner berichtet, ist der Roman »sofort als höchst unsittlich« verschrien worden.[7] In einem Brief an den schwedischen Diplomaten Karl Gustav Brinkmann vom 4. Januar 1800 teilte Friedrich Schleiermacher, der mit

3 Vgl. dazu auch Karl Gutzkows Vorrede in: Friedrich Schleiermacher, *Vertraute Briefe über Friedrich Schlegels Lucinde*, Hamburg 1835, S. XXVI. [Erstausg. Jena 1800.]

4 Herz (Anm. 1) S. 334.

5 Ebd., S. 335.

6 *Kritische Friedrich-Schlegel-Ausgabe*, hrsg. von Ernst Behler unter Mitw. von Jean-Jacques Anstett und Hans Eichner [im folgenden zit. als: KA], Bd. 2, Paderborn [u. a.] 1967, S. 170.

7 Herz (Anm. 1) S. 116.

den beiden Brüdern Schlegel freundschaftlich verbunden war, mit, daß das »Geschrei« zu diesem Zeitpunkt in Preußen bereits allgemein sei, und fügte hinzu, daß die angebliche »Verletzung der Dezenz« in diesem Buch für die meisten nur ein Vorwand sei, »um eine Brücke zu Schlegels Persönlichkeit zu finden«; bei andern zeige sich der »Verdruß, daß sie für die Verletzung der Dezenz nicht die Valuta in barem Sinnenkitzel empfangen haben, wie es doch hergebracht ist«.[8] In seinen Briefen an Schleiermacher vom Ende des Jahres 1799 spricht Schlegel ebenfalls vom »Geschrei« gegen die *Lucinde*, und am 6. Januar 1800 meint er, daß »jetzt das Ärgernis am höchsten gestiegen« sei.[9] Wie das konkret zu verstehen ist, zeigt sich in zahlreichen Schmähschriften der Zeit, die auf eine ungewöhnliche Reizbarkeit des damaligen Publikums in bezug auf die in der *Lucinde* dargestellten Themen schließen lassen.[10]

Die eingehendste Würdigung der *Lucinde* hat Schleiermacher mit seinen 1800 in Jena anonym veröffentlichten *Vertrauten Briefen über Friedrich Schlegels Lucinde* vorgelegt. Schleiermacher fühlte sich zu der Veröffentlichung durch das »oft fast vorsätzlich erscheinende Mißverstehen des Buches seitens des großen Leserpublikums« herausgefordert.[11] In dem Briefwechsel mit Friedrich Schlegel aus der Zeit der Vorgeschichte dieser Briefe ist wiederholt die Rede davon, daß Schleiermacher über die »Moralität der Lucinde« oder die »Sittlichkeit, und was in dieser Hinsicht Geist der Lucinde ist«, schreiben wollte,[12] und tatsächlich ist dies auch der zentrale Gesichtspunkt für die philosophische Richtung seiner Apologie. Dorothea Veit hob als besonders anziehend die weibliche oder sogar mädchenhafte Natur dieser Briefe her-

8 *Aus Schleiermachers Leben. In Briefen*, hrsg. von Ludwig Jonas und Wilhelm Dilthey, 4 Bde., Berlin 1860–63; Bd. 4, S. 54.
9 Ebd., Bd. 3, S. 137, 145.
10 Vgl. hierzu die Einleitung von Hans Eichner zur *Lucinde* in: KA, Bd. 5 (1962), S. L f.
11 Herz (Anm. 1) S. 116; Schleiermacher (Anm. 8) S. 54.
12 *Aus Schleiermachers Leben* (Anm. 8), Bd. 3, S. 121, 137, 145.

vor,[13] und Henriette Herz hat mitgeteilt, daß einige dieser Briefe gar nicht von Schleiermacher, sondern von einer Dame stammen sollen, »zu welcher er damals in sehr freundlicher Beziehung stand«, nämlich von Eleonore Grunow, der Frau eines Berliner Predigers.[14] Diese Briefe könnten demnach einen Ersatz für den ausgebliebenen zweiten Teil der *Lucinde* bieten, der aus der weiblichen Perspektive geschrieben werden sollte.[15]

Friedrich Schlegels *Lucinde* läßt sich als ein Versuch verstehen, allegorische Kunst in Romanform zu schaffen, und die treffendste Bestimmung, die man diesem Roman unter den vielfältigen Spielarten des Romans im romantischen Zeitalter geben kann, ist in der Tat diejenige, ihn als allegorischen Roman zu bezeichnen. Freilich ist dabei zu berücksichtigen, daß Schlegel damals noch nicht über einen ausgeprägten Begriff für das Symbolische verfügte, wie er sich später unter dem Einfluß Goethes, Friedrich Schellings und Friedrich Creuzers herausbildete, und in seinem Gebrauch des Terminus »allegorisch« das Symbolische mitzuverstehen ist. In dem Mittelteil *Lehrjahre der Männlichkeit* macht der Autor folgende Bemerkung über sein Werk, die sich gut als Motto verwenden ließe: »Auch in dem was reine Darstellung und Tatsache scheint, hat sich Allegorie eingeschlichen, und unter die schöne Wahrheit bedeutende Lügen gemischt« (78).[16]

Damit steht dieser Roman durchaus in der Reihe der romantischen Romane, wie sie zu dieser Zeit entstanden. Die *Lucinde* ist von einem romantischen Roman wie dem *Franz Sternbald* von Ludwig Tieck nur dadurch unterschieden, daß an die Stelle des phantastischen Einheitsprinzips von Tiecks Dichtung hier die Allegorie getreten ist, was man auch so aus-

13 Ebd., S. 172.
14 Herz (Anm. 1) S. 116.
15 *Caroline. Briefe aus der Frühromantik*, hrsg. von Erich Schmidt, 2 Bde., Leipzig 1913; Bd. 1, S. 513.
16 Hier und im folgenden wird nach der Ausgabe zitiert: Friedrich Schlegel, *Lucinde*, hrsg. von Karl Konrad Polheim, Stuttgart 1963 [u. ö.] (Reclams Universal-Bibliothek, 320).

drücken kann, daß dem Verstand, der Reflexion, mit einem Wort der Theorie eine größere Rolle zugestanden ist. In einer seiner Aufzeichnungen bezeichnet Schlegel die *Lucinde* selbst als »Übergang von Aesthetik zur Poesie«, und an einer anderen Stelle sah er den Wesenszug des Allegorischen in einem Werk darin, daß »alle Bedeutung ihm Sache wird und alle Sache Bedeutung«.[17] Derartige Äußerungen reißen aber keineswegs eine Kluft zwischen der phantastischen und der allegorischen Spielart des frühromantischen Romans auf, und Schlegel hat selbst gesagt, die Allegorie habe am »meisten Verwandtschaft mit dem fantastischen Roman«.[18] Dennoch rücken damit Unterschiede zwischen Tiecks und Schlegels Dichtungen in den Gesichtskreis, die man durchaus so bestimmen kann, daß die *Lucinde* nicht den »einfachen romantischen Roman, sondern den potenzierten idealen Roman« verkörpern soll.[19]

Rein äußerlich zeigt sich dies schon darin, daß der für den gewöhnlichen romantischen Roman charakteristische Übergang von Handlung in Lied, Gesang und Gedicht fehlt und statt dessen Reflexionen, Phantasien und Allegorien an die Stelle dieser lyrischen Digressionen treten. »Andeuten will ich dir wenigstens in göttlichen Sinnbildern, was ich nicht zu erzählen vermag« (78), sagt Julius, der Held des Romans, zu der von ihm geliebten Lucinde, oder er rechtfertigt die von ihm gewählte allegorische Darstellungsweise mit dem Satz: »Das Geheimnis einer augenblicklichen Entstehung oder Verwandlung kann man nur erraten und durch Allegorie erraten lassen« (78).

Die *Lucinde* ist aber noch enger mit der allegorischen Kunstform verknüpft als durch den bloßen Versuch, allegorische Darstellungen von sonst unsagbaren Zuständen liefern zu

17 Vgl. hierzu Karl Konrad Polheim, »Friedrich Schlegels *Lucinde*«, in: *Zeitschrift für deutsche Philologie* 88 (1970) S. 61–89.
18 Friedrich Schlegel, *Literary Notebooks*, hrsg. von Hans Eichner, London 1958, Nr. 359, 701, 948.
19 Polheim (Anm. 17) S. 85.

wollen. Denn dieser Roman, der Theorie und Praxis aufs engste vereint, enthält gleichzeitig die Theorie des allegorischen Romans und läßt sich tatsächlich als eine »allegorische Darstellung der Poetik Schlegels« deuten. Zur Stütze dieser Auffassung bietet sich die bekannte Stelle aus dem *Brief über den Roman* (1800) an, wo Schlegel über die von ihm erstrebte Romantheorie sagt: »eine solche Theorie des Romans würde selbst ein Roman sein müssen«.[20] Freilich ist dies nicht so aufzufassen, wie es zahlreiche Kritiker getan haben, als sollte die Theorie des Romans aus Schlegels theoretischen Schriften und Fragmenten bei der Interpretation der *Lucinde* zur Anwendung kommen. Zwar ist nicht ausgeschlossen, daß bei einem solchen Vorgehen interessante Einsichten gelingen. Aber in der Hauptsache muß dieser Versuch in die Irre gehen, da die Theorie in diesem Falle nicht außerhalb des Romans, sondern in ihm selbst zu suchen ist. Theorie des Romans im literaturkritischen Verständnis und Darstellung des Romans als ästhetisch-schöpferische Gestaltung lassen sich beim Verständnis der *Lucinde* einfach nicht trennen, und die Besonderheit dieses Werkes beruht schlechthin auf der innigen Fusion dieser Bereiche, ganz im Sinne von Johann Gottlieb Fichtes »Wechselbestimmung«. Außerdem beschäftigen sich Schlegels theoretische Schriften und Fragmente mit der Theorie des Romans im allgemeinen und seinen zahlreichen Sonderformen, wogegen es in der Theorie und Praxis der *Lucinde* nur um eine besondere Spielart des modernen Romans, eben den allegorischen geht.

Um zu einem Verständnis der Theorie des allegorischen Romans zu gelangen, würde es auch nicht genügen, die zahlreichen Stellen in der *Lucinde* hervorzuheben, in denen sich der Autor auf theoretisierende Weise über den Roman oder die Erzählkunst äußert. Derartige Reflexionen gibt es nicht wenige, und in einem Kapitel des Romans, der *Allegorie von der Frechheit*, läßt der personifizierte Witz vor dem träumenden

20 KA, Bd. 2, S. 337.

Julius sogar vier Jünglinge erscheinen, welche die vier echten Romane, also vier Urtypen des Romans verkörpern. Wir wissen heute, daß einer dieser Jünglinge, nämlich der, welcher »mit der Maske spielt«, den in der *Lucinde* gestalteten Romantyp repräsentiert.[21] Doch genügt es für die Erfassung der Theorie der *Lucinde* oder des allegorischen Romans nicht, sich an diese oder jene Stelle zu halten, wie wichtig diese in sich selbst auch sein mag. Den Begriff der Theorie faßte Schlegel nämlich ganz fundamental und im ursprünglichen griechischen Sinne als »eine geistige Anschauung« auf,[22] so daß erst das Bild der *Lucinde* insgesamt eine intellektuale Anschauung der in ihr verkörperten Theorie vermitteln kann. Derart innig ist das Verhältnis von Theorie und Praxis bei diesem Roman tatsächlich aufzufassen. Freilich muß man hier die Worte bereits sehr genau wiegen. Diese Theorie ist in der *Lucinde* nämlich nicht unmittelbar oder sinnlich gegeben, sondern auf sinnbildliche oder allegorische Weise anschaulich. Und in diesem verschlungenen Sinne ist Schlegels *Lucinde* der Versuch zur Gestaltung des allegorischen Romans der Frühromantik.

Auf derart komplexe Weise ist der Roman aber eigentlich nur von wenigen Zeitgenossen (Fichte, Schleiermacher) und von wenigen Interpreten aus unserem Jahrhundert verstanden worden. Die große Masse der anderen Kommentatoren, die sich über die *Lucinde* äußerte, hat sich entweder über diesen Roman lustig gemacht oder ihn mit moralischer Entrüstung beantwortet. Derartige Urteile beruhen aber meistens darauf, wie Wolfgang Paulsen bemerkte, daß es ihren Autoren nicht gelang, »zu dem eigentlichen Kunstwerk vorzudringen«, oder daß sie »das Künstlerische über dem Gegenständlichen« vergaßen.[23] Meist las man das Werk als einen Schlüsselroman der frühromantischen Gesellschaft oder der Liebe zwischen

21 Vgl. hierzu *Caroline* (Anm. 15), Bd. 1, S. 514.
22 KA, Bd. 2, S. 337.
23 Wolfgang Paulsen, »Friedrich Schlegels *Lucinde* als Roman«, in: *The Germanic Review* 21 (1946) S. 173–190.

dem jungen Friedrich Schlegel und der geschiedenen Dorothea Veit. Dann mußte freilich auffallen, wie Wilhelm Dilthey es drastisch ausdrückte, daß hier wenig Vermögen zu »breiter behaglicher Erzählung« vorhanden ist.[24] Ganz unabhängig von der Frage nach dem ästhetischen Wert dieses Romans sollte man aber beim Versuch zum Verständnis der *Lucinde* erst einmal bei der künstlerischen Eigenart des Werkes ansetzen. Dann zeigt sich sofort, daß dieses nicht in die Linie des deutschen Bildungsromans gehört, kein Sproß des *Wilhelm Meister* ist und die von den meisten Kritikern als störend empfundene künstlerische Anlage eine absichtliche und aus klaren Konzeptionen erwachsene Kompositionsidee ist.

Ein Blick auf die Geschichte des europäischen Romans, wie Schlegel sie sah, kann dies verdeutlichen. Für ihn war Cervantes ohne allen Zweifel der Gipfel der Romankunst, der in diesem Genre das repräsentierte, was Dante, Shakespeare oder Ariosto in anderen Gattungen der modernen Dichtung darstellten. Aber neben »jenen Großen« stand in der Geschichte der modernen Literatur noch eine ganze Reihe anderer Autoren, die wegen der von ihnen zum Ausdruck gebrachten »Originalität der Fantasie« Interesse verdienten, da schließlich der Strom der Poesie nicht zu allen Zeiten und in allen Ländern gleich üppig fließt. Im Bereich des Romans gilt dies vor allem für Swift, Sterne, Fielding, Diderot und Jean Paul. Nicht von Natur als große Dichter begabt und »von der eigentlichen Kunst noch sehr entfernt«, ja den »eigentlichen Ständen der Prosa«, d. h. den »sogenannten Gelehrten und gebildeten Leuten« eher zugehörig als der reinen Dichtung, haben sie Mühe aufwenden und kapriziöse Techniken entwickeln müssen, um sich in die Kunst des Romanschreibens einzuarbeiten.[25] Man geht sicher nicht fehl, die *Lucinde* in diese Tradition des europäischen Romans zu stellen. Doch läßt sich dies Ergebnis noch präzisieren.

Der Bezug zu Diderot ist dabei von besonderem Interesse,

24 Wilhelm Dilthey, *Leben Schleiermachers*, Berlin 1870, S. 492.
25 KA, Bd. 2, S. 331.

weil mit ihm ein Romanautor in Erscheinung tritt, dessen Ruhm sich hauptsächlich auf seine kritischen, ästhetischen und philosophischen Leistungen gründet. Schlegel dachte sich die Angelegenheit folgendermaßen: Nach ihm ist die Poesie »so tief in dem Menschen gewurzelt«, daß sie sich einfach nicht unterdrücken läßt. Tritt die Geschichte nun in ein »unfantastisches Zeitalter« ein, dann nehmen sich die Sachverständigen der Poesie an und suchen zu zeigen, was die Phantasie vermag. Das folgende Urteil Schlegels über Diderots Roman *Jacques le fataliste* läßt sich ohne weiteres auf seine *Lucinde* übertragen: »Es ist mit Verstand angelegt, und mit sichrer Hand ausgeführt. Ich darf es ohne Übertreibung ein Kunstwerk nennen. Freilich ist es keine hohe Dichtung, sondern nur – eine Arabeske«.[26] Übrigens finden sich derartige Selbsteinschätzungen zur Genüge in der *Lucinde* selbst. Wer den Roman genau liest, wird nicht übersehen, daß sein Autor bedauert, so »arm an Poesie« (4) zu sein, daß seine »Lippen die Kunst nicht gelernt hätten, die Gesänge des Geistes nachzubilden« (25), oder daß es ihm versagt sei, seine »Flamme in Gesänge auszuhauchen« (31). An anderen Stellen bezeichnet er sich selbst als »des Witzes lieber Sohn« (30) und sein Werk als ein »wundersames Gewächs von Willkür und Liebe« (33). Dieser Charakter des Romans entspricht durchaus seinem Zustandekommen. Er wurde in fünf Monaten ausgearbeitet, und diese fünf Monate wurden zwischen die Vollendung der *Geschichte der Poesie der Griechen und Römer* (1798) und die Vorbereitung des *Gesprächs über die Poesie* (1800) sozusagen eingeschoben. Am 20. Oktober 1798 schrieb Schlegel beiläufig an Novalis: »Diesen Winter denke ich wohl einen leichtfertigen Roman *Lucinde* leicht zu fertigen«.

Freilich war die Entstehung der *Lucinde* nicht allein darin motiviert, daß ein gelehrter Literaturkritiker der Welt einmal zeigen wollte, wie man einen modernen Roman anpacken

26 Ebd.

soll. Vielmehr bot sich Schlegel der Roman als eine besonders geeignete Mitteilungsform für die ihn damals beschäftigenden Themen der romantischen Revolution an. Im engsten Gedankenverkehr mit Schleiermacher stehend, von der emanzipierten Weiblichkeit Caroline Schlegels angezogen und von seiner eigenen Liebe zu Dorothea Veit einfach überwältigt, hatte sich sein Denken zunehmend der sogenannten »neuen Moral« zugewandt, die sich als eine Abkehr von der Pflichten- und Konventionsethik zugunsten einer spontanen Bekundung des sittlichen Triebes bezeichnen läßt. Dabei waren die Themen der Liebe und Ehe sowie die Stellung der Frau in der menschlichen Gesellschaft in den Mittelpunkt gerückt. Bereits im *Lyceum*-Fragment 26 hatte Schlegel über die Funktion des Romans zur Erörterung derartiger Gegenstände gesagt: »Die Romane sind die sokratischen Dialoge unserer Zeit. In diese liberale Form hat sich die Lebensweisheit vor der Schulweisheit geflüchtet«.[27] Diese Tendenz der *Lucinde* führt nun unmittelbar zur Erörterung von Form und Inhalt des Romans, deren Zusammenhang nicht weniger innig als der von Theorie und Praxis ist.

Zur Nuancierung des strengen Formwillens in der *Lucinde* muß betont werden, daß das Ziel ein »gebildetes künstliches Chaos« ist und das »Ganze chaotisch und doch systematisch« sein soll.[28] Was unter diesen scheinbar paradoxen Wendungen der Schlegelschen Kunsttheorie zu verstehen ist, geht am besten aus dem Roman selbst hervor, und man braucht nur die ersten Seiten aufzuschlagen, um eine deutliche Anschauung davon zu erhalten. Julius beginnt einen Brief an Lucinde, in dem er ihr offenbar von seinem gegenwärtigen Glückszustand, und wie es dazu gekommen ist, berichten will, unterbricht aber dann mutwillig den logischen Faden der Erzählung und entschließt sich, »daß ich gleich anfangs das was wir Ordnung nennen vernichte, weit von ihr entferne und mir das Recht einer reizenden Verwirrung deutlich zueigne und

27 Ebd., S. 149.
28 Polheim (Anm. 17) S. 67.

durch die Tat behaupte«. Warum tut er das? Die Antwort lautet, daß der »Stoff, den unser Leben und Lieben« dem Geiste und der Feder des Schriftstellers anbietet, »so unaufhaltsam progressiv und so unbiegsam systematisch ist«. Würde dies nun auch in der Form nachgeahmt werden, so würde eine »unerträgliche Einheit und Einerleiheit« entstehen, und der Autor könnte dann nicht mehr leisten, was er doch will und soll, nämlich: »das schönste Chaos von erhabnen Harmonien und interessanten Genüssen nachbilden und ergänzen« (9 f). Julius beruft sich deshalb auf sein »unbezweifeltes Verwirrungsrecht« und macht auch Gebrauch davon, indem er aus den vielen zerstreuten Blättern, die er für seine Lucinde gelegentlich verfaßt hat, hier und da eins herausgereift und beliebig an diese oder jene Stelle des Romans setzt. Daß hierbei aber eine sehr absichtsvolle Komposition zugrunde liegt, zeigt sich erst, wenn man das Werk als Ganzes betrachtet.

Abgesehen vom *Prolog* und Titel besteht die *Lucinde* aus 13 Teilen, die formal wie inhaltlich geradezu eine symmetrische Gliederung haben. Das Mittelstück, die *Lehrjahre der Männlichkeit*, ist von je sechs Abschnitten eingerahmt, die sich in Länge und formaler Anlage durchaus im Gleichgewicht halten, aber auch im Inhalt gewichtige Entsprechungen zeigen. In seinem *Brief über den Roman* hatte Schlegel »Arabesken und Bekenntnisse« als grundlegende Produkte des romantischen Geistes angeführt,[29] und es läßt sich sagen, daß die sechs Abschnitte zu Anfang ebenso wie die sechs Abschnitte am Ende arabeskenhaften Charakters oder reflexiver Natur sind, während der erzählerische Mittelteil eine fortschreitende Geschichte, nämlich die Entwicklung des Helden aus ungewisser, sehnender Jugend bis zur menschlichen Reife und künstlerischen Sicherheit darstellt. Der tiefgreifende Unterschied zwischen den arabeskenhaften Rahmenteilen und dem bekenntnisartigen Mittelteil zeigt sich auch im erzählenden Ich, das in den Rahmenteilen von Julius bzw. Julius im Dialog mit

29 KA, Bd. 2, S. 337.

Lucinde verkörpert wird, während in den *Lehrjahren der Männlichkeit* eine anonyme Stimme objektiv über Julius berichtet. Vom chronologischen Gesichtspunkt aus betrachtet behandeln die sechs ersten Rahmenteile den seelischen Zustand, in den Julius durch die Vereinigung mit Lucinde hineingeführt wird, d. h. die selige *Gegenwart*, deren Glück mit gelegentlichen Rückblenden in die schwermütige Vergangenheit verdeutlicht wird. Der erzählerische Mittelteil stellt die sehnsüchtige *Vergangenheit* des Helden bis zur Gewinnung der Geliebten dar und zeigt, wie sich unter diesem Einfluß die Harmonie in Julius einstellt. Die abschließenden sechs Rahmenteile sind auf die *Zukunft* bezogen und behandeln den Eintritt in die Welt. Inhaltlich oder thematisch gesehen – und dies ist für die organische Anlage der *Lucinde* vielleicht von der größten Bedeutung – entsprechen die ersten sechs Rahmenteile dem Zustand des Helden beim Abschluß der *Lehrjahre der Männlichkeit.* Sie sind mit einem Wort dem Glück der Liebe gewidmet, das in vielen Variationen und in Verbindung mit zahlreichen Themen wie Natürlichkeit, Muße, rechter Lebensführung oder Treue behandelt wird. Die abschließenden Rahmenteile wenden sich neuen Metamorphosen des liebenden Gemüts zu, unter anderem dem Zustand der Liebe in der Familie und in der Welt, aber auch solch komplizierten Dingen wie Besitz, Standeseinteilung, Krankheit, Dekadenz und Tod. Wenn hier übrigens von Rahmenteilen und Mittelteil gesprochen wird, soll damit keineswegs der Eindruck erweckt werden, als läge die Hauptsache in der Mitte. Wie Karl Konrad Polheim bemerkt hat, bilden die Bekenntnisse für Schlegel »eine wesentlich niedrigere Ebene als die Arabesken«.[30]

Das Problem, diesen »Roman«, der ja kaum Handlung hat, zu beenden, hat Schlegel nach Hans Eichner »sehr geschickt« mit den *Tändeleien der Fantasie* gelöst, »indem der Roman in einer immer dünner und transparenter werdenden Prosa ver-

30 Polheim (Anm. 17) S. 89.

schwebt und sich gleichsam in Nichts auflöst«.[31] Der gravierendste Schönheitsfehler dieses Werkes besteht vielleicht darin, daß unter seinem Titel der Zusatz »Erster Teil« steht. Wir wissen, daß Schlegel verzweifelte Anstrengungen unternommen hat, seinem Roman Fortsetzungen folgen zu lassen.[32] Die erhaltenen Bruchstücke und etwa 60 Gedichte, die er tatsächlich dazu verfertigt hat, beweisen aber nur, was beim verständnisvollen Lesen des Werkes ohnehin sicher wird, nämlich daß sich diesem Roman nichts mehr hinzufügen läßt und die dichterische wie thematische Potentialität der *Lucinde* in dem vorliegenden Teil erschöpft ist. Dies schließt nicht aus, daß die *Lucinde* der erste Teil eines gewaltigen Romanzyklus hätte werden können, in dem unter den Titeln *Sancho*, *Brander*, *Bianka*, *Sebastian* usw. andere Themen der romantischen Weltanschauung – Selbständigkeit, Freundschaft – auf ähnliche oder auch auf völlig verschiedene Weise gestaltet worden wären. Schlegels unerschöpfliche Werkpläne bilden das beste Zeugnis dafür. In diesem Sinne wäre die *Lucinde* der erste Teil eines Zyklus geworden. In sich selbst ist dieser Roman aber so abgerundet, wie man es sich nur wünschen kann.

Dies läßt sich ebenfalls mit einer kurzen Skizzierung des Inhalts oder der Thematik belegen. Diese Thematik stellt sich uns auf mehreren Ebenen oder in Schlegels Sprache: in verschiedenen Potenzen dar. Die erste und handgreiflichste ist die der Liebe, wobei die *Lucinde* als Liebesroman aufgefaßt wird. Von hier aus betrachtet rückt jener jubelnde Ausruf des Julius in den Mittelpunkt, der nach Hans Eichners Bemerkung den Kern des ganzen Romans enthält und mit den Worten beginnt: »Ja! ich würde es für ein Märchen gehalten haben, daß es solche Freude gebe und solche Liebe, wie ich nun fühle, und eine solche Frau, die mir zugleich die zärtlichste Geliebte und die beste Gesellschaft wäre und auch eine voll-

31 KA, Bd. 5, S. XLV.
32 Hans Eichner, »Neues aus Friedrich Schlegels Nachlaß«, in: *Jahrbuch der Deutschen Schillergesellschaft* 3 (1959) S. 219–225.

kommene Freundin« (12). Um diesen Glückszustand voll zu verstehen, muß man ihn mit der verzehrenden Sehnsucht, Verschlossenheit und hoffnungslosen Einsamkeit vergleichen, die Julius zu Beginn seiner *Lehrjahre* oder Friedrich Schlegel in den frühen Briefen an seinen Bruder kennzeichnen. In den Armen der Lucinde brachen aus diesem einsamen und verzweifelten Menschen »zwischen den Umarmungen in Strömen der Rede das zurückgedrängte Zutrauen und die Mitteilung mit einemmale hervor aus dem innersten Gemüt« (72). Was Julius aber am meisten an dieser Frau überraschte, war ihre völlige Verschiedenheit von dem, »was Gewohnheit oder Eigensinn weiblich nennen«, nämlich ihre Fähigkeit zur Totalbeziehung in der Liebe. Diese Totalbeziehung äußert sich in scharfem Kontrast zum Dualismus der platonisch-christlichen und bürgerlichen Denkweise zunächst darin, daß sie alle Bereiche der Persönlichkeit durchdringt und »von der ausgelassensten Sinnlichkeit bis zur geistigsten Geistigkeit« reicht (12). Wie es in dem Roman selbst heißt, ist in dieser Art von Liebe alles vereint: »Freundschaft, schöner Umgang, Sinnlichkeit und auch Leidenschaft« (45). Von den beiden Liebenden wird gesagt: »Sie umarmten sich mit ebensoviel Ausgelassenheit wie Religion« (87). Ihr Witz ist unsagbar erfinderisch in der Wahl »unter den vielen Gestalten der Freude« (11). Um diese Vereinigung von Geist und Körper zu versinnbildlichen, verwendet Schlegel auch zahlreiche Oxymora wie »geistige Wollust« oder »sinnliche Seligkeit« (12).

Die Totalbeziehung dieser Liebe äußert sich ferner darin, daß sie sich integral auf die Gesamtheit der Persönlichkeit des geliebten Wesens erstreckt, ohne ein Quentchen von ihm auszulassen, so daß Julius zu Lucinde sagen kann, daß sie ihn ganz liebe und keinen Teil von ihm »etwa dem Staate, der Nachwelt oder den männlichen Freunden« überlasse (12). Diese Liebe ist auch nicht bloß, wie Diotima dem Sokrates offenbart hatte, »das stille Verlangen nach dem Unendlichen«, sondern zugleich der »heilige Genuß einer schönen Gegenwart«, wobei die Sehnsucht schweigt. Sie umschließt das Sterbliche und das Unsterbliche und ist »eine völlige Einheit beider« (80).

Was sich von diesen vielfältigen Einheitsbeziehungen her integriert, ist mit einem Wort Ehe, oder deutlicher: Ehe im Naturstand, ohne zivilrechtliche Vereinigung der beiden Personen. Julius sagt: »Ich kann nicht mehr sagen, meine Liebe oder deine Liebe; beide sind gleich und vollkommen Eins, so viel Liebe als Gegenliebe. Es ist Ehe, ewige Einheit und Verbindung unserer Geister, nicht bloß für das was wir diese oder jene Welt nennen, sondern für die eine wahre, unteilbare, namenlose, unendliche Welt, für unser ganzes ewiges Sein und Leben« (13).

Im Schlußabschnitt der ersten sechs Rahmenteile, *Treue und Scherz*, treten die beiden Liebenden zum erstenmal leibhaftig vor uns auf und führen unter Liebkosungen ein Zwiegespräch, das in ihrer erotischen Vereinigung gipfelt. Schlegel hat sich dabei an ein dem griechischen Bukoliker Bion zugeschriebenes Liebesgespräch gehalten, das in Hexametern, Vers um Vers, bis zur körperlichen Verbindung von zwei Liebenden führt. Während in diesem klassischen Vorbild aber eine jungfräuliche Schäferin von einem Hirtenknaben verführt wird und das Gespräch der die Verführung begleitende Dialog des Hirten mit der Schäferin ist,[33] findet das Zwiegespräch *Treue und Scherz* zwischen zwei reifen Menschen statt. Ihr Thema ist eine geistreiche, scherzhafte Auseinandersetzung über Treue und Eifersucht, wobei das Spiel der Worte und der Gedanken absichtlich die Erotik entfachen soll, so daß hier wirklich die Wollust geistig und die Seligkeit sinnlich wird.

Vom geschlechterkritischen Gesichtspunkt aus ist offenbar, daß der Roman völlig aus der Perspektive des Mannes verfaßt ist und der einzig denkbare zweite Teil der *Lucinde* darin bestehen könnte, diese Perspektive durch die weibliche aus-

33 KA, Bd. 1 (1979), S. 388 f.

zuwechseln, was tatsächlich einer von Schlegels Plänen zur Fortsetzung seines Romans war.[34] Aber es ist ebenso deutlich, und dies führt nun zur letzten Potenz des Werkes, daß diese revolutionäre Auffassung der Liebe auf der absoluten Ebenbürtigkeit der Liebespartner, also auf einer völlig neuen Sehweise der Frau beruht. Diese »emanzipatorische« Tendenz des Romans ist oft betont, aber noch nie richtig herausgearbeitet worden. Das mag daran liegen, daß der Radikalismus, mit dem Schlegel vorgeht, bis heute noch nicht eingeholt ist und oft auch unbemerkt unter einer blumenreichen romantischen Sprache verborgen liegt. Einige wenige Hinweise müssen genügen, weil dies Thema selbst eine eigene Abhandlung erfordern würde. Das weibliche Wesen soll es wagen können, »den Kopf aus dem großen Weltmeere des Vorurteils und der Gemeinheit in die Höhe zu richten«. Wie die Anadyomene soll sie aus dem »Ozean der Mode und häuslichen Moral mit ihrem ganzen Wesen« emporsteigen und die unnatürliche Prüderie ablegen, an die Schlegel »nicht ohne innerliche Wut« denken kann. Denn Prüderie ist für ihn nichts anderes als »Prätension auf Unschuld ohne Unschuld«, und er beklagt es bitter, daß die Männer, weil sie »dumm und schlecht« sind, »ewige Unschuld und Mangel an Bildung« von den Frauen verlangen, wobei diesen dann tatsächlich nichts anderes übrigbleibt, als ungebildet und prüde zu sein.[35]

Wenn gerade von der absoluten Ebenbürtigkeit der Liebespartner gesprochen wurde, dann ist dies nicht so zu verstehen, als wären Mann und Frau für Schlegel völlig gleich. Ihre Beziehung ist für ihn vielmehr eine elliptische, wie die eines Ich und Du. »Nur in der Antwort seines Du kann jedes Ich seine unendliche Einheit ganz fühlen« (81), schreibt Julius an Lucinde, oder über ihre Vereinigung heißt es: »Sie waren ganz hingegeben und eins und doch war jeder ganz er selbst, mehr als sie es noch je gewesen waren« (72). Für diese Beziehung der Geschlechter lassen sich durchaus die Fichteschen

34 *Caroline* (Anm. 15), Bd. 1, S. 513.
35 KA, Bd. 8 (1975), S. 43; Bd. 2, S. 170, Nr. 31.

Begriffe der »Wechselwirkung« und der »Wechselbestimmung« verwenden. Damit ist aber nicht gesagt, daß es die Bestimmung des Mannes und der Frau ist, immer und ewig auf dieser oder auf jener Seite der Ellipse zu stehen. Die Emanzipierung soll wechselweise wirken, und wir wissen von der *Dithyrambischen Fantasie über die schönste Situation*, daß Mann und Frau »die Rollen vertauschen und mit kindischer Lust wetteifern« sollen, »wer den anderen täuschender nachäffen kann« (14 f.). Wie wir in Schlegels theoretischen Schriften lesen können, war ihm »überladne Weiblichkeit« und »übertriebne Männlichkeit« gleich häßlich und ekelhaft. Was er wollte, war »selbständige Weiblichkeit« und »sanfte Männlichkeit«[36] oder, wie es in der *Lucinde* heißt, »die Vollendung des Männlichen und Weiblichen zur vollen ganzen Menschheit« (15).

»Wenn man sich so liebt wie wir, kehrt auch die Natur im Menschen wieder zu ihrer ursprünglichen Göttlichkeit zurück« (89), versichert Julius seiner Lucinde, und damit ist der vielleicht wichtigste Aspekt des Romans berührt. Es handelt sich hierbei um die wohltätigen Folgeerscheinungen, die aus der Revolutionierung der Liebe, der Stellung der Frau und der Beziehung der Geschlechter wie von selbst hervorgehen. Wir befinden uns hier in der romantischen Utopie einer neuen Erde und einer neuen Menschheit, von der Julius träumt, wenn er sagt: »Die lieblichen Träume werden wahr, und schön wie Anadyomene heben sich aus den Wogen des Lethe die reinen Massen einer neuen Welt und entfalten ihren Gliederbau in die Stelle der verschwundenen Finsternis« (80 f.). Dieser neue Zustand bekundet sich z. B. in einer wiedergewonnenen Unschuld, in einer Freiheit von Vorurteilen und falscher Scham, wie sie die kleine Wilhelmine repräsentiert. Oder er äußert sich in der »gottähnlichen Kunst der Faulheit«, dem dolce far niente eines »reinen Vegetierens« (35). Diese Haltung ist, wie später bei Nietzsche, als unmit-

36 Ebd., Bd. 1 (1979), S. 93 f.

telbares Leben aus gutem Gewissen zu verstehen, aber sie hat, wie ebenfalls bei Nietzsche, in einer hochreflektierten Geistigkeit ihren Widerpart, aus der heraus Julius sagen kann: »Ich genoß nicht bloß, sondern ich fühlte und genoß auch den Genuß« (8). Schlegel stellt den Müßiggang in scharfen Kontrast zu dem »mit der größten Hast und Anstrengung« arbeitenden Prometheus, zu dem »leeren und unruhigen Treiben« in der jetzigen Welt, das eine »nordische Unart«, ja eine »Antipathie gegen die Welt« zum Ausdruck bringt, und läßt seinen Helden sagen: »der Fleiß und der Nutzen sind die Todesengel mit dem feurigen Schwert, welche dem Menschen die Rückkehr ins Paradies verwehren« (34). Ferner führt diese Art von Liebe ganz mühelos und selbstverständlich zur Treue. »Freilich«, fügt Julius in seinem Gespräch mit Lucinde hinzu, »wie die Menschen so lieben, ist es etwas anders. Da liebt der Mann in der Frau nur die Gattung, die Frau im Mann nur den Grad seiner natürlichen Qualitäten und seiner bürgerlichen Existenz, und beide in den Kindern nur ihr Machwerk und ihr Eigentum. Da ist die Treue ein Verdienst und eine Tugend; und da ist auch die Eifersucht an ihrer Stelle. Denn darin fühlen sie ungemein richtig, daß sie stillschweigend glauben, es gäbe ihresgleichen viele, und einer sei als Mensch ungefähr so viel wert wie der andre, und alle zusammen nicht eben sonderlich viel« (43).

So führt also die *Lucinde* aus der gegenwärtigen Welt der Habgier, der Sachen, des Nutzens, Habens und Besitzenwollens in den glücklichen Stand der Natur und einer neuen Gesundheit (25). Und im letzten ist es die Liebe, welche diese substantielle Veränderung bewirkt und uns, wie Julius an Lucinde schreibt, »erst zu wahren vollständigen Menschen macht, das Leben des Lebens ist« (85). Julius spürt »eine große Veränderung« in seinem Wesen und charakterisiert diese als »eine allgemeine Weichheit und süße Wärme in allen Vermögen der Seele und des Geistes« (87). In diesem Zustand lieben die beiden Liebenden alles, was sie vorher liebten, »nur noch wärmer«. Julius sagt: »Der Sinn für die Welt ist uns erst recht aufgegangen« (89). Er ist nun bereit, zusammen mit Lucinde eine »Stelle in dieser schönen Welt« zu verdienen, er will »eintreten in den Reigen der Menschheit«, ja »anbauen auf der Erde« und »für die Zukunft und die Gegenwart säen und ernten« (85).

Schlegel hat sich nicht gescheut, diese große Veränderung auf sehr realistische Weise auszudrücken. Lucinde ist schwanger, und Julius zeigt in den sechs arabesken Rahmenteilen, welche das Werk abschließen, sogar einen neuen Sinn für das »Nützliche«, wobei er sich beinahe in »Lobreden auf den Wert eines eignen Herdes und über die Würde der Häuslichkeit« (83) ergeht. Wir sehen ihn auch als besorgten Ehemann, der bei der Krankheit Lucindes von Visionen ihres Todes und dem Wunsch nach seinem eigenen Tod gepeinigt wird. Er geht so weit, daß er rückblickend sagt: »Was vorher war zwischen uns, ist nur Liebe gewesen und Leidenschaft« (82), oder er bezeichnet den früheren Zustand auch als Schweben »im leeren Raume einer allgemeinen Begeisterung« (83).

Die »Vorstellung vom Paradies« hat sich von den sechs Rahmenteilen des Anfangs bis zu denen des Abschlusses also beträchtlich gewandelt, indem sich, wie Wolfgang Paulsen bemerkt hat, nun eine »unverkennbare Ideenverengung ins Bürgerliche und Wohlanständige« bemerkbar macht.[37] Freilich empfiehlt es sich an dieser Stelle, daran zu erinnern, daß die *Lucinde* als allegorischer Roman konzipiert ist und das Schicksal von Julius und Lucinde die neue Erde und die neue Menschheit der romantischen Utopie verkörpert. Diese geht keineswegs in Elternschaft und Würde der Häuslichkeit auf, sondern Ehe weist hier unter anderem auf Gemeinschaft der Stände und Klassen und die »allgemeine Brüderschaft« unter ihnen (84). Die Häuslichkeit von Julius und Lucinde wird direkt auf jenen Zustand der Erde bezogen, in dem »schöne Wohnungen und liebliche Hütten« die Welt schmücken und den verderbten und kranken Zustand in den jetzigen Städten

37 Paulsen (Anm. 23) S. 185.

ersetzen (83). In dem hymnischen Liebesdialog *Sehnsucht und Ruhe* kurz vor dem Ende des Romans gewinnt der Roman in der Verknüpfung der Themen Liebe, Nacht und Tod eine weit über diese utopischen Ideen der romantischen Revolution hinausgehende symbolische Dimension, die unmittelbar auf die *Hymnen an die Nacht* des Novalis weist.

Ob es Friedrich Schlegel gelungen ist, diese bemerkenswerten und zukunftsweisenden Ideen mit der anspruchsvollen Form seines Romans auf dichterische Weise zu integrieren, bleibt zweifelhaft, und selbst dem wohlwollendsten Leser werden bei der Lektüre wohl die zeitgenössischen Verse über die *Lucinde* einfallen:

> Der Pedantismus bat die Phantasie
> Um einen Kuß . . . die wies ihn an die Sünde.
> Kalt, ohne Kraft umarmt er die,
> Und sie genas von einem toten Kinde,
> Genannt ›Lucinde‹.[38]

Schlegel war kein Dichter, wie er nur zu gut wußte und auch selbst in diesem Roman zum Ausdruck brachte. Die Bedeutung seines Werkes liegt im Theoretischen und Philosophischen, und das Interesse, das von Schlegels allegorischem Roman ausgeht, rührt hauptsächlich von dessen philosophischen Aussagen und den hier repräsentierten ästhetischen Neuerungen her. So angesehen und aufgenommen, erweist sich die *Lucinde* aber als einer der interessantesten und wichtigsten Romane der deutschen Romantik.

38 Zit. nach: Friedrich Gundolf, *Romantiker*, Berlin 1930, S. 127, wo ich dieses Scherzgedicht zum ersten Mal nachweisen konnte.

Literaturhinweise

Ausgaben

Lucinde. Ein Roman von Friedrich Schlegel. Erster Theil. Berlin: Heinrich Fröhlich, 1799.

Kritische Friedrich-Schlegel-Ausgabe. Hrsg. von Ernst Behler unter Mitw. von Hans Eichner und Jean-Jacques Anstett. Paderborn [u. a.]: Schöningh, 1959 ff. [*Lucinde* in: Abt. 1, Bd. 5: *Dichtungen*, hrsg. und eingel. von Hans Eichner, 1962, S. XVII–CXVI, 1–92.]

Friedrich Schlegel: Lucinde. Ein Roman. Hrsg. und mit einem Nachw. versehen von Karl Konrad Polheim. Stuttgart: Reclam, 1963 [u. ö.]. (Universal-Bibliothek. 320.)

Forschungsliteratur

Anstett, Jean-Jacques: Lucinde. In: Friedrich Schlegel: Lucinde. Introduction, traduction et commentaire de Jean-Jacques Anstett. Paris 1971. [Frz./Dt.]

Behler, Ernst: Der Roman der Frühromantik. In: Handbuch des deutschen Romans. Hrsg. von Helmut Koopmann. Düsseldorf 1983. S. 273–301.

Böckmann, Paul: Die romantische Poesie und ihre Grundlage bei Friedrich Schlegel und Ludwig Tieck. In: Jahrbuch des Freien Deutschen Hochstifts 5 (1934/35) S. 56–176.

Dischner, Gisela: Friedrich Schlegels *Lucinde* und Materialien zu einer Theorie des Müßiggangs. Hildesheim 1980.

Haym, Rudolf: Friedrich Schlegel und *Lucinde*. In: Philosophisches Jahrbuch 24 (1869) S. 261–295.

Heinrich, Gerda: Autonomie der Liebe? Frühromantische Liebesauffassungen. In: Neue deutsche Literatur 28 (1980) S. 83–110.

Klin, Eugeniusz: Das Problem der Emanzipation in Friedrich Schlegels *Lucinde*. In: Weimarer Beiträge 9 (1963) S. 76–99.

Kluckhohn, Paul: Französische Einflüsse in Friedrich Schlegels Lucinde. In: Euphorion 20 (1913) S. 87–92.

Paulsen, Wolfgang: Friedrich Schlegels Lucinde als Roman. In: The Germanic Review 21 (1946) S. 173–190.

Polheim, Karl Konrad: Friedrich Schlegels *Lucinde*. In: Zeitschrift für deutsche Philologie 88 (1970) S. 61–89.

Rouge, Isaac: Erläuterungen zu Friedrich Schlegels Lucinde. Halle 1905.

GERHARD SCHULZ

Novalis: *Heinrich von Ofterdingen*

Aus dem Mutterboden von Novalis' Roman *Heinrich von Ofterdingen* (1802) ist die blaue Blume hervorgewachsen, jene bedeutungsreiche Pflanze, die weit über die Grenzen des Buches und selbst der deutschen Sprache hinaus zum Sinnbild für Träumerei, Sehnsucht, ungestilltes Verlangen und schweifendes Phantasieren, kurz für alles das geworden ist, was der Volksmund so gern als Romantik bezeichnet. Der Roman selbst hat solch breites Interesse nicht gefunden. Zwar ist er hin und wieder in verschiedene Kultursprachen übersetzt worden – in einer japanischen Ausgabe erscheint er in einem Band zusammen mit Storms *Viola Tricolor*, Stifters *Waldsteig* und Meyer-Försters *Alt-Heidelberg*[1] –, aber sein nationaler wie internationaler Leserkreis ist nicht groß. Zu ihm gehören Kenner und Studierende der deutschen Literatur, ein kleines Häuflein von Mystikern, die sich aus dem Buch herauslesen, was sie darin finden wollen, und außerdem eine sich erfreulicherweise immer wieder verjüngende Schar von Neugierigen, die bereit ist, sich mit ästhetischem Vergnügen auf ein Abenteuer der Phantasie einzulassen.

1.

Novalis' *Heinrich von Ofterdingen* ist fest in der deutschen Literaturgeschichte verankert. Drei ineinander verlaufende Quellen lassen sich für ihn feststellen. Als erste ist allgemein der Aufstieg des europäischen Romans zur populärsten literarischen Form im Laufe des 18. Jahrhunderts zu nennen, zu

1 Erschienen als Bd. 22 in der Serie »World Literature« der Orion Press, Tokio 1978. Eine neue Übersetzung ins Japanische von Takao Aoyama erschien 1989 als selbständiges Taschenbuch.

einer Form, die den Bedürfnissen eines durch zunehmende Bildung größer werdenden Lesepublikums am besten entgegenkam. Zweitens waren es dann Goethes *Wilhelm Meisters Lehrjahre* (1795/96), die zum maßstabsetzenden Werk in dieser neuen Form wurden als meisterhaft erzählter Lebenslauf eines der Welt aufgeschlossenen, begabten, kunstsinnigen Kaufmannssohnes im gegenwärtigen Deutschland, wo er sich als Bürger schließlich durch das Wirken einer geheimen Gesellschaft mit dem Adel arrangieren kann auf dem Weg zu freier Selbsterfüllung und gesellschaftlich nützlicher Tätigkeit. An dritter Stelle stehen die Diskussionen um die Romanform und die unter dem großen Eindruck von Goethes Buch in seiner Nachfolge geschriebenen Romane in Novalis' engstem Freundeskreis. Friedrich Schlegel publizierte 1798 eine begeisterte Rezension des *Meister* und begann einen eigenen Roman *Lucinde* (1799), von dem er allerdings nur den ersten Teil vollendete. Ludwig Tieck hatte sich bereits ein Jahr vorher an den Lehrjahren eines deutschen Künstlers zur Zeit Albrecht Dürers versucht, dem Roman *Franz Sternbalds Wanderungen* (1798), von dem gleichfalls ein letzter Teil ungeschrieben blieb.

Der *Heinrich von Ofterdingen* gehört zu diesen Lebensläufen und Lehrjahren der zweiten Generation deutscher Romanhelden in der Nachfolge von Wilhelm Meister, und auch er blieb Fragment. Allerdings wird man diese letztere Tatsache nur mit großem Bedacht für eine Interpretation heranziehen können, sie andererseits aber auch nicht übersehen dürfen. Daß die »romantische Poesie« als »progressive Universalpoesie« noch »im Werden« sei, ja »daß sie ewig nur werden, nie vollendet seyn kann«, hat Friedrich Schlegel in seinem berühmten 116. *Athenaeum*-Fragment erklärt,[2] so daß es den Anschein hat, als seien sein eigener unvollendeter Roman und diejenigen der Freunde nur mehr der Beleg für

2 Zit. nach: *Friedrich Schlegel 1794–1802, Seine Prosaischen Jugendschriften*, hrsg. von Jakob Minor, Bd. 2, Wien 1882, S. 220.

dieses Diktum und als erfülle sich geradezu das Romantische dieser Werke im Fragment. In der Tat haben Schlegel und Tieck die Fortsetzung ihrer Bücher aufgegeben, so daß deren Fragmentform zum Zeitdokument für einen jugendlichen Enthusiasmus wurde, der dann nicht weitertrug. Für Novalis hingegen fehlt der Beweis für eine solche Feststellung. Er vollendete den ersten Teil seines Romans im April 1800, schrieb im August des gleichen Jahres, in einer Zeit starker beruflicher Beanspruchung als sächsischer Staatsbeamter, Pläne zum zweiten Teil nieder, wurde bald darauf schwer krank und starb im März 1801. So wichtig es also ist, die Unabgeschlossenheit des *Ofterdingen* als akzidentell zu betrachten, so wichtig ist es zugleich, sich bewußt zu sein, daß uns eben nur der erste Teil eines sehr viel umfangreicher angelegten Romans vorliegt und sein geringer Widerhall bei den Lesern auch aus solchem Umstand zu sehen ist. Die Wirkung von Goethes *Meister* und das Urteil über ihn wären beträchtlich anders, wenn nur die Urfassung, *Wilhelm Meisters theatralische Sendung*, überliefert worden wäre. Auch Hölderlins *Hyperion* würde beschränkteres Interesse hervorrufen, wenn dem ersten Band von 1797 zwei Jahre später nicht ein zweiter gefolgt wäre.

Novalis' Buch wuchs aus intensivem Freundesgespräch über Kunst, Religion, Geschichte und Natur hervor. Auf einem Treffen mit den Brüdern Schlegel, Tieck, Schelling und dem Physiker Johann Wilhelm Ritter Ende Oktober / Anfang November 1799 las er seinen Essay *Die Christenheit oder Europa* und, im Wettbewerb mit Tieck, geistliche Lieder vor. Der *Ofterdingen* entstand dann bald danach in den ersten Monaten des folgenden Jahres. Korrespondenz mit den Freunden begleitete ihn und darin insbesondere die Auseinandersetzung mit Goethes Buch. Denn gegen ihn vor allem wollte Novalis den eigenen Roman schreiben, werde doch im *Meister* mit großer Kunst »die Poësie durch sich selbst [...] vernichtet.« »Odiös« sei ihm im Grunde das ganze Buch, »ein Candide gegen die Poësie – ein nobilitirter Roman«, schreibt er an Tieck,[3] und in seinen Notizen schlägt er als Titel vor: »Wilhelm Meisters Lehrjahre, oder die Wallfahrt nach dem Adelsdiplom«[4]. Für seinen eigenen Roman hatte er anderes im Sinne: »Das Ganze soll eine Apotheose der Poësie seyn.« Heinrich werde »im 1sten Theile zum Dichter reif – und im Zweyten, als Dichter verklärt«. Es sei »ein erster Versuch in jeder Hinsicht«,[5] in Hinsicht offenbar auf die eigene Fähigkeit, einen Roman zu schreiben, ebenso wie in Hinsicht auf das Übertreffen Goethes, auf die Verklärung statt der Zerstörung der Poesie, so wie er sie verstand.

Aus dieser Entstehungsgeschichte des *Ofterdingen* lassen sich einige Schlüsse ziehen. Novalis schreibt seinen Roman nicht aus dem inneren Andrang eines Stoffes, der erzählt werden will – die Ursituation aller Epik – und also auch nicht aus dem Wunsch nach literarischer Selbstdarstellung, sondern aus einer theoretisch fundierten Absicht. Eigenes Denken und Empfinden, das sich diskursiv im Freundesgespräch entwikkelt, und die scharfe kritische Auseinandersetzung mit dem Werk eines Älteren geben den Anstoß zu dem Entschluß, sich selbst in der Romanform zu versuchen, zu der dann der Stoff erst gesucht werden muß. Eine derartige, sozusagen zerebrale Ausgangssituation ist zugleich die Situation eines literarischen Experiments.[6] Das Wort »Versuch« kehrt bei Novalis zur Kennzeichnung des eigenen Unternehmens mehrfach wieder, sowohl das Ganze des Vorhabens wie seine Ausführung im einzelnen, also das Experimentieren mit Stil- und Er-

3 Novalis, *Schriften. Die Werke Friedrich von Hardenbergs*, begr. von Paul Kluckhohn und Richard Samuel, hrsg. von Richard Samuel in Zsarb. mit Hans-Joachim Mähl und Gerhard Schulz, historisch-kritische Ausg., 5 Bde., Stuttgart 1960–88 [hier zit. als: HKA], hier Bd. 4, S. 323.

4 HKA, Bd. 3, S. 646.

5 HKA, Bd. 4, S. 322.

6 Vgl. meine Darstellung von Novalis' Roman im Zusammenhang mit einigen anderen Romanen seiner Generation unter dem Titel »Romanexperimente 1797 – 1804« in der Literaturgeschichte: Gerhard Schulz, *Die deutsche Literatur zwischen Französischer Revolution und Restauration*, Tl. 1: *Das Zeitalter der Französischen Revolution*, München 1983, S. 398–442.

zählformen, bezeichnend. »Geschmeidige Prosa ist mein frommer Wunsch«, schreibt er im Juni 1800 an Friedrich Schlegel.[7] Daß die Feststellung des experimentellen und zerebralen Ursprungs ein Sachurteil, nicht ein Werturteil darstellt, sei zur Vermeidung eines Mißverständnisses hinzugefügt.

Nicht nur in der Setzung eines letzten, apotheotischen Zieles des Romans unterschied sich Novalis von Goethe. Goethe hat nie experimentiert. Er hat sich allerdings auch nie wiederholt, aber in jeder neuen Form, die er sich aneignete, war er sogleich sicher und selbständig, in der antiken Form des Dramas ebenso wie im Hexameter-Epos, im Gegenwartsroman wie in der orientalischen Lyrik oder dem altdeutschen Knittelvers. Was er als seiner nicht gemäß erkannte, ließ er liegen. Aber ideelle Intentionen wies er von sich. Die fortschreitende Erfahrung seiner selbst als Künstler und Wissenschaftler im Verhältnis zur Welt war Ausgangspunkt für die Mehrzahl seiner Werke. So wenig der *Wilhelm Meister* ein autobiographischer Roman ist, so sehr ist doch die Grundsituation eines bürgerlichen Helden, der zwischen Kunst und Geschäft nach Selbsterfüllung in einem von Standesschranken zerklüfteten Land strebt, Goethes eigene. Novalis' Experiment mit der Romanform hingegen baut auf anderen Voraussetzungen, und der Versuch, autobiographisches Detail in sein Werk hineinzulesen, kann nur Beiläufiges ans Licht bringen.

Novalis wählte sich seinen Stoff nicht aus der vielstaatlichen deutschen Gegenwart, sondern aus jener Periode, die im Rückblick als ein erster Höhepunkt deutscher Nationalgeschichte gelten konnte, aus dem hohen Mittelalter der Kreuzzüge. Aber er brach zugleich den geschichtlichen Boden durch unübersehbare Anachronismen auf: Die Wanduhr in Heinrichs Zimmer schlug erst im 17. Jahrhundert, das Augsburg der Fugger, in dem der Roman vom 6. Kapitel ab spielt, blühte im 15. Jahrhundert, und die Arbeitswelt der Bergleute

7 HKA, Bd. 4, S. 333

konnte Novalis als Bergstudent noch im Freiberg seiner Tage vorfinden. Aufgebrochen wird die erzählte Realität des Romans aber auch durch die Einlagen, aus denen der erste Teil des Romans hauptsächlich besteht, den Träumen und Märchen, die ebenso wie das geheimnisvolle Buch am Ende des 5. Kapitels vorausdeutenden, also einen die Zeit aufhebenden Charakter besitzen. Zukünftige Ereignisse und wesentliche Gedanken des Buches werden darin spurenhaft vorausgenommen, freilich nur insoweit, als sie der Held zu dem jeweiligen Zeitpunkt verstehen kann. Denn nicht statisch sind diese Einlagen gemeint, sondern dynamisch, damit sie den Helden innerlich in Bewegung versetzen oder darin erhalten. Aufgebrochen wird aber schließlich auch der nationale Ort des Romans, denn was Goethe erst seinem Faust vorbehielt und nicht schon dem Romanhelden Wilhelm Meister gewährte, das sollte bei Novalis bereits Heinrich von Ofterdingen zuteil werden: der Eintritt in die große Welt internationaler Politik zwischen Geschichte und Gegenwart. Vom »kayserlichen Hof« und einem allerdings »mystischen Kayser« sowie einer »Urkayserfamilie«, aber auch vom historischen Kaiser Friedrich II. ist in den Plänen zur Fortsetzung des *Ofterdingen* ebenso die Rede wie von Heinrichs Zügen in den Orient.[8] Das »Morgenland« mit seinen Sprachen und fernen, erst allmählich ins europäische Bewußtsein rückenden Kulturen erschien in den Vorstellungen deutscher Künstler und Intellektueller, die es nicht wie die Briten aus eigener Anschauung kannten, fast wie ein Ursprungsland der »Poesie«. Außerdem aber hatte dort das Christentum seine Heimat, und die aus ihm hervorgegangene Kultur war eben jene romantische Tradition, die man am Ausgang des 18. Jahrhunderts der antiken gegenüber, die so lange Schulen und Bildung beherrscht hatte, als die eigene zu definieren suchte. Die Besinnung auf solche romantische Tradition wie deren Fortsetzung waren es, die Friedrich Schlegel und Novalis in ihren

8 HKA, Bd. 3, S. 671 ff.

Fragmenten und Notizen propagierten und theoretisch zu umreißen versuchten. Der *Heinrich von Ofterdingen* aber war darauf angelegt, ein Musterbeispiel romantischer »Universalpoesie« zu werden.

»Der Romandichter sucht mit Begebenheiten und Dialogen, mit Reflexionen und Schilderungen – Poësie hervorzubringen«, heißt es in Aufzeichnungen von Novalis aus der Zeit der Arbeit am *Ofterdingen*, und bald danach: »Die Kunst, auf eine *angenehme* Art zu *befremden*, einen Gegenstand fremd zu machen und doch bekannt und anziehend, das ist die romantische Poëtik.«[9] Der Gebrauch des Wortes »romantisch« in einem doppelten Sinn als Bezeichnung für die christlich-europäische Kulturtradition gegenüber der antiken und zugleich als Begriff für eine neue Methode wie ein neues Ziel künstlerischer Arbeit sind dazu angetan, Verwirrung zu stiften, besonders wenn zu beidem noch der volkstümliche Gebrauch des Wortes im Sinne von Schwärmerei und Träumerei hinzukommt. Immerhin aber macht schon ein Blick auf den *Ofterdingen* deutlich, was Novalis selbst mit dem Begriffe verband: eine experimentelle Literatur, deren Ziel die Freisetzung intellektueller wie emotionaler Kräfte war, um die Prosaik gegenwärtigen Lebens in seiner deutschen Enge und die Enge des Weltverständnisses überhaupt zu überwinden, und zwar nicht durch ein Darüber-Hinweg-Träumen, sondern durch die Öffnung größerer und weiterer Perspektiven der geistigen Tätigkeit wie des Blickes auf den transzendenten Bezug aller menschlichen Existenz. Von seiner Anlage und seiner Intention her ist also der *Ofterdingen* höchst rational kalkuliert und alles andere als ein »romantisches« Buch im herkömmlichen Sinn.

Das wird gleichermaßen bei der Betrachtung des Helden selbst deutlich. Novalis geht – im Gegensatz zu Goethe – den sozialen Realitäten der deutschen Gegenwart aus dem Weg, indem er einen Helden mit einem adligen Namen und einem

9 HKA, Bd. 3, S. 685.

bürgerlichen Herkommen wählt und damit in gewissem Sinn Bildungsadel über den Besitzadel stellt. Ofterdingens Vater betreibt das Handwerk, das übrigens auch bei Goethe eine gute Vorstufe zur Kunst ist, und er betreibt ein edles dazu, die Goldschmiedekunst, die Gold also nicht nach seinem materiellen, sondern seinem ästhetischen Wert bemißt, ebenso wie die Bergleute im 5. Kapitel es sehen, wenn sie sich ihm als Naturphilosophen nahen. Handwerker, Bergleute, Ritter und Kaufleute – sie alle sind Zuträger der Poesie, Väter und Lehrer des künftigen Dichters, der selbst eigentlich den »Lehrstand« (12)[10] hatte erwählen wollen. So entsteht ein Künstlerroman, kein Geschichtsroman, aber auch kein Zeitroman wie der *Wilhelm Meister*, mit dessen Helden Heinrich von Ofterdingen lediglich die »passive Natur«[11] teilt. Meister absorbiert die Welt durch Erfahrung, Ofterdingen entdeckt sie in sich selbst, wobei freilich noch einmal daran zu erinnern ist, daß uns nur der erste Teil eines auf sehr viel größeren Umfang angelegten Buches erhalten ist.

2.

Den hauptsächlichen Inhalt des ersten Teils des Romans bilden Erweckung und Belehrung des jungen Heinrich von Ofterdingen für den Weg zu seiner Berufung als Dichter. Das erstere geschieht durch einen Traum, in dem ihm jene blaue Blume erscheint, von der ihm ein Fremder gerade erst erzählt hatte. Das andere erfolgt durch Erzählungen über verschiedene Themen durch verschiedene Personen, mit denen Heinrich auf einer Reise von seiner Heimatstadt Eisenach nach Augsburg in Berührung kommt: Kaufleute, ein orientalisches Mädchen, ein Bergmann, ein Einsiedler und der Dichter

10 Die Zahlen in Klammern bezeichnen hier und weiterhin die Seiten der folgenden Ausgabe des Romans: Novalis, *Heinrich von Ofterdingen. Ein Roman*, hrsg. von Wolfgang Frühwald, rev. Ausg., Stuttgart 1987 [u. ö.] (Reclams Universal-Bibliothek, 8939).

11 HKA, Bd. 3, S. 639.

Klingsohr. Nur die Begegnung mit Mathilde, Klingsohrs Tochter, verflicht den Helden selbst in die Handlung; im übrigen scheint der erste Teil des Romans eher Rahmen oder Hülse für diese Einlagen zu sein.

Novalis hat über seine Intentionen für sein Buch und für das Ziel des Lebensgangs seines Helden nicht nur in begleitenden Briefen Auskunft gegeben, sondern den Kommentar zur Handlung zugleich zu einem integralen Teil des Buches selbst gemacht, ganz im Sinne jener »Universalpoesie«, die Friedrich Schlegel als Verbindung von »Poesie und Prosa, Genialität und Kritik« betrachtete,[12] was soviel wie eine Verbindung von fiktionaler Darstellung mit philosophischer und kritischer Reflexion bedeutete. Auch darin bestätigt sich die rationale Anlage dieses Romanexperiments. »Nichts ist dem Dichter unentbehrlicher, als Einsicht in die Natur jedes Geschäfts, Bekanntschaft mit den Mitteln jeden Zweck zu erreichen, und Gegenwart des Geistes, nach Zeit und Umständen, die schicklichsten zu wählen. Begeisterung ohne Verstand ist unnütz und gefährlich, und der Dichter wird wenig Wunder tun können, wenn er selbst über Wunder erstaunt« (110), lautet der Rat des Dichters Klingsohr an den jungen Heinrich. Der ganzen Anlage des Romans entsprechend, der dem Helden sorgfältig abgewogene Lehrstunden erteilt, ist das auch eine vom Autor gebilligte Weisheit. Und daß die Poesie vorzüglich »als strenge Kunst getrieben werden« (111) müsse, ist dann nur noch eine Fortführung dieser Forderung.

Dergleichen schließt allerdings die Beteiligung von rational nicht Bestimmbarem an solchem Künstlertum nicht aus, also von dem, was die Psychologie dann mit Begriffen wie Anlage und Begabung zu definieren versucht hat. Bei Novalis heißt es: »Heinrich war von Natur zum Dichter geboren. Mannigfaltige Zufälle schienen sich zu seiner Bildung zu vereinigen, und noch hatte nichts seine innere Regsamkeit gestört. Alles was er sah und hörte schien nur neue Riegel in ihm wegzu-

12 Schlegel (Anm. 2) S. 220.

schieben, und neue Fenster ihm zu öffnen. Er sah die Welt in ihren großen und abwechselnden Verhältnissen vor sich liegen. Noch war sie aber stumm, und ihre Seele, das Gespräch, noch nicht erwacht. Schon nahte sich ein Dichter, ein liebliches Mädchen an der Hand, um durch Laute der Muttersprache und durch Berührung eines süßen zärtlichen Mundes, die blöden Lippen aufzuschließen, und den einfachen Akkord in unendlichen Melodien zu entfalten.« (94 f.) In ihm selbst scheint also bereits verschlossen, was er in der Begegnung mit der Welt erst erleben soll, weshalb denn der große Traum von der blauen Blume am Anfang des Romans ebenso wie das geheimnisvolle Buch am Ende des 5. Kapitels die zukünftige Lebensgeschichte Heinrichs zu enthalten oder wenigstens anzudeuten scheinen, während die Erzählungen, die er anhört, zum Thema des Romans, der »Apotheose der Poësie«, in der Gestalt des Lebens eines Dichters als romantischen Universalpoeten hinführen.

Deutung und Vorausdeutung sind wesentliche Mittel von Novalis' Romantechnik. Klingsohr erklärt Heinrich, dessen eigene jüngste Erfahrungen interpretierend: »In der Nähe des Dichters bricht die Poesie überall aus. Das Land der Poesie, das romantische Morgenland, hat Euch mit seiner süßen Wehmut begrüßt; der Krieg hat Euch in seiner wilden Herrlichkeit angeredet, und die Natur und Geschichte sind Euch unter der Gestalt eines Bergmanns und eines Einsiedlers begegnet.« (113) Daran ist zunächst bemerkenswert, daß nicht nur der anonyme Erzähler des Buches, sondern auch eine erzählte Gestalt wie Klingsohr gleichzeitig als Interpret und Kommentator des Erzählten auftritt, was zu dem Schluß veranlaßt, daß nicht nur der Stoff, sondern auch die Form des Buches ironisch durchbrochen ist. Novalis' Sprache im Roman ist deshalb auch nicht seine Prosa schlechthin, sondern Resultat eines überlegten »Befremdungs«-Prozesses, also eines sprachlichen Experimentierens, bei dem es ihm ganz ausdrücklich auf »eine gewisse Alterthümlichkeit des Styls«, auf »eine leise Hindeutung auf Allegorie, eine gewisse Selt-

samkeit, Andacht und Verwunderung, die durch die Schreibart durchschimmert«, ankam.[13] Auch das wurde zur Zeit der Arbeit am *Ofterdingen* als Notiz niedergeschrieben.
Novalis versucht also, Intellektualität, reflexives Verstehen und bildschaffendes, »poetisches« Künstlertum in der Geschichte seines Helden in eins zu bringen. Das hat für die Leser des *Heinrich von Ofterdingen* sehr verschiedenartige Konsequenzen. Es lädt auf der einen Seite ein, sich der Erzählung als einem Märchen, einer betont fiktiven Geschichte aus der alten Zeit mit Neugier hinzugeben, und so ist der *Ofterdingen* denn auch von einer großen Anzahl seiner Verehrer gelesen worden. Es lädt aber auch dazu ein, dem Intellektuellen und Philosophen Novalis auf die Spur zu kommen und damit seine Arbeit zu »dekonstruieren«, also das von ihm »Hineingeheimniste«, um einen Goetheschen Ausdruck zu benutzen, ans Licht zu bringen. Dessen Erkennung oder Entschlüsselung ist das Verfahren der Mehrzahl seiner Interpreten geworden, die bei solcher Suche in überreichem Maße fündig wurden. Denn in der Tat spiegelt sich vieles von Novalis' Ansichten zu Natur, Geschichte, Gesellschaft, Politik, Kunst, Religion und den auf sie bezüglichen zeitgenössischen Philosophien in zahlreichen Brechungen in diesem Buch. Im Jahrzehnt nach der Französischen Revolution, in dem der *Heinrich von Ofterdingen* ebenso wie die anderen Romanexperimente von Novalis' Freunden entstanden, belebte die Frage nach dem Verhältnis zwischen Politik und Geist ebenso wie zwischen Politik und Kultur die Diskussion der intellektuellen Jugend Deutschlands, der es um die Überwindung gesellschaftlicher Grenzen und politischer Stagnation ebenso ging wie um die Herbeiführung eines dauernden Friedens in kriegerischen Zeiten. Geschichte und Natur im damaligen Verständnis schienen neue zeitliche und räumliche Koordinaten zu setzen.
Novalis war studierter und praktizierender Naturwissen-

13 HKA, Bd. 3, S. 654.

schaftler auf der damaligen Höhe des Wissens. Unter Natur muß freilich etwas anderes verstanden werden als das, was ein technisches Zeitalter sich darunter vorstellt. Es war eine noch nicht unterworfene und noch nicht dienstbar gemachte Natur, die jedoch am Ausgang des 18. Jahrhunderts gerade im Begriff war, unterworfen und dienstbar gemacht zu werden durch neue Entdeckungen einer Wissenschaft, die sich von mythischen Deutungen entfernte. Die als Geologen einfahrenden Bergleute mit ihrem geradezu mystisch-erotischen Verhältnis zur Natur – »Er ist mit ihr verbündet, / Und inniglich vertraut, / Und wird von ihr entzündet, / Als wär sie seine Braut« (70) – sind allerdings eher Naturphilosophen als Arbeiter. Die Prinzessin im Märchen von Atlantis erhält eine unterirdische Initiation durch einen »der Wissenschaft der Natur« (34) ergebenen jungen Mann, ehe sie ihn, dem sie die Poesie vermittelt, und beider Kind dem König zuführen und das kleine Wesen als den Erben des Königreichs präsentieren kann. Poesie und Naturkenntnis verbinden sich in diesem Paar, das alle sozialen Hürden überspringen darf. Die Poesie adelt den Naturwissenschaftler, die Naturkenntnis aber macht die Poetin wiederum zur Staatsbürgerin und geeigneten Fürstin eines idealen und inzwischen freilich untergegangenen Staats. Dabei ist dieses Paar dann wiederum nur eine Präfiguration jener Erotik, Naturwissenschaft, Mythologie, Kunst und Politik auf sehr viel kompliziertere Art ineinander verwebenden Apotheose in Klingsohrs Märchen. Es sind solche Konstellationen, die zu immer neuen und weiteren Deutungen herausgefordert haben je nach dem Interesse der Betrachter an der einen oder anderen Tendenz.

So besteht letzten Endes beim *Heinrich von Ofterdingen* auch die Gefahr, daß man den intellektuellen Gehalt als unepischen Ballast und als in seinen Quellen bekannt empfindet. Das ist dann die Haltung mancherKritiker des Buches geworden. Denn sind in einem Roman die Spuren unter anderem von Böhme, Hemsterhuis, Kant, Lessing, Hamann, Herder, Lavater, Wieland, Kant, Fichte, Schelling, Goethe,

Schiller und Jean Paul nachzuweisen, so mag das sehr für die Belesenheit des Autors sprechen, aber nicht unbedingt für die Interessantheit des Erzählten. Die Charakterisierung des Buches als »gedichtete Philosophie«[14] wird dementsprechend nicht jedermann als Empfehlung verstehen. Achim von Arnim war einer der ersten kritischen Leser des *Ofterdingen*, unzufrieden insbesondere mit Klingsohrs Märchen im 9. Kapitel »mit seiner Langweiligkeit, wenn man es nicht errathen kann, und mit seiner Unbedeutendheit, wenn man es weiß«.[15] Friedrich Schleiermacher hingegen, der Theologe, pries die »dem Ganzen zu Grunde liegende große Fülle des Wissens, auf die bei solchen Menschen so seltene Ehrfurcht vor dem Wissen und auf die unmittelbare Beziehung desselben auf das Höchste, auf die Anschauung der Welt und der Gottheit«.[16] Diese Blickweise ist Arnims Unzufriedenheit mit einem gar nicht oder aber restlos erklärten Text ebenso entgegenzuhalten wie den Kritikern des intellektuellen Ballasts. Schleiermacher sieht scharf Novalis' aufgeklärte Haltung im Hinblick auf alle wissenschaftliche Erkenntnis; seine Fachkenntnis war, im Gegensatz zu der seiner späteren Nachahmer, reich und zugleich selbständig verarbeitet. Aber Schleiermacher sieht bei ihm eben auch die alles bestimmende Tendenz auf Gott und damit auf eine Bewältigung des Wissens durch den metaphysischen Bezug, der bei Novalis jedem Denken und Handeln erst Sinn und ethische Verbindlichkeit gibt. Das allerdings könnte den Roman wiederum in die Nähe von Erbauungsliteratur rücken, die ihrerseits nicht im guten Rufe hoher Kunst und ästhetischen Genusses steht. So hat es

14 Friedrich Strack, *Im Schatten der Neugier. Christliche Tradition und kritische Philosophie im Werk Friedrich von Hardenbergs*, Tübingen 1982, S. 20: »denn seine gestaltete Poesie ist in wesentlichen Teilen nichts anderes als gedichtete Philosophie«. Eine besondere Empfehlung verbindet Strack allerdings nicht mit dieser Feststellung.

15 Zit. nach: *Erläuterungen und Dokumente: Novalis (Friedrich von Hardenberg), »Heinrich von Ofterdingen«*, hrsg. von Ursula Ritzenhoff, Stuttgart 1988, S. 174 f.

16 Ebd., S. 174.

Novalis den Lesern nicht leicht gemacht mit seinem Roman und damit auch diesem selbst, was die rechte Aufnahmebereitschaft für ihn angeht.

3.

Novalis' *Heinrich von Ofterdingen* ist nicht eigentlich ein schwieriges Buch und auch keineswegs so langweilig, wie es von seinen Voraussetzungen her den Anschein haben könnte. Seine Personen haben zwar nicht die gleiche runde Realität wie diejenigen Goethes oder Kleists, aber sie sind andererseits auch nicht lediglich nur Allegorien oder Personifikationen bestimmter Ideen und Eigenschaften. Sie ähneln, sucht man schon einen Vergleich in der Literaturgeschichte, eher den Figuren Kafkas, die alle ihr Geheimnis mit sich tragen, nur daß allerdings die Welt Kafkas dunkler und kälter als die von Novalis ist und daß sich, wenn sich in Kafkas Gestalten Fenster öffnen, nur immer noch größere Dunkelheit hereinzuströmen scheint. Darin trennen sich zwei Jahrhunderte voneinander, und es zeigt sich im übrigen, daß der so sehr als Dichter der Nacht gerühmte Novalis seinem ganzen Wesen nach das Lichtwerden als Metapher und Ziel eines aufgeklärten Zeitalters im Sinne hatte.
Bei alledem ist außerdem der Intellektuelle Friedrich von Hardenberg als der Autor Novalis zugleich ein anmutiger, anschaulicher, bilderreicher und zum Teil sogar amüsanter Erzähler, dessen Ziel nicht die Vermittlung von Wissen oder das Predigen von Erkenntnissen ist, sondern die sinnreiche und sinnvolle Unterhaltung. Wenn er seine Leser an den Erfahrungen seines Helden teilnehmen läßt, so nicht um deren Belehrung willen, sondern um durch die Teilnahme an der Belehrung des Helden zu jenem angenehmen Befremden zu führen, das, als »Romantisieren« bezeichnet, die Geistestätigkeit beleben und in Bewegung setzen soll.
Allerdings geschieht das zugleich mit dem hohen Anspruch, zur »Apotheose der Poësie« zu führen und damit jenen fau-

len Kompromiß mit den Realitäten zu vermeiden, für den Novalis Goethes *Wilhelm Meister* ansah. Was ein solcher Triumph der Kunst über die Wirklichkeit allerdings bedeutete, wie er darzustellen war und welche Aussichten auf Erfolg er hatte, dafür gab es keine andere Antwort als den Versuch in der literarischen Praxis, also das Experiment. Experimentieren heißt, Mittel und Wege zu einem gesteckten Ziel zu suchen und auszuprobieren. Es bedeutet, in anderen Worten, mit künstlerischer Besonnenheit das Geschäft des Wundertuns zu unternehmen, ohne selbst über Wunder zu staunen.

Grundlegend für eine solche Arbeit war für Novalis, jede Verwechslung der Absicht des Romans mit der Darstellung zeitgenössischer Wirklichkeit tunlichst zu vermeiden. Die Stoffwahl war der erste, entscheidende Schritt dazu, also der Gang in ein imaginäres, historisch durchbrochenes Mittelalter. Der zweite Schritt bestand in der Wahl einer für solchen Stoff geeigneten Sprache, also die Suche nach jener Geschmeidigkeit des Stils, die ihn durch eine »gewisse Alterthümlichkeit« für Bedeutungen jenseits des Wörtlichen durchsichtig machen sollte. Im Grunde galt es, eine künstliche Sprache zu schaffen, zum Beispiel durch die Entgrenzung von Bedeutungen (unermeßlich, unzählig) oder durch Zusammensetzungen mit Wunder und Geheimnis sowie durch vielfache Ableitungen dieser Wörter. Außerdem aber galt es, Erzählformen zu finden, die ihrerseits jene Durchsichtigkeit förderten, wie sie bereits Stoff und Sprache vermitteln sollten. Die Intellektualität des denkenden, auf ein Ziel hinarbeitenden Autors sollte mit der Einfachheit und märchenartigen Altertümlichkeit ein Bündnis eingehen, damit aus der Mischung und Verbindung eine neue Qualität des Kunstwerks entstehe.

Novalis stellt seinem Roman zwei Sonette als »Zueignung« voran, die freilich alles andere als einfach und altertümlich sind. Geschrieben in der strengen, äußerst kunstvollen, »romantischen« Form, die kurz vor 1800 gerade erst wieder zu neuem Leben in der deutschen Literatur erweckt worden war, bilden sie eher eine Mystifikation für die Leser, von denen einige denn auch ohne Gewinn für besseres Verständnis Gestalten aus Novalis' Leben dahinter gesucht haben, während die »Geliebte« wohl eher als Verkörperung der Liebe in verschiedenen Gestalten und der »Geist des Gesanges« als motivierende Kraft für das zu eröffnende Werk angesprochen sein dürften.

Danach aber beginnt ein Reigen von Erzählformen. Durch ihren Wechsel haben sie die gleiche Funktion wie die entgrenzenden Mittel der Sprache: das Erzählte wird durchlässig gemacht für darüber hinausgehende Bedeutungen und erhält damit die aufnehmenden Leser in ständiger Bewegung oder gar in einer gewissen Unruhe, was allerdings etwas ganz anderes bedeutet als die Erzeugung von ereignisbedingter Spannung. Eröffnet wird der Roman mit einem Selbstgespräch, einem inneren Monolog Heinrichs, der für die Leser übergeht in das Miterleben jenes Traums von der blauen Blume, der lebensprägende Bedeutung für den Helden bekommen soll. Es ist ein Traum von der subtilen Verquickung zwischen Eros und Tod, den Heinrich zwar nicht versteht, der aber den Lesern deutlich macht, was bereits im Unterbewußten, in der Traumwelt des Helden schlummert und was ihm in Zukunft zum Bewußtsein gebracht werden soll. Bald danach wird ein zweiter, ähnlicher Traum erzählt: derjenige des Vaters aus seiner Jugendzeit und gleichfalls über eine Blume. Aber diesmal ist es der Vater selbst, der berichtet und also sogleich für die Leser eine Distanz schafft zum Erzählten.[17]

Im weiteren Verlauf treten sehr verschiedene Erzählerfiguren und Kommentatoren auf. Aus dem Bericht über Heinrichs Zustand und die Reaktionen seiner Mutter darauf am Anfang des 2. Kapitels erfolgt ein Übergang zu allgemeinen Reflexionen über »Gerätschaften und Habseligkeiten« (19), über das

17 Vgl. dazu besonders Kenneth S. Calhoon, *Romantic Distance: the Poetics of Estrangement and Self-Discovery in Novalis' »Heinrich von Ofterdingen«*, Diss. University of California, Irvine 1984, S. 76 ff.

gegenwärtige Zeitalter und eine vergangene, »tiefsinnige und romantische Zeit« (20) mit dem die Leser einbeziehenden Schluß: »und also vertiefen wir uns willig in die Jahre, wo Heinrich lebte und jetzt neuen Begebenheiten mit vollem Herzen entgegenging« (20). Suggestiv also ersteht hier ein fiktiver, belehrender, im Sprachton ein wenig altmodischer Erzähler, mit dessen Hilfe der Autor sein Publikum zu beeinflussen und zu manipulieren versucht. Abgelöst wird dieser Erzähler dann durch eine der seltsamsten Erzählerfiktionen in der Romanliteratur, durch jene Schar von gebildeten, die Poesie verehrenden Kaufleuten, die nur im Kollektiv auftreten. Es ist der extreme Versuch von Novalis, dem *Wilhelm Meister* und der Feier unpoetischer »Oeconomie« darin zu widersprechen, indem seine Kaufleute zusammen mit ihrer Individualität auch jedes realen Geschäftsinteresses überhoben werden.

Noch komplizierter wird das Verhältnis zur erzählten Realität im 5. Kapitel. Die Bergbaugegend, durch die Heinrich und seine Reisegruppe ziehen, wird mit dem Verweis auf einige »Hügel«, also Abraumhalden, abgetan. Erst der alte Bergmann beschreibt dann den Bergbau aus der Erinnerung, was nun wiederum zugleich die Idealisierung einer harten und gefährlichen Arbeit möglich macht. Eine weitere Erzählerfigur wird noch im gleichen Kapitel mit dem gebildeten, aber von der Welt abgewandten Einsiedler geschaffen, durch den im Buch ein Dialog mit dem Bergmann über Natur, Geschichte und Dichtertum zustandekommt, der aber zugleich auch Heinrich und durch ihn die Leser auf den tieferen Sinn der Literatur aufmerksam macht. Bei ihm findet Heinrich das geheimnisvolle, ihm noch unverständliche Buch, das seine eigene Lebensgeschichte zu enthalten scheint. Vom Träumen und Anhören verschiedener Erzählungen erfolgt also nun der Übergang zum Lesen; regelrechte geschriebene Literatur tritt auf und besitzt sogleich – der Wink für die Leser ist unmißverständlich – universale Bedeutung, weil sie offensichtlich auf die »Apotheose der Poësie« gerichtet ist, sich also mit den »wunderbaren Schicksalen eines Dichters« (91 f.) befaßt und nicht mit einer Feier der »Oeconomie« oder einer »Wallfahrt nach dem Adelsdiplom«. In Klingsohrs Märchen aber erweist sich, solcher Literarisierung angemessen, wenig später im Roman die Schale der Sophie, in der alles unpoetisch Geschriebene ausgelöscht wird, geradezu als eine erste symbolische Repräsentation der Literaturkritik.

Zu den literarischen Formen im *Heinrich von Ofterdingen* gehören auch die eingelegten Gedichte und Lieder, äußerlich dem Beispiel des *Wilhelm Meister* folgend, dessen lyrische Einlagen mit Hilfe der Musik Weltliteratur geworden sind. Der unvergängliche Reiz der Goetheschen Gedichte hat allerdings in ihrer Beziehung zu gewissen Charakteren des Buches seinen Grund, zu seelisch komplexen Gestalten, die in den Versen ihr Innerstes und Charakteristischstes zum Ausdruck bringen. Novalis' Gedichten im *Heinrich von Ofterdingen* fehlt solche Individualität. Einige wachsen als eine Art Gemeinschaftslieder aus Situationen hervor, so das wilde Lied der Kreuzfahrer und sein Gegenstück, die Klage der Orientalin. Das gleiche gilt für die Gesellschaftslieder auf dem Augsburger Fest. Andere Gedichte vermitteln eine über das Niveau der Singenden hinausgehende naturphilosophische oder historisch-politische Botschaft wie die Bergmannslieder oder das Lied des Sängers im Atlantis-Märchen. Einige aber schließlich scheinen nirgendwo aus der erzählten Welt herzukommen und nirgendwo hinzugehören, sondern universale, aber geheimnisvolle Bilder und in sie eingeschlossene Weisheit zu übermitteln. Dazu gehören vorzüglich die magischen Verse vom Karfunkel (37), der Monolog des mystischen Wesens Astralis (155 ff.) und aus den Aufzeichnungen zum zweiten Teil des Romans die Verse »Wenn nicht mehr Zahlen und Figuren« (178 f.) sowie das großartige, hinreißende »Lied der Toten« (209 ff.). Es sind diese, in sich wiederum sehr verschiedenartigen Versuche, Transzendentes durch Sprachkunst faßbar zu machen, in denen Novalis als Künstler sein Größtes geleistet hat.

Dabei ist das Äußerste an lyrischer Kunst, das sich Novalis vorstellen konnte, sogar ungeschrieben geblieben, nämlich der »fremde, wunderbare« »Gesang« des Jünglings im Märchen von Atlantis, den er zuerst vorträgt: »Er handelte von dem Ursprunge der Welt, von der Entstehung der Gestirne, der Pflanzen, Tiere und Menschen, von der allmächtigen Sympathie der Natur, von der uralten goldenen Zeit und ihren Beherrscherinnen, der Liebe und Poesie, von der Erscheinung des Hasses und der Barbarei und ihren Kämpfen mit jenen wohltätigen Göttinnen, und endlich von dem zukünftigen Triumph der letztern, dem Ende der Trübsale, der Verjüngung der Natur und der Wiederkehr eines ewigen goldenen Zeitalters« (45). Erzählte Lyrik ist also eine weitere Kunstform dieses Romans, nicht schlechterdings nur eine Abbreviatur dessen, was Novalis noch auszuführen gedachte. Ausgeführt wäre es tatsächlich jener Teil des Romans geworden, der einer gedichteten Philosophie am nächsten gekommen wäre. Denn ein triadisches Weltbild ist hier in Bildern und Begriffen ausgedrückt, das Novalis aus seinen Studien zeitgenössischer Philosophie, insbesondere aus derjenigen Fichtes und Hemsterhuis', schöpfte und eigenständig verarbeitete. Universalpoesie in sehr wörtlichem Sinne wäre daraus geworden, etwas, das den Rahmen herkömmlicher Formen und auch den des Romans gesprengt hätte. Es ist also dieses beständige Transzendieren des Herkömmlichen, dieses Experimentieren mit Gegebenem, das den *Heinrich von Ofterdingen* als Kunstwerk auszeichnet, wie es zugleich die Grenzen der Kunst erweist, wo sie den Versuch macht, wissenschaftliche oder philosophische Wahrheiten zu vermitteln und sich einer Aufgabe anzunehmen, für die sie ihrem Wesen nach nicht geschaffen ist. Novalis wurde das bei seinem Versuch mit dem Roman bewußt, wie seine Reflexionen darüber zeigen und wie auch letztlich dieser berichtete und nicht geschriebene Gesang verrät. Da Novalis jedoch über die Fähigkeit zum bildlichen Denken des Künstlers wie gleichzeitig über die zur Abstraktion des Philosophen verfügte, ergeben sich bei ihm immer wieder Versuche zur unmittelbaren Verbildlichung des Denkens, die durch ihre Außerordentlichkeit bestechen können, die andererseits aber auch in Schriften wie *Die Christenheit oder Europa* im Spiel mit historischen und politischen Begriffen zu Mißverständnissen geführt haben.

Im *Ofterdingen* steht dem beschriebenen Gesang am nächsten das große Märchen, das Klingsohr erzählt, spiegelt sich in ihm doch die gleiche triadische Struktur wie in den Visionen des Jünglings. Klingsohr ist eine weitere Erzählergestalt des Romans, aber ihm fehlt durchaus die Naivität, Schlichtheit oder Bescheidenheit der anderen. Er ist Artist und ein sehr bewußter dazu, wie seine Lehrstunden für den jungen Heinrich zeigen, dessen bisherigen Lebenslauf er, wie schon erwähnt, zugleich kommentiert und interpretiert. Das Märchen selbst als Mischung aus Philosophie, Naturwissenschaft, Astronomie, Sexualität, Geschichte und Politik, als Spiel mit Mythen, Allegorien und der Realität ist der Intellektualität des Erzählers durchaus angemessen, und es ist sicherlich der Gipfel von Novalis' poetischem Experimentieren. Ob das Experiment am Ende gelungen ist, läßt sich objektiv kaum entscheiden. Arnim, studierter Naturwissenschaftler wie Novalis, hat seine Enttäuschung über das aufgelöste Rätsel bekundet. Die Einbeziehung galvanischer Erscheinungen bei der Erlösung von Freya, ganz sicherlich ein Novum in der Literatur, wie auch die Elektrizität selbst noch ein Novum war, mochte ihn als zu oberflächlich und offensichtlich enttäuschen, während die Leser eines späteren Zeitalters, die sich dergleichen erst erklären lassen müssen, gerade das besonders reizvoll und originell finden mögen. Das Element des Spieles, des Unterhaltenden jedenfalls tritt gerade im Märchen besonders hervor.

Für die gleichfalls teils amüsante, teils gewagte Darstellung sexueller Beziehungen darin mögen wiederum Leser des 20. Jahrhunderts bessere begriffliche Voraussetzungen und stärkeres Interesse mitbringen als Novalis' eigene Zeit. Daß der Vater sich die Amme Ginnistan als Mätresse hält und einmal rasch mit ihr nach nebenan verschwindet, »um sich von den Geschäften des Tags in ihren Armen zu erholen« (127), bleibt als Kommentar zur bürgerlichen Ehe noch im Üblichen. Daß es hinter dem Rücken des »in stiller Umarmung« (127) begriffenen Paares von Mutter und Sohn geschieht, fügt allerdings eine besondere Note hinzu. Wenn dann weiterhin die gleiche Mätresse noch eben diesen Sohn verführt, so mag selbst das der Praxis der Zeit nicht widersprochen haben. Daß sie es jedoch in der Gestalt der Mutter tut, geht wahrhaftig über das Übliche und als Anmerkung zu gesellschaftlichen Verhältnissen Verständliche hinaus und kann erst einer im psychoanalytischen Studium von Ödipuskomplexen gehärteten Generation in ganzem Ausmaß schätzbar sein. Bei aller Kompliziertheit der Beziehungen und Allegorisierungen im einzelnen ist die Botschaft des Märchens – und da hat Arnim durchaus recht – dennoch sehr eindeutig: Fabel, die Poesie, führt Eros, die Liebe, zu Freya, dem Frieden, und begründet so ein neues Reich, ein »Reich der Ewigkeit« (151) und neues Goldenes Zeitalter. Es ist die Botschaft des gesamten, auf die »Apotheose der Poësie« angelegten Romans, aber auf eine ganz eigenartige Art und Weise erzählt, die beträchtlich vom schlichten Erzählstil der vorausgehenden Kapitel abweicht und geschult ist an den Vorbildern der Feenmärchen des 18. Jahrhunderts und an Goethes »Märchen«. Aber Goethe löst das Geheimnis seines Phantasiespiels letztlich nicht ins begrifflich Faßbare auf, während Novalis unmißverständlich ist.

Zu den Erzählformen des *Heinrich von Ofterdingen* gehört natürlich auch das Gespräch, zumeist freilich nur als knappe Einleitung zu längeren monologischen Erzählungen oder als dialogische Darlegung von Ansichten und Betrachtungen wie im Gespräch zwischen Bergmann und Einsiedler. Heinrich selbst bleibt vorwiegend der Fragende; bis zur Begegnung mit Mathilde ist in ihm, wie der anonyme Kommentator im Roman meint, die »Seele« der Welt, »das Gespräch« noch

nicht erwacht. Danach aber läßt sie Novalis auf außerordentliche Weise erblühen.
Höhepunkt von Heinrichs innerem Erwachen zu Männlichkeit und dichterischer Berufung ist das große, sich über mehrere Seiten erstreckende Gespräch mit Mathilde, das mit einem Wechsel kurzer Sätze beginnt, dann allmählich zu längeren, aber in knappen, einfachen Sätzen bleibenden Erklärungen übergeht, bis am Schluß wieder kurze Sätze stehen. Die Sprache ist durch und durch künstlich und abstrakt, soweit sie die Wortbedeutungen betrifft. Hervortretend sind die Wörter »Liebe«, »Tod«, »Ewigkeit«, denen sich andere wie »Urbild«, »Gemüt«, »Geist«, »Himmel« und »Mutter« zuordnen. Adjektive wie »unendlich«, »unzertrennlich«, »unsterblich«, »unbekannt heilig«, »wunderbar«, »geheimst«, »eigentümlichst« sind die Obertöne zu den Grundtönen der Substantive. Es ist ein Gespräch, das sein Ziel in sich selbst trägt, nicht in der diskursiven Entwicklung von Gedanken und Meinungen, das aber ebensowenig das Ziel der meisten Liebesgespräche, die verführende Überredung des Partners, besitzt. Es ist Novalis' Versuch, den Dialog zur Demonstration des Einklangs zweier Menschen zu benutzen, wie sein Roman als ganzes auf Harmonie gerichtet ist, was aber andererseits dem Wesen des Dialogs gerade zuwiderläuft. Wörter wie Einklang und Harmonie verweisen auf das musikalische Element dieses durchkomponierten Prosastücks; Sprache wird zu einer Art suggestivem, hypnotischem Sprechen, das letztlich auf Novalis' Motivation für den gesamten Roman verweist, auf die Suche nach einer kreativen Antwort auf die Frage, wie sich Innerliches äußerlich darstellen läßt. »*ÜbergangsJahre* vom Unendlichen zum Endlichen«[18] hatten für ihn die »Lehrjahre« als Gegenstand eines Romans sein sollen, wie er schon vor der Arbeit am *Ofterdingen* an Caroline Schlegel schreibt. Im Dialog zwischen Heinrich und Mathilde kommt er einer solchen

18 HKA, Bd. 4, S. 281.

Absicht am nächsten. Dort hat er zugleich sein Experimentieren mit der Sprache am weitesten getrieben, ganz im Sinne jener Aufzeichnung, die er sich gleichfalls 1799 machte und in der er von »Erzählungen, ohne Zusammenhang, jedoch mit Association, wie *Träume*« spricht und dann folgert: »Höchstens kann wahre Poësie einen *allegorischen* Sinn im Großen haben und eine indirecte Wirckung wie Musik etc. thun.«[19]
Es bleibt die Frage, was letztlich unter Poesie zu verstehen ist. Daß sie zum Beispiel nicht schlechterdings mit Literatur identisch ist, vermag schon die Trennung zwischen mündlich Überliefertem, Gesungenem und – im geheimnisvollen Buch – Geschriebenem zeigen. Poesie ist das, was der zum Dichter Geborene unternimmt, jedoch unternimmt als einer, der wie Fabel in Klingsohrs Märchen Liebe und Frieden in der Welt zuwege bringen, das Getrennte verbinden und somit eine weit über jede literarische Tätigkeit hinausgehende Leistung bewerkstelligen soll. Wie Heinrichs Ausbildung schon zeigt, vermischen sich als notwendige Ingredienzen einer solchen Persönlichkeit die Kenntnis von Natur und Geschichte, politische Ziele und metaphysische Dimensionen mit Selbstkenntnis und Kenntnis der anderen, Psychologie also, und schließlich ein ethisches Bewußtsein, das das Gewissen in den Mittelpunkt der Persönlichkeit setzt, wie im zweiten Teil des Romans zu lesen ist. Poesie ist dennoch ein Begriff für eine Einheit alles Geistigen, der gerade der nach 1800 rasch sich ausbreitenden Entwicklung von Spezialwissenschaften diametral entgegensteht und in solchem Entgegenstehen denn auch seine bildende und schließlich weltverändernde Funktion bei Novalis haben soll. Dergleichen läßt sich allerdings besser erläutern als verständnisvoll nachvollziehen.

19 HKA, Bd. 3, S. 572.

4.

Novalis' Experimentieren mit den Ausdrucksmöglichkeiten der Sprache und der Form des Romans bedeutet nicht Kunst um der Kunst willen. Die Begriffe, die zum Beispiel dem Gespräch zwischen Heinrich und Mathilde zugrunde liegen, oder jene, die hinter den Allegorien von Klingsohrs Märchen stehen, hatten für ihn eine zentrale Bedeutung. Sein Werk leitet also durchaus nicht schon in die Sphären der manieristischen Poesie oder gar abstrakten Kunst eines späteren Zeitalters. Um Liebe, Tod, Poesie, Gemüt, Ewigkeit, höhere Welt und Gott bewegt sich sein ganzes Denken. Philosophisches Studium und Lebenserfahrungen haben ihn für die eigene, selbständige Durchdringung dieser Begriffe ausgerüstet in einem Zusammenhang, der sie oft von der gängigen Bedeutung entfernt und ihnen einen besonderen, eigentümlichen Sinn verleiht. Als Begriffe innerhalb eines epischen Werks, das mit ihnen operiert und für dessen Verständnis sie unentbehrlich sind, bereiten sie dementsprechend auch Schwierigkeiten für Leser, deren Begriffs- und Vorstellungssysteme sich seitdem grundlegend geändert haben, ganz so wie es heute außerordentlich schwierig ist, anhand der medizinischen Terminologie des 18. Jahrhunderts die Krankheiten nach den Begriffen der modernen Medizin zu identifizieren.
Künstlerisches und intellektuelles Experiment durchdringen einander bei Novalis. Kein strenger Ideologe will hier der Welt ein Allheilmittel aufreden. Absicht ist vielmehr die Anregung, über die konventionellen Begriffe und Vorstellungen sowie die damit verbundenen, offensichtlich unbefriedigenden Inhalte hinauszugehen. Solche Absicht aber befähigte Novalis gleichzeitig zu Bildern und Visionen, die nicht nur historisches Interesse besitzen, sondern stets neue Erfahrungen durch ein Kunstwerk möglich machen.
Charakteristisch für Novalis ist, wie gesagt, sein Denken in metaphysischen Dimensionen. Begriffe wie Unendlichkeit, Ewigkeit oder höhere Welt, wovon so viel zwischen Heinrich

und Mathilde die Rede ist, sind solchen Dimensionen zugeordnet und ihnen wiederum der Gedanke an den Tod, wie sich im gleichen Gespräch der Liebenden zeigt. Im zweiten Teil des Romans gibt es in Entsprechung zu diesem Dialog ein Zwiegespräch zwischen Heinrich und dem Mädchen Cyane, die ihm mitteilt, sie sei, wo sie sei, »seitdem ich aus dem Grabe gekommen bin«, worauf Heinrich fragt: »Warst du schon einmal gestorben?« und die Antwort erhält: »Wie könnt ich denn leben?« (163) Am Ende des Gesprächs werden dann die wohl berühmtesten Sätze des ganzen Romans gesprochen, wenn auf Heinrichs Frage »Wo gehen wir denn hin?« Cyane antwortet: »Immer nach Hause.« Nicht zu unrecht sind diese Worte bekannt geworden, denn sie üben den Anreiz sinnreicher Mehrdeutigkeit aus. Heinrich soll nach dem Plan des Autors von der Reise durch die Welt nach seiner Heimatstadt Eisenach zurückkehren, aber die rechte Heimkehr ist erst die in das himmlische Vaterland, das die Pietisten im 18. Jahrhundert mit umfassender religiöser Bedeutung aufluden und das später auch politische erhielt. Schließlich deutet Cyanes Antwort aber noch allgemein darauf hin, daß der Mensch im Glauben, der aus der Erfahrung des Todes gewonnen ist, nicht verloren sein kann in der Welt. Es ist eine Antwort, die andere Zeitalter mit gleicher Sicherheit nicht mehr zu geben imstande waren. »Marie wir wolln gehn. S' ist Zeit«, sagt Büchners Woyzeck, und auf Maries Frage »Wohinaus?« bleibt nur zu sagen: »Weiß ich's?«[20]

Dennoch ist die Darstellung von Liebesbeziehungen im *Heinrich von Ofterdingen* keineswegs so esoterisch, wie der Dialog zwischen Heinrich und Mathilde es vermuten lassen könnte. Am drastischsten spricht über Erotisches Meister Klingsohr, der ganz unverblümt, wenn auch mit der Anmut des Märchens, über Ehebruch und Inzest berichtet. Von Vergewaltigung und Frauenraub ist in der Erzählung über die

20 Georg Büchner, *Sämtliche Werke und Briefe*, historisch-kritische Ausg. mit Kommentar, hrsg. von Werner R. Lehmann, Bd. 1, Hamburg 1970, S. 427.

segensreiche Tätigkeit der Kreuzritter zumindest andeutend die Rede. Der Traum von der blauen Blume gleich zu Anfang des Romans aber hat deutlich orgastischen Charakter, schmiegt sich doch an den nackten Heinrich im Bade die »Welle des lieblichen Elements« wie »ein zarter Busen« und verkörpert sich dann als »eine Auflösung reizender Mädchen« (11). Beim Aufwachen aus solchem Traum jedoch ist dem jungen Träumer sogleich die Mutter freundlich zur Hand, deren »herzliche Umarmung« (12) er erwidert. Mit ihr schließlich geht er auch auf Bildungsreise, was Wilhelm Meister schwerlich eingefallen wäre, und an ihr läßt er »seine ganze Zärtlichkeit« (104) nach der ersten Begegnung mit Mathilde aus. Entsprechend zu diesem Mutter-Sohn-Paar gibt es im Atlantis-Märchen, in Klingsohrs Märchen sowie mit Klingsohr und Mathilde selbst eine Reihe von Vater-Tochter-Paaren im Roman.

Solche Verhältnisse haben verständlicherweise die psychoanalytischen Deuter auf den Plan gerufen. Schwer zu sagen ist, ob Novalis sich damit mehr oder minder bewußt auf die nicht weniger gewagten sexuellen Konstellationen im *Wilhelm Meister* bezog. Tatsache hingegen ist, daß er 1797 in seinem Tagebuch nach dem Tod seiner Verlobten Sophie von Kühn in scharfer Selbstbeobachtung sexuelle Vorgänge notiert hat, wie sie in dieser Offenheit kein weiteres Beispiel in seiner Zeit finden. Erst allmählich begann man sich damals des Sexuellen als etwas Selbständigem, mit dem Begriff Liebe nicht unbedingt Identifizierbarem zu nähern. Die Möglichkeit einer radikalen Trennung zwischen Sexualität und Eros hat dann erst das von der Wissenschaft geleitete 20. Jahrhundert vollzogen, wenn es Sexualität als Triebresultat definiert oder fast schon als Sportart ausübt. Novalis zielte auf die Erkenntnis der Sexualität als eines bestimmenden Teils des menschlichen Wesens hin, aber sie war für ihn von der Liebe als geistiger Kraft nicht trennbar. Deshalb ist die häufig anzutreffende Ernennung von Novalis zum Wegbereiter Sigmund Freuds mit Vorsicht zu betrachten, besonders wo sie als gut

gemeinte Legitimierung des weniger Bekannten durch eine international akzeptierte und wirkende Persönlichkeit auftritt. Wie der Traum von der blauen Blume und später das Traumspiel des Mondes in Klingsohrs Märchen zeigen, ist es die Freisetzung geistiger Energien durch die sinnliche Erfahrung, um die es Novalis zu tun ist, auch wenn sie den Helden in die Irre führen mag wie im letzteren Falle.
Als solche Vergeistigung des Sinnlichen erweist sich in Klingsohrs Märchen der Tod der »Mutter«, ihre Verbrennung und der magische Aschentrank, den sich die anderen Figuren einverleiben. Kremation war ein unübliches Bestattungsverfahren damals und ein unchristliches dazu. Das Makabre der Metamorphosen der Mutter wurde für die zeitgenössischen Leser also dadurch gemildert, daß ihre persönlichen Erfahrungen nicht mit einem solchen Vorgang vermengt wurden. Assoziationen mußten eher zu mythisch Orientalischem führen. Vom Liebestod im Feuer erzählt zum Beispiel Goethes Ballade »Der Gott und die Bajadere« (1798). Bei Novalis jedenfalls lassen der Opfertod der Mutter und der mythische Aschentrank sie zum extremen Symbol ewiger Liebe werden, wodurch für den Märchenhelden Eros zugleich die Peinlichkeit des im scheinbaren Inzest zerstörten Tabus aufgehoben wird.
Daß sich in den Verhältnissen des Märchens diejenigen des Romans spiegeln, wird hier besonders offensichtlich. Mutter und Braut sind innig miteinander verbundene Liebesobjekte im Leben Heinrichs von Ofterdingen, und nur der Tod vermag die möglichen Verwicklungen aufzulösen. »Wer hat dir von mir gesagt?« fragt Heinrich das Mädchen Cyane, die ihm antwortet: »Unsre Mutter.« Auf seine Frage »Wer ist deine Mutter?« aber erfährt er: »Die Mutter Gottes.« (163) An die Stelle von Wilhelm Meisters »Wallfahrt nach dem Adelsdiplom« tritt die »Wallfahrt zum heiligen Grabe« (14). Die aber ist in diesem Roman, der zu den Zeiten der Kreuzzüge spielt, wiederum doppelsinnig gemeint als Weg in die Ferne und als Weg »nach Hause«.

Die Erfahrungen von Liebe und Tod führen an die Grenzen menschlichen Lebens. Liebe ist die Emotion, die die Zeugung neuen Lebens bewerkstelligen soll, der Tod aber die Erkenntnis menschlicher Endlichkeit und die Kapitulation vor dem, was als Unendlichkeit oder Ewigkeit erscheint. Novalis hat sich mit der Problematik dieser Erfahrungen seit dem Tod Sophie von Kühns immer wieder intensiv auseinandergesetzt, und zwar mit deren emotionellen wie intellektuellen und religiösen Seiten. Wofür Philosophie und Religion Antworten bereithalten – die eine durch die Kraft des die Grenzen der Existenz transzendierenden Denkens, die andere durch die der Offenbarung –, dafür kann die Kunst nur Bilder anbieten. Novalis' Absicht mit dem *Heinrich von Ofterdingen* war es, auch als Romanautor über eben diese Grenzen hinwegzuführen, wie es dem ganzen großen Konzept einer »Universalpoesie« entsprach. Das geschieht, wie zu sehen war, auf vielfache Weise in Märchen und Erzählungen, in Berichten und Dialogen. Und es geschieht in oft bezaubernden Bildern, so im Traum Heinrichs nach seiner ersten Begegnung mit Mathilde in Augsburg. Vor seinen Augen ertrinkt sie in einem Strom, aber Musik führt ihn, den angstvoll Liebenden, auf ihre Spur und läßt ihn sie wiederfinden: »›Kaum konnte ich dich einholen.‹ Heinrich weinte. Er drückte sie an sich. – ›Wo ist der Strom?‹ rief er mit Tränen. ›Siehst du nicht seine blauen Wellen über uns?‹ Er sah hinauf, und der blaue Strom floß leise über ihrem Haupte. ›Wo sind wir, liebe Mathilde?‹ ›Bei unsern Eltern.‹ ›Bleiben wir zusammen?‹ ›Ewig‹, versetzte sie, indem sie ihre Lippen an die seinigen drückte, und ihn so umschloß, daß sie nicht wieder von ihm konnte.« (107) Zu den vielen Variationen des Liebestodes in der Literatur ist auch dieser zu rechnen, der Sinnliches und Geistiges in einem eindrucksvollen, schönen Bild vereinigt. Der Sinn des späteren Liebesgesprächs der beiden ist hier bereits angelegt und damit der Wunsch, Unendliches in Endlichem auszudrücken, Kunst also zu einem Medium transzendenter Lebenserkenntnis zu machen.

In Szenen wie der eben zitierten liegt wohl die eigentliche, tiefste, weil zugleich ästhetisch originellste und ansprechendste Kraft des Romans, gehen sie doch – wie alle bedeutende Sprachkunst etwas Ungesagtes in sich bewahrend – über das intellektuell Bestimmbare der anderen Erzählungen wie der vom Sänger Arion, vom König in Atlantis oder über die Vereinigung von Eros und Freya durch das Werk der Fabel hinaus. Für die Kunst freilich muß das Unendliche, was immer sich Religion und Philosophie darunter vorstellen, das Ungewußte bleiben, wenn sie sich nicht der einen oder anderen unterwerfen und damit sich außerhalb ihrer selbst begeben will. Novalis' Roman steht an einem historischen Schnittpunkt, wo dergleichen Konfliktsituationen sichtbar werden. Neben die offenbarte Wahrheit der Religion, als einstiger Schirmherrin von Wissenschaft und Kunst, trat die Naturwissenschaft, die experimentell Wahrheiten fand und bestätigte. Die Kunst aber bewegte sich säkular, privat, nur dem Geschmack verantwortlich, in dem Raum des freien Spiels zwischen beiden.

Novalis überträgt im Versuch, einen Roman zu schreiben, das experimentelle Verfahren der Naturwissenschaft auf die Kunst, wie er in dem Versuch, Transzendenz ästhetisch zu gestalten, in sie die Funktion der Religion einbeziehen möchte. Der Begriff einer romantischen, das heißt nicht-antiken, sich in die christliche Tradition seit dem Mittelalter stellenden Kunst legte das nahe; Christentum und Ästhetik verschmolzen in diesem Begriff. Wenn Heinrich seiner Mathilde versichert: »Du bist die Heilige, die meine Wünsche zu Gott bringt« (119), dann verwandelt er sie in eine Christus-ähnliche Mittlerfigur. Schon im Tagebuch von 1797 stand, auf die eigene, persönliche Erfahrung bezogen, die Losung »Xstus und *Sophie*«.[21] Wie Heinrich von Kleist wenig später in der *Marquise von O . . .* den christlichen Mythos von der unbefleckten Empfängnis in das Spiel eines Kunstwerks übersetzt, so Novalis hier den vom Erlösertod.

21 HKA, Bd. 4, S. 48.

Es ist ebenso faszinierend wie irritierend, sich vorzustellen, was für ein Werk der *Heinrich von Ofterdingen* geworden wäre, wenn Novalis Zeit und Kraft zu seiner Vollendung gehabt hätte. Aussagen lassen sich darüber nicht machen, denn die vorläufigen Notizen sagen nichts vom künstlerischen Gelingen oder Mißlingen eines solchen Vorhabens. Wo die Fortsetzung von anderen versucht wurde, wie in Otto Heinrich von Loebens *Guido* (1808), entstand eine platte Mischung aus Pseudoreligion und Nationalismus. Das liegt ganz sicher fern von dem, was Novalis hätte zustandebringen wollen und können. Aber auch sein Roman ist zur »Apotheose der Poësie«, die er hätte erreichen sollen, nicht gelangt. Geblieben ist stattdessen ein Versuch, mit den Mitteln der Literatur, der Sprachkunst kreative Phantasie in Bewegung zu setzen, um an die Grenzen zwischen Macht und Ohnmacht der Menschen zu rühren. Und das ist allemal interessant und sinnvoll.

Literaturhinweise

Ausgaben

Heinrich von Ofterdingen. Ein nachgelassener Roman von Novalis [d. i. Georg Philipp Friedrich von Hardenberg]. Zwei Theile. Berlin: Buchhandlung der Realschule, 1802.

Novalis. Schriften. Die Werke Friedrich von Hardenbergs. Historisch-kritische Ausg. Hrsg. von Richard Samuel in Zsarb. mit Hans-Joachim Mähl und Gerhard Schulz. 5 Bde. Stuttgart: Kohlhammer, 1960–88. [*Heinrich von Ofterdingen* in: Bd. 1, *Das dichterische Werk*, [3]1977.]

Novalis. Werke. Hrsg. und komm. von Gerhard Schulz. München: Beck, [3]1987.

Novalis. Werke. Tagebücher und Briefe Friedrich von Hardenbergs. 3 Bde. Hrsg. von Hans-Joachim Mähl. München: Hanser, 1978–87. Bd. 3: Kommentar. Von Hans Jürgen Balmes.

Novalis (Friedrich von Hardenberg): Heinrich von Ofterdingen. Ein Roman. Hrsg. von Wolfgang Frühwald. Suttgart: Reclam, 1965 [u. ö.]. Rev. Ausg. 1987. (Universal-Bibliothek. 8939.)

Forschungsliteratur

Einige der nachfolgenden Titel sind zusammengefaßt in dem Band: *Novalis. Beiträge zu Werk und Persönlichkeit Friedrich von Hardenbergs*, hrsg. von Gerhard Schulz, 2., erw. Aufl., Darmstadt 1986 (Wege der Forschung, 248), im folgenden zitiert als: WdF.

Beck, Hans-Joachim: Friedrich von Hardenberg. »Oeconomie des Styls«. Die *Wilhelm Meister*-Rezeption im *Heinrich von Ofterdingen*. Bonn 1976.

Borcherdt, Hans Heinrich: Novalis' *Heinrich von Ofterdingen*. In: H. H. B.: Der Roman der Goethezeit. Urach/Stuttgart 1949. S. 363 bis 382.

Calhoon, Kenneth S.: Romantic Distance: the Poetics of Estrangement and Self-Discovery in Novalis' *Heinrich von Ofterdingen*. Diss. University of California Irvine 1984.

Cardinal, Roger: Werner, Novalis and the Signature of Stones. In: Deutung und Bedeutung. Studies in German and Comparative

Literature presented to Karl-Werner Maurer. The Hague / Paris 1973. S. 118–133.

Diez, Max: Metapher und Märchengestalt. III. Novalis und das allegorische Märchen. In: Publications of the Modern Language Association of America 48 (1933) S. 488–507. Wiederabgedr. in: WdF, S. 131–159.

Ehrensperger, Oskar Serge: Die epische Struktur in Novalis' *Heinrich von Ofterdingen*. Eine Interpretation des Romans. Winterthur 1965. [2]1971.

Fries, Werner J.: Ginnistan und Eros. Ein Beitrag zur Symbolik in *Heinrich von Ofterdingen*. In: Neophilologus 38 (1954) S. 23 bis 36.

Frye, Lawrence O.: The Reformation of the Heavens in Novalis' *The Klingsohr Maerchen*, and Giordano Bruno. Diss. University of Texas 1962.

Haufe, Eberhard: Die Aufhebung der Zeit im *Heinrich von Ofterdingen*. In: Gestaltung, Umgestaltung. Festschrift zum 75. Geburtstag von Hermann August Korff. Hrsg. von Joachim Müller. Leipzig 1957. S. 178–188.

Hecker, Jutta: Das Symbol der Blauen Blume im Zusammenhang mit der Blumensymbolik der Romantik. Jena 1931.

Heftrich, Eckard: Novalis. Vom Logos der Poesie. Frankfurt a. M. 1969.

Hiebel, Friedrich: Zur Interpretation der »Blauen Blume« des Novalis. In: Monatshefte für deutschen Unterricht, deutsche Sprache und Literatur 43 (1951) S. 327–334.

Kittler, Friedrich A.: Die Irrwege des Eros und die »absolute Familie«. Psychoanalytischer und diskursanalytischer Kommentar zu Klingsohrs Märchen in Novalis' *Heinrich von Ofterdingen*. In: Psychoanalytische und psychopathologische Literaturinterpretation. Hrsg. von Bernd Urban und Winfried Kudszus. Darmstadt 1981. S. 421–470.

– *Heinrich von Ofterdingen* als Nachrichtenfluß. In: WdF, S. 480 bis 508.

Kohlschmidt, Werner: Der Wortschatz der Innerlichkeit bei Novalis. In: W. K.: Form und Innerlichkeit. Beiträge zur Geschichte und Wirkung der deutschen Klassik und Romantik. München 1955. S. 120–156.

Kurzke, Hermann: Novalis. München 1988.

Leroy, Robert / Pastor, Eckart: Die Initiation des romantischen Dichters. Der Anfang von Novalis' *Heinrich von Ofterdingen*. In:

Romantik. Ein literaturwissenschaftliches Studienbuch. Hrsg. von Ernst Ribbat. Königstein i. Ts. 1979. S. 38–57.
Link, Hannelore: Abstraktion und Poesie im Werk des Novalis. Stuttgart 1971.
Mähl, Hans-Joachim: Novalis' *Wilhelm Meister*-Studien des Jahres 1797. In: Neophilologus 47 (1963) S. 286–305.
– Die Idee des goldenen Zeitalters im Werk des Novalis. Studien zur Wesensbestimmung der frühromantischen Utopie und zu ihren ideengeschichtlichen Voraussetzungen. Heidelberg 1965.
– (Hrsg.): Novalis. München 1976. (Dichter über ihre Dichtungen. 15.)
– Friedrich von Hardenberg (Novalis). In: Deutsche Dichter der Romantik. Ihr Leben und Werk. Unter Mitarb. zahlreicher Fachgelehrter hrsg. von Benno von Wiese. Berlin 1971. 2., überarb. und verm. Aufl. Ebd. 1983. S. 224–259.
Mahoney, Dennis F.: Die Poetisierung der Natur bei Novalis. Beweggründe, Gestaltung, Folgen. Bonn 1980.
Mahr, Johannes: Übergang zum Endlichen. Der Weg des Dichters in Novalis' *Heinrich von Ofterdingen.* München 1970.
Middleton, J. Christopher: Two Mountain Scenes in Novalis and the Question of Symbolic Style. In: J. Ch. M.: Bolshevism in Art and Other Expository Writings. Manchester 1978. S. 258–273; 303 bis 309.
Molnár, Géza von: Novalis' »Blaue Blume« im Blickfeld von Goethes Optik. In: WdF, S. 424–449.
Neubauer, John: Novalis. Boston 1980.
Nischik, Traude-Marie: »Himmlisches Leben im blauen Gewande ...« Zum poetischen Rahmen der Farben- und Blumensprache in Novalis' Roman *Heinrich von Ofterdingen.* In: Aurora. Jahrbuch der Eichendorff-Gesellschaft 44 (1984) S. 159–177.
Nivelle, Armand: Der symbolische Gehalt des *Heinrich von Ofterdingen.* In: Tijdschrift voor levende talen 16 (1950) S. 404–427.
Paschek, Carl: Novalis und Böhme. Zur Bedeutung der systematischen Böhmelektüre für die Dichtung des späten Novalis. In: Jahrbuch des Freien Deutschen Hochstifts 1976. Tübingen 1976. S. 138–167.
Pfotenhauer, Helmut: Aspekte der Modernität bei Novalis. Überlegungen zu Erzählformen des 19. Jahrhunderts, ausgehend von Hardenbergs *Heinrich von Ofterdingen.* In: Zur Modernität der Romantik. Hrsg. von Dieter Bänsch. Stuttgart 1977. S. 111–142.
Phelan, Anthony: »Das Centrum das Symbol des Goldes«: Analogy

and Money in *Heinrich von Ofterdingen*. In: German Life and Letters 37 (1983/84) S. 307–321.

Ritchie, James McPherson: Novalis' »Heinrich von Ofterdingen« and the Romantic Novel. In: J. M. R. (Hrsg.): Periods in German Literature II: Texts and Contexts. London 1970. S. 117–144.

Ritter, Heinz: Die Entstehung des »Heinrich von Ofterdingen«. In: Euphorion 55 (1961) S. 163–195.

Ritzenhoff, Ursula (Hrsg.): Erläuterungen und Dokumente: Novalis (Friedrich von Hardenberg). *Heinrich von Ofterdingen*. Stuttgart 1988.

Samuel, Richard: Novalis: *Heinrich von Ofterdingen*. In: Der deutsche Roman. Vom Barock bis zur Gegenwart. Struktur und Geschichte. Hrsg. von Benno von Wiese. Bd. 1. Düsseldorf 1963. S. 252–300; 433–437.

Schanze, Helmut: Index zu Novalis' *Heinrich von Ofterdingen*. Frankfurt a. M. 1968.

– Zur Interpretation von Novalis' *Heinrich von Ofterdingen*. Theorie und Praxis eines vollständigen Wortindex. In: Wirkendes Wort 20 (1970) S. 19–33.

Schrimpf, Hans Joachim: Novalis: *Das Lied der Toten*. In: Die deutsche Lyrik. Form und Geschichte. Interpretationen. Hrsg. von Benno von Wiese. Bd. 1. Düsseldorf 1956. S. 414–429.

Schulz, Gerhard: Die Poetik des Romans bei Novalis. In: Jahrbuch des Freien Deutschen Hochstifts 1964. Tübingen 1964. S. 120 bis 157.

– Novalis in Selbstzeugnissen und Bilddokumenten. Reinbek bei Hamburg 1969.

– Der Fremdling und die blaue Blume. Zur Novalis-Rezeption. In: Romantik heute. Bonn-Bad Godesberg 1972. S. 31–47; 86 f.

Scrase, David A.: The Movable Feast: the Role and Relevance of the »Fest« Motif in Novalis' *Heinrich von Ofterdingen*. In: New German Studies 7 (1979) S. 23–40.

Stadler, Ulrich: Novalis: *Heinrich von Ofterdingen* (1802). In: Romane und Erzählungen der deutschen Romantik. Neue Interpretationen. Hrsg. von Paul Michael Lützeler. Stuttgart 1981. S. 141 bis 162.

Stopp, Elisabeth: »Übergang vom Roman zur Mythologie«. Formal Aspects of the Opening Chapter of Hardenberg's *Heinrich von Ofterdingen, Part II*. In: Deutsche Vierteljahrsschrift für Literaturwissenschaft und Geistesgeschichte 48 (1974) S. 318–341.

Strack, Friedrich: Im Schatten der Neugier. Christliche Tradition und kritische Philosophie im Werk Friedrich von Hardenbergs. Tübingen 1982.

Uerlings, Herbert: Friedrich von Hardenberg, genannt Novalis. Werk und Forschung. Stuttgart 1991.

Walzel, Oskar: Die Formkunst von Hardenbergs *Heinrich von Ofterdingen*. In: Germanisch-Romanische Monatsschrift 7 (1915–19) S. 403–444; 465–479. Wiederabgedr. in: WdF, S. 36–95.

Wetzels, Walter D.: Klingsohrs Märchen als Science Fiction. In: Monatshefte für deutschen Unterricht, deutsche Sprache und Literatur 65 (1973) S. 167–175.

White, John J.: Novalis' *Heinrich von Ofterdingen* and the Aesthetics of »Offenbarung«. In: Publications of the English Goethe Society 52 (1981/82) S. 90–119.

Willson, A. Leslie: The »Blaue Blume« – A New Dimension. In: The Germanic Review 34 (1959) S. 50–58.

Zagari, Luciano: »Ein Schauspiel für Eros«. Nihilistische Dimensionen in Friedrich von Hardenbergs allegorischem Märchen. In: Aurora. Jahrbuch der Eichendorff-Gesellschaft 42 (1982) S. 130 bis 142.

WALTRAUD WIETHÖLTER

Jean Paul: *Flegeljahre*

Romantisches Mittelspiel

Die Fabel von Jean Pauls *Flegeljahren* hatte noch kaum Gestalt gewonnen, als Art und Charakter des Buches bereits festgelegt waren: Es sollte ein Roman in »Siebenkäsischer Manier«[1] oder – nach den Kategorien der gleichzeitig verfaßten *Ästhetik* – ein Roman der ›deutschen Schule‹ werden, in dem sich »die bürgerliche Alltäglichkeit mit dem Abendrote des romantischen Himmels überziehe[n] und blühend färbe[n]« sollte. Der Schwierigkeiten einer solchen Aufgabe war sich Jean Paul bewußt, doch nach den Anstrengungen des *Titan* wollte er Bühne und Personal vertauschen, gegen die Welt der Staatsaktionen den prosaischen »Marktflecken« und gegen die »höhern Stände« die »schweren Honoratiores«[2] setzen. Vor dem Goldgrund der Poesie wollte er das Kleinstädtische, um nicht zu sagen: das Fränkische mit seiner ihm wohlvertrauten »Lebens-Prose«,[3] und wollte ein subtiles »Mittelspiel« zwischen Tragik und Komik,[4] wie es seiner Meinung nach in Goethes *Wilhelm Meister* vorbildlich gelungen war.[5] Um den »perspektivischen, alles ordnenden Punkt« des van der Kabelschen Testaments zentriert,[6] sollten auch die

1 Zit. nach: Karl Freye, *Jean Pauls Flegeljahre. Materialien und Untersuchungen*, Berlin 1907, S. 187.
2 Jean Paul, *Sämtliche Werke*, hrsg. von Norbert Miller und Wilhelm Schmidt-Biggemann, München 1959 ff. [im folgenden zit. als: SW, mit Angabe von Abteilung, Band und Seite], hier Abt. 1, Bd. 5, München 1963, S. 254.
3 Ebd., S. 256.
4 Ebd., S. 254.
5 Vgl. ebd., S. 265.
6 Zit. nach: *Jean Pauls sämtliche Werke*, hist.-krit. Ausg., hrsg. von Eduard Berend, Weimar 1927 ff., Abt. 1, Bd. 10, Einleitung, S. XXXVIII.

Flegeljahre den Werdegang eines »weichen Poeten« mit kindlich-unbeholfenem Gemüt zu einem festen, realitätsbezogenen Manne nachzeichnen,[7] also eine Art Entwicklungsroman und vor allen Dingen ein romantisches Buch werden, in dem die träumerische Erwartung des Helden und der magisch behandelte Zufall steigernd und spannungserzeugend das Geschehen begleiteten.[8] Entschiedener als sonst stellte Jean Paul damit sein Vorhaben in den Kontext jener literarischen Bewegung, die Goethe – um mit Novalis zu reden – übertreffen wollte, nicht als Künstler, aber »an Gehalt und Kraft, an Mannichfaltigkeit und Tiefsinn« im Rahmen eines spekulativen geschichtsphilosophischen Konzepts, vor dem die Bildungsvorstellungen des *Meisters* verblaßten, allzu bürgerlich und allzu häuslich erschienen.[9] Was zuerst Friedrich Schlegel im Aufsatz *Über das Studium der griechischen Poesie* und dann Novalis im Fragment des *Heinrich von Ofterdingen* versuchten, war die Darstellung des Bildungsbegriffs im Sinne eines zyklischen Progresses der Gattungsgeschichte, in deren Verlauf zumindest approximativ alles Beschränkende, das Ökonomische im engeren Verstande sich auflösen und die am Ende zu ihrem Ursprung als dem entfalteten Zustand der Vollendung zurückkehren würde. Ausdruck und Organon dieses Prozesses, bei dem die Reflexion trotz aller Bewußtheit und Aufklärung wieder zur mythischen Figur erstarrte, war die romantische Universalpoesie. Dem ästhetischen Imperativ entsprechend galt sie als Medium der unendlichen Annnäherung an das absolute Maximum, der Vereinigung von ›natürlicher‹ und ›künstlicher‹ Bildung in einem höchsten Ideal. Und in der Tat: Legt man die von Schlegel genannten Momente einer solchen transzendentalen, »in einer end-

7 Freye (Anm. 1) S. 10.
8 Vgl. das Kapitel »Romantik« bei Freye (Anm. 1) S. 131 ff. und Jean Pauls Notiz für die Niederschrift: »Vor jeder Nummer denke ich dem romantischen Geiste wieder nach.« (Ebd., S. 131)
9 *Novalis. Werke, Tagebücher und Briefe Friedrich von Hardenbergs*, hrsg. von Hans-Joachim Mähl und Richard Samuel, Bd. 2, München 1978, S. 414.

losen Reihe von Spiegeln« sich vervielfachenden Poesie zugrunde,[10] so scheinen sich die *Flegeljahre* über Jean Pauls eigene und letztlich doch ziemlich vage Bestimmungen hinaus ohne weiteres als romantischen Roman bezeichnen zu lassen. Formal wie inhaltlich ist das Prinzip der poetischen Selbstreflexion aufs konsequenteste durchgeführt; die Fabel handelt nicht nur von der Geschichte zweier Künstler, sie rekapituliert auch die Geschichte eines Romans, dessen Genese gleich zweimal, nämlich in einer kompliziert verschlungenen Doppelung erscheint. Erzählt wird die Entstehung des brüderlichen Doppelromans »*Hoppelpoppel* oder das Herz« (670)[11], die sich zum Teil nahtlos in die *Flegeljahre* hinein fortsetzt, ja die *Flegeljahre* sind nichts anderes als dieser Roman im Roman, und sie sind zugleich der Spiegel, der das Bild mit homologer Struktur, aber in zwangsläufiger Umkehrung zurückwirft. So wiederholt – in einem noch zu präzisierenden Sinne – der Schreibvertrag des Erzählers und des Haßlauer Stadtrates das Abkommen zwischen Walt und Vult, mit vereinten Kräften und als Symbol ihrer Zwillingsschaft einen »Einling« zu schreiben (667), wie es andererseits durchaus folgerichtig erscheint, daß die *Flegeljahre* abbrechen im Augenblick des Abschieds, als eine gemeinsame Arbeit am »Hoppelpoppel« nicht mehr möglich ist, auch wenn es bei aller Ironie nicht geplant war, daß beide Romane Fragment bleiben sollten. Ob dieser Abbruch im Sinne der transzendentalpoetischen Bewegung ins Unendliche über sich hinausweist, muß allerdings bezweifelt werden. Vults Abschiedsbrief zumindest deutet nicht auf einen Punkt, an dem sich die Lebenslinien der Zwillinge einmal treffen könnten, vielmehr resümiert er das Vergebliche einer solchen Unternehmung, die Walt und Vult einander hätte näher bringen,

10 Friedrich Schlegel, *Kritische Schriften*, hrsg. von Wolfdietrich Rasch, Darmstadt 1971, S. 39 (Athenäum-Fragment Nr. 116).

11 Die in Klammern angegebenen Seitenzahlen beziehen sich auf die *Flegeljahre* in Bd. 2 von Jean Pauls *Sämtlichen Werken*, Abt. 1 (vgl. Anm. 2), 3., neubearb. Aufl., München 1971.

in der sie eins hätten werden sollen, indem Vult die Chance einer wahren, unverstellten Kommunikation grundsätzlich bestreitet:

> Ich lasse dich, wie du warst, und gehe, wie ich kam. [. . .] Wir beide waren uns einander ganz aufgetan, so wie zugetan ohnehin; uns so durchsichtig wie eine Glastür; aber, Bruder, vergebens schreibe ich außen ans Glas meinen Charakter mit leserlichen Charakteren: du kannst doch innen, weil sie umgekehrt erscheinen, nichts lesen und sehen als das Umgekehrte. Und so bekommt die ganze Welt fast immer sehr lesbare, aber umgekehrte Schrift zu lesen. (1081)

Als wäre nicht viel gewesen, nimmt Vult die Flöte und verläßt seinen träumenden Bruder, aber es fragt sich, ob dieser Abgang das Ende des frühromantischen Optimismus bedeutet, ob dahinter der Widerruf steckt, mit dem der Roman nicht nur sich selbst, sondern auch den ehrgeizigen Gedanken romantisch-universaler Bildung zurücknimmt.

Um diese Frage zu beantworten, muß man ganz vorne, bei der sogenannten »Vorgeschichte« (Nro. 5) und der Geschichte jener ›zweiherrigen‹, durch einen unsichtbaren Grenzverlauf gekennzeichneten Stube im Schulzenhaus von Elterlein beginnen, die Jean Paul im Blick auf die spätere Katastrophe ungewöhnlich sorgfältig motiviert hat. Denn die unterschiedliche Gerichtsbarkeit, nach der Walt »als Linker«, sein Zwillingsbruder Vult »als Rechter« geboren wurde, symbolisierte mehr als eine bloß »lächerliche Ab- und Erbsonderung« (611); die auf Befehl des Vaters familienpolitisch realisierte Demarkationslinie trennte, was von Natur aus zusammengehörte, »wo im eigentlichsten Sinn zwei Leiber *eine* Seele ausmach[t]en« (803), und sie legte durch den väterlichen Spruch die künftigen Rollen fest, definierte Walt, den »adeligen Sassen« (611), als den mit hohen Erwartungen willkommengeheißenen Erben des Schulzenamtes, während Vult als im Grunde unerwünschte Dreingabe zum Tausch und gewissermaßen als Ersatz für den vorenthaltenen Kronprinzen dem Fürsten überantwortet wurde. Diese Identitätszuschreibung durch den Vater geschah ausschließlich unter Anerkennung dessen, was seinen Wünschen und Plänen entsprach, und unter rigoroser Aussonderung dessen, was in seiner Zukunftsstrategie keinen Platz hatte. Sein Wille wurde mit allen Mitteln und, wie am Beispiel Walts und seiner Beugung unter das Familiengesetz zu sehen ist (vgl. 615), unter massivem psychischen Druck durchgesetzt. Indem der alte Harnisch seine Söhne als Teil seiner selbst und als die unmittelbare Fortsetzung seines eigenen Lebens betrachtete, entstand eine im Verhältnis der Brüder sich widerspiegelnde parasitäre Beziehung, die weder ernsthafte Auflehnung noch eine personale Abgrenzung erlaubte. Nach der väterlichen Regie wurden die Zwillinge auseinandergerissen oder, im Bedarfsfalle, gegeneinander ausgetauscht, in einer Willkür, die das gegenseitige Abhängigkeitsverhältnis nicht etwa aufhob, vielmehr die Konfusion und die Verstrickung nur noch vergrößerte. Obgleich die Brüder höchst unterschiedlich reagierten – der sanfte Walt mit selbstverleugnerischer Anpassung, der »wilde Vult« (611) mit Rebellion und Flucht –, blieben sie beide im Bann der väterlichen Macht, Gefangene seiner Erwartung und seiner Verachtung, in jedem Falle Organe einer phantastischen Selbstverwirklichung und Geschöpfe einer ihnen aufgedrungenen, trügerischen Identität, stets aufeinander bezogen und doch getrennt, zuletzt in einem scheinbar unauflöslichen Zirkel von Liebe und Haß befangen, in dem im Verhältnis zu sich selbst und im Verhältnis zueinander – was in Wirklichkeit dasselbe ist – der väterliche Narzißmus ein ums andere Mal wiederkehrte. »Ver- und Erkennung« – so lautete denn auch das Gesetz, unter dem sich die Brüder zunächst wiederfanden (Nro. 13), das Gesetz, das sie in ein permanentes Mißverstehen trieb und das unbewußt ihre Verständigung regelte bis hin zu dem Wahrspruch am Ende, Vults Nachtwandlerstück und – diesem gegenstimmig korrespondierend – Walts Traum vom ›rechten Land‹.

Verkennung

Verkennung – um dieser Spur zuerst zu folgen – lag bereits in der ersten Umarmung, mit der Walt und Vult ihren Brüderbund nach Jahren der Trennung neu besiegelten. Als wollte er den Bund segnen lassen, wies Walt den Heimgekehrten auf Gott hin, doch »der Bruder antwortete nichts. Ohne weitere Worte gingen beide langsam Hand in Hand aus dem Gottesacker«. Kaum übersehbar, worauf dieses Bild anspielt: die Vertreibung aus dem Paradies, in dem es keine Täuschung, in dem es vor allem keine zweideutige Sprache gibt. Denn ohne doppelten Boden, das macht die unmittelbar anschließende Szene deutlich, in der die Zwillinge »ihre Vergangenheiten gegeneinander« austauschen (660), geht es in der Folge nicht ab. Hilft sich Walt mit dem Kabelschen Testament, um der Glanzlosigkeit seines bisherigen Dorflebens ein wenig aufzuhelfen, so fällt Vults Bericht sehr knapp aus: »Etwas von dieser Kürze mocht' ihm auch der Gedanke diktieren, daß in seiner Geschichte Kapitel vorkämen, welche die herzliche Zuneigung, womit der unschuldige, ihn freudig beschauende Jüngling seine erwiderte, in einem so weltunerfahrnen reinen Gemüte eben nicht vermehren könnten« (661). Beide suchen so ein Bild zu entwerfen, das der andere bestätigen soll, auf daß es glaubwürdig, daß es Realität werde; von Anfang an geht es um ein Spiel gegenseitiger Selbsttäuschung, bei dem Offenbaren und Verbergen gleich viel bedeuten. Für Vult, den Verwandlungskünstler und Imitator, ist diese kontroverse Bewegung zu einer virtuos beherrschten Daseinsform geworden; durch seine ständig wechselnden Rollen ist er nirgends und überall, stets auf dem Sprung, sich zu entziehen und doch unsichtbar die Fäden in der Hand zu halten wie auf jener romantischen Reise ins Blaue, wo er den Bruder als Maskenherr anwesend-abwesend nicht bloß begleitet, sondern insgeheim in eigener Absicht führt. Durch solches Versteckspiel verliert der Notar »jeden Tag seinen Bruder einmal. Er [kann] dessen Verschwinden nicht fassen« (786), und er ahnt auch nicht, daß diese Maskeraden nur den Sinn haben, Vults fragiles Ich zu schützen, sein Bedürfnis nach Liebe und Anerkennung gegen fremden, ihn bedrohenden Anspruch abzuschirmen. Denn seine trotzig-demonstrative Selbstbehauptung, sein Aufbegehren gegen jede Form der Unterdrückung sind nur Schein; Vult ist zutiefst darauf angewiesen, durch Identifikation mit dem Bruder, der von ihm getrennten Hälfte, sein Selbst zu beziehen. Nun liegt das Problem aber darin, daß sich Walt im gleichen Teufelskreis bewegt, daß auch er sich darum müht, sein Ich im anderen zu stabilisieren, es durch den Bruder – oder Freund – zu ergänzen, während er selbst ebensowenig irgendwo zu fassen ist. Was ursprünglich als seine größte Tugend gedacht war – das »Sezen in andere«[12] –, erweist sich als seine größte Schwäche. »Der Mensch«, so beginnt Vult schließlich in seiner wachsenden Enttäuschung zu räsonieren, »hat zwei Herzkammern, in der einen sein Ich; in der andern das fremde [. . .]. Du, glaub' ich, vermietest deine rechte an Weiber, die linke an Männer und behilfst dich, so gut du kannst, im Herzohr oder Herzbeutel.« (713) Unverständnis und Ratlosigkeit auf der einen (vgl. 671, 693, 710, 736, 771, 1012 usw.), Vults briefliche Selbstgespräche, seine ausschweifenden, bei aller Eloquenz den Partner mißachtenden Monologe auf der anderen Seite kennzeichnen mehr und mehr die Beziehung, in der jeder den anderen zu lieben meint, tatsächlich jedoch nur sich selbst liebt. Vult sucht in Walt die ihm verlorene Unschuld, die Hoffnung und Hingabefähigkeit, Walt bewundert in Vult das Weltmännische, die ihm unerreichbaren Umgangsformen der höheren Stände, und indem ein jeder so den anderen nach einem Bilde modelt, das jeweils nur das eigene Spiegelbild ist, geraten sie in den mörderischen, ausweglosen Kreis gegenseitiger Attraktion und Verweigerung, Eifersucht und Aggression, einer Liebe, die begehrt, was sie selbst nicht zu geben bereit ist: »Ordentlich als sei das Lieben nur zum Hassen da,

12 Zit. nach: Freye (Anm. 1) S. 87. Vgl. SW I, Bd. 2, S. 684.

erboset man sich den ganzen Tag auf das süßeste Herz, sucht es sehr zu peinigen, breitzudrücken, einzuquetschen, zu vierteilen, zu beizen – – aber wozu? – Um es halbtot an die Brust zu nehmen und zu schreien: o ich Höllenhund!« (714) Exemplarisch in dieser Hinsicht ist die Klothar-Episode; sie zeigt überdeutlich den Gegenstand der Liebe als narzißtisches Objekt, als »das große Götterbild eines Freundes« (686), das sich Walt nach eigener poetischer Erfindung als sein mit allen Vorzügen ausgestattetes Ebenbild im Inneren aufgerichtet hat, um sich dann mit ihm zu vereinigen. Vults Vorwurf, sein Bruder liebe nur poetisch, er verehre nur »schlecht abgeschmierte Heiligenbilder [s]einer innern Lebens- und Seelenbilder« (1000), trifft exakt den Sachverhalt; der andere ist für Walt, nicht anders als Vults Flöte, »eine Wünschelrute, vor der die innere Tiefe aufgeht« (657), die ihre Phantasien entbindet und das Traum-Ich – makellos, strahlend, einem Märchenprinzen gleich (vgl. Walts Tagträume in Nro. 36) – hervorbringt, nur daß Vult, der sich selbst als den Seher mit dem »Gyges-Ring scheinbarer Blindheit« (768) versteht, diese Wahrheit nicht auch auf seine Person bezieht. Statt dessen zerstört er Walts Illusion nur, um sich selbst als Götterbild an der Stelle Klothars zu installieren. Wie ›der ewig liebende Notar‹ (1065) bloß »in die Liebe verliebt« ist (725), fühlt sich Vult nur wohl, wenn er den Bruder beherrschen (vgl. 657), wenn er sich selbst in ihm wiederfinden kann.

Und dieses Rad – es dreht sich. In gegenseitiger Versagung entfernen sich die Zwillinge immer weiter voneinander bis zu jenem Punkt, wo der eine den anderen »Bruder-Mörder« nennt (803) und wo der Ankläger selbst aus abgewiesener Liebe »vor Rachsucht [...] sterben oder töten« könnte (1064). Denn in jedem Falle – das ist die Logik des Zirkels und das Gesetz einer auf Entzweiung beruhenden Identität – wären Mord und Selbstmord ein und dasselbe, weil mit dem anderen auch das eigene Ich sterben würde: Walt ist Vult, und Vult ist Walt, und doch sind die beiden Brüder nicht eins, sondern es ist ein jeder des anderen Spiegelbild, das ihn allererst hervorbringt, mit dem er sich zu vereinigen strebt und das ihm qua Konstitution eigen ist, so daß Walt, nach seinem Alter gefragt, wie selbstverständlich antwortet: »So alt als mein Bruder« (628); und dieser andere ist gleichzeitig der Doppelgänger, der verdrängte Teil seines Selbst, der ihm als Fremder entgegentritt, um beharrlich an die Wahrheit zu erinnern, daß jenes Ich, jenes autonome Selbstbewußtsein illusionär ist, Resultat einer Selbstverkennung und Verkennung des von Anfang an zugeteilten, aber heteronomen anderen. Das Thema mit seinen verschiedenen Figurationen – Doppelgänger, Spiegelbilder, Wachsfiguren, Revenants, Automaten – kehrt in Jean Pauls Werk überall wieder nach dem Modell einer Szene aus den frühen Satiren, wo der Teufel sich selbst im Spiegel gegenübertritt: »wer (fragt' ich entsezlich erbosset) gestikulirt mir da im Spiegel nach? wilst du mir, du Gestalt, auch mein Dasein vorspiegeln und machest mich deswegen nach? Oder mach' *ich vielleicht dich nach*? Und welchen Schwanz hör' ich auf der Stube herumbürsten und schleifen, thuts deiner oder meiner?«[13] In solchen poetischen Gleichnissen spricht Jean Paul die Erfahrung eines Ich aus, das sich selbst im Innersten als fremd, dissoziiert und nicht als Einheit erlebt, lange bevor die Wissenschaft sich dieser Entdeckung angenommen hat.[14]

13 SW II, Bd. 2, 1976, S. 563 f.

14 Daß gerade im Falle Jean Pauls ein unmittelbarer Sprach- und Traditionszusammenhang besteht zwischen Dichtung und wissenschaftlicher Forschung, insbesondere zur *Vorschule der Ästhetik* und ihren Reflexionen über den Zusammenhang von Phantasie und Unbewußtem, vor allem aber ihren Einsichten über die Metaphorik der Sprache, ohne daß die einmal gefundenen Bilder offenbar ihren Aussagewert verloren hätten –: das zeigt sich nicht allein an Freuds Studie *Über den Witz und seine Beziehung zum Unbewußten* von 1905; es zeigt sich besonders deutlich an einer der grundlegenden weiterführenden Arbeiten zum Thema des Narzißmus im Rahmen der linguistischen Begründung der Psychoanalyse durch die französischen Strukturalisten, an dem Kongreßbeitrag Jacques Lacans von 1947, *Das Spiegelstadium als Bildner der Ichfunktion, wie sie uns in der psychoanalytischen Erfahrung erscheint*; am besten jetzt greifbar in: Jacques Lacan, *Schriften I*, ausgew. und hrsg. von Norbert Haas, Olten 1973, S. 61–70.

Diese Ich-Spaltung, die bislang entweder als Körper-Geist-Dualismus oder als Symptom der im 18. Jahrhundert eingetretenen Erschütterung des Subjekt-Objekt-Verhältnisses verstanden wurde, offenbart sich infolgedessen als eine mit dem Autonomiepostulat aufs engste verbundene Zwietracht und als das Resultat einer verinnerlichten Beziehung, in der sich das Subjekt als soziales Wesen immer schon vorfindet und die es gleichzeitig ihrer entfremdenden Wirkung wegen zu verleugnen sucht durch die unermüdlich wiederholte Anstrengung, das Ich als Einheit zu imaginieren. Auf diese Weise entsteht jene Täuschung, in der sich auch Vult befindet, wenn er die »heilige Freundschaft« als »das Trachten – nicht eines Halbgeistes nach einer ehelichen oder sonstigen Hälfte, sondern – eines Ganzen nach einem Ganzen, eines Bruders nach einem Bruder, eines Gottes nach einem Universum [begreift] [. . .], mehr um zu schaffen und dann zu lieben, als um zu lieben und dann zu schaffen . . . . .« (692). Gott, der sich in seiner Schöpfung anblickt, Pygmalion, der seine Statue liebt; oder Schoppe-Leibgeber, der fiktive Erfinder Fichtes, im Gespräch mit sich selbst: »Sah' ich meinen ältesten Freund, so sagt' ich nichts als: ›Ich = Ich‹«[15] –: es sind dies alles Bilder und wiederkehrende Konstellationen von Jean Pauls Kritik an der subjektivistischen Identitätsphilosophie und ihrer Illusion, »Nicht-Ich und Ich oder Objekt und Subjekt [seien] Wechselbegriffe«, »die *gleichzeitigen Zwillinge* der Aseität«,[16] und folglich Geschöpfe einer Gottheit, die mit sich und ihrem Werk absolut identisch ist. Nach Jean Pauls Überzeugung führt ein solcher Gedanke in das »tote Wachsfigurenkabinett«[17] einer vergeblich in sich kreisenden, trostlosen Reflexion:

> Ich bin nicht bloß [. . .] mein eigner Erlöser, sondern auch mein eigner Teufel [. . .] – Rund um mich eine weite versteinerte Menschheit – In der finstern unbewohnten Stille

15 SW I, Bd. 3, S. 1049.
16 Ebd., S. 1035.
17 Ebd., S. 1041.

> glüht keine Liebe, keine Bewunderung, kein Gebet, keine Hoffnung, kein Ziel – Ich bin so ganz allein, nirgends ein Pulsschlag, kein Leben, nichts um mich und ohne mich nichts als nichts – Mir nur bewußt meines höhern Nicht-Bewußtseins – In mir den stumm, blind, verhüllt fortarbeitenden Dämogorgon, und ich bin er selber – So komm' ich aus der Ewigkeit, so geh' ich in die Ewigkeit – – Und wer hört die Klage und kennt mich jetzt? – Ich. – Wer hört sie, und wer kennt mich nach Ewigkeit? – Ich. –[18]

Das Zwillingszeichen kann demnach nur eines bedeuten: Es ist Symbol einer vom Ich inszenierten, imaginären Einheit, hinter der sich in Wirklichkeit eine Duplizität verbirgt. Was im Spiegelgefecht zwischen Walt und Vult wiederkehrt, ist die Beziehung der Zwillinge zu ihrem Vater und dessen gestörtes Realitätsverhältnis, das sich vor allem im Umgang mit dem Geld ausdrückt, in dem unerschütterlichen Glauben an die eigene hohe Berufung, und, als Folge und Kehrseite, in einer existenzbedrohenden Mißwirtschaft, ein Widerspruch, der das Schicksal der Söhne besiegelt, nicht nur den väterlichen Traum verwirklichen, sondern zugleich auch den Liebesvorschuß der Eltern buchstäblich heimzahlen zu müssen. Obgleich das zugeteilte Los so völlig gegensätzlich ausfällt – der Vater in Walt sein künftiges Glück (vgl. 643), in Vult aber bloß den Taugenichts sieht (vgl. 605, 643) –, machen sich die Brüder dieses Erbe, wenn auch in symmetrischer Spiegelverkehrung, nach dem Gesetz des Wiederholungszwanges gleichermaßen zu eigen. Walt, unablässig damit beschäftigt, den Konflikt zu harmonisieren, mit wechselnden Partnern eine Symbiose einzugehen, wird Notar; Vult, zynisch und voller Verachtung, »zu aufgebracht auf sämtliche Menschen« (617), entwickelt sich zum Vagabunden, wobei sich die Konfusion von Liebe und Geld – sei es unter positivem oder negativem Vorzeichen – in immer gleicher Weise wiederholt, in Vults Weigerung, mittellos heimzukehren (vgl. 663), in dem Ge-

18 Ebd., S. 1056.

fühl, daß er »seinen Bruder nur bezahle, nicht beschenke« (822); in Walts hartnäckigen Versuchen, die reale Bedeutung des Geldes zu verleugnen und seine Entbehrungsfähigkeit bis zur physischen Selbstaufgabe zu treiben. Ein ums andere Mal geht es darum, die dem Selbstbildnis drohende Gefahr abzuwenden. Indizien für den mangelhaften Realitätssinn der Brüder sind schließlich ihre jeweiligen Größenphantasien, mit denen die väterliche Selbstüberschätzung in anderer Form wiederersteht: Vults Stolz und Rechthaberei aus vermeintlicher Überlegenheit, sein wahnhaft kompromißloses Freiheitsstreben zählen genauso dazu wie Walts Überzeugung, ein zweiter Petrarca und ein ritterlicher Minnesänger zu sein, der sich ungestraft »in Damen höchsten Standes verlieben« darf (832), oder sein Traum – Präfiguration des selbsternannten Fürsten Nikolaus im *Kometen*, eines der größten Narzisse Jean Pauls –, als reicher Großherzog oder Erbprinz »mit Suite« durch die Lande zu reisen und die schöne Wina, eine arme Pfarrerstochter, zu freien (839). Entscheidend ist, daß ihrem Umgang mit dem Geld jederzeit ein phantastischer Zug anhaftet, besonders auffallend in jenen Szenen, da Walt, mehr oder weniger reales Geld verteilend (oder auch verweigernd), als Bürge oder Wohltäter auftritt; die Vorstellung, als Glücksbringer zu gelten, überwiegt bei weitem die sachdienliche Hilfe, der Selbstgenuß bei weitem die tatsächliche Gabe (vgl. 716, 901). Phantasie und Geld stehen in einem merkwürdigen Zusammenhang, nicht nur scheint das Geld die Phantasie magisch anzuziehen, auch das Umgekehrte hat statt, durch die Phantasie scheint ebenso leicht das Geld angezogen zu werden.

Unnachahmlich komischer Beweis dafür ist die Geschichte um das sogenannte »Weinhaus« (Nro. 1), jene durch den listigen Erblasser von langer Hand vorbereitete Tränenkonkurrenz zu Beginn der Testamentseröffnung, eine Situation, dazu angetan, alle gängigen Vorstellungen über den Haufen zu werfen und die Erben eher »am Trockenseile hängen« zu lassen als auch nur eine einzige Träne für den Verstorbenen »hervorzureizen« (586). Sieger des Wettbewerbs bleibt derjenige, dem die Phantasie am schnellsten zu Hilfe kommt:

> Bloß Flachsen schlugs heimlich zu; dieser hielt sich Kabels Wohltaten und die schlechten Röcke und grauen Haare seiner Zuhörerinnen des Frühgottesdienstes, den Lazarus mit seinen Hunden und seinen eigenen langen Sarg in der Eile vor, ferner das Köpfen so mancher Menschen, Werthers Leiden, ein kleines Schlachtfeld und sich selber, wie er sich da so erbärmlich um den Testaments-Artikel in seinen jungen Jahren abquäle und abringe – noch drei Stöße hatt' er zu tun mit dem Pumpenstiefel, so hatte er sein Wasser und sein Haus. [...] »Ich glaube, meine verehrtesten Herren,« – sagte Flachs, betrübt aufstehend und überfließend umhersehend – »ich weine« – setzte sich darauf nieder und ließ es vergnügter laufen; er war nun auf dem Trocknen [...]. (586 f.)

Ob Fiktion oder Historie, es ist eins wie das andere; und fiele nicht ein mildes Licht auf den »armen Teufel« (587), es wäre eine schamlose Phantasie, die um des Kalküls willen alle Werte, Gefühle und den Ernst wirklichen Unglücks pervertiert. Doch nicht zuletzt darauf hatte es der ›selige Kabel‹ (584) abgesehen; mit seiner umworbenen »Verlassenschaft« (582) suchte er die designierten Erben an ihrer schwächsten Stelle, der Habgier und ihrem vermeintlichen Geburtsrecht, zu treffen. Kaum nachvollziehbar ist deshalb, wie man unter solchen Umständen den erzieherischen Appell gegenüber dem ›Universalerben‹ im wahrsten Sinne des Wortes als bare Münze hat nehmen können. Mustert man einmal genauer die für Walt vorgesehenen »Lebens-Rollen« (589) und bedenkt, daß sie keinesfalls ein realistisches Wechselverhältnis von Ich und Welt, sondern im Gegenteil eine ähnlich imitatorische, fiktive Existenz mit denselben Merkmalen einer anwesenden Abwesenheit begründen, wie sie Walt und Vult in gleichem Maße charakterisiert, so dürfte es sich eher um eine Parodie aller derartigen Programme handeln. Das Testament zielt auf nichts anderes als die Wiederholung eines fremden Lebenslaufs, und der Verdacht drängt sich auf, es kehre hier die Vater-Sohn-Konstellation ein zweites Mal wieder, als müsse man von der Lizenz sprachlicher Doppeldeutigkeit Gebrauch machen und Walts ›Adoptivvater‹ nicht als Subjekt, sondern als Objekt verstehen, mit dem sich Walt – und indirekt natürlich auch Vult – eine weitere Vater-Imago geschaffen hat, zumal der Erblasser selbst vom Adoptiv›sohn‹ als seinem »Ebenbild« spricht (590). Möglicherweise hat also Walt so unrecht nicht, wenn er die Erbschaft seiner Dichtkunst glaubt verdanken zu dürfen (vgl. 643). Van der Kabel ist ein Vater, wie man sich ihn nur wünschen kann, macht er doch wieder gut, was der wirkliche Vater seinem Nachkommen angetan hat, indem er dem folgsamen ›Sohn‹ am Ende des Rollenspiels nicht bloß seinen Traumberuf, eine Pfarrei – und damit die Realisierung seiner Poesie, das ›schwedische Idyll‹ – verspricht, sondern ihn zugleich auch von dem väterlichen Schuldspruch lossagt. Was der Sohn dem wirklichen Vater schuldet, zahlt ihm der Wunschvater mit Zinsen zurück. Die Erbschaft bringt also gleich doppelten Gewinn. Der Kreis schließt sich in dem Augenblick, da Vater und Sohn gleichlautend vom Testament die künftige Entbindung von allen lästigen Lohn- und Alltagspflichten und die ungestörte Fortsetzung ihres Phantasielebens erwarten. Beiden ist dabei weniger am Geld selbst als an ihren Träumen gelegen. »Du sollst dann auch«, so erklärt der Schulze seinem Sohn im Blick auf den kommenden Geldsegen, »streckversen den ganzen Tag, weil du doch ein Narr darauf bist, wie dein Vater aufs Jus.« (645 f.) Als erstes Projekt wird der Doppelroman alsbald in Angriff genommen, und es überrascht nicht, daß es im Sinne derselben Fusion geschieht: »warum ich in Haßlau verbleibe«, behauptet Vult, »hat [...] alles bloß mit einer göttlichen Windmühle [zu tun], die der blaue Äther treibt, und auf welcher wir beide Brot – du erbst indes immer fort –, soviel wir brauchen, mahlen können« (664).

Spricht aus Vult der väterliche Wunsch, Phantasie und Geld, Phantasie und Realität auf einen Nenner zu bringen, so finden sich in den *Flegeljahren* noch eine ganze Reihe ähnlich phantastischer Erbschaften, die eine solche Deutung unterstützen, angefangen bei Flittes gaunerhaftem Schuldenvermächtnis bis zu Walts wundersamer Geldvermehrung durch den nächtlichen, von Vult intrigant und verführerisch inszenierten Fund. Die Tücke aller dieser Glücksfälle liegt, nicht anders als die des van der Kabelschen Testaments, darin, daß sie Walt langfristig um das in Aussicht gestellte Vermögen ärmer machen, daß sie ihn – und sei es auch nur in bezug auf ein imaginäres Guthaben – enterben, indem sie ihn – und mittelbar den Bruder – durch ihre Versprechungen nur noch tiefer in den Zirkel der falschen Selbstbestätigungen hineinziehen, nur noch entschiedener an die kindliche Wunderwelt fixieren. Geblendet von dem fernen Schatz, erleben die Zwillinge jede Gegenwart als die Wiederkehr der gleichen Vergangenheit, bezogen auf eine Zukunft, die niemals anbricht. Was Walt und Vult auch immer unternehmen, welche Ausflüchte sie suchen, welchen Weg sie einschlagen – das Ziel entpuppt sich als ihr Ausgangspunkt, als jener »Grenzhügel des gelobten Kinderlandes« (621), wo »die ältesten Gefühle [...] unter den Nachtschmetterlingen« flattern (623). So kehrt Vult widerstrebend und doch fasziniert, »als sei er ein Knabe« (621), an den Schauplatz seiner Kindheit zurück, und so folgt Walt tagträumend der Spur, die ihn zum Anfang führt. Selbst das »Doppel-Leben« (Nro. 57) in der Neupeterschen Mansarde stellt eine solche Reprise mit allen zugehörigen Requisiten, einen »Doppel-Käfig« diesseits und jenseits der »Feuermauer« (993), dar, auf der die kindlichen Wünsche aufgemalt sind: für Vult das Dorf mit seinem Versprechen von Gemeinschaft und Geborgenheit, für Walt die Paläste der Reichen, wo der bequeme Überfluß und das vornehme Leben zu Hause sind. Es ist ein Arrangement, das der ursprünglichen Choreographie nicht genauer folgen könnte und das offenbart, wie präsent die einmal aufgerichtete Ordnung in jeder

Lebensregung ist, sie sei noch so spielerisch und vom gegenwärtigen Augenblick eingegeben. Geld, so wurde behauptet, sei kein Kinderwunsch;[19] er ist es dann, wenn er sich mit dem väterlichen Wunsch identifiziert hat und demselben Zwang unterliegt, nach dem Vult seinerseits im Bannkreis des väterlichen Fluchs seine Niederlagen wiederholt. Eine Reinszenierung der Kindheit mit Stimme und Gegenstimme könnte man die Nro. 58, »Erinnerungen«, nennen, die Wiederbelebung kindlicher Lust und Leiden, für die ein jeder seine »Ahnenbilder«[20] beschwört und jeder eine andere Geschichte erzählt: Walt – in Wutzischer Manier auf dem »Webstuhl rosenroter Träume« (1030) – die frühen Seligkeiten, und Vult – in bitterer Ernüchterung – die »junge Not«. Erinnerung – das wird daran deutlich – ist im wesentlichen Er-Findung, sinn- und identitätsstiftende Konstruktion eines Lebenslaufs mit dem entsprechenden Komplement des Vergessens, eine »Gedächtniskunst«, wie Vult sie richtig bezeichnet (1018), mit deren Hilfe die vom Vater autorisierte Geschichte erneuert wird. Die Macht dieses Wortes ist so groß, daß aus der Rede Wirklichkeit werden, daß der Sohn allein aus der Suggestion des Repetierens seine kindliche Gestalt wieder annehmen kann (vgl. 1017). Höhepunkt der Regression ist endlich die herbstliche Ausfahrt, deren Richtung, verborgen unter dem Schleier von Walts künstlicher Unwissenheit, ebenfalls im Namen des Vaters längst vorgegeben ist. »Draußen im Reich« – in diese Formel hatte der Vater seine eigenen Odysseen eingehüllt, »und daher lag dem Sohne das Reich in so romantischem Morgentau blitzend hin als irgendeine Quadratmeile von Morgenland; in allen Wandergesellen verjüngte sich ihm die väterliche Vergangenheit.« (860) Kaum hat Walt die Stadt verlassen, so verwandelt sich unter den Tönen von Vults Zauberflöte der Herbst in einen Frühling und die fremde Gegend in das Land seiner Kindheit. Vertraute Gerüche, heimatliche

19 Vgl. Peter Sprengel, *Innerlichkeit. Jean Paul oder Das Leiden an der Gesellschaft*, München 1977, S. 253 f.
20 SW I, Bd. 3, S. 1041.

Geräusche schweben um ihn, und unwillkürlich fällt ihn die Erinnerung aus dem verborgenen Reservoir früherer Erfahrungen an, bis alle Gegenwart in Vergangenheit und eine nicht weniger vergangene Zukunft aufgelöst, in ein heimlich-unheimliches Déjà-vu eingetaucht ist: »[...] so wehten ihn tiefe Sachen schauerlich aus der Kindheit an [...]. Es kam ihm aber vor, er hab' es schon längst gesehen, der Strom um das Dorf, der Bach durch dasselbe, der am Flusse steil auffahrende Wald-Berg, die Birken-Einfassung und alles war ihm eine Heimat alter Bilder.« (896 f.) Nicht nur beiläufig spielt der Erzähler in diesem Zusammenhang auf das Zwillingsmotiv an (vgl. 897), denn es ist des Bruders Flöte, die den Wanderer immer tiefer hineinlockt in das Paradies der anfänglichen Einheit, dorthin, wo die Sehnsucht scheinbar ihr Ziel erreicht, an die »sogenannte stille Stelle«, wo der Bruder den Bruder beim Namen ruft. Abgenabelt von der Welt, »ohne Band mit der Schöpfung« (897), findet in der Weise eines Naturereignisses an der Grenze von Raum und Zeit die Wiedervereinigung mit dem archaischen Spiegel-Ich statt, und zwar auch hier nach der bereits bekannten symmetrischen Umkehrung, bei der Verführer und Verführter identisch sind, indem der Flötenspieler seinerseits den Bruder als Medium gebraucht, das ihn durch Traum und Trance an den Ort seiner ersten, prägenden Selbstbegegnung zurückführt. Wohlverstanden: Es ist dies kein Ort der Erkenntnis, nicht die produktive Rückkehr zum Ursprung, von dem aus die Geschichte mit neuem Schwung beginnen könnte; es ist kein Ort der Verheißung, sondern des absoluten Stillstands, der im Verhältnis der Zwillinge, stellvertretend für die hoffnungslose Quadratur ihrer Kreisbewegung, den Punkt äußerster Verkennung markiert.

Im übrigen aber gleicht die Imagerie dieser Engführung jenen Phantasmen, die auf dem Höhe- und Wendepunkt der Identitätsphilosophie den Zusammenbruch des absoluten Ichs in der Zerstörung des selbstbewußten Wissens illustrieren:

> *Bilder* sind: sie sind das Einzige, was da ist, und sie wissen von sich, nach Weise der Bilder: – Bilder, die vorüberschweben [. . .]; die durch Bilder von den Bildern zusammenhängen, Bilder, ohne etwas in ihnen Abgebildetes, ohne Bedeutung und Zweck. Ich selbst bin eins dieser Bilder, ja ich bin selbst dies nicht, sondern nur ein verworrenes Bild von den Bildern. – Alle Realität verwandelt sich in einen wunderbaren Traum, ohne ein Leben, von welchem geträumt wird, und ohne einen Geist, dem da träumt; in einen Traum, der in einem Traume von sich selbst zusammenhängt.[21]

Mit anderen Worten: Ein Traum träumt sich selbst, indem er stets dieselbe Figur, im Vervielfältigungsspiel seiner eigenen Reflexe ein Urbild nachzuzeichnen versucht, das sich von Anfang an entzogen, von Anfang an den Charakter einer Projektion besessen hat. Und so gelesen, erweist sich die ›Bildungsgeschichte‹, die Jean Pauls *Flegeljahre* zu erzählen haben, als eine Geschichte des Beharrens und nicht der Entwicklung, als Geschichte lebenslänglicher Fixierungen, die endet, wo die Reise Walts und Vults geendet hat, im »grüne[n] Stilleben« (897), was soviel bedeutet wie in der Geschichtslosigkeit infantiler Bilderbeschwörung. Der Progreß, sofern er nichts will als die Identität, ist de facto ein Regreß, gleichsam die fortgesetzte Drehung um die eigene Achse. Und damit wäre dann auch die Ausgangsfrage beantwortet: Aus selbstkritischer Einsicht formulieren die *Flegeljahre* nicht nur, sie sind eine schneidende Kritik am romantischen Bildungsideal als dem Ergebnis spontaner Selbstbestimmung, und zwar durch perfekte Imitation transzendentalpoetischer Prinzipien, indem sie nach dem Gesetz der Potenzierung »zwischen dem Dargestellten und dem Darstellenden [. . .] auf den Flügeln der poetischen Refle-

21 Johann Gottlieb Fichte, *Sämtliche Werke*, hrsg. von Immanuel Hermann Fichte, Bd. 2, Berlin 1845, unveränd. Nachdr. Berlin 1965, S. 245.

xion in der Mitte schweben«,[22] diese Mitte jedoch nicht als Ort gesteigerter Präsenz begreifen, sondern als eine unhaltbare Position, genauer: als Leerstelle. Denn nach der Konstitutionslogik des Imaginären, dem Vorrang des Abbildes vor dem ›Urbild‹, das seine Existenz am Ende doch nur dem Spiegelakt selbst verdankt, bleibt der Spiegel notgedrungen Zeuge der realen Nichtigkeit des Subjekts, vorausgesetzt, es wird der »*Spiegel* in eine *Brille*« umgeschliffen, wie Jean Paul es ankündigte (596), es wird der blinde Fleck nicht ignoriert, der das Bild je und je entstellt, indem er den Reflex verweigert und damit jene Stelle kennzeichnet, an der die Selbstverkennung in die Erkenntnis umschlagen kann, daß das Spiegelbild nur ins Leben gerufen wird durch den Blick des anderen, daß es nicht hervorgeht aus unmittelbarem Selbstbezug, vielmehr Resultat einer Interaktion ist, in der sich die Identität wesentlich und unwiderrufbar als Differenz und Entzweiung bestimmt. Als solche kann sie wohl kompensiert und verleugnet werden, nicht aber aufgehoben im Sinne einer dialektischen Versöhnung. Statt dessen gilt das Paradox, nach dem das Ich niemals einfach bei sich ist, sondern immer woanders, und niemals so sehr bei sich, als wenn es woanders ist, das heißt, wenn es ihm gelingt, in Anerkennung eigener Unvollkommenheit den hermetischen Zirkel der narzißtischen Selbstbeschau zu durchbrechen und auf seine Größenphantasien, die Verehrung des selbstherrlich inthronisierten ›inneren Gesichts‹, zu verzichten. Es ist dies der erste, aber unumgängliche Schritt zum »Länderreichtum des Ich«, wie Jean Paul das nennt, um »das ungeheure Reich des Unbewußten, dieses wahre innere Afrika«, zu erkunden und den Realitäten – inneren und äußeren – angemessen zu begegnen.[23]

22 Schlegel (Anm. 10) S. 39 (Athenäum-Fragment Nr. 116).
23 SW I, Bd. 6, S. 1182.

Erkennung

Zur Krise im Verkennungsdrama zwischen Walt und Vult kommt es erwartungsgemäß in dem Augenblick, als sich die Rivalität nicht mehr auf die interne Auseinandersetzung beschränkt und die Brüder in ihrem Liebeswerben um Wina zu Konkurrenten werden. Es ist der Augenblick der Entscheidung. In einer Phase des scheinbaren Einverständnisses, da ein jeder glaubt, »er sehe über den Paradieses-Strom hinüber recht gut die Quelle der Freude des andern von weitem rauchen und nebeln« (1045), entsteht plötzlich eine dritte Position, mit der die Zwillinge vor die Wahl gestellt sind: Walt *oder* Vult. Der Spiegel zerbricht im Moment der Gegenüberstellung. Und wiederum erfolgt die mit Recht so genannte Entlarvung – denn es handelt sich um eine gegenseitige Selbstentlarvung, auch wenn Vult zunächst der alleinige Akteur zu sein scheint – durch Imitation, ›romantische‹ Potenzierung also. Nicht nur wiederholt der Maskenball die imaginäre Maskerade Walts und Vults, indem jeder das wahre Kleid des anderen trägt, Walt außerdem unter dem Fuhrmannshemd die »Bergkappe« (1073), die in den Phantasien des Vaters einst zwischen den Brüdern hin- und hergewandert ist (vgl. Nro. 5); umgekehrt erhält durch den Maskentausch auch jeder das seine, doch mit dem Effekt einer abermaligen Steigerung: Vult im Fuhrmannshemd imitiert Walt, und dieser, als Spes verkleidet, seinen Bruder, und damit sind die Zwillinge nicht nur, was sie zu sein scheinen, sie sind auch, was sie einander immer waren, Spiegel und Imitatio, ein jeder der andere seiner selbst. Denn mit Vults »Rollenwalt« – und vice versa Walts ›Rollenvult‹ – tritt jeweils das imaginäre Ich des anderen auf den Plan, als würde der Spiegel lebendig und forderte die Wahrheit. Diese offenbart sich zuletzt im Gespräch mit Wina und in der Konfusion, durch die ihr die Zwillinge identisch werden, in Wirklichkeit sich aber eine endgültige Spaltung vollzieht. Denn Winas schweigendes »Liebes-Ja« erreicht keinen; den es meint, findet es nicht, und

den es findet, meint es nicht; in jedem Falle ist es auf den anwesend-abwesenden anderen bezogen (1079).
Es besteht kein Zweifel, daß Vult durch den Maskentausch seinen Bruder betrügt und dem Verhältnis einen irreparablen Schaden zufügt; andererseits tritt dadurch in aller Schärfe zutage, in welcher Konjugation wechselseitigen Selbstbetrugs die Brüder gestanden haben, und was demnach vordergründig als Scheitern gelten muß, ist tatsächlich der Beginn einer (Selbst-)Erkenntnis, insofern beide in der Unvereinbarkeit ihre wahre Identität finden. Walt und Vult sind nicht eins, sondern zwei: zwei ›wahre Du's‹, und das eine ist so ›haltbar‹ wie das andere (1084). Bezeichnenderweise kommt es nach der Redoute zum erstenmal zur ernsthaften Aussprache, auch wenn dabei kein einziges Wort fällt. Weil die Sprache selbst zu sehr von Verkennung geprägt ist, teilt sich Vult dem Bruder – seine Erkenntnis inszenierend – in einer Pantomime zwischen Schlaf und Wachen mit. Durch den Schlag, den er Walt versetzt, springt die Kette entzwei. Und wie des Bruders Traum bezeugt, hat Walt die Botschaft begriffen; er antwortet mit dem kindlichen ›Liebesspiel‹, bei dem wechselweise der Partner zum Gott erhoben wird, bis beide Liebende »voll zu großer Liebe« aneinander vergehen (1087). Ohne zu wissen, weiß auch Walt: Wo einer den anderen »im Wechsel des Zurückspiegelns des Vorspiegelns« vergöttert, steht die Geschichte still, weil es ein Kreis der Unmöglichkeit ist und sich »kein Spiegel aus seinem Gegenspiegel erklärt«,[24] d. h. zu sich selbst kommt ohne den anderen – »Gott ausgenommen, dieses Ur-Ich und Ur-Du zugleich«, wie die *Levana* schreibt und wie Walt am Ende die unmittelbare Einheit Gottes im Gegensatz zur doppelten Identität der Zwillinge halluziniert: »– es waren nur zwei leise Töne, zwei an einander sterbende und erwachende; sie tönten vielleicht: ›du und ich‹; zwei heilige, aber furchtbare, fast aus der tiefsten Brust und Ewigkeit gezogne Laute, als sage Gott sich das erste Wort und ant-

24 SW I, Bd. 5, S. 564.

worte sich das erste.« Indem aber Walt, anders als in seinen früheren Allmachtsphantasien, sich als »Sterbliche[n]« begreift (1088), der mit Gott nicht konkurrieren kann, kommt er – im Augenblick der Trennung – seinem Bruder nahe wie nie zuvor; denn es ist Vults Flöte, die ihm noch einmal zur »Wünschelrute« wird, ihre Töne sind es, die seine Visionen hervorrufen, ihnen Stoff und Richtung geben, ihre Töne aber auch, die aus der himmlischen Musik schließlich eine Kontrafaktur, ein höchst weltliches Liedchen machen, mit dem sich Vult verabschiedet, weil das Paradies auf Erden nun einmal geschlossen ist.

Doch so abrupt sich dieses Ende auch ausnimmt, so folgt es dennoch einer Einsicht, die während der ›Zwillings‹arbeit am Doppelroman buchstäblich zur Sprache gekommen ist, ohne daß die Brüder dies wahrgenommen hätten, eines Romans, wie gesagt, der als »Einling« gedacht war, von Beginn an jedoch die »Duplizität« (669), die Anerkennung der exzentrischen Zwillingsexistenz zum Inhalt hatte, nachdem Walt und Vult darin »als ihr eigenes Widerspiel« (667) auftreten wollten. Gedacht war zunächst an eine Komposition Vultscher ›Schwanzsterne‹ und Waltscher ›Streckverse‹ in kontrapunktischem Wechsel, doch zeigen die in die *Flegeljahre* aufgenommenen Kostproben des Zwillingsromans, wie diese Polarität bis in den Stil und Duktus jedes einzelnen Beitrags strukturbestimmend hineinreicht, am sichtbarsten in jenen witzigen Partien, wo die Sprache sich betont von ihrer Informations- und Abbildfunktion distanziert und in ihren internen Bezügen, ihren Zuordnungsmechanismen, ihrer Bewegungsdynamik im Zwischenbereich von Zeichen und Bedeutung ausdrücklich selbst thematisch wird, um auf einen sonst latent bleibenden Sinn, eine Rede in der Rede zu verweisen. Gewiß ein Paradestück dieser Art ist die Nro. 26 mit dem vielsagenden, die Doppeldeutigkeit des Gegenstandes wie der metaphorischen Ambivalenzen programmatisch ankündigenden Titel »Das zertierende Konzert«, Darstellung eines Orchesterauftritts, wie er nicht alle Tage vorkommt, bei dem sich Harmonie als Disharmonie, das eine als das andere entpuppt, provoziert nicht zuletzt durch das metonymische Gleiten der Sprache, die ihrerseits in Spiel und Widerspiel, Punkt und Kontrapunkt, die musikalischen Figuren und Gesetze imitiert. Indem sie ihre Referenzen fortwährend widerruft, was Eindeutigkeit beanspruchte, metaphorisch überspielt, »ohne Schluß und Übergang«[25] alte Verbindungen auflöst, neue Bindungen eingeht, Brücken schlägt vom »Fidelbogen« zum »Ellenbogen« (766), vom »Rückenwirbel« zum »Geigenwirbel« (769) und was der Kunststücke in diesem Falle noch sind, tritt sie »als ihre eigne Widersacherin« auf, die sinnverhüllend und sinnverdeckend »sich selber sich entgegensetzt«[26] und somit stets auf einen anderen Sinn, eine prinzipielle Diskontinuität verweist, dorthin, wo es nach Vult »krumm läuft« (770), wo die Ungereimtheiten und die Widersprüche, kurz, wo das Lächerliche und die Unvollkommenheit sichtbar werden.[27] Der Witz verweigert die unmittelbare Identifikation und verstrickt statt dessen das Subjekt der Sprache jenseits der imaginären Befriedigungen in ein unaufhörliches Zwiegespräch mit dem anderen seiner selbst, vergleichbar der entfremdenden Sehnsucht in Walts ›Schwedischem Idyll‹, die den auf Orangenzucker beißenden Pfarrer nach Art einer *mémoire involontaire* in alle Ecken der Welt versetzt, bis er nicht mehr weiß, »daß er in Schweden ist, wenn Licht gebracht wird und er verdutzt die fremde Stube ansieht« (600). Beide Formen der Poesie, Walts schweifende, Ich-entrückende Phantasien und Vults vagabundierender Witz, machen der endlosen Spiegelfechterei ein Ende und führen zu einer gegenseitigen Selbstverständigung, die den Brüdern in der verkennenden Alltagskommu-

25 Ebd., S. 182.
26 Ebd., S. 179.
27 Vgl. *Vorschule der Ästhetik*, 1. Abt. § 26 »Definitonen des Lächerlichen« (SW I, Bd. 5, S. 102 ff.); zum Thema ›Witz‹: Waltraud Wiethölter, *Witzige Illumination. Studien zur Ästhetik Jean Pauls*, Tübingen 1979; außerdem Götz Müller, *Jean Pauls Ästhetik und Naturphilosophie*, Tübingen 1983, bes. S. 87 ff.

nikation verwehrt geblieben ist. Ihr gemeinsamer Nenner ist freilich nicht eine Vermittlung im Hegelschen Sinne, sondern die jeweilige dialoge Struktur, in der sie aufeinander Bezug nehmen, ohne sich an- und ineinander zu verlieren, und die im Medium poetischer Interaktion den Zirkel auf das gemeinsame Werk: den Doppelroman im wahrsten Sinne, hin transzendiert.

So führt denn durch Trug und Verzerrung hindurch auch eine Spur der Erkenntnis, die mit der impliziten Poetik der *Flegeljahre* insofern zusammenfällt, als diese ebenfalls ein Doppelroman sind, Roman eines Romans, und innerhalb dieses Selbstbezuges sowohl eine Identität als auch eine Differenz thematisieren. So sichtbar nämlich Roman und Binnenroman eine Einheit bilden, laufen sie dennoch nirgendwo definitiv zusammen, nicht einmal in der Gestalt des Erzählers, die als Inkorporation einer solchen Konvergenz allenfalls in Frage käme. Genauer betrachtet erscheint auch diese Figur in einer verwirrenden Doppelung, aufgespalten in »Jean Pauls Geist« (596) und den vom Stadtrat bestallten »Geschichtschreiber« Richter (594), der sich am Ende des Romans dadurch als der einzige und eben darum als der wahre Universalerbe entpuppt, daß er sich Kapitel für Kapitel ein Stück aus dem van der Kabelschen Kunst- und Naturalienkabinett erschreibt. Wie der »Hoppelpoppel« präsentieren sich die *Flegeljahre* als ein brüderlicher Dialog zwischen dem Biographen Richter, der mit dem Autor gleichen Namens nicht verwechselt werden darf, und dem *alter ego* dieses Autors, Jean Paul, dem bis zum Erscheinen des Zwillingsromans Jean Pauls Werke ausnahmslos zugeschrieben worden sind: Walt und Vult also noch einmal, und die *Flegeljahre* als das Zeugnis eines Multiplikationsspiels, das die üblichen Identitätsmarken endgültig außer Kraft setzt. Unter dem Pseudonym ›Richter‹ hält Jean Paul Zwiesprache mit dem, was die *Vorschule* als das »Mächtigste im Dichter« bezeichnet, dem Unbewußten, »welches seinen Werken die gute und die böse Seele einbläset«,[28]

28 SW I, Bd. 5, S. 60.

ein »Fremdes«,[29] dem Ich »Entgegengesetztes«,[30] das nicht in seiner freien Verfügung steht, sondern von anderswoher auf ihn zukommt, ihm weissagt »wie der schlafenden Pflanze«: »Wären wir uns unserer ganz bewußt, so wären wir unsre Schöpfer und schrankenlos. Ein unauslöschliches Gefühl stellet in uns etwas Dunkles, was nicht unser Geschöpf, sondern unser Schöpfer ist, über alle unsre Geschöpfe.«[31] Ehe also Jean Paul alias Richter spricht, hat bereits ein anderer, hat ›Jean Paul‹ gesprochen und damit den durch »keine Zwischen-Idee« zu vermittelnden, »ungeheuren Sprung vom Sinnlichen als Zeichen ins Unsinnliche als Bezeichnetes«, d. h. von der Sprachlosigkeit der ›Natur‹ in die Welt der Sprache und des Symbolischen getan.[32] Es handelt sich um jenen Übergang, »welcher Geist an Natur wie ein ungebornes Kind an die Mutter heftet«,[33] zugleich aber auch für die Gebrochenheit jeder Artikulation verantwortlich ist. Er bezeichnet den Ursprung der Entfremdung, der grundsätzlichen »Unförmlichkeit zwischen unserem Herzen und unserem Orte«,[34] zwischen Körper und Geist; er bezeichnet die Stelle, an der das humoristische Ich, sich selbst in »den endlichen und unendlichen Faktor« zerteilend,[35] »parodisch heraustritt«,[36] um über die eigene Tollheit das Gelächter anzustimmen; die Stelle aber auch, an der aus einem »Gefühl der Entbehrung«[37] »unsere Begierden« als »Abteilungen *eines* großen unendlichen Wunsches« erkennbar werden,[38] eines Wunsches, der genährt wird aus der »kindliche[n] Erwartung eines unendlichen Genusses«,[39] eines seit dem Eintritt in die

29 Ebd., S. 61.
30 SW I, Bd. 6, S. 1182.
31 SW I, Bd. 5, S. 60.
32 Ebd., S. 138.
33 Ebd., S. 183.
34 SW I, Bd. 1, S. 221.
35 SW I, Bd. 5, S. 132.
36 Ebd., S. 135.
37 Ebd., S. 60.
38 SW I, Bd. 4, S. 200.
39 Ebd., S. 202.

Welt der Sprache und des ursprünglich ergangenen Inzestverbotes insgeheim fortwuchernden Kinderwunsches nach Einheit und Totalität, der sich so leicht ins Imaginäre verirrt und in seiner Unersättlichkeit und Einfalt, wie es die *Flegeljahre* für ihren Helden Walt beschreiben, »sogar Gott vor einen Vergrößerungsspiegel« führt (1083), der andererseits jedoch in der Poesie, den tropischen Verschiebungen und Verdichtungen des Witzes, unvermutet eine Art Gegensprache, eine andere Rede beginnt und das Ich in ein ebenso unabsehbares, sich stets wiederholendes und dennoch in blitzartigen Illuminationen befreiendes Selbst-Gespräch verwickelt. Dem Umstand, daß »es im Endlichen keine absolute Sache [gibt], sondern jede bedeutet und bezeichnet«, verdanken wir nach Jean Paul »nicht allein Gott, sondern auch die kleine poetische Blume, die Metapher«,[40] verdanken wir mit anderen Worten – in Affinität zu Traum und Erinnerung – die Poesie als »unwillkürliche Dichtkunst«,[41] eine Sprache der Ahnung und des prinzipiell Unsagbaren, was bei Jean Paul grundsätzlich mit dem Gedanken an Tod und Vergänglichkeit, dem fundamentalsten Makel menschlichen Selbst- und Autonomiebewußtseins, verbunden ist. Als Dichtung von ›Sterblichen‹, um an Walts Wahrtraum zu erinnern, rührt die Poesie an eine Urverdrängung und zeugt gegen eine Epoche, die sich – ob im klassizistischen Heroenkult oder im universalromantischen Indifferentismus[42] – »gern die hohe Muse nur zur Tänzerin und Flötenspielerin am flüchtigen Lebens-Gastmahl bestellte und herabzöge«,[43] von der Unerlöstheit des zur Rede und ihrer Entstellung genötigten Ichs.

Zweifellos impliziert diese Ästhetik einen wesentlich radikaleren Entfremdungsbegriff, als ihn eine am ökonomischen System orientierte Gesellschaftskritik nahelegen würde. Der

40 SW I, Bd. 5, S. 181 f.
41 SW I, Bd. 4, S. 978.
42 Vgl. *Vorschule der Ästhetik*, 3. Abt. III. Kantate-Vorlesung (SW I, Bd. 5, S. 442 ff.).
43 SW I, Bd. 5, S. 448.

Text der *Flegeljahre* kennzeichnet das Phänomen des Narzißmus nicht als bürgerliches Problem, nicht als Resultat entfremdeter Arbeitsverhältnisse, sondern nimmt unabhängig vom jeweils spezifischen historischen Ambiente Bezug auf eine strukturell bedingte Ich-Spaltung, die sich durch Aggressionen und Sehnsüchte artikuliert, aber genausowenig aufhebbar ist wie das Ich selbst. Walt und Vult wird zwar eine Erkenntnis zuteil, sie werden bekannt gemacht mit sich selbst, ihren unbewußten Antrieben und Affekten, aber sie gehen auseinander, um sich künftig aus »wechselseitiger Luftperspektive entlegen [zu] erblicken« (1082). Dennoch heißt das nicht, daß dieser Narzißmus keine Geschichte hätte; wie jeder anthropologische Komplex entwickelt auch er eine sich wandelnde Phänomenologie, und indem die *Flegeljahre* individuelle Familien- und Gesellschaftsgeschichte verknüpfen, liegt ihre Pointe gerade darin, daß sie das Thema in dem Augenblick aufgreifen, in dem es in besonderer Weise historisch akut wird, in dem das ungebrochene narzißtische Selbstverständnis im Zusammenhang des Ablösungsprozesses der feudalen durch die bürgerliche Gesellschaft zu einem Hindernis weiterer Entwicklung und Emanzipation zu werden droht.

Die Selbstüberschätzung des Schulzen von Elterlein – und folglich auch die seiner Söhne – beruht nämlich auf einem Anachronismus, der sich am besten als Rückfall in ein auf dynastische Begriffe reduziertes Geschichtsdenken beschreiben läßt. »Obwohl seine Krongüter in Kron-Schulden« bestehen (608) und das »Amt [. . .] von ihm, nicht er vom Amte« lebt, zeigt sich der alte Harnisch nicht bereit, von der Stelle zu rükken, nachdem »die Dorfschulzenschaft seit undenklichen Zeiten bei seiner Familie gewesen« (609). Statt aus der Zweiherrigkeit seines Hauses bares Kapital zu schlagen, wie es ihm geschäftstüchtige Dorfbewohner anraten, arrangiert er mit ihrer Hilfe eine typisch feudale Erbfolge: Der Erstgeborene tritt in die angestammten Rechte, während der nicht erbende Zweitgeborene seinen Lebensunterhalt in fürstlichen

Diensten suchen muß. Ohne nach Talent und Neigung zu fragen, beharrt der Schulze auf einer angeblich natur- und gottgewollten Rangfolge, die in ihrem narzißtischen Charakter kaum suggestiver hätte zum Ausdruck kommen können als im Sinnbild des Gottesgnadentums, dem Legitimationsmodell absolutistischer Herrschaft, und seinem philosophischen Reflex, Leibniz' Monadenlehre und ihrer Vorstellung universaler Ebenbildlichkeit. König und Kronprinz als die Statthalter Gottes auf Erden – im Namen dieser Spiegelung ordneten sich höfische Hierarchie und Repräsentation, und noch am ›Hofe‹ des Kaufmanns Neupeter in Haßlau wird durch sie das Protokoll bestimmt. Das Wiegenfest mit Gästedefilee, Tafelmusik und blumigem Ordensband, mit Jubelchören und Glückwunschadressen gleicht einer Huldigung für gekrönte Häupter, während der Park, im Geschmack englischer Adelssitze, mitsamt einer Statue des Familiengründers in schönster Offenheit zur Selbstdarstellung Neupeterscher Größe und Herrlichkeit dient. Nahezu perfekt ist die Inszenierung, und ihr einziger Fehler, daß sie – Imitation ist. Weder an der Unzeitgemäßheit des kaufmännischen Repräsentationsgebarens noch an der phantastischen Genealogie des Schulzenerbamtes läßt der satirische Chronist einen Zweifel; in beiden Fällen handelt es sich um den Regreß auf eine vorbürgerliche Entwicklungsstufe, um den Versuch, einen vergangenen, unrealistisch gewordenen Personenkult wiederzubeleben. Denn die feudale Fassade läßt sich nicht mehr aufgrund von Renditen und Familienkapital aufrechterhalten, sondern allein mit Hilfe des Geldes in seiner dezidiert bürgerlichen Erscheinungsform als *Tausch*mittel. So bleibt Neupeter bei aller Distinktion ein »merkantilische[r] Schelm«, der seine gärtnerischen Prunkstücke bedenkenlos als Bedürfnisanstalt gebraucht (753), und der Erbe des Schulzenamtes muß einen bürgerlichen Beruf ergreifen, um den Ruin des Hauses abzuwenden. Das aber setzt ein Selbstverständnis voraus, auf das ihn niemand vorbereitet hat, es bedeutet statt Erbe Arbeit, statt Unmittelbarkeit Distanz, statt persönlicher Abhängigkeitsverhältnisse die Vermittlung über Sachbeziehungen, mit anderen Worten: die Fähigkeit zur Unterscheidung zwischen Selbst- und Objektrepräsentanzen, was voraussetzt, daß die narzißtischen Besetzungen wenigstens bis zu einem gewissen Grade überwunden werden. Wie schwer ein solcher Prozeß und eine historische Übergangssituation dieser Art zu meistern sind, in der zwei sich ausschließende Gesellschaftsordnungen mit völlig unterschiedlichen, bis in die frühesten Sozialisationsformen hineinreichenden Verhaltensmustern aufeinanderprallen, läßt sich an zahlreichen Symptomen, am sichersten und genauesten jedoch an jener für Jean Pauls Fabeln insgesamt so charakteristischen Inflation märchenhafter Erbschaften ablesen, die den aufgebrochenen Zwiespalt versöhnen sollen, dieser Aufgabe aber schon aus prinzipiellen Erwägungen heraus nicht gewachsen sein können. Jedenfalls ist es keine große Überraschung, wenn die Helden der *Flegeljahre* zum ersten Male auf ernsthaften Widerstand stoßen, wo es um die Frage nach einer möglichen Verwertbarkeit ihres poetischen Produktes geht. Bei dieser Gelegenheit wird nicht allein der schriftstellerische Höhenflug der Zwillinge spürbar gebremst, die Brüder haben auch zu lernen, daß sich Ansprüche nur aus Leistungen ergeben und daß sie mit ihrem Werk auf den Markt gehen müssen, bevor es als »langgeschwänzter Papierdrache aufsteigen [kann] in Leipzig in der Zahlwoche« (1082) –: ein Fazit, das dem Entwicklungsgang des Textes vom »Einling« zum »Doppelroman« entspricht und das den *Flegeljahren* zu guter Letzt doch noch das Ansehen einer »wahre[n] Bildungsgeschichte« verleiht, nur eben keiner romantischen, weil sie nicht zu einem Goldenen Zeitalter, sondern in das sehr viel näher liegende 19. Jahrhundert führen.

Literaturhinweise

Ausgaben

Flegeljahre. Eine Biographie von Jean Paul Richter. Bdch. 1–4. Tübingen: Cotta, 1804/05.

Jean Pauls sämtliche Werke. Hist.-krit. Ausg. von Eduard Berend. Weimar: Böhlaus Nachf., 1927 ff. [*Flegeljahre* in: Abt. 1, Bd. 10, 1934.]

Jean Paul: Werke [seit 1974: Sämtliche Werke]. [Abt. 1.] 6 Bde.: Erzählende und theoretische Werke. Hrsg. von Norbert Miller. Nachw. von Walter Höllerer. München: Hanser, 1959–63 [Korr. Neuaufl. der Einzelbände 1964 ff.; *Flegeljahre* in: Bd. 2, 1959, [3]1971.]
Abt. 2: Jugendwerke und vermischte Schriften. 4 Bde. Hrsg. von Norbert Miller und Wilhelm Schmidt-Biggemann. München: Hanser, 1974–85.

Forschungsliteratur

Freye, Karl: Jean Pauls Flegeljahre. Materialien und Untersuchungen. Berlin 1907.

Gansberg, Marie-Luise: Welt-Verlachung und das rechte Land. Ein literatursoziologischer Beitrag zu Jean Pauls *Flegeljahren*. In: Jean Paul. Hrsg. von Uwe Schweikert. Darmstadt 1974. (Wege der Forschung. 336.) S. 373–398.

Kommerell, Max: Jean Paul. Frankfurt a. M. 1933.

Lohmann, Gustav: Jean Pauls *Flegeljahre* gesehen im Rahmen ihrer Kapitelüberschriften. Würzburg 1990.

Meyer, Herman: Jean Pauls *Flegeljahre*. In: Jean Paul. Hrsg. von Uwe Schweikert. Darmstadt 1974. (Wege der Forschung. 336.) S. 208–265.

Müller, Volker Ulrich: Narrenfreiheit und Selbstbehauptung. Spielräume des Humors im Werk Jean Pauls. Stuttgart 1979.

Neumann, Peter Horst: Jean Pauls *Flegeljahre*. Göttingen 1966.

Pietzcker, Carl: Einführung in die Psychoanalyse des literarischen Kunstwerks am Beispiel von Jean Pauls »Rede des toten Christus«. Würzburg 1983.

Spazier, Richard Otto: Jean Paul Friedrich Richter. Ein biographischer Commentar zu dessen Werken. 5 Bde. Leipzig 1833.

Sprengel, Peter: Innerlichkeit. Jean Paul oder Das Leiden an der Gesellschaft. München 1977.

EGON SCHWARZ

Joseph von Eichendorff: *Ahnung und Gegenwart*

Das Geschehen

Das erste, was sich der moderne Leser vor Augen halten muß, ist die Tatsache, daß sich Eichendorffs 1815 gedrucktes Erstlingswerk *Ahnung und Gegenwart* grundlegend von den realistischen Romanen des 19. und 20. Jahrhunderts unterscheidet, an die er vermutlich gewöhnt ist. Es hat keine scharf umrissene Handlung, die Gestalten sind psychologisch unterentwickelt, und die Spannung weicht von der heutzutage üblichen ab. Dennoch enthält das Buch vieles, womit der beharrliche Leser belohnt wird.

Im herkömmlichen Sinn geschieht nicht allzu viel in *Ahnung und Gegenwart*. Die Hauptgestalten sind in ständiger Bewegung, tun aber wenig, woran sich ihre Persönlichkeiten erkennen ließen. Fast immer befinden sie sich auf Reisen, reitend und fahrend, in Kutschen oder auf Schiffen, am häufigsten zu Fuß. Eine Nacht verbringen sie in einem bescheidenen Dorf, die nächste auf einem luxuriösen Schloß, die dritte in einem Heuschober oder einer abgelegenen Mühle, die in Wahrheit ein Unterschlupf für Räuber ist. Ihr Tun, sofern nicht einfach der Begriff Wanderschaft dafür genügt, besteht aus Jagen, Singen und Dichten, aus der Teilnahme an Festen und endlosen Gesprächen.

Dieses kaum motivierte Kommen und Gehen, die eingeflochtenen Lieder und tollen Touren sind in jeder Hinsicht charakteristisch für *Ahnung und Gegenwart*, aber natürlich nicht nur für *Ahnung und Gegenwart*. Vielmehr hat Eichendorff diese Eigentümlichkeiten vom romantischen Roman übernommen, der seit seiner Einführung in Deutschland durch Ludwig Tieck längst etabliert und unzählige

Male nachgeahmt worden war. Viele seiner Züge waren schon in Goethes *Wilhelm Meister* voll ausgebildet. Jean Paul, Friedrich und Dorothea Schlegel, Novalis, Arnim und Brentano sind nur einige Vorgänger, aus deren Werken Eichendorff geschöpft hat. Freilich wäre es unbillig, in diesem krausen Zeug die Substanz seines Romans zu sehen. Diese muß man anderswo suchen: in den Landschaften, den Monologen und Zwiegesprächen, den allegorischen Höhenflügen und vor allem in den Gedichten, die den Gang der Handlung so oft unterbrechen.

Aber auch das tut dem Werk noch nicht Genüge. Es gelang Eichendorff, dem Chaos der Geschehnisse mit Hilfe zweier Kunstmittel Ordnung und Folgerichtigkeit aufzuprägen: Einteilung und Spannung. Der erste dieser Begriffe bezieht sich auf die Kapitel und die drei großen, als ›Bücher‹ bezeichneten Abschnitte. Die Kapitel sind im wesentlichen kurz und kunstvoll gestaltet. Gewöhnlich wird mit einem neuen auch ein neuer Schauplatz oder eine veränderte Perspektive eingeführt. Entweder ist es in einer neuen Tonart geschrieben oder einer neuen Gestalt gewidmet. Markant ist in der Regel auch das Kapitelende. Vielfach fällt es mit dem Ende des Tages zusammen, sonst wird durch ein Lied oder eine sorgfältig komponierte Kadenz ein eindrucksvoller Akzent gesetzt. All das dient dazu, eine Handlung zu gliedern und zu variieren, die monoton aus dem ewigen Einerlei des Kommens und Gehens der Figuren besteht.

Den drei ›Büchern‹, die das Romanganze ausmachen, kommt noch eine andere Funktion zu. Sie bilden eine dreiphasige Bewegung, die viel dazu beiträgt, die geistige und künstlerische Bedeutsamkeit des Werkes zu erhöhen. Die drei den Büchern entsprechenden Sphären mag man als die persönliche, die soziale und die philosophische (oder die poetische, politische und religiöse) bezeichnen, deren jede dem Werk eine unentbehrliche Dimension hinzufügt. Darüber hinaus erfüllt jedes der Bücher in der Entfaltung des Erzählten einen Zweck, den man mit den Bezeichnungen Exposition, Verwicklung und

Lösung erfassen könnte. Auf diese Weise stellt jede Stufe, ob sie gleich auf ihrer Vorgängerin aufbaut, einen Aufstieg in einen höheren Vorstellungskreis dar und eröffnet der Gestaltung einen erweiterten Horizont. Das künstlerische Verdienst dieser drei Phasen ist aber, daß sie gleichzeitig Eichendorffs drei theologischen Kategorien, Ursprung, Entfremdung und Rückkehr, entsprechen.

Es lohnt sich, diesen Beobachtungen ein wenig länger nachzugehen. Im ersten Buch werden die Hauptgestalten eingeführt: Friedrich, Leontin, Rosa, Faber, Erwin, Marie, Viktor, Julie und ihre Familie. Sie alle werden als Individuen behandelt. Sobald der persönliche Bezirk verlassen wird und zwischenmenschliche Verhältnisse ins Blickfeld geraten, handelt es sich jedesmal um die Beziehung zwischen zwei Figuren. In diesem Buch überwiegt auch die ungehemmte, unmotivierte Reiselust. Gegen sein Ende laufen jedoch die Handlungsstränge auf dem Gut des Herrn von A. (der nach Eichendorffs Vater gebildet ist) zusammen. Dem Leser wird ein Blick in das Leben des Landadels gewährt, der idealen Schicht in Eichendorffs Gesellschaftsauffassung, sein Familienleben, seine Sorgen und Hoffnungen, eine geeignete Vorbereitung auf das nächste Buch, in dem hauptsächlich von Gesellschaftsproblemen die Rede ist.

Der Schauplatz des zweiten Buches ist größtenteils die Hauptstadt als »Residenz«. Obgleich die Handlung Rückfälle in die frühere Reiselust verzeichnet, werden doch die von der Stadt wegführenden Ausflüge radikal beschnitten, und es läßt sich nachweisen, daß auch die wenigen eng an das zentrale Thema, die Zeit- und zeitgenössische Literaturkritik, gebunden sind. So ist z.B. Friedrichs Besuch im Schloß der Gräfin Romana die krisenhafte Zuspitzung eines der Hauptanliegen des Romans, der Frage nach dem Einfluß der herrschenden Sexualität auf den Menschen. Stadt und Hof sind für Eichendorff Brutstätten von Falschheit und Korruption. Darum könnte man das zweite auch das satirische Buch nennen. Die Sexualmoral, Politik, der korrupte Adel, der mangelnde oder der laue Patriotismus, die affektierte Literatur mitsamt ihren Salons – das alles wird streng und zuweilen amüsant abgeurteilt. Es enthält Eichendorffs Abrechnung mit seiner Zeit, die er als oberflächlich, verlogen, feige und unfähig zu wahren religiösen Empfindungen hinstellt. Vom Standpunkt des Aufbaus ist das Buch eine Erweiterung des ersten. Einige neue Mitspieler werden eingeführt: der Prinz, der Minister, die Literaturbeflissenen und Romana. Zwei der bisherigen Hauptfiguren, Leontin und Faber, treten zwar noch auf, aber nur in Nebenrollen. Statt dessen wird die wichtigste Liebesgeschichte des Romans, Friedrichs Beziehung zu Rosa, ins Zentrum gerückt und aufgelöst. Aber auch hier liegt der Akzent auf dem Überindividuellen, das die Liebe zweier Leute, die scheinbar füreinander bestimmt sind, zerstört. Was sie trennt, ist gleichzeitig das Kardinalproblem in *Ahnung und Gegenwart*, der Konflikt zwischen dem Alten und dem Neuen.

Erzähltechnisch bringt das dritte Buch die Erfüllung der Einzelschicksale, philosophisch gesehen die Lösung aller Rätsel. Es könnte also als eine einzige ausgedehnte Anagnorisis gelten. Dementsprechend dreht sich der Dialog, sofern er nicht der Aufklärung der dunklen Vergangenheit dient, um Fragen des Lebens und der Religion. Das Ende zeigt, wie begabte Menschen sich der entarteten Epoche gegenüber verhalten. Eichendorffs Antwort ist vernichtend: Friedrich wendet sich von der Gesellschaft ab, indem er Mönch wird, Leontin, indem er nach Amerika auswandert. Dabei muß aber der Leser bedenken, daß dieses Amerika nicht ein Teil der realen Welt, sondern eine Art Rousseauistischer Utopie ist, Sinnbild ursprünglichen, unverdorbenen Lebens.

Diese Analyse macht klar, daß es Eichendorff mit Hilfe eines geschickten Aufbaus gelungen ist, seinem Roman einen mächtigen Rhythmus zu verleihen und ihn zu einem Gipfel zu steigern.

Ein weiteres Ordnungsprinzip ist die Technik der Spannung, die es ihm ermöglicht, eine mehr lyrische als dramatische

Handlung mit Energien aufzuladen. Indem er ständig auf Geheimnisse anspielt und verborgene Elemente in den Lebensgeschichten der Charaktere enthüllt, durch die Aufstellung von Rätseln, die erst nach und nach gelöst werden, durch die Inszenierung von Erkennungen zwischen getrennten Freunden und verlorenen Verwandten knüpft er weit auseinanderliegende Teile der Erzählung zusammen. Natürlich wäre es naiv, zu meinen, derlei diente ausschließlich dem Zweck, den Leser neugierig zu machen, oder sei bloß vorhanden, weil das Muster des romantischen Romans, dem *Ahnung und Gegenwart* verpflichtet ist, Mystifikationen vorschreibt. Als aufregende Geheimnisse, nach deren Erklärung der Leser brennend verlangt, mögen sie ihre Wirkung verfehlen. Gleichwohl sind sie imstande, den Eindruck zu vermitteln, daß die menschliche Existenz ohne ein klares religiöses Bewußtsein wirr und unvollständig ist und daß hinter den Erscheinungen der Oberfläche eine tiefere Wahrheit schlummert. Es ist gerade diese quälende Suche nach Aufklärung der Rätsel, welche die Hauptgestalten ihrer Selbsterfüllung zuführt, und die großen Enthüllungen am Ende, die die einzelnen Bruchstücke des Romans zusammenbinden, sind perfekte ›objektive Korrelate‹ für die philosophischen Aufklärungen und Entschließungen, die gleichzeitig stattfinden.

Die Gestalten

Soziologisch gehört fast das ganze Personal von *Ahnung und Gegenwart* zur Aristokratie: Grafen und Gräfinnen, Landedelleute und ihre Verwandtschaft, Stadtbewohner, die offenbar adlig sind, und sogar ein leibhaftiger Prinz treten auf. Nur eine der wichtigeren Gestalten scheint den unteren Volksschichten anzugehören, das als Knabe Erwin verkleidete Müllermädchen, aber auch sie erhält am Ende als Friedrichs Nichte einen hochvornehmen Stammbaum. Natürlich ist das Buch von Studenten, fahrenden Schauspielern, Jägern, Bauern und Dienern bevölkert, aber wenigen fällt mehr als eine Statistenrolle zu. Auch die Handlung, sofern die Zeit nicht mit Schiffsreisen und auf Ritten durch die Landschaft, die ja auch ein aristokratischer Zeitvertreib sind, hingebracht wird, spielt sich auf den Landsitzen oder in den Stadthäusern des Adels ab. Es braucht nicht betont zu werden, daß die Protagonisten keinen Schlag Arbeit verrichten, solange der Roman währt. Wie diejenigen der mittelalterlichen Ritter beschränken sich ihre Tätigkeiten auf die Jagd und den Krieg, das Reisen und die Liebe. Eine weitere Beschäftigung verdient Erwähnung. In der Welt Eichendorffs muß jedermann, der etwas auf sich hält, ein Dichter sein. Freilich ist auch das ein adliges Tun und völlig vereinbar mit der mittelalterlichen Troubadour-Kultur, auf die er so große Stücke hielt. Aber, Faber ausgenommen, sind sie alle keine Berufsdichter. Mit aristokratischer Verachtung verzichten sie darauf, ihre dichterischen Erzeugnisse schriftlich zu fixieren. Sie sind hochwohlgeborene Minnesänger, deren Gitarrespiel und Serenaden müßiger und edler Ausdruck ihrer freien Seelen sind. Natürlich ist dieser Nachdruck auf dem Adel historisch-biographisch begründet. Eichendorff war sich zutiefst und fast traumatisch der Französischen Revolution bewußt, aber ihre Auswirkungen interessierten ihn nur, insofern sie seine soziale Klasse betrafen. Und obgleich *Ahnung und Gegenwart* so manchen Anklang an den politischen Zeitroman enthält, wird die historische Epoche hauptsächlich auf die Bedeutung für die Aristokratie hin untersucht.

Zu sagen, daß Eichendorffs Gestalten teils männlich und teils weiblich sind, ist weder eine scherzhafte Bemerkung noch eine Binsenwahrheit, denn Frauen und Männer erfahren in diesem Roman ganz verschiedene Behandlung. Betrachtet man *Ahnung und Gegenwart*, wie es unvermeidlich ist, als Erlösungsroman (der Ausdruck ›Gralsroman‹ ist auch vorgeschlagen worden), als Suche nach dem rechten Leben, dann entdeckt man, daß fast alle männlichen Gestalten einen ehrenhaften Ausweg aus ihren Schwierigkeiten und denen ihrer

Zeit finden, während der Autor keine Mühe spart, immer neue Erniedrigungen, Schiffbrüche und tragische Untergänge für seine Frauengestalten zu erfinden. Erwine verliert erst den Verstand und stirbt sodann unter schmerzhaften Herzkrämpfen. Romana, die blendendste und begabteste aller weiblichen Figuren, setzt ihrem ausschweifenden Leben nach vergeblichen Anläufen zu christlicher Buße selbst ein Ende. Marie, die vielversprechende Waldschönheit, geht zum Schluß von Hand zu Hand, wenig mehr als ein durchschnittliches Hürchen. Rosa, Friedrichs große Liebe, gibt ihrer niedrigeren Natur nach, wobei sie es zwar zu weltlichem Erfolg bringt und Gattin des Prinzen wird, aber ihr edleres Selbst der Verderbnis preisgibt. Die einzige Ausnahme ist Julie, der es bei unversehrtem Geist und Leib vergönnt ist, Leontins Exil als Gattin zu teilen, aber erst nachdem sie ein Gelöbnis abgelegt hat, selbst in den amerikanischen Wildnissen eine treue, aufopfernde deutsche Maid zu bleiben. Sie singt ihre Romanze »Von der deutschen Jungfrau« (320)[1] auf Leontins Frage: »wirst du ganz ein Weib sein und [. . .] dich dem Triebe hingeben, der dich zügellos ergreift und dahin und dorthin reißt« (294). Eine solche Unterstellung müßte man als unpassend für einen Jungvermählten tadeln, wäre sie nicht so aufschlußreich für Eichendorffs Einstellung zu den Frauen.
Die Männer schneiden dagegen viel besser ab. Nicht gewillt, sich mit ihren entarteten Zeitgenossen auf Kompromisse einzulassen, ziehen sich Friedrich und Leontin hochmütig, aber würdevoll von der Szene zurück, während Faber unbeirrt und bestätigt in seinem gleichen Tun beharrt. Der einzige männliche Charakter, der Schiffbruch erleidet, ist Rudolf (mag er nun den Protestantismus oder den Zeitgeist oder beides verkörpern). Nachdem er seine Funktion als oberster Rätsellöser erfüllt hat, verwirft er Friedrichs Mahnung, in der

1 Die Ziffern in Klammern verweisen auf die Seiten folgender Ausgabe des Romans: Joseph von Eichendorff, *Ahnung und Gegenwart*, hrsg. von Gerhart Hoffmeister, Stuttgart 1984 (Reclams Universal-Bibliothek, 8229).

Religion (d. h. natürlich im Katholizismus) Trost zu suchen. Man muß annehmen, daß er ein ewig Zerrissener bleibt. Aber weder er noch eine andere männliche Gestalt sinkt je so tief wie die meisten weiblichen. Der Grund für diese auffällige Ungleichheit ist simpel genug. Sein Ursprung reicht in die christlich-romantische, mittelalterliche Mythologie zurück, von der sich die Eichendorffschen Werte herleiten. In diesem System gelten die Frauen als der Ursünde verfallener denn die Männer. Sie sind sinnliche Geschöpfe, denen es schwerfällt, ihre bösen Triebe zu zügeln, und die folglich im Abgrund enden. Sie sind schöne, aber trügerische Wesen, von denen süßsündige Lockungen ausgehen. Außer man tue einen glücklichen Fund, ist es besser, sich von ihnen fernzuhalten. Diese einfache Wahrheit wird dem Leser unverblümt, aber auch symbolisch verbrämt eingeschärft. Das Märchen, das Faber von Ida erzählt, der Tochter eines frommen Ritters, die sich in weltliche Vergnügungen stürzt und als Gefährtin eines gräßlichen Wasserdämons zerstört wird, ist eine solche symbolische Reflexion auf die Frauen. Idas Schicksal läuft demjenigen vieler anderer Frauengestalten parallel. Die schöne, unheimliche Romana ist ein weiteres Beispiel für die weibliche Verfallenheit an das Element, mag das ihre auch das Feuer statt des Wassers sein. Übrigens paßt das Feuer sehr gut zu ihr wie überhaupt zu diesem Roman, denn die destruktive Macht des Eros brennt durch das ganze Werk.

Was sind Eichendorffs Gestalten? Verglichen mit den blutvollen Wesen, die den realistischen Roman bevölkern, bleiben sie eine schattenhafte Schar. Jede tritt in einer typischen Situation auf und bekommt einen Namen, das genügt meistens für die Charakterisierung. Nehmen wir das Förstermädchen Marie als Beispiel. Wir erblicken sie zuerst mit Friedrichs Augen. Sie sitzt auf einem erlegten Reh und singt mit einem jungen Jäger ein Duett, in dem die Jagd dem Liebesspiel der Geschlechter gleichgesetzt wird. Das Wild spielt die weibliche Rolle. Marie in ihrer Situation formt ein Bild, das man als erotisches Emblem bezeichnen könnte. Hinfort ist sie jedesmal, wenn sie auftritt, in irgendein erotisches Abenteuer verwickelt, in Erwartung eines Mannes, einem Verfolger entschlüpfend, einen maskierten Liebhaber mit einem anderen verwechselnd, manchmal in Tränen aufgelöst, ein andermal nahe an der Erkenntnis ihrer tragischen Verstrickung, doch meist in fröhlicher, leichtherziger Hingabe an ihre Funktion. Denn das ist sie im Grunde: Funktion in einem großen Gesamtplan, aber ohne eigene Persönlichkeit. Das gleiche gilt von einer beträchtlichen Anzahl der Nebengestalten.

Aber es trifft auch auf die Hauptfiguren zu. Wir konzentrieren uns auf die Gestalten Friedrich und Leontin. Weil ein großer Teil der Geschichte für und durch sie erzählt wird und weil sie in viele Situationen verwickelt sind, scheinen sie komplexer zu sein, aber in Wirklichkeit sind ganz ähnliche Techniken bei ihrer Erschaffung angewendet worden. Das hängt mit Eichendorffs Handhabung der Handlung zusammen. Da das Geschehen nicht aus dem Willen der Personen fließt, sondern aus einer ihnen übergestülpten Schablone, fehlt ihnen die dreidimensionale Struktur spontanen, selbstgewissen Lebens. Eichendorff hat nichts dazu getan, ein solches zu erzeugen. Man findet keine Analyse von Gedanken und Gefühlen, keine eigentlichen inneren Konflikte, nicht jene kleinen Inkonsequenzen und Widersprüche, die imstande sind, eine Fiktion zum Leben zu erwecken, mit anderen Worten: keine Psychologie. Ebenso abwesend sind jene Erzählmechanismen, die zur Spiegelung des Charakters in der äußeren Welt führen, die eine Gestalt zeigen, wie der Autor sie sieht, wie sie den Mitspielenden erscheint, wie sie sich in Taten, Gesprächen, Träumen, Tagebüchern und Briefen, in plötzlichen Krisen und besonders im Konflikt mit anderen Personen verhält. Von diesem reichhaltigen Arsenal macht Eichendorff nur sehr zurückhaltenden Gebrauch. Von den wichtigsten Figuren erfahren wir nur das Wenige, was der Autor uns aus eigenem Antrieb oder durch einen die persönliche Note kaum anstrebenden Dialog anvertraut.

Es ist nicht schwer, das Bildnis des Grafen Friedrich aus den im Roman enthaltenen Hinweisen zusammenzusetzen. Er wird zuerst in Gesellschaft seiner Kommilitonen vorgeführt. Schon hier stattet ihn sein Schöpfer mit einer heroischen Statur aus, indem er versichert: »Er war größer als die andern, und zeichnete sich durch ein einfaches, freies, fast altritterliches Ansehen aus. Er selbst sprach wenig, sondern ergötzte sich vielmehr still in sich an den Ausgelassenheiten der lustigen Gesellen« (9). Dies ist die ausführlichste Beschreibung, die wir von ihm haben. Er ist ernst, keusch und streng. So sehr ist sein Autor entschlossen, ihn zu einem Ausbund anständiger Wohlgeratenheit zu machen, daß er manchmal gefährlich einer zimperlichen alten Jungfrau ähnelt. Diesen Eindruck gewinnt man zumal in erotischen Zusammenhängen. Die vielen dünnen Nachtgewänder, verschobenen Halstücher und halb entblößten Busen des Romans versetzen ihn regelmäßig in einen Zustand hochmoralischer Entrüstung.

Leontin ist in vieler Hinsicht das Gegenteil seines Freundes. Verhält sich Friedrich still, so ist Leontin laut-fröhlich, ist Friedrich zurückhaltend, so liebt es Leontin, sich in fremde Sachen zu mischen. Der eine ist passiv, der andere dynamisch-tätig, der eine nachdenklich und ausdauernd, der andere unternehmend, wild, ungeduldig und von unbeherrschtem Temperament. Überhaupt scheint es, daß Leontin von jedem Charakterzug, der Friedrich auszeichnet, das genaue Gegenteil hervorkehrt, was auch dazu beiträgt, daß er in größere Gefahr gerät, sich selbst zu verlieren als sein Freund. Im Grunde freilich haben sie viel Gemeinsames. Beide sind wohlmeinende, biedere deutsche Edelmänner, genauer vielleicht: wiedererstandene mittelalterliche Ritter, die, von den Idealen einer verflossenen Epoche beseelt, je nach Temperament an den neuen Zeitläuften leiden. Ihre letztgültigen Entscheidungen scheinen radikal voneinander abzustechen. Aber in ihrer Verurteilung des zeitgenössischen Europa sind sich die beiden Schritte wieder ähnlich, indem sie das Wertgefüge aufrechterhalten, an dem sich Eichendorff ausrichtet:

Friedrich verkörpert das Ideal der Vita contemplativa, Leontin dasjenige der Vita activa. Insofern sind sie Gegensätze. Da aber beide Ideale dem einen Ziel der christlichen Erlösung zustreben, stellen sie dennoch eine übergreifende Identität dar. Und das ist auch der Grund, warum sie so statisch, entwicklungslos, festgelegt wirken. Zusammenfassend ist an Eichendorffs Charaktergestaltung noch einmal hervorzuheben, daß seine Figuren keine psychologisch ausgeführten Personen mit ihren Widersprüchen sind, sondern mit einigen grundsätzlichen Zügen ausgestattete Typen, die von größerer metaphysischer als individueller Bedeutung sind, Chiffren in einem komplizierten System: dem Heilsplan ihres Schöpfers.

Die Symbolik

Es ist offenkundig, daß manchen der eingeschobenen Gedichte und Erzählungen, bestimmten Örtlichkeiten, wie etwa Rudolfs Schloß mit seinen eigentümlichen Bewohnern, ja selbst den Beschreibungen einzelner Landschaften und Persönlichkeiten übergeordnete Sinngehalte entsprechen. Schon der Romananfang bietet ein gutes Beispiel. Der erste Absatz, der die Fahrt eines Schiffes die Donau hinunter beschreibt, erweckt noch keinerlei Argwohn. Aber nach diesen Ausführungen wird ein Ton heilig-ernster Bedeutsamkeit angeschlagen und eine leicht durchschaubare Allegorie entfaltet, die den ganzen Roman bestimmen wird.

> Wer von Regensburg her auf der Donau hinabgefahren ist, der kennt die herrliche Stelle, welche der Wirbel genannt wird. Hohe Bergschluften umgeben den wunderbaren Ort. In der Mitte des Stromes steht ein seltsam geformter Fels, von dem ein hohes Kreuz trost- und friedenreich in den Sturz und Streit der empörten Wogen hinabschaut. Kein Mensch ist hier zu sehen, kein Vogel singt, nur der Wald von den Bergen und der furchtbare Kreis, der alles

> Leben in seinen unergründlichen Schlund hinabzieht, rauschen hier seit Jahrhunderten gleichförmig fort. Der Mund des Wirbels öffnet sich von Zeit zu Zeit dunkelblickend, wie das Auge des Todes. Der Mensch fühlt sich auf einmal verlassen in der Gewalt des feindseligen, unbekannten Elements, und das Kreuz auf dem Felsen tritt hier in seiner heiligsten und größten Bedeutung hervor. (3 f.)

Keinem halbwegs aufmerksamen Leser kann die bedeutungsträchtige Bildlichkeit dieser Passage entgehen. Was aber ist es, das ihn zwingt, in dieser Landschaftsschilderung ein Paradigma menschlicher Alternativen zu erblicken? Warum nimmt der Aufruhr der Wogen metaphorische Bedeutung an und weist auf eine aufgewühlte, richtungslose Existenz, das Kreuz auf ein Erlösungsversprechen? Oberflächlich gesehen bleibt die Szene natürlich in dem gegebenen Rahmen einer Flußreise. Strudel, Fels und Kreuz sind Elemente einer Landschaft, die eine topographische Untersuchung durchaus zuläßt. Aber eine Reihe von Signalen deutet auf eine Sinnerweiterung dieser Sätze über ihren unmittelbaren Gegenstand hinaus. Die Wahl des Vokabulars ist ein erstes Indiz. Der Ort wird im einleitenden Satz »herrlich« genannt und gleich darauf in scheinbarer Synonymik »wunderbar«. Das Wort enthält jedoch eine Anspielung auf »Wunder«, die durch die Gegenwart des Kreuzes noch verstärkt wird. Wenn es dann heißt, dieses schaue »trost- und friedenreich« hinab, dann geht das über die Erfordernisse bloßer Beschreibung hinaus. Die religiösen Attribute führen ein konfessionelles Element in die Szene ein. Wie sehr ein solcher Effekt beabsichtigt ist, wird erst recht deutlich in dem Kontrast mit den Eigenschaften der Wellen, die als »empört« (was auf seelischen Aufruhr hindeutet) und in »Sturz und Streit« befangen bezeichnet werden, eine Redewendung, deren kontradiktorische Zusammensetzung aus mechanischen und emotionalen Kategorien durch den Stabreim überspielt wird.

Indem Eichendorff Frieden und Trost verkündet, betont er

den symbolischen, nicht-naturhaften Charakter des Kreuzes und hebt es aus seiner Umwelt sozusagen in eine andere Sphäre der Imagination. Diese Logik sowie die geschickte Handhabung aller Attribute zwingt den Leser, die Wellen ebenfalls als Symbol einer höheren Wirklichkeit aufzufassen. Welches Element, so fragt man sich unwillkürlich, befindet sich im Gegensatz zum Trost der Religion? Die darauffolgenden, sorgfältig aufgrund ihrer emotional-assoziativen Werte ausgewählten Details der Schilderung legen nach und nach eine Antwort nahe. Der Wirbel ist ein »furchtbarer Kreis«, der alles in seinen Schlund reißt. Soll die »Natur« oder das »Leben« in diesem elementaren Phänomen verkörpert sein? Derlei Abstraktionen drängen sich jedenfalls auf. Der Schauder wird gesteigert durch die plötzliche Verödung einer Szenerie, die eben noch voll des beweglichsten Lebens und der freudigsten Laute war. Die Machtlosigkeit des Menschen gegenüber einer fressenden Drohung (die Hauptwörter »Mund« und »Schlund« suggerieren eine solche) wird noch unterstrichen durch die Andeutung gewaltiger Zeiteinheiten, die das begrenzte Ausmaß der menschlichen Zeitspanne überschreiten. Man kann also die verschlingende Zeit zu den Abstraktionen hinzufügen, die über dieser Passage schweben.

Vergleiche sind ein weiteres von Eichendorff angewendetes Mittel, das zwar schlecht zur realistischen Beschreibung einer Landschaft paßt, dafür aber bei der Erzeugung eines allegorischen Sinnes sehr wirksam ist. Der Wirbel öffnet sich »dunkelblickend«. Zunächst akzeptiert der Leser dieses sonderbare Adverb als stimmungsbildende Synästhesie, als romantische Vermischung metaphorischer Sinneseindrücke, bemerkt aber sehr bald, daß es gleichzeitig als Bindeglied zum Vergleich »wie das Auge des Todes« dient, dem seinerseits eine wichtige Funktion in der Schwarzweißmalerei des Ganzen zukommt.

Als fürchte er, daß der symbolische Sinn verlorengehen könne, verläßt Eichendorff einen Augenblick lang den Bereich der Gegenstände, in dem er bislang vorgegeben hat, sich zu bewegen, und begibt sich in die Sphäre der Ideen, indem er das Panorama nun interpretiert: »Der Mensch fühlt sich auf einmal verlassen in der Gewalt des feindseligen, unbekannten Elements, und das Kreuz auf dem Felsen tritt hier in seiner heiligsten und größten Bedeutung hervor.« Er hat immer noch nicht gesagt (und kann es auch nicht sagen, ohne die Allegorie künstlerisch zu zerstören), was das »unbekannte Element« eigentlich sei. Aber er hat sich eines uralten Metaphernsystems bedient, das jedermann vertraut ist, der mit religiösem Schrifttum auch nur oberflächlich in Berührung gekommen ist. Des Menschen Lebensschiff durchmißt die verräterischen und häufig turbulenten Fluten des Lebens, die den sorglosen, nur auf sein Vergnügen bedachten Reisenden zu verschlingen drohen. Nur wenn er sich am Zeichen des Kreuzes, errichtet auf dem Felsen der Kirche, orientiert, entgeht er dem Schiffbruch und erreicht glücklich den Hafen.

Aber es kommt noch mehr. Wäre alles so einfach, dann erübrigte sich Friedrichs Odyssee durch beinahe weitere dreihundert Seiten *Ahnung und Gegenwart*, denn nichts hindert ihn ja, schon jetzt ins Kloster zu gehen. Aber die Allegorie setzt sich fort, um die Gegenmacht einzuführen, welche die Heilsfindung verzögern wird, wenn auch natürlich nicht verhindern kann. Ein zweites Schiff taucht auf, Friedrich erblickt eine junge Frau am Bug. Ihre Augen begegnen einander einen schicksalhaften Augenblick lang, der »Erinnerungen und niegekannte Wünsche« in ihm aufwühlt. Die finstere Macht dieser Lockung wird sofort deutlich gemacht, denn die Gestalt starrt »unverwandt in den Wirbel hinab« (4). Es kann also nur die Gefahr gemeint sein, daß sich der Held in die Welt verstricken läßt und schließlich in ihr verlorengeht. Die magnetische Anziehung, die von der Welt ausgeht, ist erotischer Natur, konzentriert in der Gewalt, die Frauen über Männer ausüben. Man ist versucht, Goethes berühmten Ausspruch auf Eichendorff anzuwenden, aber umgedreht: »Das Ewig-

Weibliche zieht uns hinab.« Die Richtungspartikel »hinab« gewinnt ganz konkrete Bedeutung, wenn wir sie zu dem Strudel in Beziehung setzen, von dem die Frau am Vorderdeck so fasziniert ist. Es bedarf also gar nicht der Begegnung mit der historischen Zeit und der Verderbnis Europas, um den Ausgang des Romans zu motivieren. Alles Nötige ist schon in dieser meisterhaften Anfangsallegorie enthalten, der Rest des Buches ist bloß ein langsames, farbiges Ausspinnen ihrer einzelnen Teile.

Freilich bleibt sie nicht die einzige, die dem Leser aufgetischt wird. Allegorisieren und Personifizieren sind unwiderstehliche Neigungen Eichendorffs. Das Publikum wird bei ihm zum »Herrn Publikum«, Aurora tritt immer wieder als mit göttlichen Eigenschaften ausgestattete Figur auf, Europa wird zur »Jungfrau Europa«, was es wieder leicht macht, sie zur Hure zu degradieren (313). Ein Blick auf die Namen wird zeigen, daß sogar sie von dieser Tendenz berührt sind. Interessant ist bereits das Fehlen jeglichen Familiennamens. Der Leser erfährt niemals, wie Friedrich und Leontin heißen, während Julies Familie als »von A.« abgekürzt ist. Denn in der Wahl der Nachnamen muß sich der Autor bereits zu einer mehr naturalistischen oder mehr symbolischen Praxis bekennen. Der Name des Helden, Friedrich, scheint zunächst von verborgenen Bedeutungen frei zu sein. Bedenkt man aber, daß dieser weitverbreitete Name in allen Gesellschaftsklassen und allen geschichtlichen Epochen einschließlich des Mittelalters vorkommt, dann zeigt sich, daß auch er sorgfältig ausgewählt wurde. Alle Eigenschaften Friedrichs, seine ganze anspruchslose, superdeutsche, ›altfränkische‹ Art sind darin ausgedrückt.

Das Gegenteil trifft auf Faber zu, dem lateinischen Wort für »geschickt« oder »kunstvoll«. Dieser wenig gebräuchliche Name deutet unmißverständlich auf seine Rolle als Berufsdichter mit ausgesprochener Bevorzugung des Handwerklichen. Ebenso unverkennbar ist Romanas Name, der auf Italien, aber auch auf die Romantik hinweist. Italien mit seinen in der deutschen Literatur traditionellen Konnotationen von Heidentum und Erotik ist für Eichendorff der Ursprung aller dem Christentum feindlichen Kräfte, und die Gräfin vereint diese Elemente aufs genaueste. Auch Rosas Name erfordert keine etymologischen Studien. Doch geht seine Suggestivkraft über die Blume hinaus, an die er sogleich denken läßt. Die freundliche Vorstellung, die damit verbunden ist, wird überschattet, indem die erste Silbe mit derjenigen im Namen von Rosas »Verwandten« Romana übereinstimmt, worin sich die Ambivalenz der Trägerin zu erkennen gibt. Die lateinischen Assoziationen, die sich an Leontins Namen knüpfen, spielen auf die wilde Unabhängigkeit und ruhelose Tätigkeit an, die den zweiten Haupthelden auszeichnen.

Die allegorische Behandlung einer ganzen Figur kann durch einen raschen Überblick über die Implikationen der Gestalt der Gräfin Romana gezeigt werden. Bereits ihr erstes Auftauchen ist charakteristisch: Sie lockt Rosa von Friedrichs Seite in die Residenz, wo sie allmählich den oberflächlichen Versuchungen von Vergnügen, Sexualität und gesellschaftlichem Ehrgeiz erliegt. Romana selbst ist die mythische Inkarnation der Göttin Venus. In einem »lebendigen Bild«, wie sie zur Zeit noch üblich waren, stellt sie eine in »bacchantischer Stellung plötzlich [...] erstarrte« Gestalt dar, »in griechischer Kleidung, wie die Alten ihre Göttinnen abbildeten« (136). Nicht genug damit, singt sie später eine Romanze, Nachbildung der Hörselberglegende, nach der die Zauberin Venus junge Männer ins Verderben lockt. Eichendorff hat aber diese Gestalt komplexer angelegt. Venus-Romana ist nicht nur eine zerstörerische, sondern gleichzeitig eine lebenspendende, poetische Macht, sie selbst fühlt sich unwiderstehlich zu Aurora hingezogen, der mythischen Personifizierung der Kräfte des Ursprungs und des Morgens. Was ihre unschuldige Beziehung zur Natur tragisch verdorben hat, ist der Einbruch eines falschen und schwächlichen modernen Zeitalters. Friedrich findet Romana, ihrer Doppelnatur entsprechend, »höchst anziehend und zurückstoßend zugleich« (142). Seine ganze komplizierte Beziehung zu ihr gelangt an ihren Höhepunkt, als Friedrich einer Einladung auf ihr Schloß folgt, wo er alsobald von Winzern und anderen dionysischen Symbolen umgeben ist und zu allem Überfluß ein kupidoartiger Knabe die Gastgeberin begleitet. Die größte Kraftprobe muß er jedoch nachts bestehen, denn als er aufwacht, liegt die berückende Verführerin unbekleidet zu Füßen seines Bettes. Nur ein frommes altes Lied, das ihm von Kindheit her vertraut ist, gibt ihm die Kraft, der Circe zu entfliehen.

Eine radikale Verkürzung ihres weiteren Schicksals muß genügen. Hoffnungslos in Friedrich verliebt, unfähig, ihn zu bestricken, und eines Grundübels in ihrer Existenz bewußt, versucht sie zu bereuen und ihr Heil in der Religion zu suchen. Sie versagt. Eine ›katholisierte Venus‹ wäre auch zu absurd. Also endet sie in totaler Verwilderung und Selbstmord. Ungemein aufschlußreich sind die Sätze, mit denen Eichendorff ihr hoffnungsloses Dilemma ausdrückt:

> Als sie nun ihren Geliebten wieder vor sich sah, noch immer unverändert ruhig und streng wie vorher, [...] da schien es ihr unmöglich, seine Tugend und Größe zu erreichen. Die beiden vor ihr Leben gespannten, unbändigen Rosse, das schwarze und das weiße, gingen bei dem Anblick von neuem durch mit ihr, alle ihre schönen Pläne lagen unter den heißen Rädern des Wagens zerschlagen, sie ließ die Zügel schießen und gab sich selber auf. (203)

Hier findet man die Quintessenz der allegorischen Methode. Die betreffenden Rosse gibt es natürlich nicht. Sie werden lediglich ihrer Zeigekraft wegen eingeführt. Ihre polaren Farben sollen die gegensätzlichen Tendenzen in der geistigen Verfassung der Gräfin suggerieren. Ebenso charakteristisch für das allegorische Vorgehen ist die Mischung konkreter Einzelheiten mit abstrakten Vorstellungen. Beim Anblick von »Tugend und Größe« »gehen« die Pferde »durch«,

»Pläne« liegen zerschlagen unter »heißen Rädern«, die Rosse sind vor Romanas »Leben« »gespannt«.
Um wirksam zu sein, muß selbst ein so flüchtiges allegorisches Bild zwei Bedürfnisse befriedigen. Es muß ein philosophischer Vergleich, ein Tertium comparationis vorliegen und eine konkrete Verbindung mit dem Kontext, das, was man ein ›ökologisches Bindeglied‹ nennen könnte. Beide Bedingungen sind hier erfüllt. Das Tertium comparationis kommt bei Eichendorff öfter vor: Das Leben ist eine Reise, ein Wagen ist »das Vehikel des Lebens« (man wird förmlich zur Verbindung von Abstraktem und Konkretem gezwungen, wenn man über diese Prosa spricht). Der ›ökologische‹ Faktor besteht darin, daß eine von Pferden gezogene Karosse sehr wohl zu Romanas Lebensstil paßt und die ganze Idee verzweifelter Tollkühnheit ihrem Temperament entspricht. Diese Vorbedingung verhindert, daß die Allegorie »gespreizt« oder »an den Haaren herbeigezogen« wirkt.
Wo immer in meiner Analyse das Wort ›Allegorie‹ vorkommt, hätte ein anderer vielleicht die Bezeichnung ›Symbol‹ vorgezogen. Mir schien Allegorie die treffendere wegen der relativen Willkür und Selbständigkeit der Gegenstände in Eichendorffs fiktiver Welt, mit anderen Worten: wegen ihres zweifelhaften ›Realismus‹. Die Gegenstände der Sinneswahrnehmung werden in Eichendorffs Händen sonderbar durchlässig. Die ganze körperliche Welt, in der das Eigenleben des Menschen nun einmal stattfinden muß und die bei anderen Schriftstellern so saftig-robust und selbstgenügsam sein kann, wird in seiner Werkstatt zu einem leichten, substanzlosen Schleier, der jederzeit die großen geistigen Sinngebungen ungehindert durchleuchten läßt. Diese sind oft so übermächtig, daß sie den Erscheinungen der Oberfläche, und mögen sie noch so anziehend sein, viel von ihrer materiellen Undurchdringlichkeit rauben. Die Kraft dieser Ideen leitet sich aber von ihrem Zusammenhang mit einem theologischen System her, das Eichendorff vom Barock, ja im Grunde vom Mittelalter übernommen hat. So wie in seinem

poetischen Kosmos waren in den alten Zeiten das heidnische und das christliche Prinzip in einen Vernichtungskampf verwickelt. Leib und Seele, Erde und Paradies, das Hiesige und das Jenseitige fochten miteinander um die Seele des Menschen.
Man kann diese Einsicht erweitern und sagen, daß der ganze Roman, weit entfernt von der Wiedergabe historischer Wirklichkeit, eine Allegorie des Lebens in der Napoleonischen Epoche sein soll. Der Gesichtspunkt ist derjenige der adligen Oberschicht, der endgültige Richtspruch denkbar schroff: Für den wohlgeratenen Repräsentanten dieser Klasse ist das Leben unerträglich geworden.

Andere poetische Hilfsmittel

Die kleinen Kunstgriffe, die bewußt angewendeten Methoden, die nötig sind, um eine Geschichte zu erzählen, ebenso wie die subtileren, wahrscheinlich unbewußten literarischen Gepflogenheiten ergeben zusammen das, was man den ›Stil‹ eines Werkes nennen könnte. In diesen Dingen entfernt sich Eichendorff meist nicht allzu sehr von der Praxis seiner Zeitgenossen. Im großen und ganzen wird sein Roman im Ton eines simplen Berichts vorgetragen: Jemand tut dies und unterläßt jenes. Die intimen Gedanken seiner Personen sind dem allwissenden Autor ebenso bekannt wie ihre sichtbaren Handlungen. Die Perspektive ist gewöhnlich die der Gestalt, die gerade im Mittelpunkt der Aufmerksamkeit steht. Die Technik der Mitteilung ist die gleiche für Ereignisse, die vom Autor in der dritten Person berichtet werden, wie für die Ich-Erzählungen, die er einer Figur in den Mund legt, meist um sie ihre Lebensgeschichte erzählen zu lassen.
Die Lieder werden vielfach durch die einfachsten Phrasen eingeführt, die eher wie Vorwände als wie Begründungen klingen: »Noch im Weggehn hörte sie ihn singen« (33) oder »Da vernahm er auf einmal draußen folgenden Gesang«

(57). Solche Einleitungen wirken noch primitiver, wenn jemand von Ereignissen spricht, die sich in ferner Vergangenheit abgespielt haben, und sich nicht nur an den präzisen Augenblick erinnert, wann jeweils die zahllosen Lieder erklungen sind, sondern außerdem noch die Texte wortwörtlich zu rezitieren weiß. Bei einem Lied, das von jemand anders als der sich erinnernden Person gesungen wird, ist sich Eichendorff gewöhnlich der offenkundigen Unwahrscheinlichkeit eines solch völlig intakten Gedächtnisses bewußt und führt zur Erklärung etwa an, daß es dem Sprecher »wohlbekannt war, da es Angelina von mir gelernt hatte« (295). Der Fortgang der Handlung wird durch unzählige »indes« und »unterdes« oder durch ein gelegentliches »wie wir gesehen haben« und »wie wir später sehen werden« (76) im Fluß gehalten.

Viel origineller als diese etwas hölzerne Mechanik ist Eichendorffs Behandlung der Tageszeiten, die so komplex und so zentral für das Werk ist, daß man es mit einer Art privatem Mythos zu tun hat. Im Gegensatz zur normalen Praxis der Romantiker nämlich, die die Nacht über den Tag gestellt und bis zur religiösen Ekstase vergöttlicht haben, ist Eichendorffs geliebteste Tageszeit der Morgen, dessen blitzende Schönheit er nicht müde wird zu evozieren. Oft führt er seine Protagonisten auf eine erhöhte Stelle, von der aus sie die Herrlichkeiten der Welt erblicken können, während er mit einer seiner berühmten Formeln ›die Sonne eben prächtig aufgehen‹ läßt. Der Morgen ist Symbol für die Einheit des Menschen mit der Schöpfung, die Zeit, wo Eichendorffs Wanderer freudig ihrer Wege ziehen und mit den Vögeln um die Wette musizieren.

Das Gegenteil gilt von den Nachmittagen, wenn die Sonne den Zenit überschritten hat und ihre versengenden Strahlen heruntersendet. In der Schwüle dieser Pan-Stunde befällt den Wanderer eine Lähmung des Willens, des Lebensmutes überhaupt. Er wird sich seiner Abhängigkeit von den ewigen Rhythmen der Natur bewußt und verfällt in eine tiefe kreatürliche Melancholie. Angesichts dieses Auf und Ab der Stimmungen, des Wechsels von Sommer und Winter, Leben und Tod besinnt er sich auf seine ethische Beschaffenheit. Es versteht sich von selbst, daß auch die Tageszeiten mit Eichendorffs theologischen Inhalten aufgeladen sind.

Berühmt sind Eichendorffs Landschaften, das Segeln der Wolken, das Säuseln der Blätter und Rauschen der Bäche, seine Flüsse, Berge und Wälder, die voll sind von Vogelgezwitscher, dazwischen manchmal der Laut einer Mühle oder eines Posthorns. Aus ihnen zieht er die immer gleichen szenischen Elemente, aus ihnen baut er seine unzähligen Naturschauplätze auf. Viel Scharfsinn ist von Kennern darauf verwendet worden, das Wesen der Eichendorffschen Landschaft zu entschlüsseln.[2] Ein Teil ihrer Magie leitet sich von der jeweiligen Position im Text her. Oft wird ein freies Draußen einem bedrückenden Drinnen entgegengesetzt und schon dadurch ein bedeutender Effekt erzielt. Aber in der Landschaftsbeschreibung selbst sind es nicht etwa, wie man erwarten würde, die Hauptwörter, die die linguistische Basis erstellen, sondern die Verben, genauer noch: die doppelten Verbal-

2 Zu diesen rechne ich als wichtig folgende Arbeiten: Richard Alewyn, »Eine Landschaft Eichendorffs«, in: *Euphorion* 51 (1957) S. 42–60; Oskar Seidlin, »Eichendorff's symbolic landscape«, in: *Publications of the Modern Language Association of America* 72 (1957) S. 645–661. Dt. u. d. T.: »Eichendorffs symbolische Landschaft«, in: *Eichendorff heute. Stimmen der Forschung mit einer Bibliographie*, hrsg. von Paul Stöcklein, München 1960, S. 218–241; auch in: O. S., *Versuche über Eichendorff*, Göttingen 1965, S. 32–53; Leo Spitzer, »Zu einer Landschaft Eichendorffs«, in: *Euphorion* 52 (1958) S. 142–152; auch in: L. S., *Texterklärungen. Aufsätze zur europäischen Literatur*, München 1969, S. 187–197.
Peter Paul Schwarz, *Die Bedeutung der Tageszeiten in der Dichtung Eichendorffs. Studien zu Eichendorffs Motivik, Erzählstruktur, Zeitbegriff und Ästhetik auf geistesgeschichtlicher Grundlage*, Diss. Freiburg i. Br. 1964 [vervielf.]; auch als Buch: *Zur romantischen Zeitstruktur bei Eichendorff*, Bad Homburg 1970.
Paul Requadt, »Eichendorffs Italien«, in: P. R., *Die Bildersprache der deutschen Italiendichtung von Goethe bis Benn*, Bern 1962, S. 107–125.
Alexander von Bormann, *Natura loquitur. Naturpoesie und emblematische Formel bei Joseph von Eichendorff*, Tübingen 1968.

präfixe wie › an ... vorüber‹, ›aus ... herauf‹ usw., die den unvergleichlichen Eindruck von grenzenloser Weite, Tiefe und Bewegung hervorrufen. Verglichen mit dieser Dynamik, sind die Substantive und Adjektive eher unbedeutend, und ihre Unbestimmtheit wird durch häufige Pluralbildungen noch erhöht. Charakteristisch sind ferner die akustischen Elemente, die den visuellen an Bedeutsamkeit noch übergeordnet werden. Wie aber die Landschaft auch beschaffen sein mag, immer wird sie durch die Gegenwart eines Beschauers oder Horchenden strukturiert. Diese Perspektive bildende Eigenart darf nicht als ›romantischer Subjektivismus‹ ausgelegt werden. Anders als die Romantiker gebraucht Eichendorff seine Landschaften niemals als Spiegelungen oder Projektionen von Gefühlen, weder seiner eigenen noch derjenigen seiner Gestalten. Was diese Landschaften erzeugen, ist nämlich nicht Gefühl, sondern Raum, den eigentümlichen Raum der Eichendorffschen Welt, in der selbst die gewöhnlichsten Dinge und konventionellsten Geschehnisse sich »poetisieren«.

Das alles hat die Forschung in Jahren minuziösen Studiums erarbeitet, und es trifft in hohem Maße auch auf *Ahnung und Gegenwart* zu. Aber einem bedeutsamen Zug in diesem Kunst-Weltraum ist keine Aufmerksamkeit geschenkt worden, einem merkwürdig versteckten, aber tief suggestiven Widerspruch, der der Eichendorffschen Landschaft innewohnt und die Sinnstruktur besonders von *Ahnung und Gegenwart* beeinflußt. Denn trotz seiner gewaltigen, mit Hilfe von vielerlei stilistischen Mitteln erzielten Ausdehnung ist der Eichendorffsche Raum auf eine Weise begrenzt, wie es der empirische Raum unserer Erfahrung nicht ist. Sehr oft – so oft, daß kaum von ›Zufall‹ gesprochen werden kann – fällt die Bewußtseinssphäre einer Hauptgestalt mit der Landschaft zusammen, in die sie gestellt ist. Betrachten wir daraufhin etwa das Ende von *Ahnung und Gegenwart*, dem gerade wegen seiner Position in der Architektur des Ganzen großes Gewicht beigemessen werden muß. Der Ausklang eines dichterischen Werkes trägt beschwerte Akzente. Der Autor weiß, daß jedes Wort im Geist des Lesers weitervibrieren wird. Man kann daher annehmen, daß er in der Abfassung der letzten Sätze besondere Sorgfalt hat walten lassen:

> Friedrich hatte nichts mehr davon bemerkt. Beruhigt und glückselig war er in den stillen Klostergarten hinausgetreten. Da sah er noch, wie von der einen Seite Faber zwischen Strömen, Weinbergen und blühenden Gärten in das blitzende, buntbewegte Leben hinauszog, von der anderen Seite sah er Leontins Schiff mit seinem weißen Segel auf der fernsten Höhe des Meeres zwischen Himmel und Wasser verschwinden. Die Sonne ging eben prächtig auf. (328)

Dieser Absatz enthält so manche der raumschaffenden Elemente, von denen schon die Rede war. Aber trotz seiner riesigen Reichweite, die sich von Horizont zu Horizont erstreckt, enthält er bloß das für die Situation Unentbehrliche, sonst nichts. Diese Erkenntnis läßt den Raum gerade in dem Augenblick geistig schrumpfen, in dem er eine scheinbar nicht mehr zu übertreffende physische Ausdehnung erreicht. Die Ursache für solche Diskrepanz ist nicht schwer zu finden, denn dies ist ja keine gewöhnliche Landschaft, nicht Ausschnitt der Welt, der sich dem Blick mit seiner Reichhaltigkeit und seinen unvorhersagbaren Einzelheiten darbietet, sondern eine Szenerie, die erst *durch das Auge des Beschauers gebildet* wird und nur jene Erscheinungen enthält, die der Autor gerade benötigt. Eichendorffs Landschaft ist stilisierter, symbolischer, metaphysischer Raum. Das aufschlußreichste Wort in der obigen Passage ist wohl »Leben«. Es stünde nicht da, wenn es sich nicht um die Schlußkadenz des Romans handelte. Faber, offensichtlich auf einer seiner Reisen begriffen, durchreitet nicht eine konkrete, wohldefinierte Gegend dieser Erde, sondern er kehrt ins ›Leben‹ zurück. Leontin hingegen, immer noch der Abenteurer und Handelnde, fordert den

Ozean heraus, um in fernen Ländern sein Heil zu suchen. So gefahrvoll ist sein Tun, daß alles zurückgeblieben ist und zwischen dem trügerischen Element und dem Himmel nichts mehr steht als er selbst. Das winzige Schiff mit seinem einzelnen Segel ist die symbolische Verbildlichung seines enormen Unternehmens.

Friedrich, die Zentralgestalt, liefert die Perspektive. Wie jeder Mensch es muß, besetzt er den Mittelpunkt seines Gesichtskreises, seine Freunde sind links und rechts. Der Leser weiß, was er nicht mehr »bemerkt« hat: Ohnmacht und Abschied Rosas, seiner einstigen Geliebten. Zum erstenmal in seinem Leben ist er »beruhigt«. Wie andere so oft, läßt Eichendorff auch ihn aus einem Innenraum hinaustreten, ins Freie. Sein Vordergrund ist der Klostergarten. Kummer und Trubel sind vorbei, alle Mysterien offenbart. Die Sonne kann aufgehen und die Szene erhellen, ein für allemal.[3]

Man könnte naiv fragen, was das denn für Berge in Deutschland seien (mit einem Kloster auf dem Gipfel), von wo man auf der einen Seite den Ozean, auf der anderen Flüsse und Weingärten sehen kann? Von welchen Häfen liefen im neunzehnten Jahrhundert Schiffe mit einem einzigen Segel nach Amerika aus? Was man durch solch pedantische Insistenz allenfalls gewinnen würde, wäre erneute Bestätigung, daß dies keine ›realistische‹ Landschaft sein könne. Das einzig ›Wirkliche‹ an diesem letzten Bild ist, daß es mit schöner allegorischer Verachtung aller Wahrscheinlichkeit die drei Freunde, den *poeta activus*, den *poeta contemplativus* und den *poeta faber* (denn Poeten sind sie ja vor allem) noch einmal in dem gleichen vielsagenden Rahmen vereint.

Diese Erkenntnisse sind auch geeignet, unsere Mutmaßungen über Eichendorffs Verhältnis zur Wirklichkeit zu befesti-

3 Zur Erklärung von Eichendorffs Sonnenaufgängen: Egon Schwarz, »Bemerkungen zu Eichendorffs Erzähltechnik«, in: *The Journal of English and Germanic Philology* 56 (1957) S. 542–549. Wiederabdr. in: *Romantik. Ein literaturwissenschaftliches Studienbuch*, hrsg. von Ernst Ribbat, Königstein i. Ts. 1979, S. 184–190.

gen. Was sollen wir von zwei Flußschiffen halten, die so nahe aneinander vorüberfahren, daß jedes Detail, jeder Gesichtsausdruck von einem zum anderen ›wahrgenommen‹ werden kann? Oder von einer Uferpromenade, ebenfalls vom Deck aus beobachtet, während welcher sonntäglich gekleidete Herren und Damen grüßend und musikalisch begleitet sich menuettartig voreinander verneigen? Haben wir es mit Eichendorffs Mißachtung jeglicher Plausibilität zu tun, oder müssen wir eine andere Erklärung finden? Und wie sollen wir darauf reagieren, daß die Residenz, die bis zu diesem Zeitpunkt kaum erwähnt worden ist, sofort vom nächsten Hügel sichtbar wird, sobald Rosa sie sich vorstellt (61)? Oder auf die Tatsache, daß Rosa selbst, in dem Augenblick, wo Friedrich an sie denkt, reitend in der Ferne sichtbar wird, unerreichbar, doch ein konstitutiver Bestandteil der Landschaft (12)?
Der Beispiele, wo disparate Details einer Szenerie einander gegenübergestellt werden, die symbolisch entgegengesetzten Sphären angehören – wie etwa das Landgut des Herrn von A. und die Residenz – und deren gemeinsamer Nenner bloß in den Denkprozessen der handelnden Personen zu finden ist, gibt es zu viele, um aufgezählt zu werden. Das ist aber auch nicht nötig, denn aufgrund des bereits Beobachteten läßt sich der Schluß ziehen, daß Eichendorffs Welt zwar weiträumig und voll bezaubernder Einzelzüge ist, aber keineswegs unendlich oder einer unabhängigen empirischen Wirklichkeit angehörig. Was uns Eichendorff als ›gegeben‹ anbietet, umfaßt eine andere ›Realität‹ als die unseres Alltags. Der dichte Teppich unserer Sinneswahrnehmungen wird in dem Bereich seiner Fiktionen zu einem durchsichtigen, über das Wesentliche nur leicht hingeworfenen Gewebe. Mit der Bestandsaufnahme seiner Einzelheiten gibt er sich nicht ernstlich ab. Manche davon sind die gleichen wie die der uns vertrauten Welt. Aber die daraus resultierende Täuschung kann nicht andauern. Denn Eichendorff setzt sie mit einer Willkür zu schönen, bedeutungsvollen Mustern zusammen, die es in der normalen Welt nicht gibt. Und auch das ist noch nicht sein

letztes Ziel. Denn indem er den Schleier so dünn und zart wie möglich webt, will er erreichen, daß das, was darunter ist, um so kenntlicher hindurch scheint. Eichendorffs Wahrheit mag man gegenüberstehen, wie man will. Tatsache bleibt, daß er dem romantischen Ästhetizismus, der seine Wellen durch die ganze Welt geschickt hat, nur dadurch entging, daß er nicht auf Schönheit, sondern auf Wahrheit aus war.

Literaturhinweise

Ausgaben

Joseph Freiherr von Eichendorff: Ahnung und Gegenwart. Ein Roman. Mit einem Vorw. von de la Motte Fouqué. Nürnberg: Schrag, 1815.
Joseph von Eichendorff: Werke. 5 Bde. Nach den Ausg. letzter Hand unter Hinzuziehung der Erstdr. Textred.: Jost Perfahl und Marlies Korfsmeyer. Einf., Zeittaf. und Anm. von Ansgar Hillach und Klaus-Dieter Krabiel. Nachw. zur gesamten Ausg. von Peter Horst Neumann. München: Winkler, 1970–88. [*Ahnung und Gegenwart* in: Bd. 2, 1978, S. 7–292.]
Joseph von Eichendorff: Werke in sechs Bänden. Hrsg. von Wolfgang Frühwald [u. a.]. Bd. 1 ff. Frankfurt a. M.: Deutscher Klassiker Verlag, 1985 ff. [*Ahnung und Gegenwart* in: Bd. 2, S. 53–382.]
Joseph von Eichendorff: Ahnung und Gegenwart. Ein Roman. Hrsg. von Gerhart Hoffmeister. Stuttgart: Reclam, 1984. (Universal-Bibliothek. 8229)

Forschungsliteratur

Alewyn, Richard: Eine Landschaft Eichendorffs. In: Euphorion 51 (1957) S. 42–60.
Bormann, Alexander von: Natura loquitur. Naturpoesie und emblematische Formel bei Joseph von Eichendorff. Tübingen 1968.
Diebitz, Stefan: Lyrik im epischen Zusammenhang. Ein Versuch, Funktion und Sinn der Lyrik in *Ahnung und Gegenwart* näher zu bestimmen. In: Aurora 47 (1987) S. 88–100.
Ehrlich, Lothar: Joseph von Eichendorffs Vorwort zu seinem Roman *Ahnung und Gegenwart*. In: Germanistisches Jahrbuch DDR – UVR 7 (1988) S. 82–91.
Hörisch, Jochen: Larven und Charaktermasken. Zum 11. Kapitel von *Ahnung und Gegenwart*. In: Eichendorff und die Spätromantik. Hrsg. von Hans-Georg Pott. Paderborn [u. a.] 1985. S. 27–38.
Hüseler, Horst: Erwin – eine ›poetische Gestalt‹. In: Aurora 28 (1968) S. 70–79.
Kafitz, Dieter: Wirklichkeit und Dichtertum in Eichendorffs *Ahnung und Gegenwart*. Zur Gestalt Fabers. In: Deutsche Vierteljahrs-

schrift für Literaturwissenschaft und Geistesgeschichte 45 (1971) S. 350–375.

Keller, Otto: Eichendorffs Kritik der Romantik. Zürich 1954.

Killy, Walter: Der Roman als romantisches Buch. In: W. K.: Wirklichkeit und Kunstcharakter. Neun Romane des 19. Jahrhunderts. München 1963. S. 36–58.

Lämmert, Eberhard: Zur Wirkungsgeschichte Eichendorffs in Deutschland. In: Romantikforschung seit 1945. Hrsg. von Klaus Peter. Königstein i. Ts. 1980. S. 203–228.

Mauser, Wolfram: Eichendorff-Literatur 1959–1962. In: Der Deutschunterricht 14 (1962) H. 4. Beil. S. 1–12.

Meixner, Horst: Romantischer Figuralismus. Kritische Studien zu Romanen von Arnim, Eichendorff und Hoffmann. Frankfurt a. M. 1971. S. 102–154.

Naumann, Meino: Des Freiherrn von Eichendorff Leiden am Dialog. Untersuchung des Dialogverfahrens in *Ahnung und Gegenwart*. In: Aurora 41 (1981) S. 22–34.

Rehder, Helmut: Ursprünge dichterischer Emblematik in Eichendorffs Prosawerken. In: The Journal of English and Germanic Philology 56 (1957) S. 528–541.

Requadt, Paul: Eichendorffs *Ahnung und Gegenwart*. In: Der Deutschunterricht 7 (1955) H. 2 S. 79–92.

– Eichendorffs Italien. In: P. R.: Die Bildersprache der deutschen Italiendichtung von Goethe bis Benn. Bern 1962. S. 107–125.

Riley, Thomas A.: An allegorical Interpretation of Eichendorff's *Ahnung und Gegenwart*. In: Modern Language Review 54 (1959) S. 204–213.

– Die Erzähltechnik des jungen Eichendorff. In: Aurora 20 (1960) S. 30–35.

– Eichendorff and Schiller. The interpretation of a paragraph in *Ahnung und Gegenwart*. In: Monatshefte für deutschen Unterricht, deutsche Sprache und Literatur 50 (1958) S. 119–128.

– Joseph Görres und die Allegorie in *Ahnung und Gegenwart*. In: Aurora 21 (1961) S. 58–63.

Schumann, Detlev W.: Rätsel um Eichendorffs *Ahnung und Gegenwart*. Spekulationen. (1977.) In: Ansichten zu Eichendorff. Beiträge der Forschung 1958–1988. Für die Eichendorff-Gesellschaft hrsg. von Alfred Riemen. Sigmaringen 1988. S. 206–238.

Schwarz, Egon: Bemerkungen zu Eichendorffs Erzähltechnik. In: Romantik. Ein literaturwissenschaftliches Studienbuch. Hrsg. von Ernst Ribbat. Königstein i. Ts. 1979. S. 184–190.

Schwarz, Egon: Joseph von Eichendorff. New York 1972. S. 24–78.
Schwering, Markus: Epochenwandel im Spätromantischen Roman. Untersuchungen zu Eichendorff (*Ahnung und Gegenwart*), Tieck (*Der junge Tischlermeister*) und Immermann (*Die Epigonen*). Köln 1985.
– Künstlerische Form und Epochenwandel. Ein Versuch über Eichendorffs Roman *Ahnung und Gegenwart*. In: Aurora 43 (1983) S. 7–31.
Seidlin, Oskar: Eichendorffs symbolische Landschaft. In: Eichendorff heute. Stimmen der Forschung mit einer Bibliographie. Hrsg. von Paul Stöcklein. München 1960. S. 218–241.
– Versuche über Eichendorff. Göttingen 1965.
Spitzer, Leo: Zu einer Landschaft Eichendorffs. In: Euphorion 52 (1958) S. 142–152.
Stutzer, Dietmar: Der Jochenstein in der Donau in *Ahnung und Gegenwart*. In: Aurora 37 (1977) S. 66–70.
Weydt, Günter: Der deutsche Roman von der Renaissance bis zu Goethes Tod. In: Deutsche Philologie im Aufriß. Hrsg. von Wolfgang Stammler. Bd. 2. Bielefeld 1952–54.
Zons, Raimar Stefan: »Schweifen«. Eichendorffs *Ahnung und Gegenwart*. In: Eichendorff und die Spätromantik. Hrsg. von Hans-Georg Pott. Paderborn [u. a.] 1985. S. 39–68.

HORST S. DAEMMRICH

E. T. A. Hoffmann: *Kater Murr*

Entstehung und Voraussetzungen

Hoffmanns Arbeit am *Kater Murr* (*Lebens-Ansichten des Katers Murr nebst fragmentarischer Biographie des Kapellmeisters Johannes Kreisler in zufälligen Makulaturblättern*) fiel in eine Zeit großer dienstlicher Anforderungen als Regierungsrat am Kammergericht in Berlin, bedrückender Auseinandersetzungen mit Heinrich von Kamptz, dem Direktor des Polizeiministeriums, bedeutender schriftstellerischer Leistungen und neuer literarischer Pläne. Nach einer schweren Erkrankung im Frühjahr 1819 reiste Hoffmann von Juli bis September mit seiner Frau zur Erholung nach Schlesien. Er wurde noch im selben Jahr zum Mitglied der im Oktober einberufenen »Immediat-Kommission zur Ermittlung hochverräterischer Verbindungen und anderer gefährlicher Umtriebe« ernannt. Sein Rechtsempfinden und seine sachlichen Ausführungen brachten ihn in einen Konflikt mit Regierungsvertretern, der sich im Februar 1820 nach Erstattung seines Gutachtens im Falle des »Turnvaters« Friedrich Jahn aufs schärfste zuspitzte.[1] Die Ministerialkommission lehnte Hoffmanns Darlegung, daß Jahn sich nicht strafbar gemacht habe und entlassen werden solle, ab. Jahn wurde auf die Festung Kolberg versetzt. Als Hoffmann einer Privatklage Jahns gegen Kamptz mit der Begründung stattgab, jeder Bürger unterstehe dem Recht, wurde das Verfahren auf Anweisung des Königs eingestellt. Ein anderes Gutachten, das die Freilassung des Juristen Ludwig von Mühlenfels verlangte,

1 Vgl. Wulf Segebrecht, »E. T. A. Hoffmans Auffassung vom Richteramt und vom Dichterberuf«, in: *Jahrbuch der Deutschen Schillergesellschaft* 11 (1967) S. 62–138.

wurde ebenfalls zurückgewiesen. Da Hoffmann auf Rechtsgrundsätzen bestand und die willkürlichen Übergriffe der Staatsorgane scharf verurteilte,[2] beantragte er im Sommer 1821 seine Freistellung von der Kommission, die ihm bewilligt wurde. Die Nachstellungen hörten jedoch nicht auf, sondern verschärften sich, als Kamptz über die bevorstehende Veröffentlichung der satirischen »Knarrpanti-Szenen« in *Meister Floh* informiert wurde. Erst Hoffmanns Tod am 25. Juni 1822 machte der Verfolgung ein Ende.

In dieser Zeit befaßte sich Hoffmann mit der zweiten Auflage der *Fantasiestücke in Callots Manier* (1814/15), arbeitete an den *Serapions-Brüdern* (1819–22), *Prinzessin Brambilla* (1820), *Meister Floh* (1822) und plante den »Jacobus Schnellpfeffer«. Die Beschäftigung mit den *Fantasiestücken* belebte Hoffmanns Interesse an der bereits 1810 für die Skizze »Johannes Kreislers, des Kapellmeisters, musikalische Leiden« entworfenen Künstlerfigur. Hoffmann begann die Niederschrift des *Katers Murr* im Mai 1819 und konnte Teile des Manuskripts bereits im Juli dem Verleger Dümmler übergeben. Zwischen Oktober und November beendete Hoffmann den ersten Band, der im Dezember mit der Jahreszahl 1820 auf dem Titelblatt erschien. Obwohl er den zweiten Band mehrmals ankündigte, konnte er erst im Sommer 1821 ernsthaft daran arbeiten. Er schloß ihn Anfang Dezember ab. Das Werk wurde bereits Mitte Dezember mit der Jahreszahl 1822 ausgeliefert.

Hoffmann legte auf den Roman großen Wert[3] und sah in ihm eine neue Ausdrucksmöglichkeit verwirklicht: »Was ich jetzt bin und seyn kan wird *pro primo der Kater* dann aber wills

2 Vgl. die Gutachten Schallenberger, Asmann, Schmolling, die Fälle Bader, Ulrich, Lieber, Follenius, Roediger und die Protokolle Jahn und Mühlenfels in: E. T. A. Hoffmann, *Juristische Arbeiten*, hrsg. von Friedrich Schnapp, Darmstadt 1967.

3 Vgl. *E. T. A. Hoffmann*, hrsg. von Friedrich Schnapp, München 1974 (Dichter über ihre Dichtungen, 13), S. 242 f.; Klaus Günzel, *E. T. A. Hoffmann. Leben und Werk in Briefen, Selbstzeugnissen und Zeitdokumenten*, Düsseldorf 1979, S. 424.

Gott auf andere Weise noch der *Jacobus Schnellpfeffer* [...] zeigen.«[4] Die Zeitgenossen urteilten indes zurückhaltend oder ablehnend.[5] Die Kritik richtete sich gegen grelle Dissonanzen, den zersetzenden Humor, das Skurrile, die Hingebung an jede Laune des Augenblicks und schriftstellerische Flüchtigkeiten. Der Roman setzte sich jedoch im 19. Jahrhundert durch, wurde in verschiedenen Auswahl- und Gesamtausgaben der Werke neu veröffentlicht und von der Literaturgeschichte nicht nur ablehnend, sondern auch positiv bewertet.[6] Allerdings zeichnete sich die Tendenz ab, die Konzeption der Figur Kreislers zu loben, die Aufzeichnungen Murrs dagegen lediglich als skurrilen Einfall zu betrachten. In der formalen Anlage des Werkes sah man sowohl einen Stilzug, der die Unvereinbarkeit des künstlerischen Daseins mit der Welt der Philister hervorhob, wie einen Höhepunkt romantischer Formkunst, aber auch eine Wuchererscheinung und einen Fehlgriff.

Das Werk bricht mit einer »Nachschrift des Herausgebers«

4 *E. T. A. Hoffmanns Briefwechsel*, hrsg. von Friedrich Schnapp, Bd. 2, Darmstadt 1968, S. 288.

5 Hartmut Steinecke hat der Reclam-Ausgabe des *Kater Murr* (s. Anm. 7) auf S. 462–480 Dokumente zur Entstehungs- und Wirkungsgeschichte beigefügt. Die schärfste Kritik aus dem Ausland kam von Walter Scott (1827).

6 Vorbehalte in den Standardwerken von August Koberstein, Georg Gervinus, Julian Schmidt; ausgesprochen negativ: Wolfgang Menzel, *Geschichte der deutschen Dichtung von der ältesten bis auf die neueste Zeit*, Bd. 3, Stuttgart 1859, S. 369; A. F. C. Vilmar, *Geschichte der deutschen National-Litteratur*, Marburg/Leipzig ^{23}1890, S. 465 (»Zerrbild, Schauder und Grausen einer finsteren Tiefe«). Dagegen lobt Robert Koenig (*Deutsche Literaturgeschichte*, Bd. 2, Bielefeld/Leipzig ^{23}1893, S. 184) das »von Humor übersprudelnde« und »geistreiche« Werk; Alfred Biese (*Deutsche Literaturgeschichte*, Bd. 2, München 1908, S. 450) erwähnt »die große Kunst des geschickten Aufbaues« und erklärt, das Buch sei voll »Weisheit, Tiefsinn und Humor«; Werner Kohlschmidt, *Geschichte der deutschen Literatur von der Romantik bis zum späten Goethe*, Stuttgart 1974, S. 391–394, betont die Bedeutung des Romans; Klaus Peter, »Romantik«, in: *Geschichte der deutschen Literatur*, hrsg. von Erhard Bahr, Bd. 2, Tübingen 1988, S. 385, erwähnt dagegen den Roman nur in einem Satz.

ab. Es berichtet Murrs Tod, bedauert, daß Murrs Lebensansichten »Fragment bleiben müssen«, kündigt jedoch einen dritten Band an, der das »von Kreislers Biographie noch Vorgefundene« und »hin und wieder [...] Bemerkungen und Reflexionen des Katers« (443)[7] enthalten soll, und bestätigt damit die im »Vorwort« zum ersten Band begründete diskontinuierliche Erzählweise. Die Verbindung der Erzählstränge einer plötzlich abgebrochenen Murr-Aufzeichnung mit der fragmentarisch wirkenden Lebensgeschichte Kreislers zeitigte nicht nur neue Erzählungen wie etwa David Herrmann Schiffs *Nachlaß des Kater Murr* (1826), eine Fortsetzung der Lebensansichten Murrs in drei Teilen,[8] sondern auch eine bewußte Aufspaltung des Romans durch Hans von Müller, der das »Katertagebuch« einen »unglückseligen Einfall« nannte, der die Kreisler-Biographie »nahezu ungenießbar« mache.[9] Die Frage nach dem Inhalt des geplanten dritten Bandes führte zu Annahmen, die im allgemeinen die jeweiligen Auslegungen des Werkes absicherten. Aus der Sicht systematischer Strukturanalysen wirkt sie belanglos. Auch Literaturwissenschaftler, wie Preisendanz[10], Singer[11], Loeve-

7 Hier und im folgenden wird zitiert nach: E. T. A. Hoffmann, *Lebens-Ansichten des Katers Murr nebst fragmentarischer Biographie des Kapellmeisters Johannes Kreisler in zufälligen Makulaturblättern*, mit Anh. und Nachw. hrsg. von Hartmut Steinecke, Stuttgart 1972 [u. ö.] (Reclams Universal-Bibliothek, 153). Die Seitenzahl steht in Klammern hinter dem jeweiligen Zitat.

8 Franz Leppmann, *Kater Murr und seine Sippe von der Romantik bis zu V. Scheffel und G. Keller*, München 1908. Leppmann verfolgt die Verbreitung der Kater-Metaphorik und bespricht Schiff auf S. 23.

9 *Das Kreislerbuch. Texte, Compositionen und Bilder von E. T. A. Hoffmann*, zusammengest. von Hans von Müller, Leipzig 1903. *Lebens-Ansichten des Katers Murr. Nach E. T. A. Hoffmanns Ausgabe*, neu hrsg. von Hans von Müller, Leipzig 1916. Zu Müllers kritischen Darlegungen vgl. H. v. M., *Gesammelte Aufsätze über E. T. A. Hoffmann*, hrsg. von Friedrich Schnapp, Hildesheim 1974.

10 Wolfgang Preisendanz, *Humor als dichterische Einbildungskraft. Studien zur Erzählkunst des poetischen Realismus*, München 1963, S. 78.

11 Herbert Singer, »E. T. A. Hoffmann: *Kater Murr*«, in: *Der deutsche Roman. Vom Barock bis zur Gegenwart*, hrsg. von Benno von Wiese, Bd. 1, Düsseldorf 1963, S. 323.

nich[12] und Steinecke[13], die aufgrund genauer Kenntnis des Werkes der Forschung neue Impulse vermittelten, lehnen Erwägungen eines nicht belegbaren Handlungsschlusses ab. Dagegen erhob jedoch Schadwill den Einwand, daß eigentlich jede folgerichtige Gesamtdarstellung das Werk zu Ende denke. Er befürwortet deshalb »die Möglichkeit einer systematischen Spekulation, welche die im *Murr* unvollständig gebliebenen Strukturen gemäß ihrer eigenen Logik zu rekonstruieren versucht«.[14]

Der von ihm entworfene Ausgang *Murrs* in einer möglichen Synthese, in der sich die Widersprüche im »Sinnbild einer am Ende doch wieder in die Fugen gekommenen Welt« lösen,[15] belegt jedoch nicht den methodischen Ansatzpunkt, sondern ein grundsätzliches Problem der Textanalyse. Kompositorisch verbindet der Roman eine relativ gradlinig fortschreitende und eine ausschweifende, aber kreisförmige Erzählhandlung. Zahlreiche Rückgriffe und Vorausdeutungen verlaufen im Dunkel. Herkunft, Verwandtschaft und Familienbeziehungen der Personen sind unklar. Ihre vielfältig verknüpften Beziehungen wirken teils zufällig, teils geheimnisvoll. Wiederkehrende krasse Stimmungsumschläge verwirren den Leser. Ständige Anspielungen auf die kulturelle Tradition beladen selbst scheinbar weniger bedeutende Ereignisse mit zusätzlichen Gehalten. Die erzähltechnische Konsequenz der Anlage ist der Verlauf in einen offenen Schluß, der den Leser auf den Text zurückverweist mit der Forderung, über Gehalt und Struktur nachzudenken.

Auf der Suche nach Beglaubigung der textinternen Verweise

12 Heinz Loevenich, »Einheit und Symbolik des *Kater Murr.* Zur Einführung in Hoffmanns Roman«, in: *Der Deutschunterricht* 16 (1964) H. 2, S. 83.

13 Hartmut Steinecke, »E. T. A. Hoffmanns *Kater Murr.* Zur Modernität eines ›romantischen‹ Romans«, in: *Jahrbuch des Wiener Goethe-Vereins* 81/83 (1977/79) S. 285.

14 Uwe Schadwill, »Der dritte Teil des *Kater Murr.* Überlegungen zu seiner Rekonstruierbarkeit«, in: *Mitteilungen der E. T. A. Hoffmann-Gesellschaft* 34 (1988) S. 45.

15 Ebd., S. 51.

ließ sich die literaturwissenschaftliche Betrachtung vielfach von biographischem Interesse leiten,[16] bemühte sich um Klärung der im Roman angedeuteten Familienverhältnisse,[17] prüfte das Zusammenspiel und die relative Bedeutung der Figuren Kreisler und Murr,[18] beurteilte die geistesgeschichtlichen Bedeutungen des Werkes,[19] erörterte Fragen der Perio-

16 Walther Harich, *E. T. A. Hoffmann. Sein Leben und seine Werke*, Bd. 2, Berlin 1922, S. 211–286; Richard von Schaukal, *E. T. A. Hoffmann. Sein Werk aus seinem Leben dargestellt*, Zürich 1923, passim; Gustav Egli, *E. T. A. Hoffmann. Ewigkeit und Endlichkeit in seinem Werk*, Zürich 1927, S. 110–117; Jean F. Ricci, *E. T. A. Hoffmann. L'homme et l'œuvre*, Paris 1947, S. 444–472; Harvey W. Hewett-Thayer, *Hoffmann. Author of the Tales*, Princeton 1948, S. 275–312; Rüdiger Safranski, *E. T. A. Hoffmann. Das Leben eines skeptischen Phantasten*, München 1984, S. 260 f., 436–441.

17 Harich (Anm. 16) S. 211 ff.

18 Vergleiche der in den Figuren angesprochenen Künstlerthematik führten ursprünglich zu der Annahme, Hoffmann habe in Kreisler alle Züge der romantischen Künstlerproblematik eingefangen, in der Gestalt des Murr dagegen die Verflachung und Trivialisierung künstlerischer Tendenzen parodiert. Die Erörterungen sind nicht abgeschlossen. Sie erwägen jedoch Fragen der Funktion der Teile und der Erkenntnisfähigkeit der Figuren. Vgl. Arthur Gloor, *E. T. A. Hoffmann. Der Dichter der entwurzelten Geistigkeit*, Zürich 1947; Joachim Rosteutscher, *Das ästhetische Idol im Werke von Winckelmann, Novalis, Hoffmann, Goethe, George und Rilke*, Bern 1956, S. 102–165; Hermann Ganzow, *Künstler und Gesellschaft im Roman der Goethezeit. Eine Untersuchung zur Bewußtwerdung neuzeitlichen Künstlertums in der Dichtung von »Werther« bis zum »Kater Murr«*, Bonn 1959, S. 140–169; Wulf Segebrecht, *Autobiographie und Dichtung. Eine Studie zum Werk E. T. A. Hoffmanns*, Stuttgart 1967; Ute Späth, *Gebrochene Identität. Stilistische Untersuchungen zum Parallelismus in E. T. A. Hoffmanns Lebens-Ansichten des Katers Murr*, Göppingen 1970; Stefan Diebitz, »Versuch über die integrale Einheit der *Lebens-Ansichten des Katers Murr*. Die Frage nach der Einheit des Romans«, in: *Mitteilungen der E. T. A. Hoffmann-Gesellschaft* 31 (1985) S. 30–39.

19 Georg Ellinger, *E. T. A. Hoffmann. Sein Leben und seine Werke*, Hamburg 1894, S. 146–151; Hans Dahmen, *E. T. A. Hoffmanns Weltanschauung*, Marburg 1929; Ernst von Schenck, *E. T. A. Hoffmann. Ein Kampf um das Bild des Menschen*, Berlin 1939, S. 531–582; Hermann August Korff, *Geist der Goethezeit*, Tl. 4: Hochromantik, Leipzig 1954, [6]1964, S. 582–591; Alfred Kurella, »Deutsche Romantik 1938«, in: A. K., *Zwischendurch. Verstreute Essays 1934–1940*, Berlin 1961, S. 174–202.

disierung[20] und untersuchte den Wirklichkeitsgehalt.[21] Man erschloß die Bedeutung des Humors als einheitsstiftendes Element,[22] ermittelte sprachliche Eigenheiten, musikalische Kompositionszüge, Zitatkunst und rhetorische Figuren,[23] verglich epische mit nicht-epischen Strukturen,[24] und verwies auf die absolute Heterogenität aller Textelemente.[25] Von

20 Hans Heinrich Borcherdt, *Der Roman der Goethezeit*, Stuttgart 1949, S. 503–522; Günther Weydt, »Der deutsche Roman von der Renaissance und Reformation bis zu Goethes Tod«, in: *Deutsche Philologie im Aufriß*, Berlin ²1960, Sp. 1346–49; Korff und Kurella (Anm. 19).

21 Hans Mayer, »Die Wirklichkeit E. T. A. Hoffmanns. Ein Versuch«, in: H. M., *Von Lessing bis Thomas Mann*, Pfullingen 1959, S. 198–246; Hans-Georg Werner, *E. T. A. Hoffmann. Darstellung und Deutung der Wirklichkeit im dichterischen Werk*, Weimar 1962, S. 56 ff.

22 Walter Müller-Seidel, *»Nachwort« zu E. T. A. Hoffmann. Die Elixiere des Teufels. Lebens-Ansichten des Katers Murr*, München 1961, S. 687; Preisendanz (Anm. 10) S. 74–83; Benno von Wiese, »E. T. A. Hoffmanns Doppelroman *Kater Murr*«, in: B. v. W., *Von Lessing bis Grabbe. Studien zur deutschen Klassik und Romantik*, Düsseldorf 1968, S. 248 bis 267; Peter W. Nutting, »Dissonant or Conciliatory Humour? Jean Paul's *Schmelzle* and Hoffmann's *Kater Murr*«, in: *Neophilologus* 69 (1985) S. 414–420.

23 Hans Dahmen, »Der Stil E. T. A. Hoffmanns«, in: *Euphorion* 28 (1928) S. 76–84; Herman Meyer, »Hoffmanns Lebensansichten des Katers Murr«, in: H. M., *Das Zitat in der Erzählkunst*, Stuttgart 1961, S. 114 bis 134; Victor Terras, »E. T. A. Hoffmanns polyphonische Erzählkunst«, in: *German Quarterly* 39 (1966) S. 549–569; Lawrence O. Frye, »The Language of Romantic High Feeling. A Case of Dialogue Technique in Hoffmann's *Kater Murr* and Novalis' *Heinrich von Ofterdingen*«, in: *Deutsche Vierteljahrsschrift für Literaturwissenschaft und Geistesgeschichte* 49 (1975) S. 520–545; Steven Paul Scher, »Kater Murr und Tristram Shandy. Erzähltechnische Affinitäten bei Hoffmann und Sterne«, in: *Zeitschrift für deutsche Philologie* 95 (1976) S. 24–42; Elizabeth Wright, *E. T. A. Hoffmann and the Rhetoric of Terror*, University of London 1978, S. 235–275; Klaus-Dieter Dobat, *Musik als romantische Illusion. Eine Untersuchung zur Bedeutung der Musikvorstellung E. T. A. Hoffmanns für sein literarisches Werk*, Tübingen 1984; Nicholas Saul, »E. T. A. Hoffmanns erzählte Predigten«, in: *Euphorion* 83 (1989) S. 407–430.

24 Esther Hudgins, *Nicht-epische Strukturen des romantischen Romans*, The Hague 1975, S. 90–133.

25 Sarah Kofman, *Schreiben wie eine Katze. Zu E. T. A. Hoffmanns »Lebens-Ansichten des Katers Murr«*, Graz/Wien 1985.

grundsätzlicher Bedeutung für die Bewertung des Romans sind einerseits die Interpretationen von Segebrecht, Singer, Loevenich und Steinecke,[26] andererseits die Untersuchungen struktureller Eigenheiten von Negus[27], Rosen[28], Raff[29] und Hartmann[30]. Ein Überblick über die Forschungsergebnisse[31] verdeutlicht: Die Untersuchungen werden zunehmend differenzierter. Die Erkenntnis setzt sich durch, daß die beiden Teile des Romans in Verbindung stehen. Die Betonung verlagert sich von biographischen Deutungen auf Untersuchungen von Strukturmerkmalen. Das Werk wird heute allgemein bewertet als genau durchdachte, kompositorisch gelungene Leistung von hohem literarischem Rang. Bemerkenswert ist jedoch, daß überkommene Vorstellungen keineswegs aufgegeben werden. So bleiben zahlreich ungelöste Widersprüche. Ist das Werk ein Fragment, oder erweckt es trotz der geplanten Fortsetzung den Eindruck, es sei abgeschlossen? Welche

26 Segebrecht (Anm. 18); Singer (Anm. 11); Loevenich (Anm. 12); Steinecke (Anm. 13), neu bearbeitet in: *Zu E. T. A. Hoffmann*, hrsg. von Steven Paul Scher, Stuttgart 1981, S. 142–155; vgl. auch Steineckes Nachwort zu der hier zitierten Ausgabe des *Kater Murr* (Anm. 7), S. 486–511.

27 Kenneth G. Negus, *Thematic Structure in Three Major Works of E. T. A. Hoffmann*, Princeton 1957.

28 Robert S. Rosen, *E. T. A. Hoffmanns »Kater Murr«. Aufbauformen und Erzählsituationen*, Bonn 1970.

29 Dietrich Raff, *Ich-Bewußtsein und Wirklichkeitsauffassung bei E. T. A. Hoffmann*, Tübingen 1971.

30 Anneli Hartmann, »Geschlossenheit der Kunst-Welt und fragmentarische Form: E. T. A. Hoffmanns *Kater Murr*«, in: *Jahrbuch der Deutschen Schillergesellschaft* 32 (1988) S. 148–190.

31 Klaus Kanzog, »Grundzüge der E. T. A. Hoffmann-Forschung seit 1945«, in: *Mitteilungen der E. T. A. Hoffmann-Gesellschaft* 9 (1962) S. 1–30; Forschungsberichte: Horst S. Daemmrich, »E. T. A. Hoffmann: Kater Murr«, in: *Romane und Erzählungen zwischen Romantik und Realismus*, hrsg. von Paul M. Lützeler, Stuttgart 1983, S. 74–78; jährlich in: *Mitteilungen der E. T. A. Hoffmann-Gesellschaft*; Auswahlbibliographie in: Brigitte Feldges und Ulrich Stadler, *E. T. A. Hoffmann. Epoche – Werk – Wirkung*, München 1986, S. 218–220; Bibliographie in: Gerhard R. Kaiser, *E. T. A. Hoffmann* (Sammlung Metzler, 243), Stuttgart 1988, S. 90–92.

Funktion haben die wechselseitigen Beziehungen zwischen den Aufzeichnungen Murrs und den Makulaturblättern? Gehört der Roman zu den Gipfelleistungen eines subjektivromantischen Schaffens, oder ist er ein Vorläufer realistischer Erzählformen? Überwiegen im *Kater Murr* gesellschaftskritische, ironische oder parodistische Elemente? Ist das Werk ein Künstlerroman, oder stellt es eine Abrechnung mit dem Bildungsroman dar? Deutet möglicherweise die Zusammenschau vielfältiger, oft heterogener Elemente auf den Versuch, einen umfassenden Zeitroman zu schreiben?

Struktureigenheiten der Handlungen

Unser verändertes literarisches Bewußtsein bedingt, daß wir heute im *Kater Murr* Stileigenheiten sehen, die früher abseitig wirkten und wenig beachtet wurden. Daraus zu folgern, daß diese insgesamt vom Autor geplant waren, dürfte ein Trugschluß sein. Berücksichtigt man jedoch Julius Hitzigs Aussage, daß Hoffmann »höchsten Wert« auf das Werk legte, und bedenkt man sowohl den kunstvollen Aufbau als auch den ausgewogenen Parallelismus des Romans, so erscheint die gewählte Form keineswegs zufällig. Das bewußt Fragmentarische des Romans ist eine Erkenntnismetapher, die eine ganz bestimmte Auffassung der Gesellschaft, Kultur und Kunst spiegelt. Sie wird keineswegs aufgelöst, sondern unterstrichen durch den chronologischen Ablauf von Murrs Leben und die eigentümliche Zusammenfügung des Endes mit dem Anfang der Kreisler-Betrachtung. Denn Murr vermittelt dem Leser seine Erlebnisse und Lebensansichten durch das Zeichensystem einer Sprache, die im Lesen wurzelt. Er meistert die Zeichen und sieht die Gesellschaft wie auch sich selbst aus der Perspektive von vorgegebenen Bedeutungsinhalten. Wie wir im folgenden sehen werden, verweisen seine Beobachtungen und Schriften ständig auf Denkvorstellungen aus unterschiedlichen Bereichen, die durch ihre Zusammenstellung das Überlieferte befragen und neue, unerwartete Perspektiven erschließen. Die Biographie Kreislers wirkt durch unvermittelte Übergänge und mehrschichtige Erzählstränge aufgebrochener als Murrs Lebensbericht. Sie vermittelt wesentliche Einblicke in Kreislers Leben, seine wechselnde geistige Verfassung, sein Verhältnis zur Gesellschaft und die künstlerische Schaffenskrise. Kreislers Ringen mit einer seiner Zeit angemessenen Kunstform bedingt Auseinandersetzungen mit der geistigen Tradition und den Vorstellungen der eigenen Zeit, die zusammen mit vielfältigen Parallelen, Kontrasten und Bezügen zu Murrs Dasein den Leser auffordern, ständig zu vergleichen, zu entziffern und die Kunst-, Kultur- und Gesellschaftskrise zu erwägen.

Der Roman umfaßt die Handlungsschichten der Ansichten Murrs, signiert durch (M. f. f.), der fragmentarischen Biographie Kreislers, gekennzeichnet durch (Mak, Bl.), der eingeflochtenen Einblicke in das Leben Meister Abrahams und des Geschehens am Hof in Sieghartsweiler. Die Handlungsvorgänge sind durchsetzt von einem sorgfältig entwickelten und in der Erzählperspektive verankerten Beziehungssystem. Durch Sinnstiftung und Horizonterweiterung wird die Erzählschicht zu einem gestaltgebenden Strukturprinzip. Die Darstellung von Murrs Leben, im Druckumfang etwa 20 % kürzer als die Kreislers, ist als Autobiographie angelegt. Murr berichtet aus der Erinnerung, vergegenwärtigt markante Eindrücke durch unmittelbare Beschreibung, setzt sich mit seinen Schriften auseinander, indem er ihre Genialität hervorhebt, wird vom Herausgeber kritisiert und des Plagiats oder der nachempfundenen Gestaltung bezichtigt (11, 190, 283, 349, 416)[32] und berichtet Bemerkungen Meister Abrahams, die das Geschehen humoristisch beleuchten.

32 Die nach Murrs Beschreibung seiner Gefühle während des Feuers im Hause Abrahams eingeflochtene Bemerkung ist kaum vom Herausgeber. Sie belegt eher Murrs ironisch-distanzierte Haltung zur Tradition: »Herrlicher Murr, selbst in Todesangst denkst du in Jamben, läss'st nicht aus der Acht, was du im Shakespeare, Schlegel einst gelesen!« (153)

Die Beschreibung schließt in großen Zügen an die Tradition des Entwicklungsromans an. Die vier großen Abschnitte der Lebensansichten Murrs bezeichnen Stufen der inneren und äußeren Entwicklung: 1. Gefühle des Daseins, die Monate der Jugend. 2. Lebenserfahrungen des Jünglings. Auch ich war in Arkadien. 3. Die Lehrmonate. Launisches Spiel des Zufalls. 4. Ersprießliche Folgen höherer Kultur. Die reiferen Monate des Mannes. Die Ausschnitte aus dem Werdegang Murrs stehen unter dem Einheitsgedanken der vollkommenen Entwicklung seiner Anlagen. Zwei Ohrfeigen (15) und Schläge mit einem Birkenreis (34) veranlassen Murr, natürliche Instinkte zu überwinden, die sein Leben mit Abraham gefährden. Dagegen können jedoch selbst Prügel seinen ursprünglichen Bildungstrieb nicht brechen (36). Er sitzt wollüstig unter Abrahams Büchern, liest, übernimmt die philosophische und literarische Tradition und wird schöngeistiger Schriftsteller, Dichter, Philosoph und ein »liebenswürdiger, gemütlicher Mann« (39). Murr lernt, sich geschmeidig an eine unabänderliche Situation anzupassen. Er gewinnt Einblicke in die Gesellschaft seiner Zeit, nimmt an politischen Treffen teil, erfährt Liebe und Tod und versucht, die Grenzen seiner Natur zu überwinden. Nachdem er die »Narrheit« seines Bemühens, aus der Art treten zu wollen (422 f.), erkannt hat, wendet er sich abschließend wieder »der Kunst und Wissenschaft« zu.

Was er erinnernd berichtet, wird von ihm gedeutet. Auch Ereignisse und menschliche Beziehungen, die ihm zuerst verworren erscheinen, finden eine Erklärung, Murr setzt sich mit ihnen auseinander, oder er wird von Ratgebern wie etwa dem lebensklugen Ponto belehrt. Die Handlung ist korrelativ. Die Konzeption Murrs ist jedoch nicht, wie einige Kritiker angenommen haben, die einer Figur, deren Eigenschaften einseitig entwickelt sind. Murr betrachtet sich als Meister der Formkunst und glaubt, er sei größter Selbst- und Welterkenntnis fähig. Die häufige Inkongruenz zwischen seiner Aussage und dem Bezeichneten erweckt den Eindruck der Naivität und trägt dadurch zum Humor seiner Aufzeichnungen bei. Murr eignet sich nicht nur spielend leicht die gesamte literarische und philosophische Tradition an, sondern schafft auch genial aus sich selbst (88), als ihm der Zugang zur Lektüre abgeschnitten ist. Eine echte geistige Auseinandersetzung mit dem Kulturgut der Vergangenheit findet scheinbar nicht statt. Andererseits ist er ausgesprochen lernbegierig und gewandt, sich Lebensklugheit anzueignen. Der Kunstgriff, einen Kater zur ironischen und satirischen Durchleuchtung literarischer Konventionen, menschlicher Eigenschaften und sozialer Probleme zu verwenden, umfaßt jedoch mehr als eine gezielte, wenn auch einseitige Parodie des Entwicklungsromans. Die Bemerkungen Murrs belegen, daß er durchaus fähig ist, sich und sein Schaffen kritisch zu betrachten (67, 151, 194). Unter dieser Voraussetzung erscheint Murr als Vertreter romantischer Gedankengänge und zugleich als ihre Karikatur. Murr genießt die Überlegenheit seines Geistes, parodiert eine ›überwundene‹ Vorstellung der Entwicklungsfähigkeit, kommentiert seinen Schaffensprozeß, beleuchtet sein Spiel mit Formen und genießt die Freiheit, über allem zu schweben. So wird Murr schließlich zum Sinnträger einer satirischen Durchleuchtung der Gedanken der Romantiker über das Wesen der Natur und Heimat (»Ha! es erfüllt eine süße Wehmut meine Brust! – Die Sehnsucht nach dem heimatlichen Boden regt sich mächtig! – Dir weihe ich diese Zähren o! schönes Vaterland«; 18), des Gefühlskults (»Eine gewisse Schwermut, wie sie oft junge Romantiker befällt, wenn sie den Entwicklungskampf der großen erhabenen Gedanken in ihrem Innern bestehen, trieb mich in die Einsamkeit«; 63), der Liebe (189, 211, 215) und (im wiederkehrenden Sprung nach der Taube) der Sehnsucht nach dem Unendlichen.

Auch die vielen im Werk verstreuten literarischen Anspielungen und Zitate übernehmen eine mehrfache Funktion. Sie dienen dazu, die Banalisierung des Bildungsguts hervorzuheben.[33] Sie sind aber gerade in Murrs Lebensbericht keineswegs nur ein Zeichen seiner Oberflächlichkeit.[34] Murr wandelt Zitate ab, um das Bezeichnete der konkreten Situation anzupassen, das Pathos auf seine Echtheit zu überprüfen und die Ab- und Umwertung aller Denksysteme und Ideale aufzuzeigen (vgl. z. B. 186 f., 279, 365–367). So entsteht innerhalb des chronologischen Lebensabrisses eine Erzählform der gebrochenen Linie. Das Netz von Beziehungen umfaßt ferner ständige Verweise auf die Makulaturblätter sowohl in parallelen Konstruktionen von Ereignissen als auch in der Kunstthematik. Der engste Zusammenhang besteht in einer grundsätzlichen Fragestellung: Welche Form kann der Künstler seinem Werk geben, wenn sich die überlieferte Formgebärde nicht mit dem Menschen- und Gesellschaftsbild der eigenen Zeit verträgt? Der von Murr begangene Weg, sich an die Tradition anzulehnen und ihre Formen zu meistern, dann aber auch zu ihrer Parodie und zum ironischen Spiel mit der Parodie vorzudringen, bietet eine mögliche Antwort. Das Unterfangen steht in diesem Sinne gleichberechtigt neben den kritischen Betrachtungen der Makulaturblätter.

Der Handlungsverlauf der Biographie Kreislers, in der Zeitbestimmung allgemein gehalten, ist eingebettet in »ständigen Szenen- und Personenwechsel«.[35] Der Biograph unterstreicht diese Situation, indem er sich entschuldigend an den Leser mit der Bemerkung wendet, ihm stünden »nur mündlich, brockenweis mitgeteilte Nachrichten zu Gebote« (52), ein andermal über dürftige, unzusammenhängende Information klagt (124) oder sein Erschrecken über das »total Abrupte der Nachrichten« ausdrückt, aus denen er gegenwärtig Geschichte zusammenstoppeln muß (218). Er konzentriert sich

33 Herman Meyer, »E. T. A. Hoffmanns *Lebens-Ansichten des Katers Murr*«, in: H. M., *Das Zitat in der Erzählkunst*, Stuttgart 1961, S. 114 bis 134.
34 Preisendanz (Anm. 10) S. 82.
35 Rosen (Anm. 28) S. 30.

auf die Darstellung menschlicher Konflikte und Erfahrungen, die Einblicke in Kreislers Entwicklung und Auseinandersetzung mit der Gesellschaft vermitteln. Dialoge, Selbstgespräche und scharf belichtete Erinnerungen vergegenwärtigen Ausschnitte aus Kreislers Leben. Frühe Wahrnehmungen, die als bewußtes Erinnerungsbild Kreislers Haltung prägen, kreisen um Musik, Tod und menschliches Ausgesetztsein.

Die Grunderfahrungen werden durch Wiederkehr, Variation und Steigerung zu einem bedeutungsvollen Ganzen, zu Kreislers geistigem Kosmos gestaltet. Die Musik – »Tonzauber« des Gesangs der Tante, »wunderbar klingende Konzerte« (100), die seine Verwandten auf alten, seltenen Instrumenten spielten, der vom Lesen Rousseaus inspirierte Versuch, »eine Oper im Geiste zu empfangen« (103), der damit endet, daß Kreisler die Strophen eines »erbärmlichen« zeitgenössischen Liedes in den Ohren summen – regt Kreisler wiederholt zu Auseinandersetzungen mit dem Wesen der Klanggestalt alter Kirchenmusik und dem Kompositionsverfahren der Moderne an. Der Konflikt zwischen harmonischem Klang und technischer Reproduktion, den Kreisler in der Jugend durch seinen Umgang mit Abraham Liscov erfährt (119–123), kehrt wieder in der mit einem Zornesausbruch verbundenen Suche nach dem Wohllaut in der Gitarre (54). Der Tod »Füßchens« greift ins Innerste des Kindes und weckt die aufkeimenden Regungen seiner Sehnsucht nach Entgrenzung, die im Höhenflug der Phantasie und im Idealbild Julias fortbesteht. Auch die ungelöste Spannung zwischen der Bewußtseinslage der verunsicherten Existenz und dem Verlangen nach Einordnung in die Gesellschaft wurzelt in Kreislers Jugend. Er ist der »Willkür« wechselnder Hauslehrer überlassen. Er sucht Halt im musikalisch und literarisch Vorgeprägten. Er übernimmt von den Verwandten die einem Onkel erwiesene Bewunderung für dessen Erfolg. Das im Prunkzimmer hängende Bild des »Geheimen Legationsrats«, der dem »musikalischen Nest« entfloh und große Karriere am Hof machte, wird vorübergehend zum Leitbild in Kreislers Leben. Er wendet sich der Welt zu, wird Legationsrat (124), erkennt den Fehlgang und übernimmt eine Stelle als Kapellmeister, entflieht, als die Musik bei Hoffesten zur Schallkulisse absinkt (76–79), und kommt nach Sieghartsweiler. Die Handlung am Hof, die erneute Begegnung mit der Rätin Benzon, das Treffen mit Abraham und die Flucht ins Kloster erneuern, variieren und filtern in einer Folge konzentrischer Kreise die geistige Verfassung Kreislers und die Grunderfahrung der Labilität des Ichs in der verunsicherten Welt.

Die Makulaturblätter lenken durch das rätselhafte Geschehen die Aufmerksamkeit auf ihre Form. Die Botschaften sind zweideutig oder offen. Selbst Erklärungen des Biographen lassen der Einbildungskraft Spielraum. Der Leser wird durch Rückgriffe und Vorausdeutungen aufgefordert, neue Lösungen anzustreben. Daß die angedeuteten Möglichkeiten einer ferneren Lebensgestaltung Kreislers gleichermaßen denkbar und undenkbar sind, vertieft den Eindruck der hektischen Erfahrung einzelner, wenn auch wesentlicher Ausschnitte des Daseins. Das Fragmentarische der Ausschnitte gibt die Möglichkeit, einzelne Szenen dramatisch, teilweise ausgesprochen theatralisch, zu gestalten. Das Gewebe von Auftritten, Abgängen und Rollenspielen umfaßt selbst die Substanzschicht des menschlichen Handelns. Das Formspiel wird zum Spiel mit Menschen, die dadurch zu »Gliederpuppen« erniedrigt werden. Irenäus spielt Staatsmann; die Benzon will die Drähte des Hoftheaters in den Händen halten; und Abraham spielt Schicksal.

Kreisler steht zeitweise im Brennpunkt des Geschehens am Hof und im Kloster. Die Entwicklung Murrs ist eingebettet in das Stadtleben. Ausschnitte aus dem Leben Abrahams und Einblicke in die Pläne Benzons überblenden streckenweise die Ereignisse und haben die Funktion einer Korrelationshandlung. Die Rätin Benzon steht im Zentrum der Intrigen am Hof. Sie überblickt und teilt die verschlungenen und gestörten Familienverhältnisse. Sie war in ihrer Jugend in Irenäus verliebt und fügt sich, als dieser Angela, die uneheliche Tochter der beiden, verbannt. Sie kennt Abraham und ist mitverantwortlich für die Entführung seiner Geliebten (330). Sie unterdrückt jede Anwandlung von reinen Gefühlen, schreckt in der Ausführung ihrer Pläne vor nichts zurück (244, 324, 328), betreibt zielbewußt die Bindung ihrer Tochter Julia an den geistesgestörten Prinzen Ignatius und erringt die gesellschaftliche Voraussetzung für diese Ehe durch die Standeserhebung zu einer Gräfin von Eschenau (442).

Abraham verknüpft die Welt des Fürstenhofs mit der Kreislers und Murrs. Murr sieht ihn als einen von Büchern umgebenen Gelehrten, der in seiner Stadtwohnung Besuche empfängt und Gespräche mit Professor Lothario, Bekannten aus der Bürgerschicht und ordensgeschmückten Persönlichkeiten führt. Trotz seiner Neigung zu Abraham bleibt Murr vorsichtig. Mina warnt ihn vor Menschen, die grundsätzlich ihre eigenen Vorteile verfolgen. Ihre Ansicht wird bestätigt, als Abraham die Einnahmen berechnet, die durch Schaustellung und Schreiberdienste eines gelehrten Katers anfallen könnten (109). Deshalb verrät Murr nie seine Fähigkeiten und spielt weiterhin die Rolle des unwissenden Katers. Kreisler kennt Abraham als widersprüchlichen, exzentrischen Orgelbauer, Meister akustischer Experimente und Erfinder mechanischer »lebendigtoter« Figuren, der sich jedoch nach dem reinen Klang der Silbermann-Orgel sehnt und im Tönen der Wetterharfe die ursprüngliche Stimme der Natur hört. Er ist Freund und Berater, hat nach seiner Aussage tief ins Innerste Kreislers geschaut, versucht die Zukunft zu deuten und will Kreislers Leben die Richtung zum Guten geben. In der chimärischen Hofhaltung spielt Abraham die Rolle eines Unterhaltungskünstlers, der mit seinen Experimenten und mechanischen Zauberspielen den »Höllengeist der Langenweile« vertreibt (46). Er lebt im Fischerhäuschen im Schloßpark. Irenäus verehrt ihn in der

Kindheit nach einer schallenden Ohrfeige wie ein »überirdisches Wesen«, was ihn jedoch nicht hindert, den Ränken der Benzon zuzustimmen. Abraham seinerseits durchschaut die Pläne der anderen, durchkreuzt sie und versucht, sie zum Vorteil Kreislers zu wenden.

Aus der Sicht des Biographen wirkt Abraham wie eine hintergründig-einseitige Konvexfigur Kreislers. Er ist unbehaust und lebt in beständiger Spannung zwischen der Sehnsucht nach harmonischem Einklang mit der Natur und den »Bleigewichten«, die ihn an die Welt der mechanischen Experimente binden. Er macht »Riesenschritte« in der »wissenschaftlichen Bildung« (272), aber der Zugang zum Geheimnis der Natur bleibt verschlossen. Die reine Liebe Chiaras verspricht einen Ausweg aus dem Konflikt. Er vernichtet die akustischen Vorrichtungen (182). Aber für Chiara ist das Wahrsagen bereits »unerklärlicher Drang«, Fatum und Erfüllung des Daseins. Abraham verfügt über sie und konzentriert sich auf Spiegel, Automaten, akustische Experimente und Illusionstechnik. Nach ihrem Verlust beklagt er sein verfehltes Leben und den Irrgang in der Welt (391 f.). Er erkennt zu spät in der Kunst seine wahre Bestimmung. Seine Absichten verbinden nicht nur die Handlungsschichten; sie vertiefen die Problemstellung. Abraham wollte durch Chiara die Zukunft orten, wollte durch den Klang der Glaskugel, Orgel und Windharfe das Dasein deuten. Beide Versuche zielen darauf, dem Leben Richtung und Sinn zu verleihen.

Das Spiel mit abgerissenen Erzählfäden, die ständig wechselnde Perspektive und die bunte Verwirrung der Handlung, stellen den Leser in einen Zusammenhang, den er weder sofort überschauen noch erklären kann. Auch die Ambiguität einzelner Stellen und das wiederkehrende plötzliche Abbrechen des Textes verstärken den Wunsch, Sinneinheiten zu verstehen, und dadurch das Gefühl der Unruhe. Die äußerlich diskontinuierliche Form entspricht diesem Anliegen: Sie weist nicht nur auf das Bruchstückhafte der menschlichen Erfahrung hin, sondern nimmt sie völlig in sich auf. Das fächerartig angelegte System der Beziehungen, das im Roman in verzweigten Handlungsfäden zum Ausdruck kommt, bietet Ansätze zu Deutungen, welche in der Erzählschicht sowohl beglaubigt als auch bezweifelt werden.

Erzählperspektive

Der Roman setzt ein mit einem Vorwort des Herausgebers, welches den Druck der bruchstückhaft ineinandergeschobenen Lebensansichten Murrs und der Biographie Kreislers erklärt. Darauf folgt eine Vorrede Murrs und sein unterdrücktes Vorwort nebst einer kritischen Bemerkung des Herausgebers. Das Werk endet mit einer Nachschrift, die Murrs Tod anzeigt. Die Erzählung identifiziert somit für den Leser die Stimmen des Herausgebers, des Katers und des Biographen. Die erweiterte Perspektive umfaßt den Erzähler, der das Geschehen bestimmt, über den Erzählvorgang verfügt und Abraham, Ponto, Muzius, Hinzmann, aber auch Kreisler, die Hofgesellschaft und den Abt sprechen und erzählen läßt.[36] Von wesentlicher Bedeutung sind formal-technische Aspekte der Rückwendungen und Vorausgriffe, der ersichtlichen und verschlüsselten textinternen Hinweise, der Doppelung stimmiger Elemente und der Parallelisierung von Gegensätzen, der literarischen und musikalischen Anspielungen und der Vergegenwärtigung heterogener Elemente.

Der Herausgeber übernimmt die Funktion, Murrs Leben und Schaffen kritisch zu beleuchten. Er unterstreicht spöttisch Murrs nachempfundene Zitate, beschuldigt ihn des Plagiats und weist darauf hin, daß persönliches Erlebnis und literarisch Vorgeprägtes in Murrs Denken zur Einheit ver-

36 Saul (Anm. 23) S. 429 vertritt die Auffassung, Hinzmann sei »nicht nur eine gelungene Satire auf die Leichenredner der Zeit«, sondern auch »eine Figuration von Hoffmanns Strukturprinzip, der Gestaltung des Fragmentarischen« und »eine dritte, unabhängige Autorgestalt«. Das ist einleuchtend, aber nur bedingt richtig: Hinzmann ist eine unter vielen Erzählerstimmen.

schmelzen. Die Verknüpfung von Randglossen und Lebensansichten schafft die Voraussetzung für die ironische Deutung von Murrs Leben und für die Parodie der Entwicklungsthematik. Der Biograph seinerseits verweist auf die Schwierigkeiten der Ermittlung beachtenswerter Ereignisse in einem nur unvollständig vorliegenden Leben. Seine Einsichten in die innersten Regungen und Gedanken Kreislers und anderer Personen entlarven die Wahrheitssuche des Chronisten als ironisches Spiel. Er hat Einsicht in die Zukunft (218 f., 261 f.), ordnet überlegen das Geschehen (140 f., 332, 358) und erklärt das Hofleben aus der Sicht persönlicher Kenntnis. Der Biograph verwendet außerdem in zugespitzten Pointen, direkten Zitaten, kritischen Kommentaren und in der an das diskursive Schema des Schauerromans gebundenen Hektor-Handlung das Stilmittel der Anspielung auf die kulturelle Tradition. So entstehen Parallelen zu Murrs Lebensansichten und den Randglossen. Diese vom Erzähler planvoll eingearbeiteten Entsprechungen im Bericht des Biographen vermögen keine Handlung zu tragen. Sie befestigen jedoch das Erzählgerüst durch Häufung und selbst Doppelungen, die zuerst beziehungslos wirken.

Das Netz der Beziehungen umfaßt die Thematisierung der Kunst und die Verunsicherung des Daseins. Einige Parallelerscheinungen unterstreichen Gegensätze der Lebensphasen. Darüber hinaus vermitteln sie Einblicke in die Ambivalenz von Erfahrungen, die aus den unterschiedlichen Voraussetzungen eines »naiv-alltäglichen Lebens« und eines kritisch-wertenden Bewußtseins beurteilt werden. Verhaltensweisen zur gesellschaftlichen Norm, Angstsymptome, Träume, Liebeserlebnisse und parapsychologische Wahrnehmungen ändern ihre Bedeutung. Sie werden gesteigert oder relativiert. Der Perspektive des Erzählers entsprechend wirken sie humoristisch, tragisch oder banal. Sie verweisen jedoch grundsätzlich auf die Doppeldeutigkeit der Erscheinungen in der Welt.

Das Spiel mit Doppelrollen erstreckt sich auf nahezu alle

Figuren. Abraham ist Gelehrter und Magier, Künstler und Mechaniker. Er sehnt sich nach Einklang der Töne, erzeugt aber Dissonanz mit seinen akustischen Experimenten. Hektor erscheint als geschmeidig-galanter Prinz am Hof, ist jedoch zugleich Attentäter und brutaler Egoist, der Julia überwältigen will. Die Auftritte Hedwigas wechseln unvermittelt zwischen ruhigem Gespräch und gereizten Ausbrüchen. Sie sehnt sich nach Liebeserfüllung und Entrückung von der Welt. Ihre Spannung überträgt sich nicht nur auf andere (142); sie bejaht und sucht den elektrischen Pulsschlag (314), der sie äußerlich zwar in Starrkrampf versetzt, aber innerlich scheinbar die Grenzen der Individualität aufhebt. Ganz ähnlich Chiara. Ihr mit elektrischen Impulsen (178) verbundener Reizzustand befähigt sie, die Zukunft zu deuten. Nach ihrer Erlösung aus der entsetzlichen Abhängigkeit von Severino folgt sie jedoch dem inneren Drang, wieder die Rolle des Mediums zu übernehmen.

Der Widerspruch zwischen dem Verlangen nach veränderter Lebensform und der Bindung an das Bestehende wird besonders deutlich in Schilderungen der Liebe, der Ehe und des Ehebruchs. Die Stimmen der Beteiligten wechseln. Murr berichtet aus persönlicher Erfahrung seine wachsende Leidenschaft für Miesmies, ihr Duett, dessen Stimmlage den Singspielen von Mozart und Rossini entspringt (209–211), das häuslich-ruhige Eheleben mit Miesmies, ihren Ehebruch, den Kampf mit dem Rivalen, seine erbärmliche Niederlage (214 f.) und die Trennung der Ehe, bei der beide »Tränen der Freude« weinen. Murr empfindet zwar auch später den Drang zum weiblichen Geschlecht (230), spürt eine Inzestneigung (347), und verliebt sich hemmungslos in das Windspiel Minona (421). Nachdem er seinen Widersacher im Duell besiegt (283–288), findet er sich jedoch weltgewandt damit ab, daß Miesmies die Frau seines Freundes Muzius wird und die Hündin auf ewig unerreichbar bleibt. Er zieht die Bilanz der Liebeserfahrung: in die Gosse geworfen (191), verprügelt (214) und mit eiskaltem Wasser begossen (422). Ponto erzählt

aus der Sicht des lebensklugen »Weltmannes« die Geschichte der Freunde, die sich gegenseitig täuschen (130–135), und die Abenteuer Läititas, die ihren Mann mit Baron Wipp betrügt (374–384). Der Biograph, Benzon, Irenäus und Abraham vermitteln kurze Einblicke in die gestörten Ehe- und Familienverhältnisse am Hof. Aber erst Kreislers Deutung sowohl der im Wahnsinn endenden Leidenschaft des Malers Ettlinger (161–165) als auch seiner Neigung zu Julia (143, 294) stellt den formalen und ideellen Zusammenhang her zwischen reinem Gefühl und gesellschaftlichem Spiel, Liebe und Täuschung. Nicht Liebe, sondern ihr Verlust kennzeichnet alle Sphären des Daseins. Nur der Künstler bewahrt die verklärte Liebesfähigkeit, die den Weg zum sinnvollen Mitleben ermöglicht.
Vergleichbare Konflikte kennzeichnen Ereignisse und Erfahrungen, die unter dem Vorzeichen der Themenverflechtung von Anpassung an die Gesellschaft und Freiheitsverlangen, Aggression und Angst stehen. Kreisler lebt im Widerspruch ungelöster, gegensätzlicher Tendenzen. Er schwankt in der Jugend zwischen Traum und Orientierung an der Umwelt, ordnet sich ein, um den inneren »Dämon« zum Schweigen zu bringen (77), bricht jedoch aus und verstört jeden mit seinem exzentrischen Benehmen. Der Erzähler veranschaulicht die Spannungen durch wiederkehrende Assoziationen mit der Flugsehnsucht, dem Liebestod im Duett mit Julia (221) und dem Fluch der Berufung, färbt sie jedoch außerdem humoristisch durch Metaphern der Flamme und des Hasen. Kreislers erhitztes Gemüt überträgt sich in der Jugend scheinbar direkt auf die Umgebung. Er phantasiert, und die Gardine gerät unbegreiflicherweise in Brand (104). Später entrücken seine Kompositionen die Zuhörer; sein »aufflammender« Geist versetzt sie dagegen in Schrecken. Kreislers »närrisches« Treiben wird bei seiner Geburt angekündigt. Die Saiten der Laute springen; der Vater erklärt, Johannes soll »kein Hase sein« (93). Die für den Sprachgebrauch der Zeit sinngemäße Bezeichnung »Hase« für »Narr« taucht auch in Murrs Erzäh-

lung auf (116). Der Biograph unterstellt außerdem, Kreisler habe von Abraham die Charakterisierung »Haselant« für sein unstetes, umherschweifendes, närrisches Leben übernommen (98, 123, 264). Sinngetreu ist die Bezeichnung »Angsthase« für Murrs Furcht vor Skaramuz (129, 370); stimmig ist auch Kreislers Ausruf »Hasenfuß«, mit dem er die Gefühlswelt von Ratlosigkeit, Sorge und Angst bezeichnet, die ihn hindert, den Zauber der Musik zu entschlüsseln (55 f.); sinnverwirrend und zugleich sinnbildlich ist dagegen das Spiel mit dem Namen Hasenfuß, den Kreisler übernimmt und im Gespräch mit Prinz Hektor unterstreicht. Kreisler verspürt keine Furcht. Er haseliert, spielt mit Hektor und reizt ihn (169, 220 f.). Andererseits erfährt Kreisler Qualen der Angst, glaubt, eine »dunkle unerforschliche Macht« bestimme sein Schicksal (71) und fürchtet, der Wahnsinn lauere auf ihn, »wie ein nach Beute lechzendes Raubtier« (163). Deshalb schwankt er zwischen Versuchen des Untertauchens im Kloster und Ausbruchsversuchen, zwischen scharfer Kritik der heillosen Gesellschaft und dem Weg der künstlerischen, mythischen Verklärung der Welt. Seine Bewußtseinslage spiegelt diese unlösbaren Konflikte.

Murr dagegen durchläuft alle Stufen des Sozialisationsprozesses, der ihn befähigt, mit seiner eigenen Gattung, den Menschen und der Rasse der Hunde zu leben. Er assimiliert Umgangsformen, die den vorherrschenden Anschauungen einer Gruppe entsprechen. Er zaust sich mit Katern, katzbuckelt unter Menschen, befolgt die Etikette der Hunde. Er zähmt seine Triebe im Umgang mit Menschen und Hunden, erliegt ihnen, als er seiner hungrigen Mutter einen Heringskopf schenken will, aber selbst frißt (51), meistert sie, nachdem er »Lebensklugheit« von Ponto lernt (126–128) und unterwirft sich vorübergehend völlig dem Bann burschenschaftlicher Denkart, die es ihm ermöglicht, großzügig zu handeln und sein gutes Essen mit Muzius zu teilen (255). Murr verstellt sich jedoch häufig und verteidigt sich geschickt, wenn Gefahr droht. Obwohl er maßlos stolz auf seine literarische

Leistung ist, unterdrückt er seinen Geltungsanspruch und zerreißt sein Manuskript, um die Entdeckung seines Doppellebens zu verhüten. Murr bewahrt sich einen kleinen Spielraum innerer Freiheit im Rahmen der äußeren Anpassung durch seine Doppelrolle. Beim Lesen, Schreiben und Reflektieren schwelgt er ungehindert im Genuß der Kunst. Er hat sanfte Reverien, gerät in somnambules »Delirieren« (32) und geht im Wonnegefühl der Entrückung in Anschauungen auf, die sich im Ungewissen verlieren. Er denkt schließlich »pudelisch«, ohne zu verstehen, was er denkt (68). Darüber hinaus wächst er beim Lesen in eine gefühlsmäßige Zustimmung zur geistigen Tradition hinein. Er orientiert sein Denken und seine Reaktionen an der Überlieferung: sie wird zeitlose Gegenwärtigkeit. Aus der Sicht der mehrfach gebrochenen Erzählperspektive wirkt jedoch Murrs bewußt-unbewußt nachempfundenes Leben eigentümlich zwielichtig. Sein Spiel mit Zitaten erweckt schließlich den Eindruck, daß er auch im Verhältnis zu seinem Publikum eine Doppelrolle spielt.

Murr imitiert, wirkt naiv, oberflächlich und flüchtig. Er ist jedoch zugleich ironisch distanzierter, kritischer Beobachter. Der Kunstgriff, einen schreibenden und denkenden Kater zu Wort kommen zu lassen, unterstreicht den grundsätzlichen Unterschied zwischen gelebter Tradition und der darstellenden, aus der Erinnerung vermittelten Schilderung dieses Lebens. In der Einschätzung der Zitatkunst im *Kater Murr* schlossen sich viele Kritiker dem Urteil Herman Meyers an. Meyer verfolgt aufgrund seiner genauen Kenntnis der literarischen Tradition die Funktion der Zitate in den beiden Teilen, stellt aber dessenungeachtet seiner Untersuchung eine aus der Hoffmann-Forschung übernommene Ansicht voran. Der Ausgangspunkt für das Verständnis der Zitate ist und bleibt »der radikale Dualismus von Ideal und Wirklichkeit«. Aus dieser Sicht hat die Welt des philiströsen Katers nur Kontrastfunktion. Das Banale »verherrlicht sich in lückenloser Selbstdarstellung: das wesentliche Menschentum ist unstet und flüchtig«.[37] Deshalb haben für Meyer die Zitate in den Kreisler-Fragmenten grundsätzlich die Funktion ironischer Sinndeutung, der Distanzierung zum eigenen Schicksal und der Gestaltung heimlicher Lebensbezüge, während sie in Murrs Schriften durch Plagiat, oberflächliche Umstellung und Sinnentleerung den Verfall des Bildungsguts aufweisen. Die Eingangszitate beleuchten bereits diese Situation. Das Egmont-Zitat am Anfang des Murr-Teils zeigt, wie das Lob des Daseins »der Apologie satten Lebensbehagens, dem Lobe der Gewohnheit als des banal Gewöhnlichen gewichen« ist.[38] Das Zitat aus Laurence Sternes *A Sentimental Journey through France and Italy* am Eingang der Kreisler-Biographie ist dagegen mit Spannung geladen, denn es weist darauf hin, daß Kreisler im brausenden Sturm der Welt steht. Hier wird ein grundsätzliches Problem in Meyers Arbeit deutlich. Warum sind die Zitate im Kreisler-Teil bewußt durchdacht, wenn Hoffmann im Murr-Teil »unbedenklich« hinschreibt, was »ihm im Ohre lag«[39]? Diese Bewertung ist nicht überzeugend.

Warum sollte Hoffmann, der Goethes *Claudine von Villa Bella* gut kannte, nicht bewußt eine Änderung vornehmen, um dadurch eine neue Sinneinheit zu schaffen? Warum sollte er die traditionelle Leichenrede durch geschickte Abwandlungen, durch Hyperbel und Litotes auf ihren Gehalt prüfen, aber den Redner Hinzmann scheinbar naiv sprechend gestalten (338–350), dagegen den mediatisierten Prinzen Irenäus, der anscheinend keine Erkenntnisfähigkeit besitzt, die Einsicht zuschreiben, daß er eine Rolle spielt (40 f.)? Diese und andere Textstellen belegen, daß der Erzähler offene und verschlüsselte Zitate verwendet, um Verhaltensweisen zu charakterisieren, ihre Mehrdeutigkeit sichtbar zu machen und den Rückgriff auf die Tradition zu befragen. Durch den Hinweis auf *Egmont* wird das von Goethe entworfene Men-

37 Meyer (Anm. 33) S. 115.
38 Ebd., S. 131.
39 Ebd., S. 127.

schenbild fraglich; durch die Anspielung auf *A Sentimental Journey* and Sternes ironische Gestaltung der Ich-Erzählung erscheint das Formproblem des Romans in neuem Licht. Zitate wie auch Anspielungen auf Oper und Gesang regen zur kritischen Auseinandersetzung sowohl mit der im *Kater Murr* dargestellten Welt als auch mit den formalen Eigenheiten des Romans an. Sie weisen auf Kompositionsprobleme hin, heben beispielsweise in der Andeutung auf die *Zauberflöte* Ähnlichkeiten und Unterschiede in der Charakterzeichnung hervor und parodieren die Tradition (195). Einen ähnlichen Verweischarakter haben Bemerkungen des Biographen, die den »Helden« als »einen extravaganten Menschen« (139) bezeichnen, in Kreislers nachempfundenem Rousseau-Erlebnis das romanhafte Leben verspotten (103), den Leser mit einer Verzögerung wichtiger Nachrichten reizen (260–262). Dasselbe gilt für die Szenen am Hof, in denen Ereignisse so aufgeführt werden, daß sie theatralisch oder wie »Romanstreiche« wirken.

Deshalb überrascht es nicht, wenn der Biograph wie der Herausgeber das Stilmittel des Glossierens verwenden. Der Biograph läßt Personen sprechen. Irenäus vermahnt seinen Leibjäger nach dessen Bericht: »Lebrecht, das scheint eine Imitation zu sein, denn selbiges kommt schon in der Oper von Herrn Mozart, Figaros Hochzeit geheißen vor [. . .]. Bleib er der Wahrheit getreu, Jäger!« (395) Prinz Hektor zitiert Ariost in einem Brief an Irenäus. Der Herausgeber übersetzt den Brief (401 f.), verweist durch die Wortwahl (»Herz entbrannt, brünstiger Liebe«) auf Murrs Sprache und schließt mit einem Gespräch, in dem Irenäus sein Mißvergnügen über Pathos und Gehalt der Strophe äußert. Kreisler verteidigt sich in seinem Brief an Abraham gegen den Vorwurf, »des historischen Stils nicht mächtig« zu sein (262) und erklärt seinen Bericht als »vorläufige epitomatische Inhaltsanzeige« eines zukünftigen historischen Kapitels. Der Hinweis findet abgewandelte Entsprechung in Murrs Überlegung, die »Reisebeschreibung« seiner Abenteuer in der Welt in Briefform zu veröffentlichen (152). Sein Vorhaben regt ihn zum Nachdenken über Verleger an, die voller Vorurteile gegen Kater sind. Seine Meinung wird jedoch sofort durch Lothario glossiert, der befürchtet, Murr werde »die Doktorwürde erhalten, zuletzt als Professor der Ästhetik Collegia lesen« (154), Verleger finden und »gute Honorare« wegschnappen (157). Die Beispiele für die Technik wechselseitiger Verweise sind zahlreich. Besonders aufschlußreich sind Stellen, die Murrs Artistik, Selbstironie und kritisch-ironische Haltung zu seinem eigenen Schaffen andeuten.

Murr übernimmt aus der literarischen Tradition geflügelte Worte, Textstellen, Vorstellungsgehalte und Formkonstanten. Er ist vertraut mit Anrufen der Natur und der Kunst, der Bescheidenheitsformel, der Lob- und Trostrede. Er unterwirft jedoch das Überlieferte der Eigenart seines Stils, die darin besteht, entgegengesetzte Bilder und Sinngehalte zu verbinden und das Widersprüchliche durch katachrestische Sprachfügungen noch zu vertiefen. Die Bescheidenheit des Redners wird zum affektierten Größenanspruch und Selbstlob (32, 51, 66, 83, 87, 186–189, 193, 367). Murr betont seine Überlegenheit und das Einzigartige seines Schaffens (38), das alle Werke der Vergangenheit in Schatten stellt. Er kennt Homer, Shakespeare und zeitgenössische Autoren, glossiert Goethe und Dante. Sein Totengesang auf Muzius steht unter dem Vorzeichen der *Göttlichen Komödie*: »Magst du zugleich mich weinen sehn und reden« (33. Gesang). Aber Murrs Klage verwandelt sich in Dichterlob. Die Verse, die »den Übergang von Leid zur Freude mit poetischer Kraft und Wahrheit schildern« (365), wecken nicht nur den Eindruck einer Travestie von Goethes Gedicht »Schillers Reliquien«. Sie veranschaulichen Murrs Spiel mit der Selbstanalyse und den Kontrastpaaren Höhe und Tiefe (366 f.). Murr verheißt Muzius ewiges Leben durch sein Gedicht, dankt »den holden Musen, / Dem kühnen Flug der Fantasie« (367), erinnert sich der Lehre des verstorbenen Freundes (255), wird »Muzius gleich ein wackerer Esser«, aber besteht auf seiner Eigenart:

»ganz in Poesie erglüht« (367). Die Spannung zwischen den Bewegungsfiguren Sprung/Sturz, hohe Sphären und Ahnung der Götterlust/Braten, und Dach/Ofen kennzeichnet alle poetischen Werke Murrs (83, 84 f., 89, 148, 187 f., 193, 365 bis 367).

Murr denkt über den Ursprung seines »Höhesinns«, des Triebes zum »Erhabenen« nach (18) und folgert, er sei sowohl seiner Natur angemessen als auch seiner vom menschlichen Leben geprägten Seinsorientierung. Die Kontraste entsprechen jedoch besonders der wiederholten Erhöhung und Erniedrigung des Schriftstellers Murr und seiner wechselnden, aber stimmigen Stimmlage, die die Skala des Humors vom Witz bis zur Parodie durchläuft. Murr weist darauf hin, nachdem er »rauschende Wälder, flüsternde Quellen / Strömender Ahnung spielende Wellen« für ein Lied brauchbar fand: der Dichter bedarf weder des Waldes noch der Welle; er erschaut »doch alles, *was* er will, und kann davon singen *wie* er will« (193). Das bedingt, daß eine Interpretation des Sonetts »Sehnsucht nach dem Höheren« (83) zuerst stufenweise vorgeht und zuletzt das Fragmentierte der Lebenserfahrung in der scheinbar festen Ordnung der strengen Form erkennt. Die beiden Quartette umfassen Gegensätze und stellen Fragen. Gefühl und Geist, Einbildungskraft (»Sinn im Sinne«) und ahnungsvolles Streben sollen sich vereint vom »mächtigen Genius« nach oben bewegen. Der Leser wird diese Flugsehnsucht nach Entgrenzung als romantisches Element erkennen. Die beiden Terzette klären scheinbar die Fragen und erläutern den Gedanken in zwei kurzen Ausrufen. Das erste Terzett verschmilzt die Gegensätze zu einer Einheit. Der von der Sehnsucht beflügelte Dichter findet zur Natur (»Frühlingsfrische«) und wird von ihr umfangen »nach fernen Zauberlanden« entrückt. Das abschließende Terzett desillusioniert die Vorstellung. Murr findet eine dem natürlichen Instinkt angemessene Auflösung des Höheren. »Hinauf mein Herz! beim Fittich *ihn* erwische!« (83) Der Ausgang verflacht das Vergeistigte und verweist dadurch auf bestimmte Eigenschaften Murrs, die ihn zeitweilig als ganz spießbürgerlich, rational, materialistisch, selbstgefällig und überheblich erscheinen lassen. Da Murr jedoch nicht nur fühlt, sondern denkend schreibt, stellt das Gedicht Beziehungen zu anderen Stellen im Text her und zwingt den Leser, über die vieldeutige und ironisch gebrochene Sehnsucht nach Entgrenzung nachzudenken. Die scheinbar einfache Gleichung des Sonetts wird zutiefst fragwürdig. Selbst die von Murr betonte Formstrenge des Gedichts wirkt hintergründig. Es enthüllt Murrs Anlehnungsbedürfnis, ist eine Parodie der romantischen Sehnsucht und will den Leser zwingen, über die Situation eines Dichters nachzudenken, der mit Formen spielt, an die er nicht glaubt. Außerdem verwickelt uns die Textstelle in das Spielfeld der Raumdarstellung.

Die Raumperspektive erfaßt eine durch die Erzählung befestigte Welt und die Ortung eines diskontinuierlich berichteten, fragmentarischen Lebens. Die Dialektik von Höhe und Tiefe, Entgrenzung und Behausung veranschaulicht Bewegungsmöglichkeiten in einem formalen Bezugssystem. Murr, bei seiner Geburt gefährdet, hört später von der tödlichen Bedrohung durch seinen Vater und den Ertränkungsversuch, verdrängt jedoch Todesahnungen. Er lebt sich nach seiner ersten bewußten Regung schnell in der Welt ein: Abraham, süße Milch, Braten und Heringskopf geben dem Leben Halt. Seine Sehnsucht nach dem phantastisch Möglichen bleibt dem Wirklichen (Taube) verpflichtet. Deshalb sind und bleiben Ofen, Zimmer und patriotisch eingefärbter Boden feste Orientierungspunkte auf der Reise ins Unbekannte, auf der Straße und in jeder Gefahr. Ebenso stößt er in der dichterischen Selbstspiegelung auf ein geprägtes Ich, dessen Kern gesichert ist. Irenäus, die Fürstin und die Hofgesellschaft stehen im Bann der erstarrten Etiquette. Innenräume, Schloß, Park, See und im Hintergrund der Geierstein mit der weißblinkenden Ruine umreißen das äußere Blickfeld. Aufflackernde Gedanken einer Veränderung erschöpfen sich im Vergnügen am Feuerwerk, Festen, unterhaltenden Experimenten und konventioneller Musik. Abrahams Welt ist ein Aggregat widerspruchsvoller Raumvorstellungen. Er kennt den Höhenflug der Phantasie und den Sturz in die Verzweiflung seiner Erdverbundenheit. Sein Leben verläuft in konzentrischen Kreisen, die in der wiederkehrenden Spannung zwischen Höhe und Tiefe wurzeln. Aber erst in Kreislers Erfahrung sammeln sich alle widersprüchlichen Tendenzen. In ihr bahnt sich die Gleichsetzung des räumlich Befestigten und des Visionären an. Er erfährt den Verlust der Orientierung und bezieht seinen Namen auf »die wunderbaren Kreise [...], in denen sich unser ganzes Sein bewegt, und aus denen wir nicht herauskommen können« (71). Er weiß, daß er in »diesen Kreisen kreiselt« und sich »hinaussehnt ins Freie« (71). Er ahnt aber auch, daß seine Versuche, sich im Klang der Musik aus den Begrenzungen der Kreise zu erheben, immer im Sturz zurück in die Zeitlichkeit enden. Er kehrt zum Ausgangspunkt zurück, trifft Spiegelungen des problematischen Ichs. Dennoch spürt Kreisler nicht nur die allgemeine Verunsicherung, er bejaht sie mit seiner aus Verzweiflung geborenen Ironie, die sich sowohl nach innen als auch nach außen wendet.

Die Bildsphären des Kreises und der Höhe-Tiefe begründen Raumvorstellungen, die grundverschiedene Möglichkeiten der Seinsverfassung andeuten. Der Bewegungskurve nach oben entspricht die Auffassung einer auf das Absolute zielenden, aber denkbaren Entwicklungsfähigkeit des Menschen. Die zentripetale Kreisbewegung, die sich immer erneuert, weil die gestaltgebende Mitte fehlt, macht die Bewußtseinslage des verunsicherten Seins sichtbar. Die Vergegenwärtigung des Unvereinbaren, das als Formprinzip anerkannte Zerreißen der Biographie, die wechselseitigen Beziehungen, das mehrdeutige Rollenspiel, die Zitatkunst und die ständig wechselnde Erzählperspektive zeigen, was der Roman leistet. Er beleuchtet kritisch das Menschenbild, die Ideale und die formalen Leistungen einer zu Ende gehenden Kultur- und

Kunstperiode und stellt einen Übergang her zu den sozialkritischen Werken des späteren 19. Jahrhunderts. Die Diskontinuität der Form entspricht dem Umbruch in Leben und Denken. Die mehrfache Optik der Erzählperspektive entspricht der Krisensituation der Kunst.

Künstlerthematik

Die Gestaltung der Künstlerthematik umfaßt vier Problemkreise: die Persönlichkeit (Anlage, Selbstverständnis, gesellschaftliche Bindung) des Künstlers, den Schaffensprozeß, die gesellschaftlichen Bedingungen und die Krisensituation der Künste. Aus der Fragestellung und durch die Problematisierung des Künstlers entstehen Anklänge an Heinses *Ardinghello* (1787), Wackenroders *Herzensergießungen eines kunstliebenden Klosterbruders* (1797), Tiecks *Franz Sternbalds Wanderungen* (1798) und Novalis' *Heinrich von Ofterdingen* (1802). Das Bild des Künstlers im *Kater Murr* ist bestimmt durch Gefühlswerte, das Verhalten zur Welt, die Einstellung zum Schaffen und die wechselseitigen Bezüge zwischen Kreisler und Murr. Die Figur Kreislers wirkt konfliktgeladen und voller Spannungen. Zu seinen Eigenschaften gehören die Dissonanz, das Exzentrische, Gleichgewichtsstörende, aber auch die Sehnsucht nach dem Reinen, Edlen, Harmonischen. Meister Abraham spricht von dem »bedrohlichen Geheimnis«, das im Inneren Kreislers ruht: »[...] ein gärender Vulkan, in jedem Augenblick vermögend loszubrechen in verderblichen Flammen, rücksichtslos alles um sich her verzehrend!« (21) Er erwähnt, daß Kreisler »das Wildeste, Schauerlichste« (27) recht sei. Dessen unvermittelte Übergänge von tiefstem Ernst zum kreischenden Spott, seine Auftritte vor Hedwiga oder sein Zornesausbruch gegen die Geige scheinen das Urteil zu bekräftigen. Kreisler selbst fühlt in sich eine »unbeschreibliche Unruhe«, die ihn entzweit.

> Nicht die Sehnsucht ist es, die [...] aus dem höheren Leben entsprungen, ewig währt, weil sie ewig nicht erfüllt wird, weder getäuscht noch hintergangen, sondern nur nicht erfüllt, damit sie nicht sterbe; nein – ein wüstes wahnsinniges Verlangen bricht oft hervor nach einem Etwas, das ich in rastlosem Treiben außer mir selbst suche, da es doch in meinem eignen Inneren verborgen, ein dunkles Geheimnis, ein wirrer rätselhafter Traum von einem Paradies der höchsten Befriedigung, das selbst der Traum nicht zu nennen, nur zu ahnen vermag, und diese Ahnung ängstigt mich mit den Qualen des Tantalus. (75 f.)

Daß die rauschhafte, sinnlich-antäische Erfahrung der Welt der Sehnsucht nach Entgrenzung entgegensteht, gehört zu den ungelösten Widersprüchen in Kreislers Dasein. Denn Kreisler schwebt die Vision einer reinen Menschheit vor Augen. Er glaubt an die Möglichkeit, daß die Kunst dem Menschen die Andeutung eines Ideals humaner Selbstverwirklichung vermitteln kann, eines Ideals, in dem die Widersprüche des Lebens gelöst sind. Und Kreisler hält an der Hoffnung fest, daß der Künstler dem Absoluten von Angesicht zu Angesicht gegenübertreten könne, wenn er sich ein »reines kindliches Gemüt« und die »fromme Sehnsucht und Liebe« nach dem »Höchsten« bewahre (356–358, 432).
Kreisler findet – wie auch andere Künstlerfiguren Hoffmanns – einen Abglanz seines Ideals im Bild der unberührten Frau. In Julias Gestalt spiegelt sich die sonst tief im Inneren verschlossene Vision. Kreisler spricht davon, daß begnadete Künstler »urplötzlich« das »Engelsbild« erschauen, »das, ein süßes unerforschtes Geheimnis, schweigend ruhte in ihrer Brust«. Er fährt fort: »Und *sie, sie* selbst ist es, die Herrliche, die, zum Leben gestaltete Ahnung, aus der Seele des Künstlers hervorleuchtet, als Gesang – Bild – Gedicht!« (164 f.) Seine Liebe wird ihm zur Quelle künstlerischer Inspiration:

> [...] noch einmal breite ich die Arme aus wie Adlersflügel mich dort hinzuschwingen, wo ein süßer Zauber waltete, wo jene Liebe, die nicht in Raum und Zeit bedingt, die ewig ist wie der Weltgeist, mir aufging in den ahnungsvollen Himmelstönen, die die dürstende Sehnsucht selbst sind und das Verlangen! (264 f.)

Im Kloster träumt Kreisler, daß Julia in »holder Engelsgestalt« zu ihm tritt; er erfaßt die Komposition und schreibt erwachend das neue Agnus auf (294). Er erfährt jedoch durch Ettlingers Tragödie die tiefe Bedrohung der künstlerischen Existenz durch eine Liebe, die, zur sinnlichen Begierde entfacht, Ideal und Wirklichkeit verwechselt.
Seine Haltung zu Hedwiga ist kaum weniger problematisch. Einiges spricht für die Annahme, daß sie die dämonischen Saiten in Kreisler zum Klingen bringt (vgl. 142, 160, 302). Trotzdem weigert er sich, auf ihr verhülltes Liebesgeständnis einzugehen (165–167), und steht ihr im Grunde seines Wesens fremd gegenüber. Denn seine künstlerische Berufung verlangt geradezu das Vergessen, ja die Selbstaufopferung seiner eigenen Person. Kreisler sieht die Kunst im Dienste des hohen Ideals einer versöhnten Menschheit und will sie zum Kultus zurückführen. Diese Vorstellung führt zur Lebens- und Formkrise. Im Leben muß ihm die Erfüllung versagt bleiben. In den künstlerischen Kompositionen ringt er mit Gestaltungen des »Überirdischen«, die zumindest in den Ansätzen in der Wirklichkeit wurzeln. Hoffmann hat sich mehrfach mit der Frage der Formgebung einer Vision beschäftigt, die in der Welt begrenzter Erscheinung nur andeutungsweise gegeben ist.[40] Er nahm an, daß ein genialer Komponist die Aufgabe im Bereich der Instrumentalmusik lösen könnte:

> Die Musik schließt dem Menschen ein unbekanntes Reich auf; eine Welt, die nichts gemein hat mit der äußeren Sin-

40 Vgl. Horst S. Daemmrich, »Zu E. T. A. Hoffmanns Bestimmung ästhetischer Fragen«, in: *Weimarer Beiträge* 14 (1969) S. 640–663.

> nenwelt, die ihn umgibt, und in der er alle durch Begriffe bestimmbaren Gefühle zurückläßt, um sich dem Unaussprechlichen hinzugeben [...] und selbst das im Leben Empfundene führt uns hinaus aus dem Leben in das Reich des Unendlichen.[41]

Er unterschätzte jedoch keinesfalls, wie leicht der Komponist an einem zu hoch gesetzten Ideal scheitern kann, da grundsätzlich die Gefahr besteht, daß der Versuch, das Unendliche hörbar oder sichtbar erscheinen zu lassen, das künstlerische Gestaltungsvermögen überfordert.
Wahrscheinlich wurzelt Kreislers »fixe Idee, daß der Wahnsinn auf ihn lauere, wie ein nach Beute lechzendes Raubtier« (163) im Wissen um diese Gefährdung, die tiefer greift als die Verwechslung des Ideals mit der Wirklichkeit. In seiner Erschütterung über Ettlingers Schicksal deutet Kreisler dessen Raserei und Umnachtung zuerst als das Versagen eines Künstlers, der im Leben eine Erfüllung suchte, die ihm verschlossen bleiben mußte. Ettlinger ging in der Liebe auf und zerbrach an der menschlichen Not. Kreisler spricht von einer Liebe, die weder verlangen noch gewähren darf (164). Später erkennt er die Schuld der Gesellschaft, die den Schein sittlicher Ordnung bewahrt, aber im Inneren brüchig ist (171 f.). Nachdem Kreisler im Kloster den Sturm seiner Gefühle überwindet und komponiert, verblaßt das Schattenbild seiner Sorge. Der gespenstige Doppelgänger erscheint als »ruhiger besonnener Mensch« (270). Der Komponist hat, sei es auch vorübergehend, den Weg zwischen den beiden Bereichen gefunden. Er hat die Vision festgehalten, die nun auf »Wellen des Gesangs« fortlebt. Der Erzähler beschreibt, wie Kreisler aus der Erinnerung den schöpferischen Augenblick traumhaft nacherlebt. Seine Komposition feiert Liebe, Entgrenzung, Sehnsucht und heiles Leben als ein Geschehen. Aber nicht nur das Traumhafte des Augenblicks, sondern

41 E. T. A. Hoffmann, *Schriften zur Musik. Nachlese*, hrsg. von Friedrich Schnapp, Darmstadt 1966, S. 34 f.; vgl. mit S. 609 f.

auch die Gesamtanlage des Werkes verbieten, in der einmaligen Leistung eine Lösung der Kunstthematik zu sehen.
Die in *Kater Murr* angedeuteten Lösungs- und Durchbruchsversuche umfassen die völlige Anpassung an die Gesellschaft, die mit Identitätsverlust und Einbuße der schöpferischen Kraft verbunden ist; das Experiment, in der scheinbaren Anpassung einen Spielraum innerer Freiheit zu bewahren; die Pflege der Tradition im Rückgriff auf überlieferte Leitbilder; die Parodie; den verzweifelten Versuch, ein gültiges Menschenbild im Anschluß an die Tradition neu zu gestalten, und schließlich den im Roman selbst beschrittenen Weg, die Formen aufzulösen, um in der Dissonanz die allgemeine Auflösung zu kennzeichnen. Kreislers frühe Erfahrungen wecken seine Liebe zur Musik. Er fühlt seine Berufung, erkennt die Voraussetzung des technischen Könnens, spielt, komponiert und rührt Zuhörer zu Tränen (123). Trotzdem versucht er den Erwartungen der bürgerlichen Gesellschaft zu entsprechen. Kreisler erkennt den Irrtum, »reißt aus«, wendet sich völlig der Kunst zu, wird jedoch erneut in die ihm unerträgliche Lage versetzt, sich anpassen zu müssen. Seine Kompositionen stoßen auf Gleichgültigkeit oder Verständnislosigkeit. Die Gesellschaft will durch unbeschwerte Musik unterhalten, zerstreut und entspannt werden. Kreisler wird in die Position des Außenseiters gedrängt, da er weder den vorherrschenden Geschmack noch die bestehenden gesellschaftlichen »Verträge« über »die Gestaltung des Lebens« anerkennen kann. Er flieht erneut, erscheint am Hof in Sieghartsweiler, wird zu neuem Schaffen angeregt, indessen zugleich durch eine nun lebensbedrohliche Intrige vertrieben. Er findet Zuflucht in der Abtei, muß aber erkennen, daß selbst im Kloster die fromme Eintracht der Brüder und die ruhige Pflege der Tradition im Wanken ist. Die im Roman dargestellte Welt bietet somit Kreisler keine Möglichkeit zur Selbstverwirklichung, solange er an seiner Vorstellung einer idealen Kunst und dem Weltbild humaner Seinserfüllung festhält.
Aber die Gesellschaft verneint nicht nur Kreislers Lebens-

grundlage, sondern entzieht ihm die Voraussetzung zum Schaffen: Das unter dem falschen Schein der Ordnung brodelnde Chaos der Auflösung und des Verfalls trägt keine Form mehr. Kreisler sucht die Unschuld der Natur, lauscht auf »die weissagende Stimme des [. . .] Donners« (101), löst Dissonanzen auf und sucht Anschluß an die Tradition, um Zeitlos-Gültiges zu bewahren. Wie sein Gespräch mit dem Abt über das Gemälde des Mirakels zeigt, ringt Kreisler mit dem scheinbar unlösbaren Problem, eine Kompositionsform zu finden, die dem Weltgeschehen und seinem eigenen Anspruch entspricht (350–358). So steht neben Kreislers Flugsehnsucht sein Blick in den Abgrund, neben der Heilsgeschichte (356) der Mord (435 ff.), neben Liebe die brutalste Willensanmaßung und, eingefangen im Bild des Schwans, mitten im Schaffen der Wunsch, im »brausenden Strom der Akkorde« zu sterben. Wenn Kreisler dem Schwan seine Arme entgegenstreckt (171), finden Mythologie und Musik noch einmal zueinander. Der Komponist äußert sein Todesverlangen und zugleich den Wunsch, sich in verwandelter Gestalt frei für eine leidende Menschheit zu opfern (143).

Murr geht den Weg, den Kreisler nicht gehen konnte. Wird im Falle Kreislers die Selbstverneinung des Lebens zugunsten der Kunst zur sittlichen Haltung, so wird in Murr der hochgezüchtete Anspruch des Außerordentlichen der Dichtung zur parodistischen Gesinnung. Murr entwickelt sich zum Lebens- und Anpassungskünstler, der der Gesellschaft liefert, was sie erwartet. Nun besteht der Kunstgriff des Romans darin, Murr als naiv-überheblich und zugleich als ausgesprochen bewußt erscheinen zu lassen. Dadurch wird die Verflachung der Tradition im Literaturbetrieb bloßgestellt, aber auch die parodistische Grundhaltung als Lösung der Formkrise kritisch beleuchtet. Die Parodie als ein bewußtes Spiel mit Vorstellungen und Formen, die unzeitgemäß sind und an die der Künstler nicht mehr glaubt, zerstört kritisch, was scheinbar naiv geboten wird. Sie stellt hohe künstlerische Anforderungen an den Dichter. Murrs wiederkehrende Hinweise auf die Größe der Gedanken und die Formvollendung seiner Werke unterstreichen diese Tatsache. Er ruft seine Leser zur Aufmerksamkeit auf und wirbt um ihr Verständnis für eine Haltung, die auch die Selbstverspottung einschließt. Der Roman bietet jedoch keinen Hinweis, daß Murrs fiktives Publikum diese sehr ernsten Scherze versteht. Professor Lotharia wittert Konkurrenz (154); die Kater drücken Murr an ihre »klopfende Brust« (259); und die gebildete Hündin Minona, die alle seine Werke gelesen hat, lispelt: »[...] genialer Kater, können Sie glauben, daß ein fühlendes Herz, ein poetisch gemütliches Gemüt Ihnen entfremdet bleiben kann?« (421) So entstehen Zweifel, ob die von der Öffentlichkeit nicht erkannte Parodie überhaupt eine kritische Funktion übernehmen kann. Im Hinblick auf die streng durchgehaltene Kunstthematik des Romans sollte man erwägen, ob Hoffmann in der hochentwickelten Artistik sowohl einen Ausweg aus der Krise als auch einen Irrweg in ihr aufzeigen wollte.

Der Leser des Romans erkennt jedenfalls in der mehrfach gebrochenen Perspektive die Auflösung des klassischen und romantischen Gedankenguts, die Banalisierung hochfliegender Ideen und die Fragwürdigkeit einer Kunstgebärde, die der Zeit nicht mehr angemessen ist. Der Roman verschärft somit typische Tendenzen der Romantik. Darüber hinaus bahnt sich in der Thematisierung der Kunst die Krisensituation der Moderne an. Die Bewußtseinslage des Künstlers spiegelt die allgemeine Verunsicherung der Zeit. Das verbindliche Wertsystem ist brüchig. Die überlieferten Ideale sind erschüttert. Das Anlehnungsbedürfnis an die Tradition nimmt zu, aber der Beglaubigung durch kompositorisch Vorgeprägtes fehlt die Tragkraft. Der Künstler erfährt eine tiefgreifende Schaffenskrise, spürt die Diskontinuität des Ich-Bewußtseins, verliert das Vertrauen auf seine Vision und stößt im Zeitalter der technischen Reproduktion der Werke auf ständig wechselnde, vom Zeitgeschmack beeinflußte Ansprüche des Publikums. Deshalb sucht er im ständigen Neuansatz nach einer Form, die die Dissonanzen der Zeit aufnimmt und bewältigt. Die stimmigen Vergleiche und die inkongruenten Parallelkonstruktionen erwecken Zweifel an zentralen Vorstellungen der Zeit. Begriffe wie Liebe, Herz, Freundschaft, Gemüt, Heimat und Natursehnsucht rufen durch die Verfremdung im Text zur Neubesinnung auf. Schließlich mündet die Kunstthematik in eine allgemeine Zeitkritik. Indem Murr den Anspruch stellt, er habe in seinem Leben ein völliges Gleichgewicht von Denken und Empfinden, von Vernunft und Gefühl in der bewußten Anpassung an die Gesellschaft erreicht, gerät die ganze Darstellung in offenen Widerspruch zu der Aufklärung, der Geniezeit, der Klassik, eigentlich zu allem, was die deutsche Geisteskultur intellektuell gefärbt hatte.

Hoffmann faßt im *Kater Murr* die Krisensituation der Kunst in einem weiten, das Dasein einschließenden Sinne auf. Eine tiefe Kluft trennt die Kunst von der Gesellschaft, die eine annehmbare Deutung des Lebens, aber nicht soziale und menschliche Erneuerungsvorschläge hören will. Selbst dort, wo die Kunst im kleinen Kreis wie im Kloster gepflegt wird, regt sie nicht zu echter Selbstbesinnung an. Der Künstler wird entweder in eine Außenseiterposition gedrängt oder gezwungen, sich der Welt anzupassen. Hält er an der Vorstellung fest, daß die Kunst Darstellung und Kritik des Daseins im Licht des Gedankens ist, so muß er die allgemeine Krise ins Werk übernehmen. Die außergewöhnliche Bedeutung von Hoffmanns Darstellung dieser Problematik beruht auf der Tatsache, daß er nicht nur Fragen stellte, die sich jeder eindeutigen Lösung entzogen, sondern auch von der Wahrheitssuche zur Wahrheitsschöpfung überging. Denn das Werk als Ganzes umfaßt die Probleme und Aufgaben der Kunst, erscheint in einer Form, die der Formkrise angemessen ist, und bewahrt trotz aller Kritik die Wesensverwandtschaft der Kunst mit dem Spiel.

Gesellschaftskritik

Die Gesellschaftskritik richtet sich gegen Verfallserscheinungen im Adel, im Stadtbürgertum, in den gehobenen Kreisen, gegen das leere Treiben der »Gliederpuppen« und gegen die Tendenz, den Mitmenschen zum Objekt zu erniedrigen. Die Darstellung ist wie die der Kunstproblematik mehrfach gebrochen, wodurch selbst scheinbar humoristische Szenen plötzlich hintergründig wirken. Der Hof in Sieghartsweiler erweckt zuerst den Eindruck eines Staatsgebildes, in dem Lebensformen aufrechterhalten werden, die historisch überholt sind. Der Erzähler berichtet: Fürst Irenäus, finanziell unabhängig, läßt »einen süßen Traum ins Leben treten«, spielt die Rolle des regierenden Herrn in seinem winzigen Staat, hat eine Hofhaltung, einen Kanzler, ein tätiges Finanzkollegium, gibt Bälle, läßt sich bei Ausfahrten von Läufern begleiten und wandert zuweilen inkognito durch sein Reich. Am Hof verstößt niemand gegen die Sitte; die Fürstin ist nie unschicklich; Prinzessin Hedwiga wird von Hofdamen behütet; und Julia spielt mit dem schwachsinnigen Prinzen. Irenäus erscheint als ein Mensch, der auf Anstand hält, seine Gefühle selbst in eingebildeter Todesgefahr meistert (396) und überhaupt »menschenfreundlich« ist (169). Jeder beteiligt sich an der Aufführung des Spiels eines leeren Repräsentantentums, verwirklicht die Rolle und empfindet sie zuletzt als gehaltvoll (41). Meister Abraham bannt mit seinen Künsten die Gefahr der »gähnenden Langeweile« in dem scheinbar ruhigen Dasein. Trotzdem wirkt das Ganze unheimlich. Der Standesdünkel des Adels (136, 240), der Bürger (387 f.), der Professoren (311) und der studentischen Katzburschen (257) verhindert echte menschliche Begegnungen. Die Konvention wurzelt nicht in Sittlichkeit. Sie ist zur Lebenslüge geworden und ständig vom Einbruch der Angst bedroht (398). Wiederkehrende Anspielungen auf leidenschaftliches Handeln, Gewalttaten, verschwiegene Blutsverwandtschaft, Ehebruch und ein uneheliches, nach Italien entferntes Kind durchkreuzen harmlose Bemerkungen des Erzählers und erwecken den Eindruck düsterer Geheimnisse. Die Beteiligten sind in ein Netz der Intrige verstrickt, von dem jeder einige Fäden in der Hand hält. In diesen Szenen und besonders in dem Geschehen um Prinz Hektor übernimmt der Erzähler Elemente aus dem Schauerroman.

Nehmen wir im Hinblick auf die Murr-Parodien an, daß die Übernahme nicht zufällig ist, sondern ein Verfahren darstellt, das auf dem Wege des Wiedererkennens eine Verschiebung zur bewußten Erkenntnis bewirkt, so entsteht eine veränderte Situation. Das Klischee wird verfremdet. Die Zeichen sind nicht identisch mit den Bezugsgegenständen. Dieses Verfahren entspricht der Darstellung menschlicher und gesellschaftlicher Beziehungen, die auf Täuschung beruhen. Männer betrügen Frauen, Frauen ihre Männer; der Freund verrät den Freund, der Bruder den Bruder, und der Verbrecher spielt den Heiligen. Diese Zustände sind dem Leser keine Geheimnisse. Nehmen wir weiterhin an, der Kammergerichtsrat Hoffmann, Mitglied der Immediatkommission, sei kein naiver Jurist, der Schriftsteller Hoffmann kein oberflächlich-unbewußt schreibender Schriftsteller gewesen, dann ist die Suche nach einer Kausalverkettung verwandtschaftlicher Beziehungen, deren Erkenntnis das Geheimnis löst, nicht sinnvoll. Die Figuren sind Träger der Konfliktstoffe. Das Labyrinth ihrer Beziehungen ist durchschaubar. Es kommt nicht auf die Entdeckung unklarer Verhältnisse an, sondern auf die Erkenntnis des Problems. Die Psychologie und die sozialen Voraussetzungen des Verbrechers und des Verbrechens sind gleichermaßen wichtig. Im Mittelpunkt des Handelns steht ein in vielfältigen Variationen vorgeführter Fall: das Verbrechen gegen die Menschlichkeit. Die Szenen gestalten die Verdinglichung des Menschen zum Objekt und die darauf gründende Barbarisierung menschlicher Beziehungen. Die Atmosphäre am Hof ist vergiftet (243–252). Kinder werden als Objekte ökonomischer und politischer

Pläne mißbraucht (195, 277, 324 ff.), Gegenspieler durch Denunzianten beseitigt (330). Der Bruder rast gegen den Bruder und vergiftet dessen Braut (436–441). Die junge, bildhübsche Frau des Professors, »die Häuslichkeit selbst«, läßt sich von Jünglingen ihre Liebesdienste bezahlen, denn sie braucht Geld, um »nach der letzten Mode gekleidet zu gehen« (375 ff.). Die Freunde Formosus und Walter betrügen einander, während sie sich scheinbar in edelmütiger Gesinnung überbieten (130–135). Der Betrug wird zur Lebensmaxime: Im Winkel handelt man »ganz anders [. . .] als auf offner Straße« (128). Die Satten werden gefüttert; die Hungrigen sollen hungern (50 f.). Die Burschenschaftsszenen belegen, daß das Denunziantentum und die Freiheitsunterdrückung zu Staatsprinzipien geworden sind (308–311). Der Erzähler fängt die Zerstörung der Menschenwürde durch die Verdinglichung in zwei Figuren ein, der leidtragenden Chiara und dem idiotischen Ignatius. Severino braucht für seine Zauberkunststücke ein Medium und kauft das achtjährige Zigeunermädchen für zehn Dukaten. Ein Polizeileutnant erklärt zwar barsch, hier sei kein Sklavenmarkt, steckt dann aber befriedigt das angebotene Geld ein. Severino experimentiert mit dem Kind, merkt, daß sie »nach empfundenem Schmerz vorzüglich reizbar« ist, und geißelt sie »auf die grausamste Weise« vor jeder Aufführung, in der sie die Rolle eines unsichtbaren Orakels spielt. Nicht genug, er zwingt das Mädchen in eine Kiste, die so klein ist, daß niemand darin ein Lebewesen vermutet. Dort liegt sie »zusammengekrümmt, wie ein Wurm«, während der Vorstellungen und auch oft »tagelang«, wenn Severino abwesend ist (176–181). Von Abraham befreit, kehrt sie nach Jahresfrist zurück und spielt für Abraham das unsichtbare Mädchen. Die Rolle war ihr »zum Bedürfnis geworden« (184). Als Abraham mit Chiara am Hof Einfluß erlangt, wird die unglückliche Frau vom Fürsten im Einverständnis mit der Rätin Benzon denunziert. Die »Zauberin« wird »in aller Stille aufgegriffen und fortgeschafft« (330). Ihr Fall – gekauft, geknechtet und beseitigt – enthüllt

das absolut Böse unter der Oberfläche der schicklichen Gesellschaft.
Der Fall des Prinzen Ignatius beschreibt die Inhumanität aus der Sicht der Täter, denn sein Wahnsinn besteht darin, das öffentlich zu tun, was sie in willkürlicher Selbstüberhebung heimlich begehen. Objekte stellen für ihn einen Lebenswert dar. Er ordnet seine Tassen an, gruppiert sie stundenlang um und ersinnt neue Aufstellungen (167). Das tote Objekt ersetzt die echte Begegnung mit dem Mitmenschen. Gebeten, die Bibliothek zu ordnen, stellt Ignatius die Bände in Reih und Glied mit dem goldnen Schnitt nach außen auf. Kunst, Philosophie und Geschichte werden zum Schweigen verurteilt. Mit seinen Soldaten spielt der Prinz die Rolle des Heerführers. Er befiehlt, bestraft, belohnt. Sein Lieblingsspiel ist die Hinrichtung von Aufrührern. In seinen Gerichtssitzungen macht er blutigen Ernst. Ein kleiner Vogel, Sinnbild des freien Fluges, wird festgebunden, der Rebellion angeklagt und mit einer Kanone erschossen. Zuweilen hilft Ignatius mit dem Messer nach, »um die gerechte Strafe an dem Hochverräter zu vollstrecken« (274). In der Aggression gegen das Lebendige wird die unschuldige Natur zum Spielball des eigenen Begehrens. Der Wille erkennt keine Gesetzlichkeit außer dem eigenen Machtanspruch und zerstört die Lebensgrundlage. Der Vogel ist mit »einem schwarzen Herzen auf der Brust« gekennzeichnet. Der Stich ins Herz richtet sich gleichermaßen gegen Gefühl und sittliche Bestrebungen. Er faßt symbolisch den Sachverhalt der erstarrten Welt ein, eine Welt, die Ettlinger neu beseelen will, wenn er im Wahnsinn nach dem heißen »Herzblut« der Prinzessin schreit, das er zum »Firnis« braucht (162).[42] Aber die Situation ist ausweglos: Der Maler wird gebunden abgeführt; Kreisler muß sich gegen

42 Zum Wandel in der Herz-Metaphorik damals vgl. Manfred Frank, »Steinherz und Geldseele. Ein Symbol im Kontext«, in: *Das kalte Herz. Und andere Texte der Romantik*, mit einem Essay von M. F., Frankfurt a. M. 1978, S. 233–357; s. auch Horst S. und Ingrid Daemmrich, *Themen und Motive in der Literatur*, Tübingen 1987, S. 171–174.

einen Mordversuch wehren; Abraham klagt über ein verfehltes Leben; Hedwiga soll einen Kriminellen aus Standesrücksichten heiraten; und die Benzon will Julia an Ignatius binden, um ihre Pläne zu verwirklichen. Damit hat die Vorstellung von der freien Entwicklungsmöglichkeit des Menschen ausgespielt. Das Fazit ist Leiden. Dem Erzähler bleiben als Alternative nur die Verfremdung und die bewußte Zertrümmerung der formalen Gesetzmäßigkeit des schönen Scheins, der zur Lüge geworden ist.

Werk der Zeitwende

Kater Murr ist ein Werk der Zeitwende. In ihm kommen wesentliche Sinnzusammenhänge der Periode auf bedeutende Weise zur Sprache. Politisches und Überpolitisches, Zeitkrise und Lebenskrise greifen ineinander. Der Schriftsteller überblickt die klassisch-romantischen Kunstvorstellungen, setzt sich mit den Idealen auseinander, die das geistige Bild seiner Zeit beeinflußten, verzeichnet das Problematische, das Unechte, den Verfall in der Gegenwart und sucht nach einer Ausdrucksform, die der von ihm festgestellten Krise gerecht wird. Der Gesichtskreis umfaßt die historische Verunsicherung, das Lächerliche und Bösartige im gesellschaftlichen Leben, die Skepsis gegenüber Reformbestrebungen (253–255) und die Krisensituation der Künste. Daß die Welt in Bewegung ist, schwankt und neu erfahren werden muß, gehört ebenso zum Bild des Umbruchs wie die hektischen Übergänge von Anpassung zu Ausbruchsversuchen, der Sturz von höchster Reinheit der Empfindung zur Banalisierung des Gefühls und die wiederkehrende Spannung zwischen Entgrenzung und Einkreisung. In diesen Ballungen eröffnet der Roman den Ausblick auf Neues, aber noch nicht Faßbares. Die Form entspricht der geschilderten Situation, die sich einer greifbaren Lösung entzieht, da sie eine grundsätzliche Reform menschlicher Beziehungen verlangt. Wo soll eine Reform von Bestand ansetzen? Die Staatsvertreter halten nicht nur an erstarrten Traditionen fest und pflegen ein hohles Repräsentantentum, sondern handeln widerrechtlich. Die Bindung des Menschen an den Staat berücksichtigt im Rechtssinne, daß dieser die Ordnung des menschlichen Zusammenlebens, die Rechtssicherheit und die Menschenwürde garantiert. Der Roman führt ständige Verstöße gegen diese Voraussetzung auf. Die Kritik in den Burschenschaftsszenen ist zweischneidig (253 ff.). Der Leser erkennt nicht nur die Selbstzufriedenheit der Bürger, sondern auch die verfehlte Zielsetzung und den Zwang zur Gleichschaltung. Der Reformgedanke fehlt. Man begnügt sich mit dem Appell an das Gefühl und die neue Lebensart. »Katzbursch sein ist unsere Lust, / Trotzen Katzphilistern!« (259) Die Szenen aus der Gesellschaft enthüllen im wiederkehrenden Betrug, Bruderkonflikt, Ehebruch und Verrat eine trostlose Unnatur des Daseins. Selbst die Klostergemeinschaft scheint gefährdet. Sie ist anfällig geworden, beugt sich dem Machtanspruch eines verzückten Reformators, ist durch den Abt in die Intrige der Welt verwickelt und pflegt die Tradition ohne rechte Überzeugung – die Heilsvorstellung wankt. Der Abt schlägt Kreisler vor, in das Kloster einzutreten. Er spricht vom Kloster als Asyl, in dem »die Fremdlinge in der Welt« Schutz finden und durch »das stete freie Aufschauen zur Lichtwelt« die innere Ruhe finden, die sie in »dem wirren Treiben der Welt« nicht erringen (297). Das Gespräch erwähnt jedoch mit keinem Wort die geschichtliche Sicht des göttlichen Waltens und der Zukunftsbezogenheit der offenbarten Religion. Das Heil erscheint in der Flucht aus der Gegenwart. Was fehlt, ist das Wagnis zum Mit-Leben und zur Mitverantwortung. Historische Prozesse erscheinen undeutbar, und die Handelnden begreifen die Geschichte häufig als zufälliges Geschehen, dem der einzelne schutzlos preisgegeben ist (71, 410).

Hoffmann erfaßt die allgemeine Situation der Haltlosigkeit eindringlich in den verfehlten Anpassungs- und Ausbruchsversuchen des Romangeschehens, im Menschenbild und in der Raumgestaltung. Gewiß finden sich in der Figurenkonzeption, in der Erfahrung von Träumen und der Erkundung des Unbewußten viele Anklänge an die zeitgenössische Dichtung. Aber das Menschenbild trägt auch Züge, die es deutlich vom Denken der Zeit abheben. Das metaphysische Individualitätsdenken wird abgewertet. Der Verlust der Menschenwürde, die Verwandlung der Person zum Objekt und die Schwunderscheinungen im Denken untergraben die Vorstellung von der Bedeutung und Autonomie des Individuums.

Leben und Raum sind in der Welt des Romans nicht zu trennen. Die Menschen bewegen sich in einer kulissenhaften Landschaft und in Räumen, die eigentümlich unbestimmt sind. Der Park »ist herrlich« oder »anmutig«. Die Bäume »tragen grünes Laub«. Das Zimmer ist »geräumig«, der Schreibtisch mit »Schriften und allerlei seltsamen Instrumenten« bepackt. Schloß, Fischerhütte und Stadtwohnung werden nie durch markante Einzelheiten umrissen. Dagegen erfährt Murr mit Entsetzen, daß sich »überall unabsehbare Straßen« ausdehnen (112), und Kreisler begegnet seinem Doppelgänger, den Abraham mit seinem Hohlspiegel projiziert (173 f.). Der Raum ist in Bezirke aufgefächert, die Kontrastfunktion haben: Geierstein-See, Palast-Hütte, Boden-Keller, Ofen-lärmende Landstraße des Lebens. Die Menschen eilen durch diese Zonen, ohne festen Halt zu finden. Das Denken der Gegenwart wird popularisiert, verdreht, entmaterialisiert: »Wirrer und wirrer wurden Vorstellungen, Gedanken, bis ich endlich in jenes Delirium fiel, das kein Schlaf sondern ein Kampf zwischen Schlafen und Wachen zu nennen, wie Moritz, Davidson, Nudow, Tiedemann, Wienholt, Reil, Schubert, Kluge und andere physiologische Schriftsteller, die über Schlaf und Traum geschrieben und die ich nicht gelesen, mit Recht behaupten.« (278 f.) Der Anschluß an die Vergangenheit versagt. Die Kunstsymbole, überlagert von Verfallsprodukten der Gegenwart, entziehen sich der Deutung. Die Menschen finden es leichter, die richtungsweisenden Ideale zu Gemeinplätzen zu degradieren, als sich vor ihnen zu verantworten. Sie haben das Bewußtsein für grundsätzliche Werte verloren. Die Sprache ist erstarrt, das Gefühl erkrankt, und der einzelne versagt in der Bewältigung der geschichtlichen Wirklichkeit. Die schärfste Kritik des Werkes richtet sich gegen die Verdinglichung des Daseins und die Verneinung der Entwicklungsfähigkeit des Menschen. Sie weist jedoch sowohl in die Zukunft als auch in die Vergangenheit. Ganz behutsam erinnert uns so der Schriftsteller an die Tradition – ermittelt, verhört, gerichtet, vielleicht wiederbelebt – und fragt, ob wir ohne Kunst, ohne Ideale überhaupt bestehen können.

Literaturhinweise

Ausgaben

Lebens-Ansichten des Katers Murr nebst fragmentarischer Biographie des Kapellmeisters Johannes Kreisler in zufälligen Makulaturblättern. Hrsg. von E. T. A. Hoffmann. Erster Band. Berlin: Ferdinand Dümmler, 1820. Zweiter Band. Berlin: Ferdinand Dümmler, 1822.

E. T. A. Hoffmann: Sämtliche Werke. Historisch-kritische Ausg. Hrsg. von Carl Georg von Maassen. Bd. 1–4 und 6–10 [mehr nicht ersch.]. München: Georg Müller, 1908–28.

E. T. A. Hoffmann. [Sämtliche Werke in Einzelbänden.] 6 Bde. München: Winkler, 1960–81. [*Kater Murr* in: Bd. 2, mit einem Nachw. von Werner Müller-Seidel und Anm. von Wolfgang Kron, [4]1977.]

E. T. A. Hoffmann: Sämtliche Werke in sechs Bänden. Hrsg. von Wulf Segebrecht [u. a.]. Bd. 1 ff. Frankfurt a. M.: Deutscher Klassiker Verlag, 1985 ff. [*Kater Murr* in: Bd. 5, in Vorb.]

E. T. A. Hoffmann: Lebens-Ansichten des Katers Murr nebst fragmentarischer Biographie des Kapellmeisters Johannes Kreisler in zufälligen Makulaturblättern. Mit Anhang und Nachw. hrsg. von Hartmut Steinecke. Stuttgart: Reclam, 1972 [u. ö.]. (Universal-Bibliothek. 153.)

Forschungsliteratur

Gloor, Arthur: E. T. A. Hoffmann. Der Dichter der entwurzelten Geistigkeit. Zürich 1947.

Harich, Walther: E. T. A. Hoffmann. Sein Leben und seine Werke. 2 Bde. Berlin 1922.

Hartmann, Anneli: Geschlossenheit der Kunst-Welt und fragmentarische Form: E. T. A. Hoffmanns *Kater Murr*. In: Jahrbuch der Deutschen Schillergesellschaft 32 (1988) S. 148–190.

Loevenich, Heinz: Einheit und Symbolik des *Kater Murr*. Zur Einführung in Hoffmanns Roman. In: Der Deutschunterricht 16 (1964) H. 2. S. 72–86.

Mayer, Hans: Die Wirklichkeit E. T. A. Hoffmanns. Ein Versuch. In: H. M.: Von Lessing bis Thomas Mann. Pfullingen 1959. S. 198–246.

Meyer, Herman: E. T. A. Hoffmanns *Lebensansichten des Katers Murr.* In: H. M.: Das Zitat in der Erzählkunst. Stuttgart 1961. S. 114–134.

Negus, Kenneth: Thematic Structure in Three Major Works of E. T. A. Hoffmann. Princeton 1957.

Raff, Dietrich: Ich-Bewußtsein und Wirklichkeitsauffassung bei E. T. A. Hoffmann. Tübingen 1971.

Rosen, Robert S.: E. T. A. Hoffmanns *Kater Murr.* Aufbauformen und Erzählsituationen. Bonn 1970.

Singer, Herbert: Hoffmann. Kater Murr. In: Der deutsche Roman. Vom Barock bis zur Gegenwart. Hrsg. von Benno von Wiese. Bd. 1. Düsseldorf 1963. S. 301–328.

Späth, Ute: Gebrochene Identität. Stilistische Untersuchungen zum Parallelismus in E. T. A. Hoffmanns *Lebens-Ansichten des Katers Murr.* Göppingen 1970.

Steinecke, Hartmut: E. T. A. Hoffmanns *Kater Murr.* Zur Modernität eines »romantischen« Romans. In: Zu E. T. A. Hoffmann. Hrsg. von Steven Paul Scher. Stuttgart 1981. S. 142–155.

Werner, Hans-Georg: E. T. A. Hoffmann: Darstellung und Deutung der Wirklichkeit im dichterischen Werk. Weimar 1962.

Wiese, Benno von: E. T. A. Hoffmanns Doppelroman *Kater Murr.* Die Phantasie des Humors. In: B. v. W.: Von Lessing bis Grabbe. Studien zur deutschen Klassik und Romantik. Düsseldorf 1968. S. 248–267.

HEIDE EILERT

Eduard Mörike: *Maler Nolten*

Eduard Mörike veröffentlichte seinen einzigen, 1830 vollendeten Roman *Maler Nolten. Novelle in zwei Theilen* im Todesjahr Goethes, 1832. 1853 entschloß er sich zu einer Umarbeitung, die jedoch kaum über den ersten Teil hinausgelangte. Sein Freund Julius Klaiber führte nach Mörikes Tod 1875 an Hand von Notizen des Dichters sowie mündlichen Mitteilungen seiner engsten Verwandten die Umarbeitung zu Ende und veröffentlichte 1877 eine Neufassung unter dem Titel *Maler Nolten. Roman von Eduard Mörike. Zweite überarbeitete Auflage*. Seit der von Harry Maync betreuten Werkausgabe 1909 gibt die Forschung Mörikes Erstfassung den Vorzug.
An diese wenigen äußeren Fakten heften sich drei Konstanten der *Nolten*-Forschung bis in unsere Zeit: 1. die wenig ergiebige Frage nach der gattungstypologischen Zuordnung des Werks, der Rudolf Völk noch 1930 eine eigene Monographie widmete;[1] 2. ein Vergleich der beiden Romanfassungen;[2] 3. eine literaturhistorische Einordnung, vor allem jedoch die Untersuchung des Goethe-›Einflusses‹, insbesondere des *Wilhelm Meister* und der *Wahlverwandtschaften*.[3]
Die Konzentration der Forschung auf solche vorwiegend ›phi-

1 Rudolf Völk, *Die Kunstform des »Maler Nolten« von Eduard Mörike*, Berlin 1930.

2 So vor allem bei Völk (Anm. 1) S. 63 ff.; Heinrich Reinhardt, *Mörike und sein Roman »Maler Nolten‹*, Zürich/Leipzig 1930, S. 102 ff.; Ernst Arno Drawert, *Mörikes »Maler Nolten« in seiner ersten und zweiten Fassung*, Diss. Jena 1935. – Über die einzelnen Etappen der Umarbeitung informiert der Aufsatz von Herbert Meyer, »Stufen der Umgestaltung des Maler Nolten«, in: *Zeitschrift für deutsche Philologie* 85 (1966) S. 209 bis 223.

3 Die Frage des Goethe-Einflusses behandelt grundsätzlich Heinrich Ilgenstein in seiner Studie *Mörike und Goethe*, Berlin 1902; aber auch die maßgebliche Mörike-Monographie von Harry Maync (1. Aufl. 1902)

lologischen‹ Fragestellungen spiegelt eine gewisse ratlose Distanz einem Werk gegenüber wider, das – so gar nicht im Einklang mit dem Bild vom ›Idylliker‹ Mörike – die Schicksalsverfallenheit des Menschen, die ›Nachtseiten‹ der Seele, Wahnsinn und Selbstmord, schildert, einem der »düstersten« Werke der deutschen Literatur,[4] an dessen Ende, so Hans Egon Holthusen, »wie im *Hamlet*, alle Hauptakteure zur Strecke gebracht« sind.[5]

Popularität blieb dem Roman dementsprechend von Anfang an versagt: nach zehn Jahren war nicht einmal die Hälfte der Exemplare verkauft; doch 1839, nach einigen beifälligen Rezensionen,[6] erschien zu Mörikes Genugtuung die einflußreiche Besprechung von Friedrich Theodor Vischer in den *Hallischen Jahrbüchern*. Der Freund betonte darin die auffallende Passivität der Hauptfigur; er prägte das Diktum von der ›Duplizität‹ der Motivierung – es fehlt seither in kaum einer *Nolten*-Interpretation –, und kritisierte unter diesem Aspekt vor allem die mangelnde Einheit des Werks: »Wir haben also einen Roman, der zur Hälfte ein Bildungsroman, die Geschichte der Erziehung eines Menschen durch das Leben,

widmet diesem Thema breiten Raum: *Eduard Mörike. Sein Leben und Dichten*, 5., überarb. und verm. Aufl., Stuttgart 1944, S. 196 ff. – Auch in jüngeren Darstellungen wird dem Einfluß Goethes auf *Maler Nolten* immer von neuem Beachtung geschenkt. Vgl. etwa: Siegbert S. Prawer, »Mignon's Revenge. A Study of Mörike's ›Maler Nolten‹«, in: *Publications of the English Goethe Society* N. S. 25 (1956) S. 63–85; dt. Fassung: »Mignons Genugtuung. Eine Studie über Mörikes ›Maler Nolten‹«, in: *Interpretationen 3. Deutsche Romane von Grimmelshausen bis Musil*, hrsg. von Jost Schillemeit, Frankfurt a. M. / Hamburg 1966, S. 164–181; Harvey W. Hewett-Thayer, »Traditional Technique in Mörike's ›Maler Nolten‹«, in: *The Germanic Review* 32 (1957) S. 259–266.

4 So bezeichnet Benno von Wiese Mörikes Roman in seinem Nachwort zu Eduard Mörike, *Sämtliche Werke*, Bd. 1, München 1967, S. 1015.

5 Hans Egon Holthusen, *Mörike*, Reinbek bei Hamburg 1971, S. 92.

6 Wolfgang Menzel in: *Morgenblatt für gebildete Stände. Literaturblatt*, 24. August 1832, Nr. 86; Johannes Mährlen in: *Der Hochwächter*, 20./21. Dezember 1832, Nr. 301 f.; Gustav Schwab in: *Blätter für literarische Unterhaltung*, 20./21. Januar 1833, Nr. 20 f.; Friedrich Notter in: *Der Unparteiische. Ein encyclopädisches Zeitblatt für Deutschland*, Jg. 1, 2.–4. April 1833, Nr. 2–4.

die Liebe namentlich, ein psychologischer Roman, zur Hälfte ein Schicksalsroman, ein mystischer Roman ist, und beide Hälften gehen nicht ineinander auf [...].«[7]
An dieser Zweipoligkeit orientierten sich auch im 20. Jahrhundert – nach den Monographien von Karl Fischer und Harry Maync[8] –, die maßgeblichen Gesamtdarstellungen durch Benno von Wiese, Gerhard Storz und Friedrich Sengle,[9] wobei Storz darüber hinaus die erstaunlich weitreichenden tiefenpsychologischen Einsichten des Dichters würdigte (»Nichts fehlt [...] als die moderne Terminologie von ›Trauma‹, ›Verdrängung‹ und ›Neurose‹«)[10].
Unter den Einzelstudien zum *Nolten* ist die anregendste These von Siegbert S. Prawer vorgebracht worden: Er interpretiert Mörikes Roman aufgrund der Mittelpunktstellung der Zigeunerin Elisabeth als den »Anti-Meister«, den zu schreiben der romantischen Generation versagt geblieben sei: »In der Romanfigur der Elisabeth-Peregrina lebt Mignon wieder und rächt sich an der geordneten Welt, die sich für Wilhelm Meister aufgetan hatte, für sie jedoch verschlossen geblieben war.«[11]

7 Friedrich Theodor Vischer, *Kritische Gänge*, Bd. 2, Leipzig [2]1914, S. 7.
8 Karl Fischer, *Eduard Mörikes künstlerisches Schaffen und dichterische Schöpfungen*, Berlin 1903; Maync (Anm. 3).
9 Benno von Wiese, *Eduard Mörike*, Tübingen/Stuttgart 1950; Gerhard Storz, *Eduard Mörike*, Stuttgart 1967; Friedrich Sengle, »Eduard Mörike«, in: F. S., *Biedermeierzeit. Deutsche Literatur im Spannungsfeld zwischen Restauration und Revolution 1815–1848*, Bd. 3: *Die Dichter*, Stuttgart 1980, S. 691–751.
10 Storz (Anm. 9) S. 164.
11 Prawer (Anm. 3) S. 166. – Wolfgang Tarabas Ausführungen über die Kontrastierung einer »irdisch-psychologischen Erlebniszeit« mit einer »unheilvollen [...] transzendierenden Schicksalszeit« in *Maler Nolten* (»Die Rolle der ›Zeit‹ und des ›Schicksals‹ in Eduard Mörikes ›Maler Nolten‹«, in: *Euphorion* 50, 1956, S. 421) sind durch das *Nolten*-Kapitel der späteren Monographie von Christiaan L. Hart Nibbrig (*Verlorene Unmittelbarkeit. Zeiterfahrung und Zeitgestaltung bei Eduard Mörike*, Bonn 1973) ergänzt worden. Erwägenswert ist auch der Versuch einer tiefenpsychologischen Deutung des eingefügten ›phantasmagorischen Zwischenspiels‹ durch Beatrice Funk-Schoellkopf (*Eduard Mörike. »Der letzte König von Orplid«*, Zürich 1980).

Einen eigenen Komplex im Rahmen der *Nolten*-Forschung bilden die Untersuchungen zum Zyklus der ›Peregrina-Gedichte‹ und seiner Verflechtung mit dem Romanganzen.[12] Auch der biographische Hintergrund des Peregrina-Zyklus, Mörikes leidenschaftliches Verhältnis zu der ebenso schönen wie unsteten Maria Meyer, hat seit den Darstellungen von Maync, Corrodi, Reinhardt und Oppel[13] nicht an Interesse verloren, wie es noch die 1982 erschienene Erzählung von Peter Härtling, *Die dreifache Maria*, bezeugt.[14]

12 So stellte Hildegard Emmel als gemeinsames Thema dieser Gedichte wie der übrigen Verseinlagen des Romans die »Unbeständigkeit der Liebenden« sowie die »Vergänglichkeit des Liebesglücks« heraus (*Mörikes Peregrinadichtung und ihre Beziehung zum Noltenroman*, Weimar 1952, S. 52), während Adolf Beck diese Thematisierung der »Unbeständigkeit der Liebe« unlösbar mit dem grundsätzlicheren Problem der »Treue gegen sich selbst« verquickt sehen wollte (»Forschungsbericht. Peregrina. Zur Berichtigung und Ergänzung des Buches von Hildegard Emmel: ›Mörikes Peregrinadichtung und ihre Beziehung zum Noltenroman‹«, in: *Euphorion* 47, 1953, S. 216). Heinz Gockel (»Venus-Libitina. Mythologische Anmerkungen zu Mörikes Peregrina-Zyklus«, in: *Wirkendes Wort* 24, 1974, H. 1, S. 46–56) deckte darüber hinaus die mythologischen Anspielungen, insbesondere die Verweise auf den Aphrodite-Adonis-Mythos und somit die Dominanz des Eros-Thanatos-Motivs in diesen Gedichten, auf. Ebenso einleuchtend akzentuierte Peter von Matt, der Peregrina als eine »Grundgestalt der Liebe« begreift, die thematische Mitte des ›Liebesverrats‹: »Die Frau verrät den Mann durch ihren ›verjährten Betrug‹ gemäß den Kategorien der bürgerlich-geordneten Welt, worauf er regelkonform mit der Verstoßung reagiert. Gerade damit aber verrät er seinerseits sie in ihrer größeren Natur und verrät mit ihr das, was er selbst insgeheim als die einzige wahre Liebe anerkennt, was für ihn durchaus ›die Liebe‹ ist.« (*Liebesverrat. Die Treulosen in der Literatur*, München/Wien 1989, S. 189 f.)

13 Maync (Anm. 3); Paul Corrodi, »Das Urbild von Mörikes Peregrina«, in: *Jahrbuch der Literarischen Vereinigung Winterthur*, 1923, S. 47–102; Reinhardt (Anm. 2) S. 59–67; Horst Oppel, *Peregrina. Vom Wesen des Dichterischen*, Mainz 1947.

14 Peter Härtling, *Die dreifache Maria*, Darmstadt/Neuwied 1982.

Künstlervita und Kindheitstrauma

Der Titel des Romans suggeriert dem Leser einen Künstlerroman in der Nachfolge romantischer Werke wie *Franz Sternbalds Wanderungen, Heinrich von Ofterdingen, Godwi* oder *Kater Murr*, und Mörike reihte *Maler Nolten* zunächst selbst in diese Tradition ein, wenn er am 23. Juli 1830 an den Freund Wilhelm Hartlaub schrieb: »Ich habe diesen Sommer eine Novelle geschrieben, welche zu Zeiten meines Cotta-Franckhischen Verhältnisses angefangen worden war: ein Stück aus dem Leben eines (imaginierten) Malers.«[15] Auch der Beginn des Romans scheint einer solchen Zuordnung recht zu geben: Der Maler Theobald Nolten wird dem Leser zunächst durch zwei Bildentwürfe vorgestellt, die die Aufmerksamkeit eines adligen Kunstkenners erregt haben und dadurch Noltens künstlerischen und gesellschaftlichen Aufstieg einleiten. Überdies demonstrieren die beiden Gemäldeskizzen bereits das kunsttheoretische Konzept des Malers, das dieser später auch explizit, in zwei Gesprächen, entwikkeln wird und das auf die organische Verbindung antiker Mythologie mit christlich-romantischen Vorstellungskomplexen abzielt. So ist auf dem ersten Gemälde eine ›romantische‹ Wassernixe, ein Undinenwesen mit »geschupptem Fischkörper« und »tierischem Schwanz« (10),[16] gemeinsam mit einem Satyr abgebildet, der ihr einen schönen Knaben in einem Kahn zuführt. Der zweite Entwurf, ein nächtliches Gespensterkonzert auf einer Waldlichtung, kombiniert die christlich-mittelalterliche Totentanz-Ikonographie mit Bildelementen antiker Todesdarstellungen: An einer »gotisch verzierten Orgel« im Vordergrund lehnt, abgesondert von den musizierenden und tanzenden Totengestalten, ein »schlummertrunkener Jüngling«, eine brennende Fackel in der Hand,

15 Eduard Mörike, *Briefe*, hrsg. von Friedrich Seebaß, Tübingen 1939, S. 235.

16 Hier und im folgenden wird zitiert nach der Ausgabe: Eduard Mörike, *Maler Nolten*, Stuttgart 1987 (Reclams Universal-Bibliothek, 4770).

im Haar einen großen Nachtschmetterling, das traditionelle Seelensymbol (11 f.).
Verweist die Symbolik des ersten Gemäldes immanent auch auf Noltens eigenen Lebensweg,[17] so wird eine solche Funktion des zweiten Gemäldes offen ausgesprochen, wenn es wenig später über die »anziehende Oganistin« (11) der Totenkapelle heißt, daß Nolten »gerade in *ihr* das getreue Portrait eines Zigeunermädchens, einer Person dargestellt hatte, welche einst verhängnisvoll genug in sein eigenes Leben eingegriffen hatte« (76).
Noltens Gemälde stellen mithin Bilder und Gestaltungen seines Unbewußten dar. Das zweite Gemälde antizipiert darüber hinaus die Umstände seines Todes, wie sie am Schluß des Romans in der rätselhaften Vision des blinden Gärtnerknaben Henni vergegenwärtigt werden: Henni ›sieht‹ hier die wenige Tage zuvor verstorbene Zigeunerin Elisabeth neben einer Orgel stehen. Sie reicht Nolten den Arm und geht ihm in das ›Reich der Schatten‹ voran. Dieses mystisch-okkulte Ende des Romans, vor allem jedoch das »Schicksalsgewebe der Elisabeth«, waren Mörike besonders wichtig.[18] So setzte er Vischer mit Nachdruck auseinander, daß Noltens »Verhängnis« diesen »auch jenseits des Grabes an die Geliebte seiner frühen Jugend, die rätselhafte Elisabeth, [. . .] gekettet haben« wolle,[19] und spielte damit auf jenes ›Kindheitstrauma‹

17 Gemeint ist seine Beziehung zu der Zigeunerin Elisabeth, die manche Züge eines romantischen ›Elementarwesens‹ aufweist. Reinhardt (Anm. 2) schreibt in diesem Sinne: »Nolten ist in ein nächtliches, fantastisches Geisterreich eingegangen; die Nixe hat den widerstrebenden Knaben an sich und in den Tod gezogen. Wir erinnern uns der vielen romantischen Märchen und Erzählungen, in denen ein dämonisches Weib, eine Naturgewalt, den Menschen gefangen nimmt [. . .].« (S. 90)

18 So schrieb er am 2. September 1832 an den Freund Johannes Mährlen, der gerade seine Rezension für den *Hochwächter* vorbereitete: »Übrigens möchte ich Dich in Deiner Beurteilung insbesondere auf Elisabeth und ihr Schicksalsgewebe (vorwärts und rückwärts weisend) aufmerksam machen, was mir stets ein Hauptmoment des Ganzen war.« (*Briefe* [Anm. 15], S. 378.)

19 Brief vom 23. Mai 1832 (ebd., S. 356 f.).

an, von dem der in die Romanhandlung eingeblendete Bericht »Ein Tag aus Noltens Jugendleben« handelt. Gerade die Beziehung zu der geheimnisvollen Zigeunerin aber ist auf eigentümliche Weise mit Noltens künstlerischer Produktivität verknüpft. Das Jugenderlebnis offenbare nämlich, so kommentiert auch Noltens Freund Larkens die Aufzeichnungen, wie der Maler »als Knabe zur innigsten Vermählung mit der Kunst geleitet worden, deren ursprünglicher Charakter sich noch heute in einem großen Teil seiner Gemälde erkennen« lasse (194 f.). Indem Mörike einen Zusammenhang dieser Art aufdeckte, nahm er mit erstaunlicher Scharfsicht Ergebnisse der Tiefenpsychologie vorweg.

Angelpunkt ist das Porträt der schönen Zigeunerin Loskine, das Nolten als Kind in der Dachkammer des väterlichen Hauses entdeckt hat und mit dem er einen »schwärmerisch religiösen Umgang« pflegt »wie mit dem geliebten Idol eines Schutzgeists« (228). Für den mutterlosen Knaben wird dieses Bild zu einer ›Anima‹-Gestaltung, wie sie später von C. G. Jung und seinen Schülern beschrieben worden ist. Als Nolten das »Wunderbild« einige Jahre später während eines Ausflugs zu einer Burgruine »lebendig« entgegentritt – er trifft hier mit Loskines wahnsinniger Tochter Elisabeth zusammen –, ist dieser Augenblick für ihn deshalb »ein ungeheurer und unauslöschlicher« (228). Er erkennt Elisabeth als einen Teil seines Selbst, als eine Projektion seiner eigenen Wünsche und Träume, wenn er ihr den Eindruck zu erklären sucht, den ihr Anblick auf ihn gemacht hat: »als ich Euch ansah, da war es, als versänk' ich tief in mich selbst, wie in einen Abgrund, als schwindelte ich, von Tiefe zu Tiefe stürzend, durch alle die Nächte hindurch, wo ich Euch in hundert Träumen gesehen habe [. . .]; ich flog im Wirbel herunter durch alle die Zeiträume meines Lebens und sah mich als Knaben und sah mich als Kind neben Eurer Gestalt [. . .]; ja ich kam bis an die Dunkelheit, wo meine Wiege stand, und sah Euch den Schleier halten, welcher mich bedeckte [. . .], aber wie sich meine Augen aufhoben von selber, schaut' ich in die Eurigen, als in

einen unendlichen Brunnen, darin das Rätsel meines Lebens lag.« (203 f.)
Elisabeth erscheint Nolten hier – schon im Sinne der tiefenpsychologischen Erkenntnisse C. G. Jungs – als die »Führerin nach innen«, die dem Ich »die lebenswichtigen Botschaften des Selbst« übermittelt.[20] Nolten versinkt bei ihrem Anblick »tief in sich selbst«, in ihren Augen findet er das »Rätsel« seines Lebens. Die Botschaft aber, die Elisabeth ihm übermittelt, ist seine Bestimmung zum schaffenden Künstler: Die Begegnung mit ihr setzt seine produktiven Kräfte frei. So hat man die eingeschobene Jugendepisode auch als »Künstlerberufungsnovelle« bezeichnen können,[21] und das nachgerade religiöse Pathos, mit dem der Erzähler Noltens ›Erwekkungserlebnis‹ vergegenwärtigt, unterstreicht die Tragweite der Begebenheit: »Es war, als erleuchtete ein zauberhaftes Licht die hintersten Schachten seiner inneren Welt, als bräche der unterirdische Strom seines Daseins plötzlich laut rauschend zu seinen Füßen hervor aus der Tiefe, als wäre das Siegel vom Evangelium seines Schicksals gesprungen.« (228) Von nun an ist sein »Trieb zu bilden und zu malen« »unwiderstehlich«, sein »Beruf zum Künstler« »entschieden« (229).
Nolten durchläuft die übliche Künstlervita. Er studiert einige Jahre an einer Akademie, kann sich anschließend dank der Unterstützung eines »reichen Gönners« im Ausland, vor allem in Rom und Florenz, weiterbilden; der Romananfang schildert den Beginn seiner öffentlichen Anerkennung, später ist von der Aussicht auf eine Lebensstellung am Hofe eines norddeutschen Fürsten die Rede. Trotzdem bleibt seine Existenz als schaffender Künstler innerhalb der Romanhandlung merkwürdig blaß und unkonturiert. Dieser Eindruck verstärkt sich durch die Gegenüberstellung mit den beiden ande-

20 Vgl. Marie-Louise von Franz, »Die Anima als Frau im Manne«, in: C. G. Jung [u. a.], *Der Mensch und seine Symbole*, Olten / Freiburg i. Br. [13]1981, S. 186, 188.
21 Beck (Anm. 12) S. 216.

ren Künstlergestalten des Romans: dem vitalen Bildhauer Raymund und dem talentierten Schauspieler Larkens, der überdies ein bedeutender Dichter ist: der fiktive Verfasser der Peregrina-Gedichte und des Sonetten-Zyklus »An L.«, des Schattenspiels »Der letzte König von Orplid« sowie der Episode aus Noltens Jugendleben. Nolten hingegen wird dem Leser in erster Linie durch seine Liebesverwirrungen präsent, die ihn in seiner schöpferischen Tätigkeit lähmen – »ungenützt und trocken und verdrießlich gehn mir die Wochen dahin« (84), muß er selbst seiner Gönnerin, der geliebten Constanze von Armond, gegenüber bekennen – und bei denen er überdies zum fast willenlosen Objekt und Opfer einer verhängnisvollen Intrige wird.

Von der pragmatischen Handlung her gesehen, ist somit der Romantitel in der Tat »irreführend«, wie viele Kritiker betont haben,[22] mit Blick auf Noltens Kindheits- und Jugenderlebnis hingegen wird man Storz zustimmen können, wenn er konstatiert, die »Verbindung mit Kunst und Künstlerexistenz« liege »tiefer«, »im Kernbereich des Werkes«, und gehöre deshalb »wesenhaft zu ihm«.[23] Freilich ist es Nolten nicht gelungen, die Botschaft seines Selbst, die Erleuchtung der »hintersten Schachten seiner inneren Welt«[24] produktiv

22 So z. B. Maync (Anm. 3) S. 201; v. Wiese (Anm. 4) S. 1016.
23 Storz (Anm. 9) S. 144.
24 Beck (Anm. 12) hat diese Metapher von den »hintersten Schachten« als Hinweis auf die kreative Begabung Noltens gedeutet, wenn er schreibt: »Die Entdeckung des innersten Wesensgrundes, die zauberhafte Erleuchtung der ›hintersten Schachten seiner inneren Welt‹ und ihrer kostbaren Schätze, ist bei Theobald letzten Endes als Entdeckung seiner Berufung zum Künstler zu verstehen: zum Künstler-, zum Nur-Künstler-Sein.« (S. 217) – Becks Interpretation läßt sich auch von der romantischen Tradition dieser Metaphorik her stützen. So heißt es etwa im vierten Kapitel des Capriccios *Prinzessin Brambilla* (1820) von E. T. A. Hoffmann, einem Autor, den Mörike genau kannte und sehr verehrte: »Wie so tot [. . .] wär' unser Leben, hätte der Weltgeist uns Söldlinge der Natur nicht ausgestattet mit jener unversieglichen Diamantgrube in unserm Innern, aus der uns in Schimmer und Glanz das wunderbare Reich aufstrahlt, das unser Eigentum geworden! Hochbegabt die, die sich dieses Eigentums recht bewußt! Noch hochbegabter und selig zu preisen

umzusetzen und zu seiner Lebensaufgabe zu machen. Er ist, so Adolf Beck, seinem »innersten Wesensgrund« untreu geworden, indem er »nach irdischer Bindung, nach Glück, nach Besitz« strebt, indem er um die »›Welt‹, die ›mit Liebesgaben lockt‹«, wirbt.[25] Die solchermaßen verleugnete und verkannte ›Anima‹ aber entfaltet ihre zerstörerische Macht: Elisabeth wird zur »schlimmen Zauberblume« (338), zur Todesbotin und schließlich zur Führerin ins Schattenreich.

Peregrina oder der ›unbehauste‹ Eros

Wird für Nolten die Begegnung mit der »seltsamen«, noch im Wahnsinn majestätischen »Tochter des Waldes« (203) zum Moment schöpferischer Befreiung, so löst das sonderbare Bündnis in dieser jene mächtige Leidenschaft aus, die sie dazu treibt, auch die anderen Romanfiguren in ihr verhängnisvolles ›Schicksalsgewebe‹ zu verstricken. Denn da sie sich Nolten seit dem »gegenseitigen Gelübde der geistigsten Liebe« (228) für immer verbunden glaubt, sucht sie seine Beziehungen zu anderen Frauen, vor allem sein Verlöbnis mit Agnes, auf alle erdenkliche Weise zu stören. Mit diesem Absolutheitsanspruch und ihrer unbeirrbaren Radikalität stellt sie, stärker noch als ihre Mutter Loskine, eine Bedrohung der bürgerlichen Ordnung, insbesondere der ›heiligen Familie‹ dar,[26] verkörpert sie, ähnlich wie die Zigeunerin Carmen in

die, die ihres innern Perus Edelsteine nicht allein zu erschauen, sondern auch heraufzubringen, zu schleifen und ihnen prächtigeres Feuer zu entlocken verstehen.« (E. T. A. Hoffmann, *Prinzessin Brambilla. Ein Capriccio nach Jakob Callot*, hrsg. von Wolfgang Nehring, Stuttgart 1971 [Reclams Universal-Bibliothek, 7953], S. 66.)

25 Beck (Anm. 12) S. 217.

26 Die Unfreiheit der Biedermeierzeit dem »erotischen Dämonismus« gegenüber hat Friedrich Sengle mit der antithetischen Überschrift »Der unheimliche Eros und die heilige Familie« prägnant gekennzeichnet (F. S., *Biedermeierzeit. Deutsche Literatur im Spannungsfeld zwischen Restauration und Revolution 1815–1848*, Bd. 1: *Allgemeine Voraussetzungen, Richtungen, Darstellungsmittel*, Stuttgart 1971, S. 56).

der dreizehn Jahre später entstandenen Novelle von Prosper Mérimée, die Fatalität der Leidenschaft.

In der »herzzerreißenden Szene« ihres letzten Auftritts im Schloßgarten des Präsidenten von K. setzt sie sich selbst mit dem Verhängnis erotischer Getriebenheit in eins, wenn sie Noltens Verwünschungen mit ihren leidenschaftlichen Klagerufen beantwortet: »Was hat mich hergetrieben? was hat mich die weiten Wege gelehrt? Schau an, diese blutenden Sohlen! [...] Im gelben Sonnenbrand, durch Nacht und Ungewitter, durch Dorn und Sumpf keucht sehnende Liebe, ist unermüdlich, ist unertödlich, das arme Leben! und freut sich so süßer, so wilder Plage, und läuft und erkundet die Spuren des leidigen Flüchtlings von Ort zu Ort, bis sie ihn gefunden [...].« (409)

Auch die wörtlichen Anspielungen auf Platons *Symposion* unterstreichen hier die Funktion Elisabeths als einer Symbolfigur des heimatlosen und unbehausten, des ebenso bedrohten wie bedrohlichen Eros: Bei Platon heißt es über Eros als den Sohn der Penia, des Mangels, er sei »immer arm [...] rauh, unansehnlich, unbeschuht, ohne Behausung, auf dem Boden immer umherliegend und unbedeckt, schläft vor den Türen und auf den Straßen im Freien und ist der Natur seiner Mutter gemäß immer der Dürftigkeit Genosse«.[27]

Das Motiv der ›heimatlosen‹ Liebe gehört zu den Kernmotiven des *Maler Nolten*. Es wird vor allem in den Verseinlagen breit instrumentiert, so in Noltens Frühlingslied (»Ach sag' mir, alleinzige Liebe, / Wo *du* bleibst, daß ich bei dir bliebe! / Doch du und die Lüfte haben kein Haus«; 281) oder in Agnes' Gesang an den Wind (»Sagt, wo der Liebe Heimat ist, / Ihr Anfang, ihr Ende!«; 434). Wenn es nun von der vagabundierenden Zigeunerin heißt, ihr sei die Heimat »verstellt« (207), und man sie am Ende »entseelt auf öffentlicher

27 Platon, *Sämtliche Werke*, Bd. 2, hrsg. von Walter F. Otto [u. a.], Reinbek bei Hamburg 1957, S. 233 (203 c/d nach der Stephanus-Zählung). – Der Hinweis auf Platons *Symposion* findet sich bei Emmel (Anm. 12) S. 85, Anm. 6, und bei Gockel (Anm. 12) S. 52.

Straße« findet (453), so erschließt sich auch von diesem Bildfeld her ihre zeichenhafte Bedeutung.
Seine mythische Überhöhung findet der gesamte Motivkomplex indessen in den berühmten Peregrina-Gedichten. Mörike fügte sie an einem entscheidenden Wendepunkt der Handlung in den Roman ein, und sie sind mit diesem, auch wenn ihre Entstehung teilweise bis in den Sommer 1824 zurückreicht, durch zentrale Motive verknüpft.
In der Erstfassung des *Nolten* umfaßt der Zyklus die vier Gedichte »Die Hochzeit«, »Warnung«, »Scheiden von ihr«, »Und wieder«. Nolten entnimmt sie den nachgelassenen Papieren des Freundes Larkens, der seiner »wunderlichen Amplifikation« (394) über Noltens Beziehung zu der seltsamen Zigeunerin den Titel »Peregrinens Vermählung mit *« (393) gegeben hat. Ort und Zeitpunkt von Noltens Lektüre weisen den Leser von Anfang an auf das Gefahrvolle, das tiefenpsychologisch Bedeutsame des Vorgangs hin.[28] Es ist ein ›Weg nach innen‹, ins Unbewußte, den Nolten beschreitet, als er an einem »schwülen Nachmittag« im Park des Präsidenten von K., der ihn, Agnes und die Schwester Nannette nach Larkens' Selbstmord gastfreundlich aufgenommen hat, ein »sogenanntes Labyrinth« betritt. In diesen »planmäßig, aber scheinbar willkürlich ineinander geschlungenen Laubgängen« dringt er immer weiter »ins Innere« vor, in der Hoffnung, »das Zentrum zu treffen«, bis ihn schließlich die »sanfte Dämmerung« eines »runden Gemachs« umfängt (392). Auch die »Beklemmung, Unruhe und Schwere« (394), die ihn während der Lektüre der Gedichte überfällt, sowie die »schmerzhafte Betäubung seiner Seele« (397), die die ›seltsamen Bilder‹ in ihm zurücklassen, signalisieren, in welchem Maße die Peregina-Gedichte den Kernbereich seiner seelischen Problematik treffen.
Die vier Gedichte handeln von einer nächtlichen Hochzeit im festlich geschmückten Garten, von der Leidenschaft des Lie-

28 Vgl. die subtile Interpretation dieser Szene durch Hildegard Emmel (Anm. 12) S. 46 ff.

benden zur »seltsamen Braut«, von ihrer Verstoßung aufgrund »verjährten Betrugs«, von Wiederbegegnung und endgültigem Abschied: »Sie küßt mich zwischen Lieben, zwischen Hassen, / Und wendet sich und – kehrt mir nie zurück« (397).

Mehrere Motive verknüpfen diese Gedichte mit der Romanhandlung. Wenn etwa die Braut in der letzten Strophe des Hochzeitsgedichts den Bräutigam in einen »Wunderschlaf« versetzt, so weist dieser Vorgang auf Noltens Begegnung mit Elisabeth auf der Burgruine zurück, wo die Zigeunerin ihn ebenfalls in einen magnetischen Heilschlaf versenkt hatte. Vom Wahnsinn der Braut sowie der Krankheit Peregrinens ist die Rede (»Ach, Peregrinen hab' ich so gefunden! / Wie Fieber wallte ihrer Wangen Glut, / Sie scherzte mit der Frühlingsstürme Wut, / Verwelkte Kränze in das Haar gewunden«; 397), vor allem aber Armut, Verlassenheit, ›Unbeschuhtheit‹, Heimatlosigkeit der Geliebten weisen auf das mit dem Liebesthema verknüpfte Zentralmotiv des Romans hin. Peregrina, die ›Fremde‹, erscheint hier in der Ambivalenz von ›Zaubermädchen‹, das dem Liebenden »lächelnd« »den Tod im Kelch der Sünden« reicht (395 f.), und Märtyrerin, die ihrerseits tödlicher Bedrohung ausgesetzt ist (»Die treuste Liebe steht am Pfahl gebunden, / Geht endlich arm, verlassen, unbeschuht, / Dies kranke Haupt hat nicht mehr wo es ruht, / Mit ihren Tränen netzt sie bittre Wunden«; 397).

Als eine »Grundfigur des Zyklus« hat Adolf Beck ferner die Antithetik von ›beschützendem Haus‹ und ›weiter Welt‹ herausgehoben.[29] So wird der Liebende sich nicht nur seiner

29 Beck (Anm. 12) S. 213. – Im Anschluß an Michel Foucaults Neubestimmung der Relationen von ›Wahnsinn und Gesellschaft‹ deklariert Peter von Matt die ›weite‹ oder ›dunkle‹ Welt der Peregrina-Gedichte direkt als »das andere der Vernunft«, das dem bürgerlichen Regelkodex entgegensteht: »Es ist die Welt jener erweiterten Wirklichkeit, die es offiziell gar nicht gibt, die Welt der ganzheitlichen Liebe, woher Peregrina stammt und wohin er sie vertrieben hat. Die ›dunkle Welt‹, durch die der Sturm bläst [. . .], ist das andere der Vernunft oder vielleicht richtiger:

Schuld bewußt, das »zauberhafte Mädchen« fort, »in die graue, stille Welt hinaus«, gestoßen zu haben, sondern auch des hohen Preises, den er dafür zahlt, daß er sich gegen den »Kelch der Sünden« und für die Ordnung des bürgerlichen ›Hauses‹ entschieden hat. Daß die Sicherheit dieses Hauses auch Begrenzung und Verarmung, die ›weite Welt‹ demgegenüber Erlebnisintensität und Fülle bedeuten kann, wird ebenso wie die tragische Verstrickung von Leidenschaft und Schuld vor allem im dritten der Peregrina-Gedichte eindrucksvoll vergegenwärtigt:

Scheiden von ihr

Ein Irrsal kam in die Mondscheinsgärten
Einer einst heiligen Liebe,
Schaudernd entdeckt' ich verjährten Betrug;
Und mit weinendem Blick, doch grausam
Hieß ich das schlanke,
Zauberhafte Mädchen
Ferne gehen von mir.
Ach, ihre hohe Stirn,
Drin ein schöner, sündhafter Wahnsinn
Aus dem dunkelen Auge blickte,
War gesenkt, denn sie liebte mich.
Aber sie zog mit Schweigen
Fort in die graue,
Stille Welt hinaus.

Von der Zeit an
Kamen mir Träume voll schöner Trübe,

die um den Wahnsinn erweiterte, ganzheitliche Vernunft. [. . .] Jetzt, da der Mann sich der Wirklichkeit hinter dem Vorhang stellt, der für die andern durchaus die Grenze der ganzen Welt ist, fallen die Kategorien von Schuld und Sünde, von moralischer und psychischer Normwidrigkeit weg. Das zeigt, daß diese ganz und gar nur der rigiden Ordnung zugehörig sind, deren Produkt, so sehr es sich als vernünftig versteht, doch nur etwas unsinnig Konstruiertes ist aus der Sicht des großen Ganzen.« (v. Matt [Anm. 12] S. 196 f.)

Wie gesponnen auf Nebelgrund,
Wußte nimmer, wie mir geschah,
War nur schmachtend, seliger Krankheit voll.

Oft in den Träumen zog sich ein Vorhang
Finster und groß ins Unendliche,
Zwischen mich und die dunkle Welt.
Hinter ihm ahnt' ich ein Heideland,
Hinter ihm hört' ich's wie Nachtwind sausen;
Auch die Falten des Vorhangs
Fingen bald an, sich im Sturme zu regen,
Gleich einer Ahnung strich er dahinten,
Ruhig blieb ich und bange doch,
Immer leiser wurde der Heidesturm –
Siehe, da kam's!

Aus einer Spalte des Vorhangs guckte
Plötzlich der Kopf des Zaubermädchens,
Lieblich war er und doch so beängstend.
Sollt' ich die Hand ihr nicht geben
In ihre liebe Hand?
Bat denn ihr Auge nicht,
Sagend: da bin ich wieder
Hergekommen aus weiter Welt! (396 f.)

Noch in einer »so bunt ausschweifenden« Verfremdung, der allegorischen Stilisierung zu Peregrina, kann Elisabeth ihre unheimlich-bannende Macht entfalten: »willenlos« und »verdüstert« kehrt Nolten nach der Lektüre der Gedichte zu »unbehaglichstem Erwachen« zurück (397 f.). Hat ihm das Hinabtauchen in Tiefenschichten seiner Seele, wie sie der halbdunkle Innenraum des Labyrinths in prononciertem Gegensatz zum »nüchternen Tageslichte« der Verstandeshelle symbolisiert (397), die ›traumatische‹ Begegnung mit Elisabeth erneut schmerzlich vor Augen geführt, so treibt ihn nun ein ihm selbst unerklärlicher Zwang, Agnes zu zerstören, indem er ihr seine Untreue sowie Larkens' Doppelrolle gesteht. Dabei ist der Wunsch, die Verlobte über die selbstlose Opferbereitschaft des toten Freundes aufzuklären, nur ein vorgeschobenes Motiv: Nach langen Umschweifen bekennt Nolten selbst, daß er einem psychischen Zwang gehorchte: »Ja, wenn ich anders mich selbst recht verstehe«, überlegt er, »so ist's am Ende nur diese sonderbare Herzensnot, was mich zu dem Bekenntnis unwiderstehlich treibt. Ich kann nicht ruhn, bis ich's in deiner liebevollen Brust begraben« (401).

Solche Dämonie des Erotischen, wie sie sich in Peregrina-Elisabeth verkörpert, ist dem Bürger der Biedermeierzeit unheimlich, bedeutet ihm »Verhängnis« und »Verderben« (212). »Tausendfachen Jammer« (224) habe Loskine einst in seiner Familie angerichtet, so warnt Noltens Vater den Sohn und ermahnt ihn nachdrücklich, »den Fallstrick des Versuchers« zu meiden, selbst »nie die Bahn heilsamer Ordnung« zu verlassen (227). Indessen fühlt auch er sich beim Betrachten des »merkwürdigen Bildes« der Zigeunerin wider Willen von ihrer »dämonischen Schönheit« angezogen und versteckt das Porträt »seufzend« »in die hinterste Ecke« (226).

Auch Nolten handelt letztlich dem engen biedermeierlichen Normenkodex entsprechend, wenn er sich auf einen bloßen Verdacht hin von der Verlobten abwendet, da er »um den ersten heiligen Begriff von Reinheit, Demut, ungefärbter Neigung [. . .] für immer bestohlen« sei, wie er meint (70). Die ›Fremdheit‹ des Erotischen in einer Welt künstlich gehüteter Ordnung, wie sie das dritte Peregrina-Gedicht thematisiert, kommt zeichenhaft auch in der einzigen Liebesszene zwischen Nolten und der Gräfin Constanze von Armond zum Ausdruck. Sie spielt sich nicht von ungefähr im isolierten Raum, vor einer artifiziellen und exotischen, auf Täuschung und Illusion abzielenden Naturszenerie ab: in der ›schönen Grotte‹ auf dem Weg in die Orangerie von Schloß Wetterswyl: »Nicht ohne vielen Sinn war die Sache so angelegt worden, um dem Spaziergänger eine höchst überraschende Szene zu bereiten, wenn man, besonders zu dieser Jahreszeit, aus dem toten Wintergarten in eine schauerliche Nacht eingetreten, nach etlichen hundert Schritten mit Einem Male einen hellgrünen, warmen Frühling zauberhaft aus breiten Glastüren sich entgegenleuchten sah.« (86) Wie der Liebende des Peregrina-Gedichts bleibt Nolten abgetrennt von der üppig-verlockenden Welt ›blühenden‹ Lebens zurück und muß sich fragen, »ob es Blendwerk, ob es Wirklichkeit gewesen, was hier vorgegangen« (89).

Allen Hauptfiguren des Romans – das gilt in gewisser Weise auch für Larkens[30] – wird ihre Liebesleidenschaft zum Verhängnis. Selbst im phantasmagorischen Zwischenspiel vom »Letzten König von Orplid« erscheint Ulmons Leidenschaft zu der Feenfürstin Thereile im Zeichen von Liebesbann und Liebesfluch, ist »verhaßter Liebe Qual« (112), von der nur der Tod erlösen kann. Diese tragische Liebesauffassung des jungen Mörike, wie sie hier im *Maler Nolten* zum Ausdruck kommt, kann in ihrer Radikalität Prousts Konzeption der Liebe als ›passio‹ und als Krankheit an die Seite gestellt werden. In Mörikes Roman führt sie die Liebenden zunächst in »Irrsal« und »Verwirrung«, ins »Labyrinth« ihrer Gefühle, um sie später in den »Abgrund« zu stürzen: diese beiden zentralen Bildfelder spiegeln die komplexen psychologischen Vorgänge des *Maler Nolten* sinnfällig wider.[31]

30 So glaubt Larkens nach einem Liebesabenteuer mit einer Schauspielerin »seinen Körper zerrüttet, [. . .] die ursprüngliche Stärke seines Geistes für immer eingebüßt zu haben« (184), und später äußert der Erzähler die Vermutung, eine »geheime Leidenschaft« (360) für Agnes könne seinen Selbstmord mitverursacht haben.

31 Vom »Abgrund widersprechender Leidenschaften« (101) ist ebenso die Rede wie vom »Abgrund« des Elends (162) oder dem »unermeßlichen Abgrund des Schicksals« (453). An die Stelle des »Abgrunds« kann auch die Vorstellung von einer »ungeheuren Kluft« treten, die sich durch die »fatalste Verschränkung der Umstände« zwischen den »Gemütern« gebildet habe (175).

Das ›blutsaugende Gespenst‹ der Zeit

In den Peregrina-Gedichten ist es die Entdeckung »verjährten Betrugs«, die den Liebenden zur Verstoßung der Geliebten veranlaßt. Doch auch für die Romanfiguren selbst wirkt eine belastende Vergangenheit verhängnisvoll in die Gegenwart herein. Agnes versinkt nach Noltens Geständnis seiner Liebe zu Constanze in geistige Umnachtung, Constanze geht an der Entdeckung von Noltens Verlöbnis mit Agnes zugrunde, Nolten an der schicksalhaften Bindung an Elisabeth. Auch Larkens verfällt nach einer »fleckenvollen« Vergangenheit (184) in tiefe Melancholie und hält sein Leben für »ausgespielt«. Als er der Vergangenheit zu entfliehen sucht und sich in einer entfernten Residenzstadt als Tischler verdingt, holt sie ihn beim unerwarteten Wiedersehen mit Nolten gleichwohl ein: »der Gedanke an eine zerrissene Vergangenheit« stürzt »mit überwältigender Schwere auf das Gemüt des Unglücklichen« (359) und treibt ihn in den Selbstmord.
Auch dieses Zentralmotiv des Romans, die unheilvolle Macht der Vergangenheit, erscheint im eingefügten Schattenspiel, ins Mythische überhöht und gesteigert, wieder. König Ulmon, der sich selbst um tausend Jahre überlebt hat, verflucht die Last der Jahre und das Leiden an der Zeit in Versen, die Baudelaires Klage aus den *Fleurs du Mal* – »O douleur! ô douleur! Le Temps mange la vie, / Et l'obscur Ennemi qui nous ronge le cœur / Du sang que nous perdons croît et se fortifie!«[32] – bereits vorwegzunehmen scheinen:

[. . .] wie gleitet mir
Die alte Last der Jahre von dem Rücken!
O Zeit, blutsaugendes Gespenst!
Hast du mich endlich satt? so ekel satt
Wie ich *dich* habe? (148)

32 So die Schlußstrophe des Sonetts »L'Ennemi« aus dem Abschnitt »Spleen et Idéal« der *Fleurs du Mal* (1857).

Die Rückwärtsgewandtheit der Romanfiguren, ihre Unfähigkeit, die Vergangenheit abschütteln zu können, bestimmt ihr ganzes Lebensgefühl: den Verlust an Spontaneität, den mangelnden Realitätssinn, eine eigentümliche Entwertung der Gegenwart, die z. B. in Larkens das ständige Bedürfnis erzeugt, alle Erlebnisse und Empfindungen »durch Zutat seiner Einbildung mit einem magischen Firnis aufzuhöhen [. . .] und so alles auf zweifache Art zu genießen« (393). »Der schöpferische Vorgang wird gehemmt durch das Sich-Erinnern, die Freude am Gegenwärtigen wird verhindert durch einen neuen Zeitsinn, der immerfort zurück auf Vergangenes oder nach vorn auf die Zukunft gerichtet ist«, bemerkt Prawer zu Recht über diese merkwürdige Wirklichkeitsferne der Hauptfiguren des Romans.[33] Agnes etwa ist nicht nur durch vergangene Ereignisse belastet, sondern verstellt sich auch durch eine irrationale Angst vor der Zukunft das mögliche Glück der Gegenwart ihrer Liebe zu Nolten. Vor allem aber bei Nolten selbst erreichen die Unfähigkeit, den glücklichen Augenblick genießen zu können, die Entwertung der Gegenwart aufgrund der »Wehmut der Vergangenheit« (397), ja das Erlebnis des Wirklichkeitsschwundes eine Dimension, die ihn mit zahlreichen Gestalten aus dem Werk Arthur Schnitzlers verbindet, für die diese ›dekadente‹ Erlebnisweise ebenfalls symptomatisch ist.[34] So entrückt ihm die Liebesbegegnung mit Constanze im Park von Wetterswyl schon wenig später ins Unwirkliche: »Er sah die jetzt verflossenen Stunden, wenn er je sie wirklich verlebt haben sollte, wie eine längst entflohene Vergangenheit an, aber die Gegenwart deuchte ihm deshalb um nichts wahrhafter und gegenwärtiger und die Zukunft völlig ein Unding.« (91) Und eine ähnli-

33 Prawer (Anm. 3) S. 170.

34 So berichtet etwa Anatol in der Szene »Episode« des *Anatol*-Zyklus über ein vergangenes Liebesabenteuer: »Während ich den warmen Hauch ihres Mundes auf meiner Hand fühlte, erlebte ich das Ganze schon in der Erinnerung. Es war eigentlich schon vorüber [. . .].« (Arthur Schnitzler, *Das dramatische Werk*, Bd. 1, Frankfurt a. M. 1977, S. 56.)

che Gegenwartsferne läßt ihn nach Agnes' Tod das »Unglück, das die andern noch als ein gegenwärtiges in seiner ganzen Stärke fühlten«, als ein »längst vergangenes« erleben (443). An dieser Unfähigkeit, sich dem gegenwärtigen Moment aktiv stellen und damit auch belastende Ereignisse seelisch verarbeiten zu können, zerbricht Nolten zwangsläufig. Wie der König des Orplid-Schattenspiels bleibt ihm nur der verzweifelte Wunsch, in das »Nichts einer erhofften Zeitlosigkeit«[35] einzugehen: »O daß ein Schlaf sich auf mich legte, wie Berge so schwer und so dumpf! Daß ich nichts wüßte von gestern und heute und morgen! Daß eine Gottheit diesen mattgehetzten Geist, weichbettend, in das alte Nichts hinfallen ließe! ein unermeßlich Glück – –!« (444)
Diese Grundstimmung wird auch in den Verseinlagen des Romans variiert, am schmerzlichsten in Agnes' Liedern, in denen sie die Vergänglichkeit des Liebesglücks beklagt:

Rosenzeit! wie schnell vorbei,
Schnell vorbei,
Bist du doch gegangen!
[. . .]
Oben auf des Hügels Rand,
Abgewandt,
Wein' ich bei der Linde:
An dem Hut mein Rosenband,
Von seiner Hand,
Spielet in dem Winde. (309 f.)

Pointiert werden der glücklosen Gegenwart, der Lethargie und Lebensschwäche der Hauptfiguren in *Maler Nolten* Gestalten und Begebenheiten einer fernen Vergangenheit entgegengestellt, die glückhaftes, gegenwartsbezogenes Dasein ermöglichte. (Der Abstand zur Gegenwart des erzählten Geschehens wird dabei durch die Einblendung altertümlicher Dichtungsgattungen wie der Ballade oder der Legende auch

35 So Taraba (Anm. 11) S. 413.

von der Form her akzentuiert.) Eine solche Kontrastfunktion hat etwa die legendäre Gestalt des ›edlen Räuberhauptmanns‹ Jung Volker. Während eines Ausflugs, den Nolten und Agnes zusammen mit einer Pfarrfamilie unternehmen, wird die Erinnerung an diesen »freien kräftigen Mann« (323), den »Liebling des Glücks« (318) und »Sohn des Windes« (323), heraufbeschworen, und wenn es über ihn heißt: »Keine Art von Sorge kam ihm bei«, so erscheint er mit diesen Worten von den Romangestalten ebenso scharf abgehoben wie mit dem Hinweis auf seinen spielerischen Umgang mit der Zeit: »[. . .] es war, als spielt' er mit den Stunden seines Tages wie er wohl zuweilen gerne mit bunten Bällen spielte, die er [. . .] nach der Musik harmonisch in der Luft auf und nieder steigen ließ. Sein Inneres bespiegelte die Welt wie die Sonne einen Becher goldnen Weines.« (319)
Auch die Legende vom Alexis-Brunnen, die der blinde Henni Agnes erzählt, hat diese kontrastive Funktion. Der rührende Bericht von der unerschütterlichen Liebe zwischen Alexis und Belsore läßt Agnes' Schmerz über die Untreue Noltens um so heftiger hervorbrechen, so daß sie in eben dem Brunnen, an den sich die Erinnerung an jene mittelalterlichen Geschehnisse knüpft, den Tod sucht. – Ähnlich beschwört auch Larkens' Schattenspiel von Orplid den Mythos von einem verlorenen Goldenen Zeitalter, an das in einer glücklosen Gegenwart nur die tote Stadt Orplid »als ein traurig schönes Denkmal vergangener Hoheit« (104) noch erinnert.

Die auffallende Rückwärtsgewandtheit der Hauptfiguren, ihre Determiniertheit durch vergangene Geschehnisse, kommt auch in der Erzählstruktur des *Maler Nolten* zum Ausdruck: in den häufigen Rückblenden und eingefügten Episoden ebenso wie in der ›Kreisstruktur‹ des Werks, die das Romanende, den Tod Noltens in der Schloßkapelle, auf den Anfang, das Totentanzgemälde, zurückverweisen läßt. Mörikes ganze Erzählweise, so schreibt Prawer, sei darauf angelegt, dem Leser zu verdeutlichen, daß der Held »nicht voranschreiten« könne, »weil er seine eigene Vergangenheit nicht abzuschütteln« vermöge: »mit ihren ›Episoden‹ aus der Vergangenheit, die das Voranstreben der Erzählung ständig unterbrechen und aufhalten, ebenso wie sie das Voranschreiten des Helden durch das Leben ständig unterbrechen und aufhalten.«[36]

Ein Roman der Restaurationszeit

Maler Nolten ist immer wieder als Roman einer Übergangszeit, als ein Werk »*zwischen* den Epochen«[37] interpretiert worden. Doch zielen solche Fixierungsversuche in erster Linie auf die geistesgeschichtliche Situation ab, sie verstehen den Roman als Dokument der nachklassischen, der nachidealistischen Zeit, wenn nicht gar des ›Epigonentums‹. »Dämmerung wurde fühlbar nach dem Erlöschen des Glanzes, der so lang von einer großen Epoche der Dichtung und der Philosophie ausgestrahlt hatte«, heißt es bei Storz.[38] Zeitgeschichtliche Reflexe hingegen wurden in Mörikes Roman weder bemerkt noch gesucht. Allzu lange wirkte der Spott der Jungdeutschen über den Idylliker »in Schlafrock und Pantoffeln«, den Dichter der »Gelbveigelein und Sternblümchen«, der »Lerchen und Wachteln« nach.[39] Und Mörike selbst suchte sich wiederholt von aller Nähe zum ›Zeitgeist‹ zu distanzieren. Daß solche persönlichen, zuweilen geradezu ›hasenfüßigen‹ Äußerungen[40] indessen vom Werk selbst her relativiert werden müssen, bezeugt der oft zitierte Brief an Vischer vom 5. Oktober 1833. Nur mit Befremden wird jeder Leser des *Maler Nolten* zur Kenntnis nehmen, daß Mörike, der gerade Gestalten wie den »gleichsam völlig zerfetzten« Schauspieler

36 Prawer (Anm. 3) S. 173 f. – Zu ähnlichen Schlußfolgerungen gelangt auch Taraba (Anm. 11) S. 423 ff.
37 Vgl. Storz (Anm. 9) S. 135.
38 Ebd., S. 188.
39 Vgl. Holthusen (Anm. 5) S. 79, 80 f.
40 Ebd., S. 78.

Larkens oder die »zerrissene und gepeinigte« Agnes geschildert hatte, nun an den Freund schreibt, den Roman *Die Zerrissenen* kenne er nicht, und dann fortfährt: »Mich schreckte aber der Titel, den ich charakteristisch für unser Zeitalter nahm; [...]. Übrigens sage ich bei dieser Gelegenheit, daß ich der Kränklichkeit und Schmerzensprahlerei unserer jetzigen Poesie gegenüber mich [...] herzlich nach einem gesunden idealen Stoffe sehne [...]. Nur dies bewahrt entschieden vor jenem modernen Unwesen, von dem man doch wider Willen mehr oder weniger auch mit sich schleppt.«[41]

Gerade die substantiellste Gestalt des *Maler Nolten* aber, der Schauspieler Larkens, ist ein Repräsentant eben jenes »modernen Unwesens«. Das bezeugt schon der zeittypische Topos vom ›greisen Jüngling‹, den Mörike zu seiner Charakterisierung verwendet. Wenn der gerade dreißigjährige Larkens von seinem »abgelebten Herzen« (250) spricht, davon, daß er angefangen habe, sich »selber zu überleben« (253), so erinnern solche Selbstaussagen sofort an das Diktum aus Immermanns Roman *Die Epigonen* über die »Frühgereiften«, die schon »mit dem Schnee auf dem Haupt« geboren würden, an den Prinzen Leonce in Büchners Lustspiel *Leonce und Lena*, der den »Frühling auf den Wangen und den Winter im Herzen« habe, oder auch an das von Schubert vertonte Lied *Der Wanderer*, in dem es heißt: »Die Sonne dünkt mich hier so kalt, / Die Blüte welk, das Leben alt«.

Larkens gehört einer zukunftslosen, zur politischen und gesellschaftlichen Inaktivität verurteilten Generation an. Er versucht zwar, auf der Bühne ein Betätigungsfeld für sein Talent und seine Energie zu finden, doch der »widrige Konflikt des Dichters und des Brotmenschen« bringt »die ersten Stokkungen und Unordnungen in seinem Leben hervor« (183). Die Einsicht in die »Unausführbarkeit seiner höhern Geisteswelt« (ebd.) hat schließlich jene Selbst-›Zerfetzung‹, jene »tiefe Hypochondrie« (184) zur Folge, mit der er dem Leser

41 Mörike, *Briefe* (Anm. 15), S. 397.

von Anfang an vorgestellt wird. So ist es in erster Linie der Mangel einer adäquaten, sinnvollen Tätigkeit, der Larkens schließlich – wenn auch nur zum Schein – zur Teilnahme an geheimen politischen Aktivitäten treibt, hinter deren Beschreibung die ›demagogischen Umtriebe‹ der Metternich-Ära unschwer zu erkennen sind: »Der unruhige Geist«, so heißt es, »welcher, von gewissen politischen Freiheitsideen ausgehend, eine Zeitlang die Jugend Deutschlands, der Universitäten besonders, ergriffen hatte, ist bekannt. Die Regierung, von welcher hier die Rede ist, behandelte dergleichen Gegenstände mit um so größerer Aufmerksamkeit, als sich entdeckte, daß immer auch einige durch reiferes Alter, Geist und übrigens unbescholtenen Charakter ausgezeichnete Männer nicht verschmäht hatten, an solchen Geheimverbindungen, im weiteren oder engeren Sinne, teilzunehmen.« (177) Die Erinnerung an diese Aktivitäten wird Larkens, und damit auch Nolten, nach der Aufführung des Spiels vom »Letzten König von Orplid« vor der Hofgesellschaft zum Verhängnis.

Stellt schon der Bericht über die willkürliche Verhaftung und ebenso unerwartete spätere Freilassung der beiden Freunde eine scharfe Satire auf die strengen Zensurbestimmungen und willkürlichen Justizpraktiken der Zeit nach den Karlsbader Beschlüssen dar, so erhielten solche Anspielungen durch ein aktuelles Ereignis zusätzliche Brisanz: Mörikes eigener Bruder Karl wurde nämlich noch vor Erscheinen des *Maler Nolten* »revolutionärer Umtriebe und aufrührerischer Plakate wegen« arretiert,[42] und Mörike hatte alle Mühe, die ›Zufälligkeit‹ dieser ›Parallele‹ zu beteuern.[43] Doch auch das Schatten-

42 Vgl. Mörikes Brief an Luise Rau vom 8. Februar 1831 (*Briefe* [Anm. 15], S. 262).

43 So schrieb er am 6. Dezember 1831 an den Bruder Karl, sein Roman enthalte »nämlich einige Partien, in denen man, freilich gesuchterweise, eine Parallele zu [seiner] Gefangensetzung finden könnte«, und führt dann aus: »Der König [. . .] wird nun in der Erzählung einigemal genannt, jedoch auf keine unwürdige Weise – überhaupt, wie gesagt, nur

spiel selbst ist keineswegs nur ein »Pasquill« auf den verstorbenen König Nikolaus und seine Liaison mit der wesentlich jüngeren Fürstin Viktoria, wie man Larkens und Nolten vorwirft, sondern es enthält symbolische Verweise auf die Restaurationszeit, die die tiefe Betroffenheit der Hofgesellschaft verständlich machen. So symbolisiert die Gestalt des alten, kranken und sterbenden Königs häufig, wie Lea Ritter-Santini in Anlehnung an C. G. Jung gezeigt hat, das »kranke Bewußtsein einer Gesellschaft«, ihren Verfall.[45] Vor allem aber das Motiv des gespenstischen Sich-selbst-Überlebthabens, das an König Ulmon vorgeführt wird, weist auf die Kernintention der Restaurationsära mit ihrem prononcierten Vergangenheitsbezug, der künstlichen Bewahrung einer überholten Staats- und Regierungsform hin.

Von diesem zeitgeschichtlichen Kontext her erscheint Larkens von den romantischen Künstlergestalten entfernt, in deren Nähe man ihn immer angesiedelt hat. Zwar führt auch er eine ›Larvenexistenz‹ wie Jean Pauls Roquairol, ist auch er einer jener »Fremdlinge in der Welt«, die, wie der Kapellmeister Johannes Kreisler in E. T. A. Hoffmanns Roman *Kater Murr*, »ewig dürstend in nie zu befriedigender Sehnsucht, hin und her schwanken und vergeblich Ruhe suchen und Frieden«.[46] Doch hat für ihn, wie auch für Nolten, die Kunst ihre tragende Kraft eingebüßt. Sie ist, so Gerhard Storz, nicht mehr so mächtig, daß sie »trotz aller Gefähr-

Dummheit oder Pedanterie oder Ängstlichkeit könnte *hier* Ähnlichkeiten entdecken wollen [. . .]«. (Ebd., S. 304 f.)

45 Lea Ritter-Santini, »Maniera Grande. Über italienische Renaissance und deutsche Jahrhundertwende«, in: *Fin de siècle. Zu Literatur und Kunst der Jahrhundertwende*, hrsg. von Roger Bauer [u. a.], Frankfurt a. M. 1977, S. 178, Anm. 33.

46 E. T. A. Hoffmann, *Die Elixiere des Teufels. Lebens-Ansichten des Katers Murr*, München 1969, S. 541. – Diese Verwandtschaft machen auch die Worte des Präsidenten von K. nach Larkens' Selbstmord deutlich: »[. . .] wer sagt mir dann, warum jenes namenlose Weh, [. . .] warum doch jene Heimatlosigkeit des Geistes, dies Fort- und Nirgendhin-Verlangen, inmitten eines reichen, menschlich schönen Daseins, so oft das Erbteil herrlicher Naturen sein muß?« (363)

dung ihrer Prätendenten des Menschen bestes Teil und Heil zuverlässig bergen« kann.[47]
Das ›Leiden an der Zeit‹, das als ein Grundmotiv des Romans herausgestellt wurde, gewinnt in *Maler Nolten* über das Leiden an der Vergänglichkeit des Glücks oder an einer belastenden Vergangenheit hinaus eine politisch-gesellschaftliche Dimension, wenn gerade die großangelegten Figuren des Romans an jenem »thatenlosen, unbedeutenden Leben« leiden, »welches unsere Zeit bezeichnet«, wie etwa Franz Schubert in einem Brief an Schober klagte.[48] Die Hoffnungs- und Zukunftslosigkeit einer ganzen Generation schlägt sich in Mörikes Roman in der ausweglosen Verzweiflung der Hauptgestalten nieder. Das Ich, das sich mit dem ›Abgrund‹ der eigenen Seele konfrontiert sieht, findet weder in geistiger und künstlerischer Tätigkeit noch in sozialen Bindungen, weder in der Familie noch in der Liebe einen ausreichenden Halt. Nolten selbst zieht sogar die christliche Jenseitshoffnung in Zweifel, wenn er sich am Schluß den Tod mit folgenden Worten herbeiwünscht: »Ja, läge zum wenigsten nur diese erste Stufe hinter mir! Und doch, wer kann wissen, ob sich *dort* nicht der Knoten nochmals verschlingt? – – O Leben! o Tod! Rätsel aus Rätseln!« (444)
Depression und Wahnsinn, die in dem Roman eine so dominierende Rolle spielen und die Mörike mit klinischer Sachlichkeit und Präzision schildert, werden somit bereits – und das gehört zu den modernsten Zügen des *Maler Nolten* – als überindividuelle, als zeit- und gesellschaftsbedingte Symptome erkannt und fixiert. So hat der vermeintliche ›Idylliker‹ Mörike in seinem Roman die Atmo-

47 Storz (Anm. 9) S. 190.
48 Heinrich Werlé, *Franz Schubert in seinen Briefen und Aufzeichnungen*, Leipzig [2]1951, S. 126 f. (Brief vom 21. September 1824). Schubert kommentierte in diesem Brief die folgenden Verse: »O Jugend unsrer Zeit, Du bist dahin! / Die Kraft zahllosen Volks, sie ist vergeudet, [. . .] / Zu großer Schmerz, der mächtig mich verzehrt, / Und nur als letztes jener Kraft mir bleibet; / Denn thatlos mich auch diese Zeit zerstäubet, / Die jedem Großes zu vollbringen wehrt.«

sphäre einer ›bänglichen‹, einer ›bleiernen‹ Zeit bemerkenswert genau eingefangen. Er weist überdies mit seiner Thematisierung der ›Zerrissenheit‹ auf Büchners *Lenz* voraus und steht seinem Kritiker und Verspotter Heine, dem Dichter mit dem »zerrissenen Herzen«,[49] weit näher, als dieser zu konzedieren je bereit gewesen wäre.

49 Heines bekannteste Begründung seiner ›Zerrissenheit‹ findet sich im 4. Kapitel der *Bäder von Lucca* (1829), wo es heißt: »Ach, teurer Leser, wenn Du über jene Zerrissenheit klagen willst, so beklage lieber, daß die Welt selbst mitten entzwei gerissen ist. Denn da das Herz des Dichters der Mittelpunkt der Welt ist, so mußte es wohl in jetziger Zeit jämmerlich zerrissen werden [. . .]. Durch das meinige ging aber der große Weltriß [. . .].« (Heinrich Heine, *Sämtliche Schriften*, hrsg. von Klaus Briegleb, Bd. 2, hrsg. von Günter Häntzschel, München 1969, S. 405.)

Literaturhinweise

Ausgaben

Eduard Mörike: Maler Nolten. Novelle in zwei Theilen. Stuttgart: Schweizerbart, 1832.

Eduard Mörike: Werke. 2 Bde. Hrsg. von Harry Maync. Leipzig/Wien: Bibliographisches Institut, 1909. [*Maler Nolten* in: Bd. 2, S. 5–430.]

Eduard Mörike: Sämtliche Werke in zwei Bänden. Textred.: Jost Perfahl. Anm. von Helga Unger. Nachw. von Benno von Wiese. München: Winkler, 1967. [*Maler Nolten* in: Bd. 1, S. 5–383.]

Eduard Mörike: Maler Nolten. Novelle in zwei Teilen. Hrsg. von Heide Eilert. Stuttgart: Reclam, 1987. (Universal-Bibliothek. 4770.)

Forschungsliteratur

Adrian, Karl: Wege der Gestaltung in Mörikes *Maler Nolten* und *Mozart auf der Reise nach Prag*. Mönchengladbach 1914.

Bachert, Ruth: Mörikes *Maler Nolten*. Leipzig 1928.

Beck, Adolf: Forschungsbericht. Peregrina. Zur Berichtigung und Ergänzung des Buches von Hildegard Emmel: Mörikes Peregrinadichtung und ihre Beziehung zum Noltenroman. In: Euphorion 47 (1953) S. 194–217.

Brandmeyer, Rudolf: Biedermeierroman und Krise der ständischen Ordnung. Studien zum literarischen Konservatismus. Tübingen 1982.

Drawert, Ernst Arno: Mörikes *Maler Nolten* in seiner ersten und zweiten Fassung. Diss. Jena 1935.

Eggert-Windegg, Walther: Eduard Mörike. Stuttgart 1904.

Emmel, Hildegard: Mörikes Peregrinadichtung und ihre Beziehung zum Noltenroman. Weimar 1952.

Fischer, Karl: Eduard Mörikes künstlerisches Schaffen und dichterische Schöpfungen. Berlin 1903.

Funk-Schoellkopf, Beatrice: Eduard Mörike. »Der letzte König von Orplid«. Zürich 1980.

Graevenitz, Gerhart von: Eduard Mörike. Die Kunst der Sünde. Zur Geschichte des literarischen Individuums. Tübingen 1978.

Hart Nibbrig, Christiaan L.: Verlorene Unmittelbarkeit. Zeiterfahrung und Zeitgestaltung bei Eduard Mörike. Bonn 1973.

Heydebrand, Renate von: Eduard Mörikes Gedichtwerk. Beschreibung und Deutung der Formenvielfalt und ihrer Entwicklung. Stuttgart 1972.
Höllerer, Walter: Eduard Mörike. In: W. H.: Zwischen Klassik und Moderne. Stuttgart 1958. S. 321–356.
Holthusen, Hans Egon: Mörike. Reinbek bei Hamburg 1971.
Ibel, Rudolf: Mörike. In: R. I.: Weltschau deutscher Dichter. Hamburg 1948. S. 183–266.
Kolbe, Jürgen: Goethes *Wahlverwandtschaften* und der Roman des 19. Jahrhunderts. Stuttgart 1968.
Labaye, Pierre: Le symbolisme de Mörike. Etude de la création mörikéenne comme jeu de miroirs. Bern / Frankfurt a. M. 1982.
Lahnstein, Peter: Eduard Mörike. Leben und Milieu eines Dichters. München 1986.
Matt, Peter von: Liebesverrat. Die Treulosen in der Literatur. München/Wien 1989. S. 169–226.
Maync, Harry: Eduard Mörike. Sein Leben und Dichten. Stuttgart/ Berlin 1902 [u. ö.].
Meyer, Herbert: Eduard Mörike. Stuttgart 1961.
– Eduard Mörike. In: Karl Konrad Polheim (Hrsg.): Handbuch der deutschen Erzählung. Düsseldorf 1981. S. 206–216; 582 f.
Prawer, Siegbert S.: Mignon's Revenge. A Study of Mörike's *Maler Nolten*. In: Publications of the English Goethe Society N. S. 25 (1956) S. 63–85.
Reinhardt, Heinrich: Mörike und sein Roman *Maler Nolten*. Zürich/ Leipzig 1930.
Reuter, Hans-Heinrich: Eduard Mörike in seinem Leben und Denken. Berlin 1957.
Rosenthal, Max: Eduard Mörike. Eine Untersuchung seines künstlerischen Schaffens. Leipzig 1910.
Sandomirsky, Vera: Eduard Mörike. Sein Verhältnis zum Biedermeier. Erlangen 1935.
Sengle, Friedrich: Eduard Mörike. In: F. S.: Biedermeierzeit. Deutsche Literatur im Spannungsfeld zwischen Restauration und Revolution 1815–1848. Bd. 3: Die Dichter. Stuttgart 1980. S. 691–751.
Seuffert, Bernhard: Mörikes Nolten und Mozart. Graz 1925.
Storz, Gerhard: Eduard Mörike. Stuttgart 1967.
Taraba, Wolfgang Friedrich: Die Rolle der Zeit und des Schicksals in Eduard Mörikes *Maler Nolten*. In: Euphorion 50 (1956) S. 405 bis 427.

Tscherpel, Roland: Mörikes lemurische Possen. Die Grenzgänger der schönen Künste und ihre Bedeutung für eine dem *Maler Nolten* immanente Poetik. Königstein i. Ts. 1985.
Völk, Rudolf: Die Kunstform des *Maler Nolten* von Eduard Mörike. Berlin 1930.
Wiese, Benno von: Eduard Mörike. Tübingen/Stuttgart 1950.

GERT SAUTERMEISTER

Gottfried Keller: *Der grüne Heinrich*[1]

Zur Entstehung

Als Gottfried Keller (1819–90) im Frühjahr 1850 dem Braunschweiger Verlag Eduard Vieweg das Exposé eines Bildungsromans übersandte, war dieser davon so angetan, daß er das

1 Der vorliegende Aufsatz faßt – in teilweise gekürzter und überarbeiteter Form – einige zentrale Themen folgender bereits von mir publizierter Romananalysen zusammen: G. S., »Gottfried Keller: *Der grüne Heinrich* (1854/55; 2. Fassung 1879/80). Gesellschaftsroman, Seelendrama, Romankunst«, in: *Romane und Erzählungen des Bürgerlichen Realismus. Neue Interpretationen*, hrsg. von Horst Denkler, Stuttgart 1980, S. 80 bis 123; G. S., »Kellers Fortsetzung des Bildungsromans«, in: *Einführung in die deutsche Literatur des 19. Jahrhunderts*, hrsg. von Josef Jansen [u. a.], Bd. 2: *März-Revolution, Reichsgründung und die Anfänge des Imperialismus*, Opladen 1984, S. 207–224; G. S., Nachwort zu: Gottfried Keller, *Der grüne Heinrich*, München [5]1991, S. 896–932. Die Kindheitsspiele des grünen Heinrich bzw. seine ersten Gestaltungsversuche sind erstmals hier ausführlicher dargestellt.
Die gegenwärtige Forschungslage macht eine Revision meines ursprünglichen Gesamtbildes nicht erforderlich. Die seit 1980 publizierte Literatur kann hier nur vereinzelt gewürdigt werden: »Übereinstimmungen« mit meiner Romananalyse vermerkt Gerhard Kaiser, *Gottfried Keller. Das gedichtete Leben*, Frankfurt a. M. 1981, vgl. S. 662, Anm. 1. Sein fast 250 Seiten starker Essay über den *Grünen Heinrich* bleibt lesenswert. Inwieweit eine der zentralen Prämissen seiner Deutung, die Auslotung des autobiographischen Roman-Grunds mit Hilfe der Psychoanalyse, Überzeugungskraft behält, kann nur eingehende Lektüre entscheiden. Sie darf sich freilich auch kühnen Spekulationen und metaphorischen Thesenbildungen wie den folgenden nicht entziehen: »Der Autor des Mutter-Sohn-Romans veröffentlicht diskret, was Söhne an Mütter bindet, was Frauen von einem Junggesellen gesehen sind. [. . .] Der schreibende Gottfried Keller ist die Fortsetzung der seltsamen Vaterreihe des Romans. Das Erinnerungsbuch ist das Kind, das der grüne Heinrich erzeugt, indem er zu den Müttern hinabsteigt. Sofern dabei Heinrich von sich schreibt, erfüllt er sich den geheimsten Wunsch: Er erzeugt als Vater mit der Mutter sich selbst als Kind; er wird sein eigener Vater. Liebend blickt

gesamte Manuskript möglichst bald bei sich zu haben wünschte. Er konnte nicht wissen, daß Keller zwar einzelne Teile seines Romans vorzuweisen hatte, nicht jedoch ein fertiges Manuskript. Für die Fertigstellung der ersten Fassung sollte er noch vier Jahre benötigen, und während Vieweg in dieser Zeit sich immer wieder vertrösten ließ, immer wieder drohte und Keller ebenso häufig mit Vorschüssen wie mit Vorwürfen bedachte, verzögerte der säumige Autor unter tausend Ausflüchten die Absendung des Manuskripts, erweiterte es, schmolz es um, nahm es, nach mannigfachen Unterbrechungen, immer wieder in Angriff und rang mit ihm, als

der erzählende Heinrich auf den erzählten Heinrich als sein im Schreiben wiedergeborenes Ich.« (S. 174)
Thesen meiner Interpretation bekräftigte Bernd Neumann, *Gottfried Keller. Eine Einführung in sein Werk*, Königstein i. Ts. 1982. Neumanns von zahlreichen Verweisen auf die Forschungsliteratur gestützte Werkkommentare sind als »Einführung« zu Keller noch immer geeignet.
Laurenz Steinlins Dissertation *Gottfried Kellers materialistische Sinnbildkunst. Die Arbeit am grünen Heinrich 1848–55 im Kontext*, Bern 1986, berücksichtigt offenbar nur bis zu 1979 publizierte Forschungsliteratur, so daß mancher Interpretationsweg hinlänglich bekannt anmutet. Die Arbeit ist dank ihrer Odysseus-Kapitel verdienstvoll, die, mit reicher Assoziationskraft und philologischer Gründlichkeit verfaßt, den mythisch überhöhten sinnbildlichen Charakter der Lebens-Irrfahrt Heinrich Lees darlegen. Das umfangreiche Buch ist freilich schwer lesbar, weil der Verfasser das Erzählte und Zitierte partienweise wiederholt, ehe er seiner These Raum gibt, weitschweifige Quer- und Rückverweise herstellt und sich gelegentlich zu umständlichen Exkursen aufmacht.
Im *Handbuch des deutschen Romans*, hrsg. von Helmut Koopmann, Düsseldorf 1983, findet sich ein Aufsatz Hans Dietrich Irmschers, »Keller, Stifter und der Bildungsroman des 19. Jahrhunderts« (S. 370–394). Manches darin wirkt wie eine Reprise bereits formulierter Einsichten, etwa Irmschers These zum Desillusionierungsprinzip des Romans (S. 371); auch seine Forderung, den »engen Zusammenhang [...] zwischen der Armut Heinrich Lees und seinem phantasiebestimmten Verhalten« zu beachten (S. 377), ist schon eingelöst. Die These hingegen, in der zweiten Romanfassung werde Heinrichs »weiterer Lebensweg eine Rückkehr zum Vater« (S. 384), läßt außer acht, wieviel an der Ideal-Existenz des Vaters inzwischen unwiederholbar geworden ist. So sieht es auch Hartmut Laufhütte (vgl. Anm. 2), der mit Recht »das Anlagenpotential des Individuums für die künftige Lebenspraxis reduziert« findet (S. 31).

hinge das Glück seines Lebens davon ab. Es dürfte kein Zufall sein, daß Keller seinen Aufenthalt in Deutschland immer wieder verlängerte (1848–55), bis er seinem Roman die fertige Gestalt verliehen hatte, so, als sei er erst damit für eine Rückkehr ins heimatliche Zürich reif.

Von dem Stipendium seiner Vaterstadt allein hätte Keller so lange Zeit nicht in der Fremde leben können. Er machte daher, um seiner selbstgestellten Lebensaufgabe die Treue zu halten, immer wieder Schulden, die er nur teilweise mit den Vorschüssen seines Verlegers zu begleichen vermochte. Geldüberweisungen seitens der Mutter mußten hinzukommen, und Kellers Briefe nach Hause, mehr noch allerdings seine ausbleibenden, ungeschriebenen Briefe spiegeln das Schuldbewußtsein wider, das ihn angesichts seines unbürgerlichen Künstlertums und seines Widerstandes gegen ein geregeltes Erwerbsleben quälte und das die Mutter unbewußt nährte. Die nicht gerade auf Rosen gebettete Witwe eines angesehenen und lebenstüchtigen Handwerkers erwartete von ihrem Sohn, daß er es dem Vater an wohlbestellter Bürgerlichkeit gleichtun werde, und Keller hat diese Erwartung ebenso *tief verinnerlicht* wie *aggressiv verworfen*. Bürgerliche Normen wie Erwerbstüchtigkeit und praktische Gemeinnützigkeit sind dem *Grünen Heinrich* (1854/55) nicht weniger eingeschrieben als das Unvermögen des schuldbewußten Familiensohns und Künstlers. Offensichtlich suchte Keller die Schwierigkeiten und die Rätsel seiner eigenen Existenz im Schicksal des grünen Heinrich zu bannen, dies jedoch nicht auf dem Wege lebensechter Mimesis, sondern künstlerischer Verfremdung.[2] Wenn er seinen Helden unter der Last des

2 Nur Voreingenommenheit kann aus dieser und ähnlichen Thesen auf eine »Preisgabe der heuristischen Unterscheidung zwischen Autor und (Ich-) Erzähler« schließen, wie dies Hartmut Laufhütte tut, indem er unter seine Kritik der »neuen soziologischen Fragestellungen« pauschal verschiedenartige Keller-Untersuchungen subsumiert (H. L., »Gottfried Keller: *Der grüne Heinrich*. Zur Problematik literaturwissenschaftlicher Aktualisierung«, in: Hartmut Steinecke (Hrsg.), *Zu Gottfried Keller*, Stuttgart 1984, S. 18–39, hier vgl. S. 20 und Anm. 13. Wenn Laufhütte

Schuldbewußtseins zugrunde gehen läßt, so wird dies für ihn eine Form der Selbst-Entlastung vom eigenen Schuldkomplex. Jedenfalls bezeugen Kellers Briefe, daß er eine innige Verwandtschaft mit dem Schicksal seines Helden empfand, aber auch das Bedürfnis nach Distanzierung verspürte. Dem trägt der auffällige Wechsel der Erzählperspektive Rechnung.

bemerkt, daß die biographische »Gestalt des frühverstorbenen Vaters für das Lebensschicksal des Autors Keller« neuerdings »eine starke Gewichtung« erhält (S. 20), so mag dies von Fall zu Fall zutreffen. Als Beleg dafür zitiert er jedoch eine These meines Aufsatzes von 1980 (vgl. Anm. 1): »Die Vaterfigur bildet den Schlüssel zum Verständnis des Romans« (S. 85). Hier ist unmißverständlich die literarische Vaterfigur gemeint – und nur sie, nicht der von Laufhütte unterstellte biographische Vater Kellers. Ich würde allerdings davor warnen, aus der methodischen Unterscheidung zwischen »Textfiguren und Autorfigur« wie Laufhütte »separate ontologische [sic!] Figuren« zu destillieren (s. seine Anm. 14). Die neueren »aktualisierenden und analogisierenden Interpreten« setzen sich nach Laufhütte »grundsätzlich gegen den historischen Gegenstand, den Text, ins Recht« (S. 21). Gegen den Text? Laufhütte hat unter anderem meinen Vergleich der Fassungen im Auge, der, behutsam abwägend, durchaus keine ästhetische Rangfolge statuiert, wie Laufhütte vorgibt, sondern verschiedene Sehweisen unterscheidet. Und wie versteht Laufhütte selber den »Text«? Da heißt es zum Beispiel, der Roman problematisiere »das Verhältnis des [. . .] Einzelnen zur Verfassung der ihn umgebenden gegenständlichen und gesellschaftlichen Wirklichkeit« (S. 27), er zeichne diese Wirklichkeit als eine »chaotische, vom blinden Zufall regierte« (S. 32) und zeige die Fragwürdigkeit der »vertrauten Vorstellung eines in übergreifende Zusammenhänge integrierten Lebens« (S. 33): Thesen, die bei mir schon ausführlich entfaltet waren (vgl. etwa S. 109–114)! Zum Beweis für seine »sinnvolle Aktualisierungsarbeit« (S. 22) schreibt Laufhütte: »Heinrichs Lebensweg soll zwar als für ihn, von seinen Voraussetzungen aus unvermeidbarer, allgemein aber gerade im Geiste der Zeit und auf der Grundlage ihrer Gesellschaftsverfassung zu vermeidender und vermeidbarer Irrweg kenntlich werden« (S. 37). Soll diese Unterscheidung über das Scheitern des Einzelnen hinwegtrösten? Oder die erzählerischen »Hinweise auf die Notwendigkeit richtiger pädagogischer Betreuung«, wie Laufhütte es formuliert (S. 32), plausibel machen? Wer übernimmt diese Betreuung, wenn der Vater früh stirbt? Und wenn niemand sie übernimmt – gelten dann noch immer der »Geist der Zeit« und die »Grundlagen der Gesellschaftsverfassung« unangefochten? Mit der »richtigen pädagogischen Betreuung« stößt die Methode der ›kontrollierten Aktualisierung‹ auf eine Formel von wahrhaft karger Allgemeinheit.

Der grüne Heinrich erzählt seine Kindheit und Jugend in der Ich-Form, von seinem Tod hingegen, in den sein Scheitern mündet, muß naturgemäß in der Er-Form erzählt werden. Das führt zu der für die Erstfassung des Romans charakteristischen Doppelgestalt: Die Ich-Erzählung wird von einer Er-Erzählung umrahmt.[3] Der Er-Erzähler präsentiert zu Beginn des Romans den etwa achtzehnjährigen Heinrich Lee als angehenden Maler, der sich für eine Reise nach München rüstet, wo er sich zum Künstler ausbilden will. Kaum ist er in der bayrischen Residenzstadt angelangt, zieht er einen selbstverfaßten Roman hervor: seine »Jugendgeschichte«. Er liest sie von Anfang bis Ende durch, um Gewißheit über sich selbst und Rat für die Zukunft zu erhalten. So wohnt der Leser Heinrichs weitläufiger Ich-Erzählung bei, ehe der Er-Erzähler wieder zur Feder greift und Heinrichs Schicksal in München, seine verzögerte Rückreise und seine verzweifelte Wiederbegegnung mit der Heimatstadt darstellt: er trifft dort gerade in dem Augenblick ein, als seine Mutter zu Grabe getragen wird. Vom Schuldbewußtsein überwältigt, ereilt ihn der Tod. Im Medium des Er-Erzählers distanziert Keller den furchtbaren Lebensweg, der ihm selbst in drohenden Visionen vor Augen schwebt. Die Doppelgestalt des Ich- und Er-Erzählers ist der ästhetische Ausdruck seiner existentiellen Nähe zum untergangsreifen Heinrich Lee und seines Versuchs einer Selbstheilung durch Distanznahme.

3 Auf die Erstfassung des Romans beziehen wir uns im folgenden. Sie wird zitiert nach der Ausgabe: Gottfried Keller, *Sämtliche Werke und ausgewählte Briefe*, hrsg. von Clemens Heselhaus, 3 Bde., 3. Aufl., München 1969, Bd. 1: *Der grüne Heinrich*. Seitenangaben erfolgen durch Ziffern in Klammern.

Bildungsidee und moderne Lebenswirklichkeit

Die Vatergestalt

Daß der Roman seine künstlerisch verfremdete Lebensgeschichte in gesellschaftlichem Felde ansiedle, hat Keller selbst betont (vgl. u. a. den Brief vom 4. März 1851 an Hermann Hettner und seine kurzgefaßte »Autobiographie« von 1876 bis 1877, in: *Sämtliche Werke und ausgewählte Briefe*, Bd. 3, S. 843 f. und 1116 ff.). »Der Roman im modernen Sinn«, so hatte es Hegel gesehen, »setzt eine bereits zur *Prosa* geordnete Wirklichkeit voraus, auf deren Boden sodann [. . .] die Poesie, soweit es bei dieser Voraussetzung möglich ist, ihr verlorenes Recht wieder erringt.«[4] Hinsichtlich des *Grünen Heinrich* hat man sich dieser Hegelschen Optik selten bedient,[5] und noch heute erkundet die Keller-Forschung nur zögernd die »Prosa« der modernen Lebenswirklichkeit in diesem Bildungsroman; betrachtenswerter dünkt ihr seine »Poesie« – die Poesie der klassischen Bildungsidee. Die zweite Fassung des Romans (erschienen 1879/80), die in einen versöhnlichen Kompromiß zwischen Individualgeschichte und dem »Lauf der Welt« ausklingen sollte, war allem Anschein nach dieser Poesie näher als die erste mit ihrem kompromißlos-bitteren tödlichen Ende; sie erregte daher ein Jahrhundert hindurch viel mehr Aufmerksamkeit als das Jugendwerk. Diese ungleiche Verteilung der Leser-Sympathien hing mit der Forschungstradition im Bildungsroman-Bereich zusammen, zumal mit den herrschenden Ansichten über Goethes *Wilhelm Meister*, der, wie man meinte, in Kellers Zweitfassung einen würdigen Nachfolger gefunden habe. Im

4 Georg Wilhelm Friedrich Hegel, *Vorlesungen über die Ästhetik*, Dritter Teil, dritter Abschnitt, drittes Kapitel (*Die Poesie*, C »Die Gattungsunterschiede der Poesie«); Ausg. in Reclams Universal-Bibliothek, 7985, hrsg. von Rüdiger Bubner, Stuttgart 1971 [u. ö.].

5 Eine rühmliche Ausnahme ist Klaus-Detlef Müller, »Die ›Dialektik der Kulturbewegung‹. Hegels romantheoretische Grundsätze und Kellers ›Grüner Heinrich‹, in: *Poetica* 8 (1976) S. 300–320.

Mittelpunkt der Betrachtungen des *Wilhelm Meister* stand weniger ein aus der Romanstruktur selbst abgeleiteter, sondern aus anderen dichterischen und auch philosophischen Zeugnissen entnommener Bildungsgedanke, ein gleichsam höherer ›poetischer‹ Gedanke.[6] So dürften etwa Goethes Idee der Urpflanze und die in der *Italienischen Reise* skizzierte Naturauffassung jene organologischen Deutungsmuster gezeitigt haben, die Wilhelm Meisters Lebensweg wie einen »Wachstumsprozeß in der vegetativen Welt«[7] oder wie einen natürlichen »Reifungsvorgang«[8] präsentierten. Die synthetisierenden Deutungsmuster dagegen ließen Wilhelm Meister einer höheren Einheit zustreben, die angeblich aus dem Widerstreit von Gegensätzen erwächst – von Individuum und Gesellschaft beispielsweise oder von Wirklichkeit und Kunst; man vernimmt deutlich den Dreitakt von These-Antithese-Synthese, der hier aus der klassisch-romantischen Geschichtsphilosophie von Schiller und Humboldt bis Novalis und Hegel herübertönt. Erst seit kurzem regt sich Widerstand gegen den weltanschaulichen Optimismus der Goethe-Philologie, wenn man sich beispielsweise um den Nachweis bemüht, daß der Bildungsgang Wilhelm Meisters ihm die volle humane Entfaltung seiner Person verwehrt.[9] Das harmonisch-organische bzw. das vorbildlich-synthetische Bildungsziel – ist es denn irgendwann, sei es in der Empirie, sei es in der Kunst, mehr gewesen als eine schöne, uneinlösbare Utopie? Wenn Goethes Erzähler im berühmten dritten Kapitel des fünften Buches diese Utopie in einem Brief Wilhelms erklingen läßt, so doch nur, um am Ende ihre Unrealisierbarkeit in der bürgerlichen Welt bewußt zu machen. Wir wagen

6 Diese (1984 publizierte) These wird bekräftigt durch das 3. Kapitel des zeitgleich erschienenen Aufsatzes von H. Laufhütte (Anm. 2), vgl. besonders die instruktiven Seiten 28–30.

7 Vgl. Karl Viëtor, *Goethe*, Bern 1949, S. 129–150.

8 Vgl. Günther Müller, *Gestaltung – Umgestaltung in »Wilhelm Meisters Lehrjahre«*, Halle 1948.

9 Hannelore Schlaffer, *Wilhelm Meister. Das Ende der Kunst und die Wiederkehr des Mythos*, Stuttgart 1980.

die These, daß Kellers *Grüner Heinrich* aus diesem schmerzlichen Bewußtsein lebt, ja daß er ihm wie kein zweiter Bildungsroman vor- und nachher Evidenz verschafft hat. Das Schicksal, das zu Anfang des Romans der Vater des grünen Heinrichs erleidet, dürfte dieser These Beweiskraft verleihen.

In der Vatergestalt versinnlicht der erzählende Held rückblickend die schöne Utopie der aufklärerisch-klassischen Bildungsidee. Der Bürger als aufstrebender Geschäftseigentümer, als politisches Wesen und als gebildeter Privatmann – alle drei Erscheinungsformen des modernen Menschen harmonieren in Heinrichs Vater miteinander. *Bourgeois, citoyen* und *homme* bilden eine Synthese in diesem wirtschaftlich erfolgreichen Baumeister, der zugleich ein politisch aufgeklärter Kopf und ein musisch veranlagter Kulturmensch ist. Kapital und Kunst, Zweckrationalität und ideeller Schwung, persönliches Emporkommen und politisch-sozialer Gemeinsinn gelangen in ihm zu einer hinreißenden Einheit. So vermittelt er eine plastische Vorstellung von dem hochfliegenden Humanitätsideal des Bürgertums in seiner revolutionären Phase. Das macht den zeitgeschichtlich-utopischen Symbolcharakter des Vaterbildes aus. Und Realitätsgehalt empfängt dieses Bild durch den unheilbaren Riß, der es bald durchzieht. Der Vater vermag die anspruchsvollen Bereiche der Arbeit, der Politik und der kulturellen Freizeit nur dank einer rastlosen Dynamik miteinander zu versöhnen, die seine Gesundheit unversehens aufzehrt. So stirbt er plötzlich dahin, »als ein junger, blühender Mann [. . .] und ohne die neue Zeit aufgehen zu sehen, welcher er mit seinen Freunden zuversichtlich entgegenblickte« (61). Der *poetische* Realismus wird zum *bürgerlichen*, zum kritisch-bürgerlichen Realismus – so unmittelbar verschränkt Keller die beiden Schreibweisen, die der Literaturwissenschaft zur alternativen Charakterisierung seiner Epoche dienen. Die neue Zeit, die im poetischen Idealbild des Baumeisters vorweggenommen schien – sie wird nicht aufgehen: im Tod des Vaters kündigt der Ich-Erzähler metaphorisch an, daß das Dreigestirn *bourgeois, citoyen* und *homme* in der bürgerlichen Gesellschaft auf die Dauer auseinandertreten muß. Der Ich-Erzähler erfährt am eigenen Leibe, ja erfährt an allen Menschen, die seinen Lebensweg kreuzen, eine unaufhebbare Spannung: auf der einen Seite ein überliefertes Idealbild als moralisches Über-Ich und Leitstern der Erziehung – auf der anderen Seite die Realität, die einer Verwirklichung des Ideals hinderlich ist. Der Ideenhimmel des aufgeklärten klassischen Humanismus läßt sich auf der bürgerlichen Erde *nicht nachbilden*. Sie, die ihre Ordnung auf die intakte Struktur der Einzelfamilie gründet und diese als Schutzwall vor ihre Bedrohungen und Abgründe stellt, sucht den Vaterlosen unverhüllt mit allen ihren Schrekken heim, wie der Ausschluß von der Schule, die unglückselige Berufssuche, das hilflose Schlingern durch die Habersaat'sche Malschule offenbaren. Letztere kündigt schon das kunstfremde Verwertungsinteresse des freien Marktes an, dem der angehende Künstler unterworfen sein wird. Seine von der sozialen Realität versehrte Tatkraft, die ihn für die kontemplative Künstler-Existenz prädestiniert und einer schweifenden narzißtischen Phantasielust Raum gewährt, verwehrt ihm die entschiedene Gestaltung seiner widerspruchsvollen Liebesverhältnisse. So bleibt ihm das »einheitliche organische Leben«, wie es etwa Schiller (605) oder der Vater vorgelebt haben, versagt. *Aus der Unversöhnlichkeit von Bildungsideal und Wirklichkeit erwächst dem grünen Heinrich vielmehr ein Schuldbewußtsein, das seinen Lebensweg zusehends verdüstert.* Es übt seine Gewalt auch dann aus, als die Konturen des väterlichen Idealsbilds sich in der Erinnerung des Heranwachsenden allmählich verwischen – denn nun ist es die Mutter, die im Namen des Vaters zur Sachwalterin wohlbestellter Bürgerlichkeit wird und im Sohn das moralische Über-Ich lebendig erhält. Obgleich es objektive, außer ihm liegende Verhältnisse sind, die dem grünen Heinrich einen normalen Bildungsgang versperren, obgleich es an den Wechselfällen des freien Markts liegt, wenn er sein künstlerisches Talent nicht in klingende Münze und in einen ehrbaren Erwerb umwandeln kann – als Sohn eines idealen Vaters und einer erwartungsvollen Mutter zieht er sich dennoch höchstpersönlich für diese unpersönlichen Verhältnisse zur Rechenschaft, leidet er doppelt an seinen unverschuldeten Irrgängen in der »zivilisierten Wildnis« (613), wie Keller die bürgerliche Sozialverfassung nennt. Im Angesicht der Familie verklagt sich der Sohn für sein berufliches Scheitern, das, wie er weiß, zwar nicht persönlich verschuldet ist, aber ihm dennoch im Hinblick auf die verzweifelnde Mutter persönlich zur Last fällt. Niemals zuvor in der Geschichte des deutschen Bildungsromans ist derart ungeschönt die schicksalhafte Dialektik ausgeleuchtet worden, in die Familienbindung und Sozialverfassung das Individuum zu stürzen vermögen, jener »Doppelzustand«, um es mit den Worten des Romans zu sagen, worin der grüne Heinrich »für seine Person sich schuldlos fühlte«, aber »in Ansehung seiner Mutter eine große Schuld erwachsen sah, an der er doch wieder nicht schuld zu sein meinte« (643). Als endlich die Waage des Schicksals sich zu seinen Gunsten neigt, ein gräflicher Gönner sein künstlerisches Tun und Treiben respektvoll honoriert, und er eine tiefe Neigung zu dessen Adoptivtochter entwickelt, erhebt sein Schuldbewußtsein die Mutter zur heimlichen Konkurrentin, so daß er, zutiefst verstört, ihr die glückliche Wendung seines Lebens verschweigt, seine Heimreise verzögert und schließlich von der Mutter, die sich aufgezehrt hat im stillen Gram über den verlorenen Sohn, nichts weiter sieht als den Sarg, in dem sie bei seiner Ankunft zu Grabe getragen wird.

Bewußt-unbewußtes Erzählen

Statt eines höheren Lebens im Geiste des klassischen Bildungsideals teilhaftig zu werden, hat der grüne Heinrich unter der Last des Ideals die abschüssige Bahn der tödlichen Verzweiflung beschritten – und in diese Bahn auch zahlreiche andere Personen mit hineingerissen. Es ist ja verräterisch, mit wieviel Todesfällen Kellers Roman beladen ist. Der Erzähler-Held wehrt sich insgeheim gegen das bewunderte Vater-Ideal und das mütterliche Über-Ich, indem er alles, was ihn daran erinnert, aus seinem Gesichtskreis drängt, ja dem Vergessen und dem Tod überantwortet. Man erinnere sich beispielsweise an das Meierlein, jenen Freund, der durch seinen praktischen Verstand ständig die hochfliegende Phantasie des grünen Heinrich in die Schranken weist. Gemäß des väterlichen Anspruchs müßte der Sohn eigentlich beide Pole, den *praktischen zweckrationalen Verstand* und die *inspirative Phantasie*, miteinander verknüpfen. Weil dieser Anspruch ihn überfordert, weil die Realität eine Versöhnung entgegengesetzter Lebenspole verhindert, nimmt der Erzähler-Held Zuflucht zu einer aggressiven Vereinfachung: er löscht den ihm widerwärtigen Pol, in diesem Fall das Meierlein, durch eine tödliche Verdrängung aus. Das ist ein so schwerwiegender Vorgang, daß er selbst dem rückblikkenden Erzähler nicht ganz bewußt werden darf; das klassische Bildungsideal, die Einheit der Gegensätze, hat sich als soziale Norm so tief dem Bewußtsein eingegraben, daß es der anarchischen Energie des *Unbewußten* bedarf, um dagegen aufzubegehren. Während der bewußte Erzähler sich sein soziales Versagen als Unrecht an der Familie auslegt, stellt er gleichzeitig die Sozialordnung ohne sein reflektiertes Wissen bloß. Im unbewußten Todeswunsch äußert sich der Protest gegen eine das Ich überfordernde, auf gesellschaftliche Schranken stoßende Lebensaufgabe. Die dem Unbewußten folgende Feder des Erzählers verschreibt dem Geschehen jenes eigentümliche Todesgefälle, das vom bewußten Erzählerkommentar nicht restlos begriffen wird. Nicht nur explizite Reflexionsepik, auch die unbewußte Inkongruenz zwischen ihr und dem Handlungsverlauf kann so zum Wahrzeichen eines bürgerlich-realistischen Romans werden. Kontemplative Gedanklichkeit allein kann den Schrecken nicht bannen, den die fortschreitende Desillusionierung einer so hehren gesellschaftlichen Norm wie des klassischen Bildungsideals auslöst: das Unbewußte tritt als Begleiter oder Gegenspieler bewußter Reflexionen auf.

Kindheitsspiele

Fortschreitende Desillusionierung besagt, daß ein Leitmotiv immer schärfere Prägungen erhält – bis es im Tod des Helden kulminiert und Abschied nimmt. *Spiegelung, Variation und Steigerung einer Grundsituation* sind ein Strukturprinzip des *Grünen Heinrich*. Es durchdringt schon die Kindheit des Helden. Ungewöhnlich mutet die kindliche Bedürfniswelt an, die der Erzähler zur Darstellung bringt. Im Unterschied zu zeitgenössischen Kindheitsauffassungen legt der Roman verborgene Antriebe kindlichen Lebens frei, z. B. die zentrale Rolle, die Lustbedürfnisse spielen. Der grüne Heinrich entfaltet seine Libido vor allem in Form der *Schaulust*, der *Phantasie* und der *Gestaltungslust*. Aber er entfaltet diese libidinösen Kräfte nicht etwa voraussetzungslos als ihm angeborene Grundbedürfnisse, sondern läßt vielmehr ihre familiale und soziale Prägung erkennen. Das viel sich selbst überlassene Kind findet in seiner Einsamkeit Vergnügen am Schauen und Phantasieren (erster Band, fünftes Kapitel). Sein Blick, der vom idyllischen Hausgärtchen zum sonnenbeglänzten Kirchturm und zu Wolkenfeldern hinaufsteigt, verzaubert die Umgebung zu einem Paradies. Wenn der Knabe dieses Paradies mit dem Namen Gott tauft, so läßt der Roman bereits an dieser Stelle den Einfluß erkennen, den die Religionsphilosophie Feuerbachs auf Keller seit seiner Heidelberger Zeit (1848–50) ausübte: Gott ist eine Projektion der unverwirklichten menschlichen Bedürfnisse, nicht ein unabhängig davon existierendes Wesen. Der kleine Heinrich projiziert in seine Vorstellung des Paradieses und eines göttlichen Wesens ein Bedürfnis nach Lust, das seine Mutter offenkundig nicht zur Genüge stillt – vielmehr nicht zur Genüge stillen kann. Denn als Witwe muß sie gegenüber ihrem Sohn die Stelle des Vaters vertreten. Die Sorge um die Ernährung und die unteilbare Verantwortung für die Erziehung des Jungen verleihen ihrer Mutterliebe einen nüchternen und sachlichen Zug. Dementsprechend ist auch ihr Gottesbild im Sinne Feuerbachs ein Abbild ihrer dringendsten Bedürfnisse: Sie stellt sich Gott als Ernährer und Beschützer, d. h. als Repräsentanten des Familienvaters, vor. Der Gott des Knaben ist ein Spiegelbild seiner libidinösen Kräfte, der seiner Mutter eine Projektion ihrer praktischen Lebensbedürfnisse. Für den Konflikt, der daraus entspringt, erfindet der Erzähler ein sprechendes Symbol. Die Mutter demonstriert die nüchterne Fürsorglichkeit, zu der sie gezwungen ist, in der Zubereitung ordentlicher, aber immer gleichschmeckender, reizloser Mahlzeiten. Der Knabe übt daran eine zungenfertige Kritik, die sein Bedürfnis nach mehr Liebe und Wärme verschlüsselt ausdrückt. Darauf reagiert die Mutter wiederum mit gleichsam väterlicher Lehrhaftigkeit, indem sie seine Undankbarkeit gegen den Schöpfer und Ernährer brandmarkt, Schuldgefühle in ihm erweckt und seine verklausulierten Zärtlichkeitswünsche zum Schweigen bringt. Bei aller wohlmeinenden Mütterlichkeit ist diese Erziehungspraxis nicht frei vom Reglement der Volksschule, wo phantasiefeindliche Kräfte wie der Katechismus die Kinder auf die Nüchternheit des beruflich-materiellen Lebens einstimmen.

Die zweckrationale Welt der Mutter und der Schule vertauscht der grüne Heinrich häufig mit dem Reich der Phantasie im Hause der Frau Margret (erster Band, sechstes Kapitel). Ihr Trödlerladen ist für das stoff- und lebenshungrige Kind eine unversiegliche Quelle der Schaulust und der Einbildungskraft. Auch die vom materiellen Existenzkampf gezeichneten Erwachsenen erleben das phantastische Reich der Frau Margret als Ersatz für unverwirklichte Wünsche. In gleichsam vor-rationalen, von Wundern und Geheimnissen erfüllten Weltbildern entschädigen sie sich für die geheimnislose Rationalität des alltäglichen Erwerbslebens. Die im Vater des kleinen Heinrich noch zur Synthese gelangenden Kräfte der Phantasie und der Ökonomie, der seelisch-geistigen und beruflichen Ansprüche treten bereits hier als einander entgegengesetzte auf. Und aus der Entgegensetzung wird bald ein tödlicher Widerspruch. Wie zuletzt die Dynamik des Erwerbs die Lebensharmonie des Vaters sprengte, so wird auch der Zufluchtsort bei Frau Margret ökonomisch unterminiert. Ihr und ihrem Mann wird das Geld zum zerstörerischen Schicksal. Unversehens entwickelt sich das Besitzverlangen zu einer Triebkraft, die eine Lebensgemeinschaft bis an die Wurzeln versehrt. Das Geld erhebt sich zu einem Fetisch, dessen Glanz zwei alternde Menschen verblendet und Todeswünsche in ihnen weckt. Mit dem Ableben der Frau Margret und des Vaters Jakoblein signalisiert der Erzähler gleichzeitig die um sich greifende Macht der ökonomisch bestimmten bürgerlichen Realität.

Noch ehe der kleine Heinrich diese Realität am eigenen Leibe erfährt, entfaltet er neben dem Bedürfnis des *Schauens* und des *Phantasierens* einen dritten Grundimpuls: den *Gestaltungstrieb* (erster Band, siebentes Kapitel). Die Kräfte der Phantasie drängen über das reine Schauen hinaus zur tätigen Formung der Welt. »Das spielende Kind« lautet der Titel, den der Ich-Erzähler in der zweiten Fassung des Romans jenem denkwürdigen Lebensabschnitt verleihen wird, da Kinder ihrem Gestaltungsdrang folgen und ihre erste eingreifende Auseinandersetzung mit der Natur und stummen Kreatur erproben, diesem entscheidenden Vorspiel zum späteren Weltgestalten und Weltverhalten. »[. . .] ich bedurfte eines sinnlichen Stoffes, welcher meiner schaffenden Gewalt anheimgegeben war« (116) berichtet der Erzähler, und »verkehrte [. . .] im stillen mit mir selbst, in der Welt, die ich mir allein zu bauen gezwungen war« (115). Die zweite Notwendigkeit enthält den Grund für das Scheitern der ersten. Des Knaben schaffende Gewalt vergreift sich am sinnlichen Stoff, anstatt ihn gestaltend zu ergreifen, weil er »allein zu bauen gezwungen war«. Ausgerechnet dem Sohn des gewandten und ideenreichen Baumeisters muß der Bau seiner kleinen Welt mißlingen, nachdem der Vater früh verschieden ist und er seither des »männlichen Mentors« ermangelt, während andere Gleichaltrige »von ihren Lehrern und Vätern angeleitet wurden« (110). Gänzlich unberaten, kann der Vaterlose allenfalls seine Schaulust genießen, wenn er etwa an einer Sammlung farbiger Mineralien seine Augen weidet – ein vertiefendes, ihn weiterführendes Wissen über die Natur der Steine fehlt ihm, weshalb er sie gelangweilt im Wasser versenkt: ähnlich wie er die Sammlung seiner Schmetterlinge und Käfer, die er weder zu ernähren noch zu vermehren wußte, der Vernichtung preisgibt, indem er sie mit unkundigen Händen in »eine zerfetzte Gesellschaft erbarmungswürdiger Märtyrer« verwandelt: ähnlich wie er zuletzt eine eigene Menagerie nicht zu erhalten weiß, und, »stundenlang allein vor den trauernden Tieren«, ihren Verfall betrachtet, ehe er mit einem glühenden Eisen unter ihnen ein »greuliches Blutbad« anrichtet und sie anschließend verscharrt (116, 118). Das Kind des Baumeisters verbaut sich seine Welt, und die abgründige Melancholie, die den Vaterlosen bei jedem Zerstörungswerk ergreift, seine Niedergeschlagenheit ob der »vorwurfsvollen Sprache«, welche die stumme Kreatur zu ihm redet (117) – sie sind auch ein unbewußtes Eingeständnis, das väterliche Vermächtnis nicht annehmen, nicht überliefern zu können. Indem der Ich-Erzähler einen zentralen Formzug seiner Epik – die wiederholte Spiegelung einer Grundsituation – in dichter Aufeinanderfolge entfaltet, bringt er eindringlich das Scheitern des kindlichen Weltbaus zu Gehör. So prägen sich das Zerstören und Töten als die unausweichlichen Effekte eines kindlichen Gestaltungswillens dem Lesergedächtnis unverscheuchbar ein. Unverscheuchbar auch deshalb, weil wir wissen, daß kindliches Spiel normalerweise auf »Triebentspannung« und auf »Umsetzung von Angst in Lust« gerichtet ist, um Hans Zulliger zu zitieren, und daß in seinem Gestaltungsdrang auch der »Drang nach Eigenwillen« waltet.[10] Das Gegenteil ist beim kleinen Heinrich Lee der Fall, der sein mißlingendes Spielen und Gestalten mit Angst verfolgt und sein doch schuldloses Abgewiesenwerden vom »sinnlichen Stoff« der Welt melancholisch als Schuld sich zurechnet. Hier dürften die Anfänge seines hochmoralischen, fast unerbittlichen Bewußtseins liegen, das jede Verfehlung mit Reue und Bußfertigkeit ahndet, die Anfänge auch seines späteren Zögerns, Resultat einer gebrochenen Tatkraft.

»Mißgeschicke« nennt der Ich-Erzähler seine frühen Gestaltungsversuche (122) – und das vierte Spiel des Knaben faßt sie wie in einem Brennspiegel, mit konzentrierter Leuchtkraft, zusammen. Diesmal sind es seine poetische Fabulierlust und seine »Allmachtsphantasie« sowie kindliche »Sexualforschung«, die den Gestaltungsdrang steuern, so daß elementare Bedürfnisse jeglichen Kinderspiels hier beispielhaft zusammentreffen.[11] Fabulierlust und Allmachtsphantasie regen sich in Heinrichs Experimenten mit den vier Elementen, in seiner Hervorbringung von Chaos und Ordnung, in seinem Weltenbau, der Erde, Hölle und Himmel mit (Gott-)Vater umfaßt, im Ersinnen menschlicher Schicksale, wo der Knabe wie ein Romancier verfährt, der seine epische Welt mit einer Fülle selbstgeschaffener Figuren bevölkert. Die kindliche Sexualforschung mischt sich zeugend und gestaltend in die poetische Fabulierlust ein, wenn der grüne Heinrich aus Wachs eine »phantastische Bildung« von »Embryonen und Föten« herstellt und die Geschichte ihrer Herkunft ausspinnt (120 f.); selten zuvor hat die Literatur dem ›spielenden Kind‹ eine so unverblümte (erst spät von der Psychoanalyse entdeckte) Sexualneugier zugeschrieben.[12] Der kindliche Geist bezeugt prometheischen Mutwillen; er ahmt nicht nur die Er-

10 Hans Zulliger, *Bausteine zur Kinderpsychotherapie und Kindertiefenpsychologie*, Bern/Stuttgart [2]1966, S. 14 und 20.

11 Vgl. ebd., S. 15 ff.

12 Sigmund Freud, *Drei Abhandlungen zur Sexualtheorie*, Kap. »Die infantile Sexualforschung«, in: *Gesammelte Werke*, Bd. 5, Frankfurt a. M. [3]1961.

wachsenenwelt, sondern die Schöpfung des Künstlers und Gottes nach, so, als wäre diese Schöpfung bzw. die schöpferisch-prometheische Tätigkeit eine natürliche Selbstentäußerung des Menschen, seine anthropologische Mitgift sozusagen, die erst später auf ein höchstes Wesen projiziert wird. Mit entsprechendem Genuß, einer dionysischen Ekstase beinahe, bringt denn auch der kindliche Prometheus sein Wachsfigurenkabinett zum Tanzen, ehe eine ungeschickt provozierte Katze, Sinnbild seiner zerstörerischen Eingriffe in die natürliche und kreatürliche Welt, sein Treiben schauerlich unterbindet, so daß er sich »halb bewußtlos und blutend am Boden« wiederfindet, »mitten in den Glasscherben, Wasserbächen und Kobolden« (122). Die gereizte, wildgewordene Katze ist die Allegorie der Wiederkehr seines destruktiven Umgangs mit Natur und Kreatur: die Allegorie seiner beschädigten Fähigkeiten zu phantasievoller Weltaneignung und schöpferischem Eigenwillen. Sobald die poetische Phantasie des Kindes zeugend und praktisch wird, gleichsam sich einen wirklichen Leib schafft, neigt sie zur Deformation. Gestaltungswille und Tatkraft scheinen an der Wurzel versehrt. Daß die Mutter mit »halbem Zorne und halber Lachlust die Trümmer der untergegangenen Welt« registriert (122), kündet von ihrer erzieherischen Ratlosigkeit. Noch einmal wird das Fehlen des Vaters fühlbar, der dem Helden »die Welt in ihrer Kraftfülle von frühester Jugend an zugänglich« gemacht hätte (62) – ein Zeichen dafür, wie patriarchalisch, auf den Mann zugeschnitten, diese Welt ist: ihres männlichen Prinzips beraubt, gerät sie aus den Fugen und zerbricht vor Frau und Kind in »Trümmer«.

Vertiefte Spiegelungen

Auf späteren Lebensstufen wiederholt sich das gestalterische Mißgeschick des Knaben – man darf hier wohl von einem ›Wiederholungszwang‹ reden. Der Freund, mit dem er

»derbe Ritterromane« phantasievoll abwandelt und in kleine Schauspiele umsetzt, aus denen neue »selbsterfundene« Ritter- und Herzensgeschichten erwachsen (133) – er bildet den Resonanzboden seiner Fabulierlust und seines Spieltriebs, aber er wird auch zu seinem »Dämon« und »Quälgeist« (136 f.), weil er, von etwas gröberem und stofflichem Temperament, die phantasievoll »ersonnene Welt« des Helden der Wahrheits- und Realitätsprobe zu unterziehen liebt (134). Die Begegnung der beiden ist gleichsam auf der Schnittstelle zwischen magisch-träumerischem und »realem« Weltverhalten angesiedelt, eine in jedem Entwicklungsgang aufbrechende Schnittstelle[13] – und für Heinrich Lee wäre dies eine Gelegenheit, im Sinne seines Vaters Phantasie und Realität miteinander zu verknüpfen, also seine eigene bevorzugte Neigung mit der des Freundes in Einklang zu bringen. Doch nach den praktischen Experimenten mit der Natur und der stummen Kreatur mißlingt auch der soziale Gestaltungsversuch. Der Freund besteht unerbittlich auf dem Beweis der Glaubwürdigkeit des Erträumten – und dieser ›Nagelprobe‹ der Realität ist die Phantasie nicht gewachsen. Auf die Wahrheit dringend, weckt der Freund das schlechte Gewissen Heinrichs und wirft ein »moralisches Zwangsnetz« über ihn (136). Fortan ist es nicht nur die Realität außer ihm, sondern auch eine innere Realität, die Realität seiner Moral, die das Spiel seiner eigenen Phantasie zensiert. Der Kritik unterzogen wird aber auch das Realitätsprinzip. Denn der Freund, der es vertritt, übertreibt es. Mit hartnäckiger Indiskretion entblößt er eine intime und wahrhaftige Liebesempfindung, die sich inmitten von Heinrichs Phantasiegespinst gebildet hatte. Ihre vulgarisierende Zurschaustellung verletzt das zarte Geheimnis, dessen seine Ichbildung, jede Ichbildung, bedarf. So stehen sich zwei im Vater versöhnte Pole – der realitätsbezogene und der phantasievolle – entstellt und unverträglich gegenüber. Das soziale Gestaltungsexperiment in

13 Zulliger (Anm. 10) S. 41.

Form einer Freundschaft ist mißglückt, und der Held besiegelt das Scheitern durch eine ungewöhnliche Tat. Er schlägt den Kameraden – und damit dessen Zudringlichkeit – nieder. So rächt er sein mißhandeltes Selbstgefühl. Und er schüttelt damit auch das »moralische Zwangsnetz« des Freundes wieder ab. Der hatte selber seine Phantasie nie der Realitätsprüfung unterworfen, war nie eine moralische Verpflichtung zum Wahrheitsbeweis eingegangen. Es dürfte für das Schicksal des grünen Heinrich typisch sein, daß seine Moral feiner und zwanghafter reagiert als die seiner Mitmenschen: eben deshalb will er sie um so ungestümer loswerden, ungestümer und aggressiv. So auch in diesem Fall. Am Freund sich vergreifend, greift er das phantasiefeindliche Realitätsprinzip an – und brüskiert insgeheim auch das Vermächtnis des Vaters: die Versöhnung von Phantasie und Wirklichkeit. So bleibt denn die Gestalt dieses Freundes mit dem Stachel der Mißhandlung und des Versagens verbunden. Diesen Stachel zieht sich Jahre später der Ich-Erzähler mit Hilfe eines Rache-Akts: er läßt seinen früheren Spielgenossen unehrenhaft im Gefängnis zugrunde gehen. Solch radikale Entwertung eines anderen ist die späte Versiegelung einer ungestillten Wunde.

Die abschüssige Bahn dieser Begebenheit erfährt eine vertiefte Widerspiegelung durch den Freund-Feind Meierlein – den Kaufmann, Buchhalter und Geschäftsmann im Schüler-Gewande. Er verwaltet die klingende Barschaft, die der Held zu Hause entwendet hat, und macht aus dem Geber listig einen Schuldner. Der doppelte Reiz der Jugendgeschichte Kellers liegt unter anderem darin, daß wir sie als einen altersspezifischen Entwicklungsgang lesen können und gleichzeitig darin die ausgereiftesten Erwachsenen-Verhältnisse erblicken. Die Meierlein-Episode erhöht diesen Reiz noch: indem die Schwerkraft des Materiellen sogar eine Schülerfreundschaft in ihren Bann zieht und zerstört, wird ihre umfassende, gleichsam alterslose Ausstrahlung evident. Das Meierlein ist eine der denkwürdigsten Figuren in Kellers

Epik. Die Art, wie dieser altkluge Bursche das bürgerliche Wirtschaftsprinzip, die zweckrationale Verfolgung des Eigeninteresses, zur Geltung bringt: so schamlos korrekt, so verschlagen ehrbar, so wohlwollend hinterhältig, so windig weise, verrät eine besondere künstlerische Stärke Kellers: noch die blutleersten Figuren zum sinnlichen Vergnügen der Leser auszumalen. In dieses Lesevergnügen mischt sich freilich der Schrecken über die fürchterliche Entzweiung zwischen dem jugendlichen Geschäftsmann und dem poetischen Phantasten.[14] Sie versinnlicht den Zerfall der ideal-bürgerlichen Ideenverknüpfung des »Schönen mit dem Nützlichen«, der Schöpferlust mit praktischer Arbeit, jener im Vater des Helden noch verleiblichten Synthese. Der Erzähler-Held »verscharrt« am Ende, mit Hilfe eines tödlichen Unfalls, seinen Antipoden, ähnlich wie er zuvor einen früheren Spielgenossen »verscharrt« hatte – durch einen schmählichen Tod im Gefängnis. Getreu seiner frühkindlichen Neigung zu zerstörerischer Aggressivität, weiht er erneut dem Tod, was zu gestalten Geschick und Gesellschaft ihm versagt haben. Das ist der hohe Preis, den Heinrichs Überlebenswille fordert, damit die Welt nicht *ihn* erdrücke. Und nur so kann er sich vom bedrückenden Schuldgefühl seines Scheiterns entlasten: des »immerwährenden Mißlingens meines Zusammentreffens mit der übrigen Welt« (180). Das Kindheitserbe wirkt fort – im Strukturprinzip der vertieften Spiegelung, der ästhetischen Gestalt des Wiederholungszwangs. Im Schulverweis schließlich kulminiert das Scheitern des sozialen Gestaltungsdranges, »da der große und allmächtige Staat einer hilflosen Witwe das einzige Kind vor die Türe gestellt hatte mit den Worten: Es ist nicht zu brauchen!« (178)

14 In einem geistvollen Aufsatz bedenkt Peter von Matt den »mythischen Einschlag« in der Kampfszene zwischen Heinrich und Meierlein und die »mögliche Rückfälligkeit im Gefüge der kollektiven Affektbewältigung«, was dem »Gesamtprozeß der Zivilisation« eine beunruhigende Zweideutigkeit verleiht. P. v. M., *»Gottfried Keller und der brachiale Zweikampf«*, in: Hans Wysling (Hrsg.), *Gottfried Keller. Elf Essays zu seinem Werk*, München 1990, S. 109–132, hier S. 121 und 128.

Entstehendes Künstlertum

Trost für seine Enttäuschungen in der Welt findet der grüne Heinrich in seiner weltabgewandten Stube, der stummen Betrachtung eines Bildes selbstvergessen hingegeben. Er aktiviert, um mit dem Vokabular der modernen Psychologie zu reden, eine frühe Lusterfahrung: die von Enttäuschungen unversehrte Schaulust. Anderen sinnlich-seelischen Bedürfnissen, vor allem der Phantasie- und Gestaltungslust, nimmt er den Stachel der Enttäuschung, den Umwelt und Gesellschaft bereithalten: Indem er das Bild, in das er sich schauend versenkt hat, selbsttätig reproduziert, kann, unbehelligt von der Gesellschaft, die Phantasie als innere Vorstellungskraft zwischen Schaulust und Gestaltungsdrang vermitteln. Wenn Phantasie und Gestaltungsdrang bisher glücklos in das Reich der Natur und der menschlichen Beziehungen eingedrungen sind, so mußte sich ihnen eine gewisse Scheu vor aktiver Formung der äußeren Welt einprägen. Was aber könnte dieser Scheu mehr entsprechen als der Rückzug in die gesellschaftsferne Stube, wo der Einsame nur noch symbolisch, nicht mehr praktisch sich das Leben aneignet? Nur noch indirekt, mittels Farbe und Papier, nicht mehr operativ, in unmittelbarer Konfrontation, lassen sich Phantasie und Gestaltungsdrang auf die Welt ein: Unter diesen einschränkenden Voraussetzungen können sie sich ungehindert und lustverheißend entfalten. Auf diese Weise macht der Roman zugleich eine der Entstehungsbedingungen für die Kunst in der bürgerlichen Gesellschaft offenkundig: Sie geht aus dem Leiden an dieser Gesellschaft hervor und bedarf der Sublimierung ursprünglich weltzugewandter, auf praktische Kommunikation gerichteter Kräfte.

Gespaltener Eros

Der Zerfall des klassisch-humanistischen Bildungsideals im Entwicklungsprozeß der bürgerlichen Gesellschaft läßt sich beispielhaft am Liebesleben des grünen Heinrich nachvollziehen. Hier greift die »Prosa« der modernen Lebensverhältnisse besonders tief in die überlieferte Poesie eines gelingenden Ich-Du-Verhältnisses ein, wie es der Bildungsroman immer wieder, zumal an seinem versöhnlichen Ende, heraufbeschwört. Die produktive Wechselbeziehung zwischen Ich und Welt, Subjekt und Objekt ist ja eines der ehrwürdigsten Bildungsideale – und in der Liebe kann es sich wie in einem Brennpunkt spiegeln. Im abgelegenen Dorf seines Oheims, fern von schulischen und beruflichen Zwängen, darf der Held sein erotisches Leben erstmals frei entfalten, freilich nicht unberührt von den Erfahrungen seiner städtischen Sozialisation, und es gehört vielleicht zu den denkwürdigsten Eigenarten Kellers, im Privaten die Wirkungskraft des Gesellschaftlichen zu speichern. Aus dem »immerwährenden Mißlingen meines Zusammentreffens mit der übrigen Welt« erklärt sich der Held seine »ungebührliche Selbstbeschauung und Eigenliebe« (180) – kein Wunder, daß eine gebrochene Tatkraft und exzessive Phantasie ihn auch in Liebesdingen bestimmen. Das ihm eigentümliche Zögern und entschlußlose Verweilen nimmt neue Ausmaße an im ständigen Hin und Her des grünen Heinrich zwischen zwei konträren Liebesarten: dem zärtlichen und dem sinnlichen Eros. Repräsentiert die mädchenhafte, zierliche Anna für ihn den zärtlichen, so die voll aufgeblühte Judith den sinnlichen Eros. Heinrichs sublimierende, vergeistigende Phantasie stilisiert die Anna zu einer unberührbaren Märchenfigur und Kirchenheiligen, welche die Liebeskraft zügelt und diszipliniert, sie des sinnlichen Feuers beraubt. Möchte er sich dagegen bei der sinnlich-weiblichen Judith dem Spiel der Liebe hingeben, so zaubert ihm seine Einbildungskraft die feine Gestalt der Anna herbei und setzt seiner sinnlichen Aktivität eine Grenze. Die im zärtlichen Eros aufkeimende Hemmung kehrt im sinnlichen wieder. Der Held liebt weniger die beiden weiblichen Gestalten als vielmehr das Spiel seiner Phantasie in ihrem Umkreis. Sein gespaltener Eros sucht Erfüllung im autonomen, selbstgenügsamen, narzißtischen Leben und Weben der Einbildungskraft.

Nun hat die dem grünen Heinrich eigentümliche Hemmung gewiß auch eine seinem Alter angemessene Funktion: vor und während der Pubertät schützt sie ihn vor verfrühten Anforderungen auch in seelisch-intellektueller Hinsicht. Einem regelrechten Liebesverhältnis wäre der Vierzehn- bzw. Sechzehnjährige nicht gewachsen. Aber ebenso unbestreitbar ist, daß der grüne Heinrich seinen gespaltenen Eros über das notwendige Zeitmaß und die gebotene Zurückhaltung hinaus kultiviert. Die phantasievolle Hemmung seines Liebeslebens verselbständigt sich. Sie erlaubt ihm die Pflege seiner Kunst: die Sinnlichkeit, die er im Angesichte Annas zügelt, geht als künstlerische Energie in seine Malerei ein. Deren Muse wird das zarte Mädchen fortan. Dieselbe phantasievolle Hemmung verleiht dem grünen Heinrich in den Augen Judiths ein spezifisch platonisches Gewicht: er besitzt offenbar jene Geistigkeit, der sie vergebens teilhaftig werden will. Vergebens, weil der Held alles Höhere, Übersinnliche für Anna reserviert hat. Damit aber tut er nicht nur Judith Unrecht, legt er nicht nur die blühende Frau auf ihre Sinnlichkeit fest, ohne ihren geistig-seelischen Bedürfnissen gerecht zu werden: er tut auch der Anna Unrecht, die er auf ihre Geistigkeit festlegt, ohne Rücksicht auf ihre sinnlichen Ansprüche, wie sie sich etwa beim nächtlichen Bohnenspiel unverkennbar äußern. Wie durch ihren Vater wird Anna auch durch den Jugendfreund auf eine Vergeistigung und Entsinnlichung verpflichtet, die mitverantwortlich für ihren Tod werden. Der oft unmotivierte Entschluß zur Rückkehr in die Stadt mutet auf der Seite des Helden gelegentlich wie eine Flucht vor Annas Erwartungen, auch ihren sinnlichen, an.

Daß er mit seinem gespaltenen Eros den Anspruch sowohl

Judiths wie Annas auf die ganze, ungeteilte Liebe verfehlt, wird dem Helden nie in aller Klarheit bewußt. Doch verrät er unbewußt die Ergänzungsbedürftigkeit beider Liebesarten bei seinen Aufenthalten im Dorf. Denn seine Wege dort werden vom gespaltenen Eros unruhevoll gesteuert: von Anna treibt es ihn zu Judith, von Judith zu Anna zurück. Seine widersprüchlichen Gänge durch das Dorf als Ausdruck einander entgegengesetzter und doch aufeinander angewiesener Liebesarten bestimmen wesentlich die erzählerische Struktur seines Landlebens und verleihen diesem die für Kellers Roman so typische, seelische Tiefendimension.

Man wird in der Gestalt Annas wie in der Judiths Reflexe des Mutter-Bildes ausfindig machen können, wenn auch nicht im Sinne eines direkten Abbildcharakters. Heinrich, der, beide Arme um Judiths Hals geschlungen, »ausruhend an ihr hangen« bleibt (228), evoziert eine Mutter-Kind-Situation, obgleich Judith mit der konkreten Gestalt der Mutter nichts gemein hat: sie ist eher deren Gegenbild. Aber die schützende Wärme und kraftvolle Führung, die ihr auch in anderen Situationen zu eigen sind, etwa, wenn sie dem jungen Heinrich zu trinken gibt, überhaupt das »Frauenhafte, Sichere und die Fülle ihres Wesens« (380) lassen einen Mutter-Typus entstehen, den Heinrich zu Hause aus wohlbekannten Gründen vermißt hat. Was die spröde und zu nüchterner Lebensführung gezwungene Mutter ihm schuldig bleiben mußte, wird ihm zum Teil durch Judith ersetzt: daher können seine Augen »auf der Höhe ihrer Brust« ruhen, als wäre hier »die ewige Heimat des Glückes« (382). Umgekehrt zeigt Anna charakteristische Züge der Mutter in reinerer Form, gleichsam befreit von der Bindung an triviale Lebensnotwendigkeiten: so jene moralische Reinheit und religiöse Vergeistigung, die bei Anna eine ästhetische Aura gewinnen. Judiths sinnlicher Ästhetik gesellt sich im Erlebnishorizont des Helden Annas ästhetische Sittlichkeit hinzu. Dieser verleiht er im Laufe seiner Jugend einen immer strengeren, verbindlicheren Charakter: Anna wird Teil seines moralischen Über-Ich und Sinnbild nicht nur der Kunst, sondern des künstlerischen Schaffens, ja der Arbeit überhaupt. Das Ethos bürgerlicher Arbeit, dem sich der Held bei seinem Lehrer Römer endlich unterwirft, ist eine versteckte Werbung um die Gunst Annas. Indem der Held das Mädchen dergestalt zu einer Personifikation gestrenger (Arbeits-)Moral erhebt, nähert er sie nicht nur der Mutter an, sondern vor allem dem Vater, seinem Ich-Ideal: dessen moralische Integrität und mustergültiges Arbeitsethos ziehen sich für den Helden mehr und mehr in Anna zusammen. Nachdem er sie zum unsinnlichen Ideal verflüchtigt hat, will er sich des Ideals wieder entledigen. Daher kann er den Tod Annas durchaus genießen: als einen ästhetischen Akt, der die sittliche Reinheit seiner »poetisch schönen toten Jugendgeliebten« (451) für immer verbürgt, und als Auftakt zu einem »Wechsel des Lebens«, der ihn von den Zwängen asketischer Moral befreien soll (458). Freilich wird seine Vorfreude alsbald von dem mächtigeren Über-Ich kritisiert und das dunkle Bewußtsein einer schuldhaften Untreue gegenüber Anna kettet ihn von nun an stärker an sein Ich-Ideal als je zuvor.

Aus diesem Grund vermag Heinrich auch die Beziehung zu Judith nicht fortzusetzen, die er mit seiner »Untreue« notgedrungen assoziiert. Wie sein Verhältnis zu Anna unterliegt auch das zu Judith einer Wandlung: nimmt man dies nicht wahr, so entgeht einem die Dynamik der Liebesbeziehungen des Helden von vornherein. Judith gibt sich mehr und mehr als Wesen mit seelischen und geistigen Ansprüchen zu erkennen, wenn sie den Helden etwa über sein Verhalten gegenüber Anna aufklärt oder in gemeinsamer Lektüre mit ihm den Rätseln und Bedeutungen des Lebens nachsinnt. Die Ästhetik ihrer Sinnlichkeit erweitert sich zu poetischer, geistbestimmter Daseinsfülle, ohne daß ein gewisser romantischer Abstand zur Realität freilich ganz getilgt wäre: er wird ersichtlich in Judiths vollständigem Verzicht auf irgendeine Arbeit und im unbürgerlichen Geheimnis ihrer Liebesbeziehung zu Heinrich, die nur zur Nachtzeit sich entfalten darf.

Mit dem Tode Annas ließe sich diese romantische Seite der Realität anverwandeln. Judiths Daseinsfülle könnte im wirklichen Leben zur Geltung gelangen. Heinrichs moralisches Treuegelöbnis gegenüber der toten Anna zerstört jedoch diese Möglichkeit. So fällt er der ihm eigentümlichen Sozialisation abermals zum Opfer: die zu einem »Wechsel des Lebens« erforderliche Gestaltungskraft weicht der Neigung zu phantasiereicher, aber tatarmer Selbstversenkung.

Von Heinrich im Stich gelassen, verläßt Judith die ländliche Heimat, um nach Amerika auszuwandern. Auf diese Weise trägt die von der bürgerlichen Stadtgesellschaft dem Helden aufgedrängte Charakterstruktur auch zur Auflösung der Dorfidylle bei. In ihr konnte sich der Eros zwar frei entfalten, aber nur im Rahmen der Zwiespältigkeit, die der Zivilisationsprozeß verursacht hatte. Weder den Ansprüchen Annas noch denjenigen Judiths vermochte der gespaltene Eros gerecht zu werden: er untergrub sie vielmehr – und mit ihnen die Idylle. Die Natur heilt die Verstörungen nicht, die eine bürgerliche Gesellschaft dem Individuum zufügt, sondern wird selber für sie empfänglich. Die Bewegung von der Stadt auf das Land bekundet das Leiden am Zivilisationsprozeß, aber auch dessen um sich greifende, alles ergreifende Macht. Kulturhistorisch gesehen bekräftigt der Untergang der Idylle im *Grünen Heinrich* die Illusion jeder gesellschaftsabgewandten Utopie.

Daß der gespaltene Eros eine repräsentative kulturhistorische Bedeutung habe, betonte Keller ausdrücklich. Die »beiden Frauengestalten«, mit denen der Held Beziehungen anknüpft, seien, so schrieb er, »gedichtete Bilder der Gegensätze, wie sie im erwachenden Leben des Menschen sich bestreiten«. (Autobiographie 1876–77, in: *Sämtliche Werke und ausgewählte Briefe*, Bd. 3, S. 844). Weil diese Gegensätze im *Grünen Heinrich* sich zum unaufhebbaren Widerspruch verschärfen, stellt er jene Ich-Identität, wie sie dem klassischen Bildungsroman vorschwebt, prinzipiell in Frage – und er nicht allein. Man braucht sich nur daran zu erinnern, wie sehr der europäische Roman des 19. Jahrhunderts vom Thema dieser Spaltung angezogen ist, um im Liebesschicksal des grünen Heinrich mehr zu sehen als einen pathologischen Einzelfall. Freud hat die Kluft zwischen der zärtlichen und der sinnlichen Strömung als »ein allgemeines Kulturleiden« bezeichnet (in »Über die allgemeinste Erniedrigung des Liebeslebens«).[15] Beide Strömungen können sich entzweien, wenn beispielsweise das zärtliche Empfinden des Kindes zu intensiv von den geliebten Erziehern beansprucht, andererseits die in der Pubertät hervorbrechende Sinnlichkeit zu lange von einer Erfüllung abgelenkt und moralisch entwertet wurde: als ›niedere‹ Sinnlichkeit fixiert sie sich dann auf minder geschätzte Personen, während die Zärtlichkeit als geistbetonte Liebe höher gewerteten Menschen zuteil wird. Für die Entmischung der Strömungen sorgt das Über-Ich, das ein Herüberfließen der Sinnlichkeit in die Zärtlichkeit als Entweihung vorwegempfinden läßt oder mit Schuldgefühlen ahndet. An solche Prozesse erinnert das Innenleben des grünen Heinrich, wenn er etwa der sinnlich beanspruchten Judith bis zuletzt die »edlere und höhere Hälfte der Liebe« (460) verweigert und wenn er umgekehrt die zärtlich verehrte Anna von Anfang an zur Muse seiner künstlerischen Tätigkeit und zum Idealbild der Moral erhebt, die Sinnlichkeit zügelnd ganz im Sinne der bürgerlichen Verpflichtung zum Lustaufschub und zu disziplinierter Arbeit. Aber auch der Protest gegen dieses Gebot und das Schuldbewußtsein ob des Protests sind seelische Vorgänge, die Kellers Roman zum literarischen Zeugen von Zivilisationstendenzen machen.

15 Vgl. Sigmund Freud, *Beiträge zur Psychologie des Liebeslebens II* (1909), in: S. F., *Gesammelte Werke*, Bd. 8, Frankfurt a. M. [4]1964, S. 78 ff.

In der Fremde – Ästhetik der Variation

Die polare Spannung zwischen Stadt und Dorf, Zivilisation und Natur, sinnlichem und zärtlichem Eros fällt mit dem Ende der *Jugendgeschichte* keineswegs aus dem Blickfeld des Erzählers, auch wenn er sich nun auf das Leben des Helden in der großen Stadt, Brennpunkt der Kultur und Zivilisation, konzentriert. Vielmehr erlebt Heinrich Lee hier die fortwirkende Gewalt seiner Jungenderfahrungen, erlebt sie in neuen Formen und Lebenskonstellationen – ein Zeugnis mehr für Kellers eigentümliche, durch Polaritäten bewegte und in Spiegelungen sich verdichtende Erzählweise. Um dem »reineren Andenken Annas leben zu können«, geht des grünen Heinrich Sehnsucht »in die Vergangenheit« zurück (479), lebt er in der Gegenwart als geistig-übersinnlicher Zaungast. »Dies gab seiner Denkart«, wie der Erzähler mit sanfter Ironie hinzufügt, »etwas Zartes und Edles, welches er wirklich fühlte und ihn über sich selbst täuschte« (479). Die Selbsttäuschung beruht unter anderem darin, daß er sich seine sinnliche Natur und sein unbefriedigendes Leben durch religiöse Nebelbildungen verschleiert: Sein Gott ist »ein wahrer Diamantberg von einem Wunder, in welchem sich die Zustände und Bedürfnisse Heinrichs abspiegelten« (476). Der Satz atmet den Geist Feuerbachs, den Geist seiner Projektionslehre. Er trat uns bereits aus den Passagen über das Gottesbild des kleinen Heinrich und seiner Mutter unverkennbar entgegen. Intensiver noch schlägt er zu Buche in der Kritik des Konfirmandenunterrichts (315 ff.) oder auch in der Darstellung des Grafen und seiner Adoptivtochter am Ende des Romans. Heinrichs unsinnliche Vergangenheitsflucht treibt den »Spiritualismus« seiner Malerei hervor – »schattenhafte Symbole« und »gespenstige Schemen« (475). Dieses Kunstwollen konfrontiert der Erzähler mit dem ästhetischen »Schaffen aus dem Notwendigen und Wirklichen heraus« (379), der verzehrenden Hingabe des Künstlers an die Realität der Erscheinungen. Einem solchen Kunstschaffen entspricht die Malerei des Ferdinand Lys, eines Freundes des grünen Heinrich. Dem lebensfernen Antirealismus des Helden setzt der »Realist« Lys »Kraft und Tiefe in der Empfindung des Lebens und des Menschlichen« (469) entgegen, woraus das »klare und frohe Leuchten der Formenwelt« (473) seiner Bilder entspringt. Die Kontrastierung zweier Kunsthaltungen ist von zeitgeschichtlicher Tragweite. Heinrichs Spiritualismus ist ein Reflex jener religiösen und historischen Malerei, die in den vierziger Jahren vor allem in München zu Hause war. Ihre Gegner kamen unter anderem aus den Reihen der Junghegelianer, die den Realismus der Kunstästhetik Hegels tradierten und für eine verbindliche »Auffassung des Wirklichen in seiner realen Gestalt« (Hegel, *Vorlesungen über die Ästhetik*) warben.[16] Die wirklichkeitsgesättigte Kunst des Ferdinand Lys zeugt von »Erfahrungsreife« und »Liebesglücke« (480) – Dinge, denen der rückwärtsgewandte Held um der toten Anna willen entsagen möchte. Die sinnlichen Erfahrungen seiner Vergangenheit verdrängt er – was ihm an Lebensfülle mangelt, kann er ja in Gott, seinem tröstlichen Surrogat, »abspiegeln« (476). Wer einen Teil seines Wesens verdrängt, nimmt aber auch die Welt nur zum Teil wahr. Mit blinder Empörung reagiert Heinrich daher auf die Liebesabenteuer des egozentrischen Lys, der beim großen Münchner Künstlerfest von seiner ursprünglichen Begleiterin Agnes zu Rosalie wechselt, einer Freundin Eriksons, des Dritten im Bunde der Maler (dritter Band, sechstes Kapitel). Gerade die Ähn-

16 Hegel (Anm. 4). Vgl. auch Georg Jäger, »Der Realismus«, in: *Realismus und Gründerzeit. Manifeste und Dokumente zur deutschen Literatur 1848–1880*, hrsg. von Max Bucher, Werner Hahl [u. a.], Bd. 1, Stuttgart 1975, S. 16. – Die angedeutete Ästhetik-Kontroverse ist um die Jahrhundertmitte nicht nur ein in Deutschland wahrnehmbares Phänomen, sie läßt sich auch in Frankreich beobachten. Das zeigt, ausgehend von Honoré Daumiers Karikatur »Kampf der Schulen. Der Idealismus und der Realismus« (1855), u. a. Gabriele Sprigath, »Paul Baudrys *Charlotte Corday* im Pariser Salon von 1861. Ein Beitrag zur Realismus-Debatte um 1860«, in: *Städel Jahrbuch*, N. F. 5 (1975) (Sonderdruck). – Zur Situation in Deutschland, besonders in München, vgl. den Ausstellungskatalog »Die Münchner Schule (1850–1914)«, München 1979.

lichkeit der Agnes mit Anna und der Rosalie mit Judith könnte Heinrich darauf aufmerksam machen, daß der rasche Liebeswechsel des Ferdinand Lys nur ein Abbild seiner eigenen Vergangenheit ist. Statt diese Vergangenheit im Spiegel der Gegenwart bewußt wiederzuerleben und seiner eigenen unbewältigten Erotik inne zu werden, verleugnet der Verdrängungskünstler Heinrich sich selber. Ausgerechnet er macht dem Freund einen zwiespältigen Eros zum Vorwurf. Lys zahlt mit gleicher Münze zurück und stellt Heinrichs antierotische Geistigkeit als Heuchelei bloß, woraufhin der Held, durch diese Wahrheit in die Enge getrieben, seine Kunst der Verdrängung auf die Spitze treibt: Er will Lys und sich selber einfach aus der Welt schaffen. In der Vision eines Duells mit »glänzenden Klingen« verleiht er einer sado-masochistischen Todessehnsucht Ausdruck: Das unbewältigte, verdrängte Leben realisiert sich am konsequentesten im Nichts. Der im Duell verwundete Freund faßt diesen Sachverhalt in die treffenden Worte: »[. . .] der grüne Heinrich hat nur die Feder, mit welcher er seine Jugendgeschichte geschrieben, an meiner Lunge ausgewischt – ein komischer Kauz –« (550).

Die Schwerkraft des Ökonomischen

Aus seiner Krankheit zum Tode, aus der lebensflüchtigen Geringschätzung aller Sinnlichkeit und Gegenständlichkeit, aller Realität und Materie erlösen den Helden die Wissenschaften. Mit der Selbstbildung in den Hörsälen der Universität eröffnet er sich die Chance eines neuen Lebens (vierter Band, zweites und drittes Kapitel). Die Anthropologie als Einsicht in die naturgesetzlich-materielle Basis des Lebensprozesses, der freie Wille als Resultat von »tausend ineinandergreifenden Bedingungen«, das römische Recht als eine »Abspiegelung der Menschenverhältnisse«, die Geschichte als »ununterbrochene Ursachenreihe« – dergleichen empirisch gesättigte Studienresultate lassen »Gott und Unsterblichkeit« im Denken des Helden als unerforschbare Spekulationen erbleichen. Als wissenschaftlicher Autodidakt holt der grüne Heinrich seine versäumten Lektionen nicht in Gestalt abgesunkener Schulweisheiten, sondern fortschrittlichster Positionen im Universitätsbetrieb der Jahrhundertmitte nach. Die Erkennbarkeit der Geschichte erweckt im Helden die Hoffnung auf ihre Veränderbarkeit und auf Selbstbestimmung. Er will fortan, gleichsam als Frucht seiner wissenschaftlichen Studien, »in Bewegung und Gesellschaft der Menschen, mit ihnen und für sie, unmittelbar wirken« (596).

Diese Intention bricht sich am modernen Wirtschaftsleben. Der *Grüne Heinrich* hatte von Anfang an auf der Schwerkraft des Ökonomischen im menschlichen Leben beharrt, und zwar im Bild individueller Schicksale. Jetzt überträgt der Erzähler den Bildgehalt in epische Reflexionen (vierter Band, viertes Kapitel). Ihre Resultate sind in aller Kürze: Im Gegensatz zur ländlichen Selbstversorgungswirtschaft ist im modernen Wirtschaftsleben der Zusammenhang zwischen individueller Arbeit und den dafür erhältlichen Lebensmitteln nicht mehr durchsichtig. Die Undurchsichtigkeit steigert sich zur Irrationalität, weil das Individuum es als »unberechenbar, launenhaft und zufällig« ansehen muß, ob seine Arbeitskraft auf dem freien Markt benötigt wird und ob der Lohn dieser Arbeitskraft entspricht. Im besten Fall aber kommt seine Leistung – und nicht nur seine – einem Privateigentümer zugute, der damit Produkte herstellt, die in erster Linie seiner privaten Bereicherung dienen. Dieses Mißverhältnis zwischen gesellschaftlich erbrachter Leistung und Privatinteresse im Kapitalismus demonstriert der Erzähler am Beispiel der »Revalenta arabica« (602), eines Warenprodukts ohne jeglichen Gebrauchswert aus Kellers eigener Zeit. Wenn einerseits das Prinzip der Irrationalität, andererseits das des Eigeninteresses einiger weniger herrscht, so wird der einzelne Mensch in den meisten Fällen »sein wahres Wesen« bis zur »Spaltung« dieser Sachlage anpassen müssen. Eine organische »edle Lebensarbeit« wie diejenige Schillers wird eine Ausnahme bleiben. Im Schicksal des grünen Heinrich gewinnen diese Folgen einen plastischen Umriß. Wir erblicken die Disharmonie zwischen den beiden »Entdeckungsreisen«, die der Held unternimmt: »diejenige nach seiner menschlichen Bestimmung und diejenige nach dem zwischenweiligen Auskommen« (613). Selbstbestimmung, wie sie der grüne Heinrich aufgrund seiner wissenschaftlichen Studien anstrebt, und ökonomische Fremdbestimmung konkurrieren miteinander. Solche Diskordanzen verleihen dem Bürgerlichen Realismus Kellers ein kritisches, in seiner Epoche selten erreichtes Gewicht. Sie stehen dem Wirtschaftsrealismus der »Ökonomisch-philosophischen Manuskripte« eines Karl Marx näher als dem Realidealismus zeitgenössischer Ästhetiker und liberaler Ökonomietheoretiker.

Vor allem die Willkür des freien Markts trifft den Helden mit ungemilderter Gewalt. Angesichts wachsender Schulden sieht er sich gezwungen, seine Bilder zum Verkauf anzubieten (vierter Band, viertes bis sechstes Kapitel). Sein erster Versuch scheitert, weil ein versierter, älterer Künstler ihm ein originelles Motiv entwendet – auf dem freien Markt herrscht uneingeschränkt die Konkurrenz. Weitere Versuche mißlingen, denn offenbar taxieren die Kunsthändler die feilgebotenen Bilder nicht nach ihrer Qualität, sondern nach dem sozialen Status des Verkäufers. Als Heinrich endlich einen Käufer findet in Gestalt eines alten Trödlers, erfährt er nichts über das weitere Schicksal seiner Produkte: Waren sie ursprünglich ein Teil seines Selbst, so werden sie ihm jetzt fremd. Zu dieser Entfremdung vom selbstgeschaffenen Produkt gesellt sich die Entfremdung vom Künstlerberuf hinzu, nachdem Heinrich angefangen hat, im Schnellverfahren und bar allen handwerklichen Verantwortungsbewußtseins Bilder herzustellen. Diese Form einer gewissenlosen Selbstentfremdung, zu welcher der freie Markt verführt, verwandelt sich schließlich in eine gewissenhafte, als der Held sich unter das Joch einer Art Fließbandarbeit beugt: Er, der überzeugte Republikaner, bemalt für den alten Trödler Fahnenstangen im Hinblick auf eine Fürstenhochzeit. Was er aufgrund seiner wissenschaftlichen Studien als Lebensziel anvisierte, Selbstbestimmung und vernünftiges gesellschaftliches Wirken, hat sich zur Fremdbestimmtheit verkehrt. Ihr verleiht er jedoch einen höheren Sinn. Analog zu seinen wissenschaftlichen Einsichten in die Geschichte unterstellt er auch seiner ökonomischen Lebensgeschichte eine bestimmte Gesetzmäßigkeit, Notwendigkeit, ja Vernünftigkeit. Er rationalisiert sein Leiden an den Zufällen des freien Markts zu einem »Gefühl der Achtung vor der ordentlichen Regelmäßigkeit und Folgerichtigkeit der Dinge« (620). Diese anonyme Metaphysik ersetzt ihm den alten Glauben an einen persönlichen Gott. Aus ihr schöpft er fast bis zum Schluß die Kraft zum Überleben.

Die Schatten der Vergangenheit

Es scheint nun, als würde eine märchenhafte Wendung im beruflichen Schicksal des Helden auch seinen zwiespältigen Eros heilen können. Wie dem Hans-im-Glück wird ihm auf seiner Heimreise von München in die Schweiz eine späte, auch materielle Rehabilitierung seines Künstlertums zuteil. Die schöne Adoptivtochter seines gräflichen Gönners, Dortchen Schönfund, zieht seine ganze, sinnlich-zärtliche Liebe auf sich. Doch damit werden auch die Seelenkräfte wieder frei, die seine »Jugendgeschichte« so unheilvoll steuerten, und namentlich die alten Liebeshemmungen bemächtigen sich seiner von neuem. Die neue gesellschaftliche Anerkennung kann nicht heilen, was im alten Konflikt mit der Gesellschaft dem Individuum anerzogen worden ist: Scheu vor spontanem Handeln, vor tatkräftiger Unmittelbarkeit, Selbstzweifel, Zögern, Ersatzhandeln in der Phantasie, Kommunikation par distance. Eben diese ›Fehler‹, die als Tugenden sublimierten Gestaltens den Helden zum Künstler prädestiniert haben, erschweren ihm die wagemutige Selbstdarstellung und die handelnde Spontaneität im Lieben. Zwar ist Dortchen Schönfund Gegenstand der ungeteilten Liebe des Helden, harmonisiert ihre Gegenwart die beiden Seiten seines gespaltenen Eros (733). Aber die Grundbefindlichkeit, auf welcher dieser Eros ruhte, wirkt noch immer fort. Die Macht der Phantasie, das zögernde Verweilen der Einbildungskraft, die qualvolle Selbstbehinderung lassen anstelle der leibhaftigen Geliebten die Idee von ihr, den körperlosen Schatten hervortreten. Das Über-Ich, in Gestalt moralischer Skrupel, übt seine alte versklavende Macht aus und verbündet sich mit dem Narzißmus des Helden, der sich durch kein Bekenntnis etwas vergeben will (734 f.). Dieses Über-Ich, ehedem durch den Vater und durch Anna formiert, offenbart mehr und mehr eine Abhängigkeit von der Mutter, gegen die der Held gleichzeitig rebelliert. Weil die Mutter in seiner Einbildung »die unerhörtesten Ansprüche« an ihn stellt, ihm zur Rivalin der Dortchen Schönfund sich verwandelt, also zur Verkörperung von Askese und Verzicht wird (715), verzögert er die Heimreise. So leistet er weder dem Bedürfnis des Eros noch dem gestrengen Über-Ich Genüge: Zwischen beiden unselig schwankend, bekundet das Ich seine anerzogene Schwäche. Sträubt sich das Über-Ich gegen die Ansprüche des Eros, verkörpert durch Dortchen Schönfund, so der Eros gegen die Ansprüche des Über-Ich, versinnbildlicht durch die Mutter, eine »strenge Richterin« (753). So macht sich der Held zuletzt unverrichteter Dinge, unverrichteter Liebesdinge, auf den Heimweg, aber »in einem Bogen durch Süddeutschland« wohlgemerkt (752): Er flieht gleichzeitig die Mutter, verargt ihr unbewußt seinen Liebesgram, macht einen »mäßigen Umweg«, um die »Ruhe und Unbefangenheit« des Herzens wieder zu erlangen, die er der fernen »Königin« schuldig zu sein glaubt (753). Zwar »vertraut« er bei diesem Umweg auf »die gute Natur« der zu Hause Wartenden (753); andererseits spiegelt ihm seine Vorstellungskraft auch das beklemmende Bild der »alternden Mutter« vor (752). Jede Verzögerung des Sohns beschleunigt dieses Altern – und der Held läßt es, einmal in der Schweiz angelangt, an Verzögerungen nicht fehlen. Hier wirken wohlbekannte destruktive Impulse mit, die aus seiner Sozialisation hinreichend vertraute Neigung zum zerstörerischen Eingriff in die Umwelt und zur reuigen Selbstbestrafung. Die Katastrophe, die er wie im Traum mit seinem Zögern herbeiruft, ereilt ihn bei der verspäteten Ankunft. Er begegnet dem Leichenzug der Mutter, hört von den Nachbarn, daß die Tränen, die sie um den »verschollenen Sohn« geweint habe, Ausdruck eines »unwillkürlichen Vorwurfs« gegen ihn gewesen seien (763), und verzehrt sich im Bewußtsein eines »durch ihn verschuldeten Tods« (763). Während der Sohn die Mutter durch sein destruktives Zögern aus dem Leben entfernt hat, erneuert diese mit ihrem Ableben seine Neigung zur Selbstbestrafung. Des Sohnes eigener Tod ist die Erfüllung eines unbewußten, vom Leben allseitig genährten Zerstörungswunsches.

Literaturhistorischer Kontext

Die zeitgenössische Provokation der Kellerschen Epik läßt sich an ihrem Verhältnis zur Literaturtheorie und zur kanonisierten Bildungsidee der Epoche ermessen. Als Desillusionsroman von des Gedankens Todesblässe gezeichnet, rief *Der grüne Heinrich* die Gralshüter des literarischen Realismus nach 1848 auf den Plan. Julian Schmidt tat in seiner Rezension kund, man wolle »in der Kunst der ewigen Reflexion entfliehen und in das Reich der bestimmten Erscheinung eingeführt werden«, ja, er redete abschätzig vom »anatomischen Messer« der Kellerschen Weltbetrachtungen und verstieg sich zu der Parole: »jede Reflexion ist eine Zersetzung des Lebens«[17]. Unverkennbar der Affekt, der in den Metaphern vom anatomischen Messer und der Lebenszersetzung mitschwingt – der Affekt der Realidealisten gegen jede künstlerische Betrachtungsweise, die auch nur von ferne an natur-

17 Zit. nach: *Realismus und Gründerzeit*, Bd. 2, 1975, S. 382.

wissenschaftlich-empirisches oder historisch-zergliederndes Erkenntnisinteresse erinnert. Die Realidealisten à la Schmidt und Freytag begreifen Welt und Gesellschaft als eine organische sinnvolle Ordnung – und Kunst dementsprechend als einen in sich ruhenden Organismus, der die sinnvolle Ganzheit des Bestehenden reflexionslos durch seine Struktur beglaubigt. Als ungehöriger Störversuch mußte ihnen daher Kellers Reflexionsepik erscheinen, die in der angeblich organischen Welt eine »zivilisierte Wildnis« entdeckte, durchsetzt vom »gespaltenen, getrennten, gewissermaßen unorganischen Leben« des modernen Individuums (605). Daß Kellers Entdeckung mit unbewußten Funden einherging, die fernab der bewußten Erzähler-Reflexion lagen, konnten die Ästhetiker nicht bemerken, war ihnen doch schon der bewußte Fund ein Ärgernis, ein ästhetisches und zweifellos auch existentielles Ärgernis. Der Lebensnerv der Realidealisten, den Kellers Epik traf, ruhte in ihrem Organismusglauben, der ihnen die bürgerliche Ordnung als Kosmos im umfassendsten Sinne, als familialen, betrieblichen, sozialen und wirtschaftlichen, vorspiegelte.

Wandlungen des Bildungsromans: Erst- und Zweitfassung

Der 1854/55 erschienene Roman war in der literarischen Welt relativ unbekannt geblieben, und als Keller nach fünfundzwanzig Jahren die letzten hundert Exemplare seines Jugendwerks aufkaufte und dem Ofen anheimgab, wollte er damit seiner Zweitfassung (erschienen 1879/80) freie Bahn auf dem Literaturmarkt verschaffen. Diese ersetzte die Doppelgestalt von Er- und Ich-Erzählung, die Keller an der Erstfassung als disharmonisch gerügt hatte, durch die konsequent verwendete Ich-Form.[18] So konnte Keller dem neuen Überlebens-

18 Zu den Problemen, die Kellers Erst- und Zweitfassung aufwerfen, vgl. Dominik Müller, *Wiederlesen und Weiterschreiben. Gottfried Kellers*

willen seines Helden entsprechen. Denn das im Leben ausharrende, vor tödlicher Selbstauflösung sich bewahrende Ich kann seine Geschichte zu Ende erzählen und bedarf keines stellvertretenden Er-Erzählers. Dieses neue Erzähler-Ich korrespondiert mit lebensgeschichtlichen Wandlungen des Autors selber. Keller hatte seine tiefreichenden Selbst- und Lebenszweifel, denen er als freier, materiell unselbständiger Schriftsteller ausgeliefert war, in ein öffentliches, verantwortungsbeladenes Amt einzubinden gewußt. Die Perspektive eines Dienstes an der Gesellschaft eröffnet er in der zweiten Fassung auch seinem Helden. Soll dieser am Ende seines Entwicklungsganges reif für eine öffentliche Tätigkeit werden, so dürfen die Schicksalsschläge, die ihn treffen, nicht länger von tödlicher Wirkung sein. Sie müssen vielmehr entgiftet, gemildert, dosiert werden. Mit dieser klassischen Dämpfung des tragischen Abschwunges verbindet Keller die Dämpfung auch der enthusiastischen Aufschwünge, so daß die Erzähltöne der Illusion und der Desillusion in ein gemäßigtes Spannungsverhältnis zueinander treten. Dem dargestellten Ich wird aus der gewachsenen lebensgeschichtlichen Distanz und im Hinblick auf ein untragisches Ende die Selbstbewahrung von Anfang an entschiedener eingeschrieben: es darf sich weder auf den Höhen des Sinnen- und Lebensrausches noch in der Tiefe des Schuldbewußtseins und der Todeswünsche verlieren. Dieser globalen Steuerung des zweiten Entwicklungsganges des Helden gehorcht der Erzählstil bis in feinste Verästelungen; Details in Satzstruktur und Bildersprache verändern sich, einzelne Szenen werden erweitert, gekürzt oder auch gestrichen (vgl. etwa die Streichung der berühmten Bade-Szene mit Judith, die der versittlichenden, glättenden Moral der Zweitfassung zum Opfer fällt).

Parallel zu dieser behutsameren Führung des Entwicklungsganges in der Zweitfassung mäßigt Keller die *Reflexionslust*

Neugestaltung des »Grünen Heinrich«. Mit einer Synopse der beiden Fassungen, Bern [u. a.] 1988. – Siehe dazu meine Rezension im *Jahrbuch der Raabe-Gesellschaft 1991*, S. 193–198.

des Jugendwerks. Dieses präsentiert das Erzähler-Ich in der ganzen Spontaneität und Intensität seiner Selbst- und Weltvergewisserung, gleichviel, ob diese zu einem vorläufigen Resultat führt, in quälender Kreisbewegung verläuft oder über die eigentliche Handlung hinausschießt. Aber auch der unpersönliche, allwissende Er-Erzähler in der Erstfassung, der dem Ich-Erzähler die Feder wieder aus der Hand nimmt, waltet und schaltet frei mit seinen Gedanken über den Lauf der Welt. Demgegenüber beschneidet die zweite Fassung den Wildwuchs der Ich-Reflexionen und schmiegt diese eng an den Entwicklungsgang des Helden an. Das vierte Kapitel etwa im vierten Band der Erstfassung wird in der Weise umgestaltet, daß die Überlegungen des Erzählers zur Ökonomie als Folgen der Handlungen des Helden erkennbar werden: ihrer Selbständigkeit und ihrer Allgemeinheit beraubt, um wesentliche Einsichten beschnitten, entspringen sie nun gleichsam organisch den Markterfahrungen des enttäuschten Ich.

Es ist augenfällig, daß Stileigentümlichkeiten wie Dämpfung der Töne, Mäßigung der Sinnen- und Reflexionslust, organischere Abfolge der Erzählerschritte und vermehrtes Gleichmaß der Erzählerkritik den ästhetischen Vorstellungen der tonangebenden Realidealisten entsprechen, teilweise auch ihren ideologischen: Kellers neue künstlerische Behandlungsart tritt in den Dienst eines Realismus, der anstelle eines immer abschüssigeren Todesgefälles die aufsteigende Linie einer distanzierten, gebrochenen Lebensbejahung verfolgt. Das schmerzliche Pathos, womit einst der Held im »heiligen Bettlerleide« den Heimweg antrat, weicht einer stillen Fassung; die absolute, trostlose Ferne zur bürgerlichen Wirklichkeit verringert sich um einer mittleren Lösung willen: des Kompromisses zwischen dem Anspruch des Individuums auf Selbstverwirklichung und dem Dienst am Gemeinwesen. Es ist ein tröstlich-melancholischer Kompromiß, tröstlich, weil der Held durch die aus Amerika zurückgekehrte Judith aus seiner Selbstversteinerung erlöst wird; melancholisch, weil ihm die Ehe mit Judith und die bürgerliche Familiengründung versagt bleiben. Die Wechselbeziehung zwischen Individuum und Gesellschaft ist auch hier weniger organisch und sehr viel gebrochener, als die mit dem deutschen Bildungsroman befaßte Forschungstradition wahrhaben wollte. Skeptischer noch als die Zweitfassung des *Grünen Heinrich* betrachtet der Kaufmannsroman *Martin Salander* die Bildungsidee in der modernen Gesellschaft, zumal die Bildungsidee in der Variante aufklärerischer Volkserziehung. Kellers Alterswerk breitet die Unmoral kapitalistischer Verkehrsformen aus, gegen die das Kraut liberaler Erziehungsethik nicht mehr gewachsen ist. Die Töchter des noch immer integren Kaufmanns Salander verfallen, allen elterlichen Bildungsbemühungen zum Trotz, dem täuschenden Schein profitbesessener Karrieristen. Und auch der kulturpolitische Liberalismus des alten Salander erscheint als Heilmittel gegen das moderne Wirtschaftsleben wenig tauglich. Seine These, eine langjährige, alle Schichten und Klassen umgreifende Erziehung müsse eine volksbildende, einigende Kraft entfalten, wird von der klarsichtigeren Gattin mit dem Hinweis entzaubert, eine an materiellen Privatinteressen ausgerichtete Gesellschaft werde schwerlich bereit sein, mit finanziellen Mitteln die Idee der allgemeinen Chancengleichheit zu fördern. Wie schon in die Erstfassung des *Grünen Heinrich* dringt die »Prosa« der modernen Lebenswirklichkeit in ökonomischer Gestalt in den Bildungs- bzw. Erziehungsroman ein und durchsetzt die überlieferte »Poesie« der bürgerlich-revolutionären Ideale.

Literaturhinweise

Ausgaben

Gottfried Keller: Der grüne Heinrich. Roman. In vier Bänden. Braunschweig: F. Vieweg und Sohn, 1854–55. – Neue Ausg. in vier Bänden. Stuttgart: G. J. Göschen, 1879–80.

Gottfried Keller: Sämtliche Werke und ausgewählte Briefe. Hrsg. von Clemens Heselhaus. 3 Bde. München: Hanser, 1958. [*Der grüne Heinrich* in: Bd. 1, erste und zweite Fassung, 3. Aufl. 1969.]

Gottfried Keller: Sämtliche Werke in fünf Bänden. Hrsg. von Thomas Böning [u. a.]. Bd. 1 ff. Frankfurt a. M.: Deutscher Klassiker Verlag, 1985 ff. [*Der grüne Heinrich* in: Bd. 2, erste Fassung, 1985.]

Gottfried Keller: Der grüne Heinrich: erste Fassung. Mit einem Nachw. von Adolf Muschg. Frankfurt a. M.: Suhrkamp, 1990.

Gottfried Keller: Der grüne Heinrich. Erste und zweite Fassung [ab der *Jugendgeschichte*]. Mit einem Nachw. von Gert Sautermeister. München: Goldmann, ^{5}1991.

Forschungsliteratur

Ermatinger, Emil: Gottfried Kellers Leben. Mit Benutzung von Jakob Baechtolds Biographie dargestellt. 3 Bde. Zürich 1916. (8. Aufl. 1950.)

Heselhaus, Clemens: Nachwort zu: Gottfried Keller, *Der grüne Heinrich*. München 1978.

Hildt, Friedrich: Gottfried Keller. Literarische Verheißung und Kritik der bürgerlichen Gesellschaft im Romanwerk. Bonn 1978.

Hitschmann, Eduard: Gottfried Keller. Psychoanalyse des Dichters, seiner Gestalten und Motive. Leipzig/Wien [u. a.] 1919.

Jacobs, Jürgen: Gottfried Keller: *Der grüne Heinrich*. In: Wilhelm Meister und seine Brüder. Untersuchungen zum deutschen Bildungsroman. München 1972.

Jeziorkowski, Klaus (Hrsg.): Gottfried Keller. München 1969.

Kaiser, Gerhard: Gottfried Keller. Das gedichtete Leben. Frankfurt a. M. 1981.

Kaiser, Michael: Literatursoziologische Studien zu Gottfried Kellers Dichtung. Bonn 1965.

Karcic, Lucie: Light and Darkness in Gottfried Keller's *Der grüne Heinrich*. Bonn 1976.

Laufhütte, Hartmut: Wirklichkeit und Kunst in Gottfried Kellers Roman *Der grüne Heinrich*. Bonn 1969.
Lukács, Georg: Gottfried Keller. In: G. L.: Werke. Bd. 7: Deutsche Literatur in zwei Jahrhunderten. Neuwied/Berlin 1964.
Marcuse, Herbert: Gottfried Keller. *Der grüne Heinrich*. In: Der deutsche Künstlerroman. Frankfurt a. M. 1978. [Diss. Freiburg i. Br. 1922.]
Martini, Fritz: Deutsche Literatur im bürgerlichen Realismus 1848–1898. Stuttgart 1962. S. 565–575.
Meier, Hans: Gottfried Kellers *Grüner Heinrich*. Betrachtungen zum Roman des poetischen Realismus. Zürich/München 1977.
Morgenthaler, Walter: Bedrängte Positivität. Zu Romanen von Immermann, Keller, Fontane. Bonn 1979.
Müller, Dominik: Wiederlesen und Weiterschreiben. Gottfried Kellers Neugestaltung des *Grünen Heinrich*. Mit einer Synopse der beiden Fassungen. Bern / Frankfurt a. M. 1988.
Müller, Klaus-Detlef: Die ›Dialektik der Kulturbewegung‹. Hegels romantheoretische Grundsätze und Kellers *Grüner Heinrich*. In: Poetica 8 (1976) S. 300–320.
Muschg, Adolf: Gottfried Keller. München 1977.
Neumann, Bernd: Gottfried Keller. Eine Einführung in sein Werk. Königstein i. Ts. 1982.
Otto, Ernst: Die Philosophie Ludwig Feuerbachs in Gottfried Kellers Roman *Der grüne Heinrich*. In: Weimarer Beiträge 6 (1960) S. 76 bis 111.
Preisendanz, Wolfgang: Keller. Der grüne Heinrich. In: Der deutsche Roman. Vom Barock bis zur Gegenwart. Struktur und Geschichte. Hrsg. von Benno von Wiese. Bd. 2. Düsseldorf 1963. S. 76–127.
Rilla, Paul: Gottfried Keller und der *Grüne Heinrich*. In: P. R.: Essays. Berlin 1955. S. 51–108.
Sautermeister, Gert: Gottfried Keller: *Der grüne Heinrich*. Gesellschaftsroman, Seelendrama, Romankunst. In: Romane und Erzählungen des bürgerlichen Realismus. Neue Interpretationen. Hrsg. von Horst Denkler. Stuttgart 1980. S. 80–123.
Schumacher, Hans: Ein Gang durch den *Grünen Heinrich*. Kilchberg am Zürichsee 1974. Frankfurt a. M. 1976.
Spies, Bernhard: Behauptete Synthesis. Gottfried Kellers Roman *Der grüne Heinrich*. Bonn 1978.
Steinecke, Hartmut (Hrsg.): Zu Gottfried Keller. Stuttgart 1984.
Würgau, Rainer: Der Naturbegriff im Werk Gottfried Kellers. Topik der Natur, Materialismus, Mimesis. Diss. Tübingen 1970.

UWE-K. KETELSEN

Adalbert Stifter: *Der Nachsommer*

Die Vernichtung der historischen Realität in der Ästhetisierung des bürgerlichen Alltags

> Wie zeug ich dich aber im heiligtume
> – So fragt ich wenn ich es sinnend durchmass
> In kühnen gespinsten der sorge vergass –
> Dunkle grosse schwarze blume?
>
> Stefan George

Bekanntlich verhieß Friedrich Hebbel demjenigen, der Adalbert Stifters (1805–68) *Der Nachsommer* (1857) zu Ende läse, ohne als »Kunstrichter« dazu verpflichtet zu sein, die Krone Polens[1] – die Germanisten haben sich aufgerufen gefühlt, die unterstellte Fron auf sich zu nehmen und nach dem versprochenen Kleinod zu greifen; die tausend Seiten starke ›Erzählung‹, wie ihr Autor sie nennt, ist ein beliebter Interpretationsgegenstand geworden,[2] und selbst die gefürchtete Langeweile stieg mittlerweile zum Thema gelehrten Nachsinnens auf.[3] Vor allem in den ersten Jahrzehnten nach dem Krieg waren viele Auslegungen (wo sie nicht im heimatmusealen Kult versanken) von einer Haltung bestimmt, deren Stifter-Bild »in der zweiten Hälfte des 20. Jahrhunderts aus der Not der Zeit, ihren Krisen und Umbrüchen langsam herauswächst«.[4]

1 In der *Illustrierten Zeitung* vom 4. September 1858.

2 Vgl. Herbert Seidler, »Adalbert Stifter-Forschung 1945–1970«, in: *Zeitschrift für deutsche Philologie* 91 (1972) S. 272–279; Ursula Naumann, *Adalbert Stifter*, Stuttgart 1979 (Sammlung Metzler, 186).

3 Vgl. Peter Küpper, »Literatur und Langeweile«, in: *Adalbert Stifter. Studien und Interpretationen*, Heidelberg 1968, S. 171–188; Rudolf Wildbolz, *Adalbert Stifter. Langeweile und Faszination*, Stuttgart 1976; Andreas Langenbucher, »Die Unlust am Text. Behagen und Unbehagen bei der Lektüre von Stifters *Nachsommer*«, in: *Schweizer Monatshefte* 67 (1978) S. 489–496.

4 Herbert Seidler, »Adalbert Stifter in unserer Zeit«, in: *Vierteljahrsschrift des Adalbert-Stifter-Instituts des Landes Oberösterreich* 24 (1975) S. 115.

Scheinbar unvermittelt, aber desto kennzeichnender heißt es in einem Versuch, für die deutsche Literatur des 18. Jahrhunderts eine interpretatorische Perspektive zu gewinnen, »daß es die Nachsommerwelt Stifters ist, die in zwei Weltkriegen wiedergefundene, durch die der Weg führen muß, der unserem Lebensgefühl einen Zugang zum Geist des [. . .] vorgoethischen Jahrhunderts öffnen soll«.[5] Eine Wendung wie: »Das Kunstgesetz, das Gesetz der Ruhe und der Stille, das hundert Jahre zuvor von Winckelmann als seelischer Zustand sehnsüchtig erlebt und als milderndes Gesetz genau gefaßt worden war, enthüllt sich [im *Nachsommer*] als ein aufs Künstlerische übertragenes Naturgesetz«,[6] eine solche Wendung läßt ahnen, welche Bedeutung dieser Roman für seine Leser gewinnen konnte. Emil Staiger gab dem neoidealistischen Geist der Nachkriegszeit mit dem Titel seines Buches *Adalbert Stifter als Dichter der Ehrfurcht* unvermittelt Ausdruck, und wenn er seine Darstellung mit dem Satz endete: »Der Einzelne vermag nur wenig. Doch jeder trägt nach seinem Maß zum Wesen unseres Daseins bei und spricht sein Wort in dem ernsten Rat, der entscheidet, was gelten soll unter uns«,[7] dann deutete er zumindest an, welche Erwartungen von Dichtung, vom Dichter und seinem Leser er an Stifter und seinem Werk zu befriedigen hoffte.

In der Auseinandersetzung mit dem *Nachsommer* (und mit dem späten Stifter überhaupt) hat in der Restaurationsphase der Nachkriegszeit eine Art ›Grundwertediskussion‹ stattgefunden.[8] Nur wenige Interpreten haben sich dem entziehen können oder wollen,[9] teils indem sie auf die existentielle

5 Adalbert Elschenbroich, *Deutsche Dichtung im 18. Jahrhundert*, München 1960, S. 633.

6 Walter Rehm, *Nachsommer*, 2. Aufl. Bern 1966, S. 48.

7 Emil Staiger, *Adalbert Stifter als Dichter der Ehrfurcht*, 2. Aufl. Heidelberg 1967, S. 41.

8 Vgl. z. B. Georg Weippert, *Stifters Witiko. Vom Wesen des Politischen*, München 1967.

9 Vor allem Erik Lunding, *Adalbert Stifter*, Kopenhagen 1946; Horst Albert Glaser, *Die Restauration des Schönen*, Stuttgart 1965; in gewisser

(Lunding), teils indem sie auf die politische (Glaser) Unter- und Hintergründigkeit dieses Romans hinwiesen. Aber auch diesen Kritikern war der Roman selbst in seiner Geschichtlichkeit noch ein gegenwärtiger Text, denn anders wäre ihre teils polemische Auseinandersetzung mit den neohumanistischen Stifter-Interpreten sinnlos gewesen. Für diese bestand die Verbindlichkeit des Romans aber nicht allein in seinem Inhalt, sondern zugleich und vielleicht noch viel mehr in seiner ästhetischen Dimension. So schrieb etwa Hermann Kunisch: »Man muß sehr willig und geduldig aufmerken, um die Bewegung dieser Gebärde [der Verhaltenheit und Stille] zu vernehmen. Es ist das nötig, was Stifter im *Nachsommer* für das Gewahrwerden der Dinge fordert, daß wir ›in uns selber in Ordnung‹ sind und nicht nur ›unser eigenes Innere reden hören‹. Auge und Ohr müssen sich der Eigenart dieses Stils anpassen.«[10] Damit meinte Kunisch mehr als nur eine Aufforderung zu genauem Lesen; vielmehr wurde dem Leser nahegelegt, er müsse eine Position einnehmen, die im Horizont des Textes liegt, er müsse von der Vorstellung ausgehen, daß er sich ganz und unversehrt im Text wiederfinden und somit dort sich selbst begegnen könne.

Solche Hoffnung auf die Gegenwärtigkeit des Textes in dessen (vorgeblich) unverstellter Lektüre hatte ihren Grund durchaus in Stifters Werk selbst, denn die geschichtslose, in vermeintlich ewigen Bezirken angesiedelte Empfänglichkeit für das Schöne, das zugleich das Wahre sei: die wollte Stifter mit seinem Roman gerade wecken, ansprechen und wirkend stärken. An einer zentralen Stelle des *Nachsommer* sagt eine der Figuren: »Das ist der hohe Wert der Kunstdenkmale der

Weise auch Friedrich Gundolf, *Adalbert Stifter*, Burg Giebichenstein 1931; Walther Killy, »Utopische Gegenwart«, in: W. K., *Romane des 19. Jahrhunderts. Wirklichkeit und Kunstcharakter*, 2. Aufl., Göttingen 1967, S. 83–103; in Lundings Nachfolge neuerdings: Margret Walter-Schneider, »Das Licht in der Finsternis. Zu Stifters *Nachsommer*«, in: *Jahrbuch der Deutschen Schiller-Gesellschaft* 29 (1985) S. 381–404.

10 Hermann Kunisch, *Adalbert Stifter. Mensch und Wirklichkeit*, Berlin 1950, S. 124.

alten heitern Griechenwelt [...], daß sie in ihrer Einfachheit und Reinheit das Gemüt erfüllen, und es [...] nicht verlassen, sondern es mit Ruhe und Größe noch mehr erweitern [...].« (379)[11] So erscheint es durchaus folgerichtig, daß die Stifter-Renaissance nach einem halben Jahrhundert des Vergessens, an der Wertschätzung des *Nachsommer* durch Nietzsche ansetzend,[12] vom kulturkritischen Ästhetizismus des George-Kreises ausging[13] und in die zivilisationsfeindliche, antihistorische Interpretation des Neo-Humanismus einmündete. Der *Nachsommer*-Exegese der letzten beiden Jahrzehnte ist der Roman allerdings ganz historisch geworden. In einer Fülle von Interpretationen, deren Nachweis als stetige Kette von Fußnoten einen Sekundärtext an den nächsten bindet, wird – meist an Einzelproblemen – die Intention Stifters als der Sinn des Textes rekonstruiert, wobei sich herausstellt, daß der Stiftersche Glaube an die überwältigende Gegenwart des Schönen nicht rekonstruierbar, sondern allenfalls beschreibbar ist. Im Reflex auf diese Unmöglichkeit folgen die Auslegungen den neohumanistischen Lektüreplänen mehr, als ihren Verfassern bewußt und lieb sein dürfte, reduzieren sie aber charakteristisch: sie konzentrieren sich – mit wenigen Ausnahmen[14] – ganz auf den Inhalt des Romans. Dessen ästhetische Organisation, die in ihrer Radikalität in der zweiten Hälfte des 19. Jahrhunderts zumindest in der deutschen Lite-

11 Adalbert Stifter, *Der Nachsommer*, hrsg. von Max Stefl, Augsburg 1954. Nach dieser Ausgabe wird hier und im folgenden mit Angabe der Seitenzahlen im Text zitiert.

12 Vgl. Ernst Bertram, *Nietzsche*, 3. Aufl., Berlin 1919, S. 238–248.

13 Ernst Bertram, *Studien zu Stifters Novellentechnik* (1907), 2. Aufl., Dortmund 1966.

14 Dazu zählen besonders die Aufsätze von Lauren Small, »White Frost Configurations on the Window Pane. Adalbert Stifter's *Der Nachsommer*«, in: *Colloquia Germanica* 18 (1985) S. 1–17, wobei die Autorin aber ziemlich schnell in einer der Textlektüre vorgeordneten Theorie der organisierenden und auflösenden Funktion des Zeichens steckenbleibt, und von Peter André Bloch, »Perspektive und Dimension. Die Textstruktur eines Wortgemäldes in Stifters *Nachsommer*«, in: *Études Germaniques* 40 (1985) S. 281–296; dabei führt sein stilistischer Ansatz über eine semantische Analyse zu einer Textparaphrase.

ratur kaum ein Pendant haben dürfte, wird nur dann zum Problem, wenn sie sich auf der thematischen Ebene (etwa in Kunstgesprächen) festmachen läßt. Schon, daß es sich bei Stifters *Nachsommer* um einen Ich-Roman handelt (was spezifische Besonderheiten der Textorganisation mit sich bringt), beschäftigt kaum jemanden und wird nur zu schnell – wie von Hans Dietrich Irmscher[15] – zum inhaltlichen Problem verengt. So erstaunlich es klingt: die ›Postmodernen‹ scheinen diesen Roman noch nicht entdeckt zu haben. So würde Stifter, könnte er zurückkommen, sich heute unter seinen Exegeten ähnlich fremd fühlen wie seinerzeit unter seinen Zeitgenossen,[16] denn diese konnten – wie die Rezensionen seiner Spätwerke ausweisen[17] – immer weniger mit ihm anfangen. Die Klage über seine Vereinsamung durchzieht kontinuierlich Stifters Briefe der beiden letzten Jahrzehnte seines Lebens.[18]

Kaum ein bedeutender Roman aus der Mitte des 19. Jahrhunderts scheint mehr ein bloßes Kunstprodukt zu sein als *Der Nachsommer.* Aber der späte Stifter war durchaus kein ästhetisierender ›Formalist‹;[19] er begriff sein Werk, an dem er fast ein Jahrzehnt (nämlich zwischen 1847 und 1857) gearbeitet und das dementsprechend eine ziemlich komplizierte Entstehungsgeschichte hatte, als eine Reaktion auf die politisch-gesellschaftliche Welt seiner Zeit. In dieser Auseinandersetzung entwickelte er ein literarisches Programm, mit dem er sich absetzte gegen die Autoren des Vormärz und ihre Vorstellung

15 Vgl. Hans Dietrich Irmscher, »Keller, Stifter und der Bildungsroman des 18. Jahrhunderts«, in: *Handbuch des deutschen Romans*, hrsg. von Helmut Koopmann, Düsseldorf 1982, S. 370–394 (zum *Nachsommer* vgl. S. 385–394).

16 Vgl. Hans Dietrich Irmscher, *Adalbert Stifter*, München 1971.

17 Vgl. *Stifter im Urteil seiner Zeit*, hrsg. von Moriz Enzinger, Wien 1968.

18 Vgl. Adalbert Stifter, *Sämmtliche Werke*, begr. und hrsg. von August Sauer [u. a.] [im folgenden zit. als: SW], Bde. 18–22, Prag/Reichenberg 1918–31, reprogr. Nachdr. Hildesheim 1972–79.

19 Vgl. Hans Mayer, »Grundpositionen: Außenwelt und Innenwelt«, und »Der deutsche Roman im 19. Jahrhundert«, in: H. M., *Von Lessing bis Thomas Mann*, Pfullingen 1959, S. 9–34, 297–316.

von ›politischer Poesie‹,[20] ohne sich dabei allerdings – bei vielen, auch entscheidenden Parallelen – den Vorstellungen des ›poetischen Realismus‹ einzuordnen.[21] *Der Nachsommer* ließe sich durchaus lesen, und er ist von seinem Verfasser auch ganz so gemeint, als eine historisch-ästhetische Auseinandersetzung Stifters mit den literarischen Tendenzen um 1848,[22] wobei es wichtig ist zu sehen, daß dieser Roman eine Etappe in des Autors Schaffen seit der Mitte der vierziger Jahre darstellt,[23] welches dann in seinen späten Erzählungen und in der letzten Fassung der *Mappe meines Urgroßvaters* kulminiert.

Das Stichwort, unter dem um die Jahrhundertmitte die literaturkritischen Auseinandersetzungen geführt wurden, hieß ›Realismus‹.[24] Obwohl Stifter nicht direkt an diesen Debatten beteiligt war, gingen sie doch nicht spurlos an ihm vorbei. Man bemühte sich in gleicher Weise um eine neue Einschätzung der historisch-gesellschaftlichen Wirklichkeit wie um veränderte literarische Stil- und Darstellungsmittel. Wie fast allen Schulstreitigkeiten und Richtungskämpfen hing auch diesem eine gewisse verschwommene Allgemeinheit an, zumal das neue literarische Programm weniger in erklärenden Entwürfen als in Kritiken, in Briefen und in dichterischen Werken, die exemplarische Geltung haben sollten, entwickelt wurde. Es mangelte überdies auch an einem festen organisatorischen Zusammenhang. Man verwarf die (angeblich) der reinen Phantasie entsprungenen, dem Muster romantischer Erzählungen, Romane und Dramen folgenden Handlungsentwürfe genauso wie jene, die an geschichtsphilosophischen

20 Vgl. z. B. Robert Prutz, *Zwischen Vaterland und Freiheit*, hrsg. von Hartmut Kircher, Köln 1975, S. 157–175.
21 Vgl. Helmut Kreuzer, »Zur Theorie des deutschen Realismus und Naturalismus«, in: *Realismustheorien*, hrsg. von Reinhold Grimm und Jost Hermand, Stuttgart 1975, S. 48–67.
22 Vgl. z. B. SW, Bd. 19, S. 93 f.
23 Vgl. Wilhelm Dehn, *Ding und Vernunft*, Bonn 1969, S. 122–124.
24 Vgl. Hermann Kinder, *Poesie als Synthese*, Frankfurt a. M. 1973 (für das Stiftersche Umfeld bes. S. 129–200).

Vorstellungen in der Nachfolge Hegels orientiert waren; der charakteristische Wortschatz der Romantiker wie ihrer Nachfolger wurde als sentimental oder vernebelnd beiseite geschoben, die großen pathetischen Leitworte des Vormärz als hohle Deklamationen und leere Leidenschaften verworfen; die (gehobene und normierte) Sprache des Alltags sollte an deren Stelle treten (Autoren in literarischen Mundarten – wie Fritz Reuter, John Brinckman oder Klaus Groth – hatten eine große Zeit), die Themen der Literatur sollten nicht allein aus der intimen Welt der Seele, aus der Versunkenheit zurückliegender Zeiten oder aus dem Gang der großen politischen Welt kommen; der Alltag, das, was dem Leser nahelag, sollte den Stoff bieten; die Leser sollten ergriffen in den Kreis des Dargestellten gezogen werden, der als Teil ihrer Welt zu erscheinen hatte; der Roman rückte (wieder) zur bevorzugten Gattung auf. Diese Forderungen wurden aber nicht sehr radikal formuliert, vor allem griff man kaum die großen Autoren der vorausliegenden Strömungen an, vielmehr zog man gegen ihre Nachahmer zu Felde, bei denen sich die kennzeichnenden Stil- und Darstellungselemente verselbständigt hatten, so daß sie inhaltsleer geworden waren. Konsequent war man – wie gesagt – dabei indes nicht.

Wenn man sieht, daß dieses literarische Erneuerungsprogramm unter dem Stichwort ›Realismus‹ auch mit gesellschaftlichen Vorstellungen der nachachtundvierziger Zeit verbunden war,[25] und wenn man weiß, daß *Der Nachsommer* als eine literarische Auseinandersetzung mit dieser Zeit gedacht war, dann ist – auch wenn man sich nicht völlig der oft gehörten Rede vom »tiefen Einschnitt, den das Revolutionsjahr in der Lebensgeschichte Stifters bedeutete«,[26] anschließt – ein kurzer Blick auf Stifters politische Vorstellungen nötig.

25 Vgl. Hans-Wolf Jäger, »Gesellschaftliche Aspekte des bürgerlichen Realismus und seiner Theorie«, in: *Text & Kontext* 2 (1974) H. 3, S. 3–41.

26 Autorenkollektiv, *Geschichte der deutschen Literatur*, Bd. 8, Berlin 1975, S. 288; später (S. 290) wird diese These allerdings wesentlich eingeschränkt.

Mit deren Qualifikation im Sinne einer der politischen Richtungen um 1850 hat die Stifter-Literatur allerdings ihre liebe Not gehabt; die arg beliebig anmutenden Zuordnungen bezeugen eine gewisse germanistische Hilflosigkeit gegenüber dem Politischen.[27] Konsequenterweise haben neuere Interpreten solche Versuche auch aufgegeben. Zudem ist ein Blick auf Stifters direktes politisches Verhalten um 1848 ohnehin aufschlußreicher: Der Autor könnte fast ein exemplarisches Produkt der Metternichschen Strategie politischer Desinformation[28] genannt werden; nicht, daß er sich für politisch-gesellschaftliche Fragen nicht interessiert hätte, seine viel zu wenig beachteten zwölf Aufsätze *Wien und die Wiener, in Bildern aus dem Leben* (1844) wie seine Schulakten beweisen das Gegenteil, aber er war ganz und gar außerstande, politisch-gesellschaftliche Fragen als solche aufzufassen; er blieb nicht blind für soziales Elend, aber er konnte dessen Ursachen in der ›sozialen Frage‹ nicht erkennen. Vor 1848 verkehrte er in reaktionären, adligen und liberalen Kreisen in gleicher Weise.[29] Er unterrichtete im Hause Metternich und gehörte zu dessen literarischem Kränzchen,[30] nahm aber auch an dem »Politisch-Juridischen Leseverein« liberaler Honoratioren teil, fungierte 1848 als Wahlmann in seinem Wohnbezirk; auf die revolutionären Aktionen indes, vor allem aber, als deren sozialer Grund sichtbar wurde, reagierte er in vehementer Abwehr mit der Flucht nach Linz; er schlug sich auf die Seite der Konterrevolution und begrüßte die Gewaltmaßnahmen der Windischgrätz und Haynau, die die Unruhen im Habsburger Reich niederkartätschten. Dabei wurde er nicht

27 Vgl. Uwe-K. Ketelsen, »Gesellschaftliches Bewußtsein als literarische Struktur«, in: *Euphorion* 64 (1970) S. 307 f.

28 Vgl. Friedrich Engels, »Revolution und Konterrevolution in Deutschland«, in: Karl Marx / Friedrich Engels, *Werke*, Bd. 8, Berlin 1960, S. 35 f.

29 Vgl. Hermann Blumenthal, »Stifter und die deutsche Revolution von 1848«, in: *Dichtung und Volkstum* 41 (1941) S. 214–217.

30 Vgl. Ruth Brunnhofer, *Stifters Verhältnis zum historisch-politischen Leben seiner Zeit*, Diss. Berlin 1952 [masch.].

zum schlichten Reaktionär, der einfach die vorachtundvierziger Zustände wiederherstellen wollte; *Der Nachsommer* ist durchaus keine geträumte vorachtundvierziger Idylle, auch wenn er – und zwar mit Absicht – in die Zeit um 1820 gelegt ist; der Roman setzt den Sieg der bürgerlichen Revolution voraus, indem er in seiner fiktiven Realität bereits Regelungen kennt (wie die Ablösung von Grundlasten), die erst 1848 Realität wurden.[31]

In der Konfrontation mit den achtundvierziger Ereignissen in Wien – und darin liegt ihre biographische Bedeutung – wurde die Unzeitgemäßheit von Stifters Orientierung an den Idealen der Aufklärung und der Philosophie des Idealismus deutlich. Was sich für ihn aus den ererbten Wertvorstellungen vor allem Herders, Kants, Schillers oder Humboldts zu einem Weltbild zusammengefügt hatte, erwies sich in der historischen Krise von 1848 nicht nur als unzureichend, um damit die Vorgänge analysierend zu erfassen, Stifter bemerkte auch – ohne sich das aber völlig einzugestehen –, daß die aufklärerisch-klassischen Formen im historischen Prozeß unzeitgemäß erstarrt und damit hohl geworden waren. Diese geschichtliche Disproportion entfachte in ihm einen Widerstand gegen die historische Entwicklung wie gegen die Literaturströmungen seiner Zeit. Er radikalisierte Elemente der Tradition in einer Weise, die ihn völlig isolierte und zugleich aber in manchen Zügen weit über sich hinaus in die Zukunft weisen ließ. (Daß hier überdies individuelle sozialpsychologische Gründe, die in Stifters Biographie liegen, eine gewisse Rolle gespielt haben, ist wohl nicht zu leugnen.)

Dabei traten zwei Momente in Stifters geistigem Erbe besonders heraus und beherrschten von nun an sein ganzes Denken: der Glaube an die individuelle Freiheit menschlichen Handelns und der ›Bildungs‹gedanke. Vor dem Hintergrund des Vertrauens auf die Möglichkeit zu frei verantwortetem Handeln, die in aufklärerischer Tradition als die Verpflich-

31 Vgl. Dieter Borchmeyer, »Stifters *Nachsommer* – eine restaurative Utopie?«, in: *Poetica* 12 (1980) S. 59–82.

tung zu moralischem Tun interpretiert wurde, präsentierten sich die Wiener Unruhen, vor allem dann die sozialen, als der Ausbruch chthonischer Vitalkräfte, als die unbeherrschte, bare Unmenschlichkeit. Sich der Ereignisse erinnernd, entwarf Stifter in einem Brief vom 4. September 1849 an seinen Verleger Gustav Heckenast nachgerade eine Theorie der Geschichte der Wiener Revolution: »Als die Unvernunft, der hole Enthusiasmus, dann die Schlechtigkeit die Leerheit, und endlich sogar das Verbrechen sich breit machten und die Welt in Besiz nahmen: da brach mir fast buchstäblich das Herz.«[32]

Dieser Eruption aus den menschlichen Abgründen stellte Stifter – auch das in Tradition zur Aufklärung – die ›Bildung‹[33] entgegen; sie, die als Erziehung zu privater Sittlichkeit verstanden wird, soll die Ordnung der Gesellschaft garantieren und den Umsturz bannen; »geschähe das nicht«, schreibt er am 8. September 1848 an Heckenast, »so wären wir alle ohnehin verloren und das Proletariat würde, wie ein anderer Hunnenzug, über den Trümmern der Musen- und Gottheitstempel in trauriger Entmenschung prangen«.[34] Was im 18. Jahrhundert lebendiger Gedanke gewesen war, das war mehr als ein halbes Jahrhundert später zu formaler Leere versteinert; so rechtfertigte dann Stifter – notgedrungen den klassischen Bildungsgedanken um seinen eigentlichen Grund, seine geschichtsphilosophische Emphase bringend – vom Boden seiner Moralvorstellung aus mit der Formel von der Antinomie von Individuum und Masse die bürgerliche Ordnung, ihre Besitzverhältnisse und ihren klassischen Bildungskosmos. Den Glauben an den Fortschritt des Menschengeschlechts gab er zwar nicht auf (vor allem in der Entwicklung der Naturwissenschaften sah er Potenzen), aber das

32 SW, Bd. 18, S. 10; so noch oft in diesen Jahren.

33 Zur ideengeschichtlichen Tradition vgl. Ernst Lichtenstein, »Bildung«, in: *Historisches Wörterbuch der Philosophie*, Bd. 1, Basel 1971, Sp. 921 bis 928.

34 SW, Bd. 17, S. 304; vgl. auch: SW, Bd. 18, S. 1.

blieb allenfalls vage Hoffnung; im *Nachsommer* gibt es noch nicht einmal Ansätze, daß diese sich einlöste.
So gehen die Beschäftigung mit zeitgeschichtlicher Realität und der Widerstand dagegen im *Nachsommer* eine sehr charakteristische Verbindung ein. Auf den ersten Blick mag sich eine landläufige Erwartung an Realismus angesichts dieses Romans erfüllen. Es sieht so aus, als würde eine, wenn auch nicht alltägliche Wirklichkeit außerhalb der erzählten Welt in dieser nachgezeichnet; den einzelnen Erzählelementen könnten mögliche Entsprechungen in der Wirklichkeit von 1850 zugeordnet sein. (So hat man tatsächlich in den Figuren teilweise auch Züge realer Zeitgenossen wiederfinden wollen und in den beschriebenen Kunstgegenständen Objekte des Stifterschen Interesses wiedererkannt.[35]) Man möchte die Fabel des Romans weitläufig im Sinne einer realen Biographie des ›Helden‹ nacherzählen:
Heinrich Drendorf ist der Sohn eines wohlhabenden Kaufmanns; von einer Rente lebend, kann er sich seinen Neigungen gemäß ausbilden; ohne Schulzwang wird er – allerdings auf etwas eigene Weise – ein Naturkundiger und im besten Sinne ein dilettantischer Kunstfreund; vor einem Gewitter flüchtend, findet er Schutz in einem Landhaus; von dessen greisem Bewohner, dem Freiherrn von Risach, wird er in einen überaus edlen, sinnvoll-natürlichen Kosmos humaner Gesittung eingeführt; immer zurückkehrend, findet er seinen Gesichtskreis stetig zu immer reiferen Einsichten ausgedehnt; auch die menschlichen Verbindungen in dieser harmonischen Welt allseitig gebildeten Menschentums weiten sich: zu Eustach, dem kunstverständigen Handwerker im Hause Risachs, zu Gustav, dem Pflegesohn des Freiherrn, zu Mathilde, Gustavs Mutter, die einen Nachbarhof betreibt, und zu Natalie, Gustavs Schwester. Über die Jahre hin setzt der Held seine bildenden Studien fort, macht Fortschritte, und im Nachspüren des tiefsten Zusammenhangs aller Dinge stößt er

35 Vgl. Wolfgang Peter Betz, *Die Motive in Stifters Nachsommer*, Diss. Frankfurt a. M. 1971.

endlich auf die Kunst. Heinrich erfährt, daß das Weltgetriebe in seiner Schalheit bar allen Sinns sei, nur die Natur und die Kunst erfüllen die Ansprüche, die ein volles und geistiges Leben stellen. Eine antike Marmorstatue bildet dieses Ideal gleichsam sinnbildend ab.[36] In einem der Zentren dieser Kunstwelt überwinden Natalie und Heinrich ihre Scheu voreinander und gestehen sich ihre Zuneigung. Nach einer weiteren Phase der Reifung, in welcher der Freiherr Heinrich in Gesprächen mit der Realität des Lebens bekannt macht und in die hitzige und deswegen unglückliche Jugendliebe zwischen sich und Mathilde einweiht, werden Natalie und Heinrich verlobt; eine anschließende zweijährige Bildungsreise Heinrichs entfaltet und festigt sein Wesen dann vollends. Es findet die Hochzeit statt, und die Familien vereinigen sich auf ihren ländlichen Besitzungen.[37]

Zwar mögen die überaus glücklichen Lebensumstände der Figuren und – sieht man von der Trübung durch die eingelegte Jugendgeschichte ab – die Konfliktfreiheit in der Entwicklung der Fabel den realistischen Schein des Romans ein wenig stören, es bleibt aber immer das Bestreben Stifters zu spüren, gegen die Erzähltradition der Romantik und die Stiltendenzen des ›Jungen Deutschland‹ und des Vormärz das Erzählte als Reproduktion möglicher außerliterarischer Realität erscheinen zu lassen. Im Einklang mit der Kunstdoktrin des ›Realismus‹ versucht er, den ›Kausalnexus‹ innerhalb der erzählten Handlung zu wahren, Ereignisse aufeinander zu beziehen, den erzählten und beschriebenen Dingen den Charakter einer inneren Notwendigkeit zu verleihen, indem er sie für spätere Romansituationen geplant bereitstehen läßt, um auf diese Weise die Wahrheit des Berichts mit erzähltechnischen Mitteln zu garantieren. Von diesem Stilzug her erklärt sich auch das erstaunliche Interesse der Interpreten für

36 Vgl. Christine Oertel Sjögren, *The Marble Statue as Idea. Collected essays on Adalbert Stifter's »Der Nachsommer«*, Chapel Hill 1972.

37 Vgl. Peter Schäublin, »Familiales in Stifters *Nachsommer*«, in: *Adalbert Stifter heute*, hrsg. von Johann Lachinger [u. a.], Linz 1985, S. 86–100.

›inhaltliche‹ Probleme. Trotz der starken Stilisierungstendenzen gelingt es Stifter immer wieder, ein fast grenzenloses Vertrauen in die Darstellungsfähigkeit von Sprache zu erwecken – um so enttäuschter zeigen sich die Interpreten, wenn deutlich wird, wie wenig real die dargestellte ›Realität‹ ist.

Wer allerdings den Nexus des Erzählten in den Aktionen der Romanfiguren sucht, muß wie Julian Schmidt in seiner Kritik[38] des *Nachsommer* das »Gefühl harter Notwendigkeit« vermissen. Gegen ihn polemisiert Stifter denn auch sogleich: Wer nur »eine Heirathsgeschichte liest und hiebei rükwärts eine veraltete Liebesgeschichte erfährt, der weiß sich mit dem Buche ganz und gar nicht zu helfen«.[39] Der verknüpfende Zusammenhang wird als der Nexus einer inneren Entwicklung der dargestellten Figuren hergestellt, den Stifter als einen privaten Reifungsprozeß zu einer verbindlichen Konzeption des Menschseins aufgefaßt sehen will; dieser Prozeß hat teils die Gestalt der ›Sühne‹ für gesellschaftlich-moralische Verfehlungen, teils die Gestalt gleichsam naturhaften Hineinwachsens in die Normen einer natürlich-sittlichen Gesellschaftsordnung: »Risach hatte sich empor kämpfen müssen, dort, wo er und Mathilde fehlten, wo sie Schwäche hatten, mußten sie sühnen [. . .]. Wer das Buch von diesem Punkte nimmt, der wird den Gang [. . .] ziemlich strenge und durchdacht finden. Die Gespräche über Kunst und Leben sind dann Äußerungen des Karakters Risachs des Kaufmanns Mathildens und der Kaufmannsfrau, und sie sind Bildungsmittel für die jüngeren edleren Kräfte, die im Buche vor uns bis auf eine gewisse Stufe erzogen werden.«[40] In der Konfrontation dieser Auffassungen vom ›Nexus‹ des Romans

38 Vgl. Enzinger (Anm. 17) S. 210.
39 SW, Bd. 19, S. 95.
40 Ebd. – Zu dieser Problemstellung vgl. Klaus-Detlev Müller, »Utopie und Bildungsroman. Strukturuntersuchungen zu Stifters *Nachsommer*«, in: *Zeitschrift für deutsche Philologie* 90 (1971) S. 199–228; wiederabgedr. in: *Bürgerlicher Realismus. Grundlagen und Interpretation*, hrsg. von K.-D. M., Königstein i. Ts. 1981, S. 115–138.

wird Stifters Distanz zu den vorherrschenden Setzungen des neuen ›realistischen‹ Ideals deutlich. Während Schmidt seine Auffassung ausdrücklich in Analogie zu den systematischen Naturwissenschaften formulierte, hielt Stifter bei der Konstruktion der Fabel am transzendenten, organologischen Gedankenkern des ›Bildungs‹begriffs fest.[41] Und das ist – wie etwa Heinrichs Vorstellung vom geordneten Zusammenhang der Naturerscheinungen am Beginn des Romans und die vielen Gespräche zu diesem Thema zeigen – als eine bewußte Opposition zu den quantifizierend-kausalen Grundlagen des Naturbegriffs der Naturwissenschaft des 19. Jahrhunderts gemeint.[42]

Um nun diese exemplarisch gedachte Bildung der Figuren nicht als leere Phantasien erscheinen zu lassen, weist der Erzähler ihnen ziemlich genaue ökonomisch-gesellschaftliche Orte innerhalb der Metternich-österreichischen Gesellschaft an: Heinrich Drendorf ist der Sohn eines bürgerlichen Kaufmanns, der – selbst aus ärmlichen Verhältnissen stammend – durch ›glückliche‹ Erbgänge sowie in Handel und Wandel zu so viel Wohlstand gekommen ist, daß er seinen Kindern (und dem Sohn vor allem) den bürgerlichen Traum erfüllen kann, sich als Rentier der kontemplativen Erkenntnis der Welt hinzugeben; der Freiherr von Risach ist aus ärmlichen Verhältnissen durch gute Anlagen und emsigen Fleiß als Beamter in der Gesellschaft aufgestiegen, so daß auch er sich aus den (ungeliebten) aktiven Geschäften auf sein Gut zurückziehen und zumindest im Alter als Rentier sich der Bestellung des Ackers eigentlicher Menschlichkeit hingeben kann; die Greisin Mathilde ist die Tochter vornehmer Eltern, hat – nach einer wohl menschlich tiefen, aber mit den gesellschaftlich-familialen Vorstellungen ihres Geliebten, des jetzigen Freiherrn von Risach, nicht zu vereinbarenden Jugendromanze – in einer vernünftigen und gutsituierten Ehe das ihre getan, so daß sie auf ihrem Hofe im Lichte verklärender Melancholie und jenseits

41 Vgl. Müller (Anm. 40).
42 Vgl. Wolf Lepenies, *Das Ende der Naturgeschichte*, München 1976.

aller Leidenschaften ihre Liebe zu dem Freiherrn pflegen und ihre beiden Kinder zu distinguierten, allem Guten und Schönen aufgeschlossenen Menschen erziehen kann. Aber trotz dieser intensiven Versuche Stifters, seinen Roman in der historischen Realität zu verankern, ist leicht zu sehen, daß in solchen Konstruktionen kaum die volle Realität der österreichischen Gesellschaft entworfen wird; schon Julian Schmidt monierte den Hang Stifters zum Adel, und die Spitze der Hebbelschen Invektive liegt doch wohl darin, daß er dem ausdauernden Stifter-Leser eine Krone und just diejenige Polens verheißt.

Es wird hier ein Traumbild einer Rentiersgesellschaft entworfen, die wohl der Lohn bürgerlichen Erwerbs ist, in der sich aber dessen Mühen, Entsagungen und vor allem die gesellschaftlichen Bedingungen, unter denen er statthat, ins süße Fruchtfleisch des Geldes verwandelt haben. Das in den Bedrängnissen des Erwerbs erträumte Ideal ist nämlich nicht etwa eine Welt sinnerfüllten Arbeitens;[43] die scheint noch nicht einmal träumbar zu sein. »Jetzt aber will ich der Schreibstubenleidenschaft, die sich nach und nach eingefunden, Lebewohl sagen, und nur meinen kleineren Spielereien leben daß ich auch einen Nachsommer habe wie dein Risach«, verkündet Heinrich Drendorfs Vater am Ende (835).[44]

Diese Ablösung des Entwurfs einer Gegenwelt von ihrem Grund, von der Unerträglichkeit der ganz gewöhnlichen Realität, ins bloß Traumhafte wird ermöglicht durch eine Konstruktion, die jene Widersprüche nicht mehr kennt, deren Überwindung Stifter in den Briefen an seinen Verleger Heckenast immer wieder als Voraussetzung zur Behebung auch seiner eigenen Misere beschwor, die er sich in der Wirklichkeit des alltäglich Gegebenen aber nicht vorzustellen vermochte. So schrieb er während seiner konzentrierten Arbeit

43 Vgl. Barbara Osterkamp, »Adalbert Stifter: *Der Nachsommer*«, in: B. O., *Arbeit und Identität*, Würzburg 1983, S. 207–248.

44 Einen Einblick in die Realisierungsversuche solcher Träume gibt z. B. Alexander von Villers, *Briefe eines Unbekannten*, Wien 1881.

am *Nachsommer*: »[...] wenn Sie nur wüßten, wie mir ist! Durch das Heu den Häckerling die Schuhnägel die Glasscherben, das Sohlenleder die Korkstöpsel und Besenstiele, die in meinem Kopfe sind, arbeitet sich oft ein leuchtender Strahl durch, der all das Wüste wegdrängen und einen klaren Tempel machen will, in welchem ruhige große Götter stehen; aber wenn ich dann in meine Amtsstube trete, stehen wieder Körbe voll von jenen Dingen für mich bereitet, die ich mir in das Haupt laden muß. Dies ist das Elend, nicht die wirkliche Zeit, die mir das Amt nimmt. [...] Ich glaube, daß sich die Dinge an mir versündigen. [...] dürfte ich nichts anders thun als mit Großem Reinem Schönem mich beschäftigen, vormittags schreiben nachmittags zeichnen lesen Wissenschaften nachgehen und Abends mit manchem edlen Freunde oder in der Natur oder in meinem Garten sein – – aber ich darf nicht daran denken [...].«[45] Selbst die Verleihung eines kaiserlichen Ordens brachte ihn keine Sekunde von dem Wunsch nach einer auskömmlichen Pension ab, die ihn von der Notwendigkeit zu – wie die zitierte Briefstelle zeigt – *jeder* praktischen Arbeit befreite. Die Traumwelt des *Nachsommer* dagegen ist frei von Arbeit. Das einzige, was hier arbeitet, ist das Geld – und das unsichtbar. Stifter konnte sich den wirkenden Menschen nicht anders als im Gewande des Künstlers vorstellen, selbst dort, wo er nicht eigentlich künstlerisch tätig ist. Alles und jedes wurde mit dem Überzug der Kunst verkleidet, so daß alle Realität den Maßen der Kunst sich fügt. Vom Höhenzug der Gebirge[46] bis zum Faltenwurf eines Kleides und der beiläufigen Gebärde eines Menschen unterliegt alles dem Stilisierungsprinzip.[47] Damit allerdings hat Stifter unwillkürlich weit über seine Gegenwart hinausgewiesen, weit voraus ins Zeitalter der Massenkultur; seine Traumwelt zeigt schon jene

45 SW, Bd. 18, S. 207 f.; vgl. auch SW, Bd. 19, S. 188 f.
46 Vgl. Hannelore und Heinz Schlaffer, *Studien zum ästhetischen Historismus*, Frankfurt a. M. 1975, S. 112–120.
47 Vgl. Dieter Borchmeyer, »Ideologie der Familie und ästhetische Gesellschaftskritik in Stifters *Nachsommer*«, in: *Zeitschrift für deutsche Philologie* 99 (1980) S. 226–254.

Ästhetisierung des Alltags, die vom Hauptbahnhof der Gründerzeit bis zum Schreibautomaten des Jahres 1991 die Funktionsbereiche und die Sphäre der Warenzirkulation der Industriegesellschaft so charakteristisch ergriffen hat.
Das ökonomisch Notwendige bleibt aber unter dieser Übermalung in der Nachsommer-Welt dennoch das Notwendige; obwohl Stifter zur literarischen Ausgestaltung seiner Romanwelt die traditionellen Bauelemente der bukolischen Tradition und die Gestaltungszüge utopischer Literatur bemühte, hob er seine Idealwelt nicht vom ökonomischen Fundament der bürgerlichen Gesellschaft ab. Der historische Prozeß der Entidealisierung der idealistischen Geschichtsphilosophie war zu weit fortgeschritten, um die Aufforderung, »das Werk der Not in ein Werk der freien Wahl umzuschaffen und die physische Notwendigkeit zu einer moralischen zu erheben«, wie Schiller das formuliert hatte,[48] als eine bloße Vernunftbestimmung denken und ihre Realisierung in einem idealischen Stand ansiedeln zu können. Auch die Menschen der idealen Fiktion mußten mittlerweile von etwas leben. Für Stifter hatte dieser Gedanke – nicht erst im *Nachsommer* – bisweilen manische Dimensionen angenommen. Es gibt kaum einen Schriftsteller, der in seinen Werken so viel und ausdauernd von Geld redet wie er.[49] Besitz, die ökonomische Sicherung der bürgerlichen Verhältnisse, hat für ihn zentrale Bedeutung. Ganz selbstverständlich wird vom »Besitz der Schönheit« eines Kunstwerks geredet, wo es um dessen volles und angemessenes Verständnis geht, und der Freiherr versäumt nicht, Heinrich weitläufig über die – urkundlich ausgewiesene – Rechtmäßigkeit des Erwerbs der Marmorstatue, des zentralen Kunstwerks dieser Welt, in Kenntnis zu setzen (378; vgl. auch 398 oder 405). Erst im

48 Friedrich Schiller, »Ästhetische Briefe. 3. Brief«, in: F. S., *Sämtliche Werke*, hrsg. von Gerhard Fricke und Herbert G. Göpfert, Bd. 5, München 1959, S. 574.
49 Vgl. Magdalene Motté, *Geld und Besitz in Stifters poetischem Werk*, Diss. Aachen 1969.

Besitz vollendet sich das Kunstwerk. Das Reich der Freiheit liegt nicht jenseits der Notwendigkeit, sondern es ist gleichsam deren durch die Kunst vermittelte Transsubstantiation. Am 11. Februar 1858 schrieb Stifter an Heckenast: »Dieses tiefere Leben [der zentralen Figuren des *Nachsommer*] soll getragen sein durch die irdischen Grundlagen bürgerlicher Geschäfte der Landwirthschaft des Gemeinnuzens und der Wissenschaft und dann der überirdischen der Kunst der Sitte und eines Blikes, der von reiner Menschlichkeit geleitet, oder wenn Sie so wollen, von Religion geführt höher geht als blos nach eigentlichen Geschäften (welche ihm allerdings Mittel sind) Staatsumwälzungen und andern Kräften, welche das mechanische Leben treiben.«[50] Dieses Reich der ›mechanischen‹ Notwendigkeit wird durch den Schein der Kunst geadelt.

In diesem Schein muß allerdings das, was in abendländischer Tradition ›Arbeit‹ hieß, das mühevolle Herausarbeiten des Vernünftigen und Guten im Schöpfungsplan, welches zugleich auch Selbstverwirklichung des Arbeitenden bedeutet, dieses muß seine eigentliche Kontur verlieren. Arbeit gerinnt zum Besitz für die einen, verblaßt zu dekorativer Könnerschaft für die andern oder entleert sich zur Staffage müheloser Funktionserfüllung für die Masse der den Hintergrund bevölkernden Figuren. Arbeit im *Nachsommer* besteht darin, die Welt des gesellschaftlich Notwendigen ein anderes, aber von Konflikten, Entfremdungen und ›niederen‹ Zwecken freies Mal zu erschaffen: als Kunst-Welt. In der Terminologie des literarischen Idealismus des 19. Jahrhunderts sprach Stifter selbst von der »dichterischen Verklärung des Stoffes zu einem Schönheitsbilde«.[51]

Diese – kunstgeschichtlich gesehen – Abflachung des idealistischen Schönheitspostulats zur Ästhetisierung des Alltags forderte einen Preis, der über die literarischen Prozeduren unmittelbar erlegt werden mußte. Schon ein zeitgenössischer

50 SW, Bd. 19, S. 94.
51 SW, Bd. 18, S. 152.

Rezensent des *Nachsommer*, H[einrich] L[andesmann] in der *Wiener Zeitung*, stellte irritiert fest, daß Stifter, »der mit einem Wort im modernen Sinne realistischer Schriftsteller ist [...], nur vor einer einzigen und doch wahrhaftig nicht unwesentlichen Realität [...] eine unüberwindliche Scheu« habe: vor dem Menschen.[52] Diese Scheu vor der Darstellung von Menschen schlägt sich in der ästhetischen Struktur der Texte direkt nieder: die Figuren des Romans (das ist eine der formalen Konsequenzen der Konstruktion des Ich-Romans) treten nicht unmittelbar auf, sondern nur deren Schatten in der Erinnerung des Ich-Erzählers; dieser verdeckt diese Konstellation allerdings mit allen Kräften, um nun nicht selbst – im Sinne eines auktorialen Erzählers – als Figur unvermittelt zu erscheinen. Menschen mit Leidenschaften gar, mit Verirrungen, mit ›Interessen‹ treten im Zentrum des Romans gar nicht erst auf, sie werden – wenn sie überhaupt eingeführt werden müssen – an den Rand verbannt, in die Vorgeschichte etwa (wie das junge Paar Risach und Mathilde) oder in Exkurse (wie Eustach oder auch Roland). Zumeist schaltet der Ich-Erzähler dann einen weiteren Erzähler (wie den Freiherrn) ein, so daß die Individualität der sich verfehlenden oder der gefährdeten Figuren noch konsequenter herausgefiltert wird. Das Individuelle persönlicher Bedürfnisse wäre auch nicht integrierbar in diese Welt der ästhetischen Überhöhung; es unterliegt, wenn es nun doch nicht ganz unterdrückt werden kann, auf der thematischen Ebene der Sühne eines langen Lebens – das ist die Lehre der Geschichte Risachs und Mathildens.[53]

Diese filternden Abschattungen entspringen nun nicht etwa einem erzählerischen Unvermögen Stifters, sondern werden im Gegenteil mit manchen Kunstmitteln intensiv und planvoll erzeugt: mit der altväterlichen Anrede ›Ihr‹, die die Personen in weite Distanz zueinander setzt; mit altertümlichen

52 Enzinger (Anm. 17) S. 207.
53 Vgl. Barten W. Browning, »Stifter's *Nachsommer* and the Fourth Commandment«, in: *Colloquia Germanica* (1973) S. 301–316.

Wendungen und Wortformen; mit Personenbeschreibungen, in denen die Adjektive ›schön‹, ›edel‹, ›gut‹ noch die farbigsten sind; mit der reduzierenden Kennzeichnung menschlicher Handlungen durch ihre fundamentalsten Bezeichnungen; überhaupt mit einem energisch eingeschränkten Lexikon, das zu immerwährenden Wiederholungen zwingt, so daß Repetition zu einer der charakteristischen Figuren des Stifterschen Spätstils wird; mit Redekonstruktionen, die keinerlei persönliche Züge des Sprechenden zulassen, so daß eine Figur wie die andere sich äußert; mit der Namenlosigkeit vieler Figuren dieser Kunst-Welt oder mit der verheimlichenden Hintanhaltung ihrer Namen, d. h. ihrer vollen Individualität.

Im Erzählvorgang wird die Einmaligkeit und die Unverwechselbarkeit der Figuren kunstvoll zur Austauschbarkeit verflacht, so daß auch ihre Leidenschaften und Bedürfnisse in hehren Worten und Wendungen verflachen, zu Ritualen erstarren oder ganz ins Surrogat transformiert werden: Im Liebesspiel von Suchen und Finden der beiden jugendlichen Hauptfiguren antwortet Natalie auf Heinrichs furchtvolle Bemerkung, er müsse gehen, wenn sie allein sein wolle: »Wenn Ihr mich nicht aus Absicht meidet, so ist es nicht ein Müssen, daß Ihr mich verlasset« (545); als Natalie Mathilde ihre Liebe zu Heinrich und ihrer beider Pläne eröffnet hat, ändert sich nichts am lang geübten gesellschaftlichen Ritual: »Da Mathilde und Natalie in den Speisesaal getreten waren, lud mich Mathilde mit einem sanften Lächeln und mit der Freundlichkeit, die ihr immer eigen war, ein, an ihrer Seite Platz zu nehmen« (561); auf die Vermutung Heinrichs, er habe in Roland einen Mitbewerber um die Zuneigung Nataliens, antwortet der Freiherr mit der beruhigenden Erklärung: »Roland erwarb sich ein Liebchen mit gleichen Augen und Haaren, wie sie Natalie besitzt. [. . .] Da nun der Arme ihren Anblick oft lange entbehren muß, so sah er zur Erquikkung Natalien an.« (834) Und folglich spricht der Erzähler vom »schöne[n] Bild Nataliens« (686), wo er sie selbst meint.

Alle Individualität, alles persönliche Begehren der Figuren ist aufgelöst ins Austauschbare, ins Rituelle, in den inszenierten Stil. In ausgesuchten Konstellationen, in oft nuancierten farblichen Abstufungen einander und der umgebenden Kunst-Welt zugeordnet, gehen die Figuren in oft raffiniert verlangsamten Handlungen miteinander und mit den Dingen um; die minimale Variante im sich wiederholenden Gleichen setzt eine stilistische Dominante: »›Und habt Ihr bei dem roten Kreuze auch ein wenig geruht?‹ fragte ich nach einer Weile. [Absatz] ›Bei dem roten Kreuze habe ich nicht geruht‹, antwortete sie [. . .].« (498) Schon Landesmann hat von den »wandelnden Tapetenfiguren« des Romans gesprochen.[54] Was dem Prinzip der stilisierenden Entindividualisierung nicht zu unterwerfen ist, wird ausgeschieden; nur weniges – und dann gewitterartig – erinnert daran, daß es jenseits dieses festgezogenen Kreises Leidenschaften und Interessen gibt; eine Zukunft, eine Geschichte im Sinne von Planung zur Befriedigung der eigenen vitalen Zwecke kann es in diesem Kunstbezirk nicht geben, ebensowenig gibt es das verweigerte Lebensrecht, das abgründige Scheitern, die ausweglose Versagung, die zerschlagene Hoffnung. Ersteres verharrt im Raum des Hoffens und wissenden Vermutens, Letzteres findet sich in Vorgeschichte und Randbezirke verbannt. Annihilation des Individuellen ist hier das Prinzip des Schönen, und Individualität wird aufgesogen und aufgezehrt in der fast magischen Gewalt des Ästhetisierens. Nur als schöne Hüllen können die Figuren hoffen, zu existieren. Mit seiner Familiengründung endgültig in diese Kunst-Welt eintretend, ist Heinrich am Ziel: »[. . .] ich werde meine Habe verwalten, werde sonst noch nützen, und jedes selbst das wissenschaftliche Bestreben hat nun Einfachheit Halt und Bedeutung« (838) sind seine (und damit des Romans) letzten Worte. Der anonyme Heinrich ist gleichsam eingetaucht in diese Welt des schönen Scheins und Teil ihres Dekors geworden.

54 Enzinger (Anm. 17) S. 206.

Für Stifter wurde die Kunst zum Anti-Realitätsprinzip schlechthin. Auch wenn er in seinen Briefen und theoretischen Ergüssen im Tonfall der trivialisierten idealistischen Kunsttheorie steckenblieb und von der Kunst als einem »klaren Tempel« redete, »in welchem ruhige große Götter stehen«,[55] er meinte mehr und Radikaleres: Kunst überhöht nicht so sehr die Realität mit ihren divergierenden Leidenschaften, konkurrierenden Interessen und Entfremdungen der bürgerlichen Erwerbs- und Industriewelt, sie ist vielmehr ihr Widerpart. Wirkungsästhetisch argumentierend, schrieb er an Heckenast: »Das Merkmal eines Kunstwerkes aber ist einzig das, daß es im Leser jede Stimmung aufhebt, und seine hervorbringt«;[56] dem entspricht eine andere briefliche Notiz: »Leidenschaft ist verächtlich, darum die neue Litteratur häufig verächtlich.«[57] Nur im Bannkreis der Kunst, aufgehoben in ihrer Atmosphäre und eingesponnen von Kunstgesprächen können sich Natalie und Heinrich füreinander öffnen, können sie sich in Liebe berühren, ohne doch der Leidenschaft, d. h. individualisierendem Begehren zu verfallen. Die Kunst war für Stifter das Allgemeine, in welches das in Trieben, Leidenschaften und Interessen vereinzelte Individuum sich auflöst. Stifter zehrte noch von der idealistischen Theorie des Schönen als des Scheins einer geglückten Harmonie zwischen Vernunft und Sinnlichkeit, zwischen Allgemeinheit und Individualität, aber er füllte diese Formel nicht mehr. Er hatte Sinnlichkeit und Individualität daraus vertrieben, weil er glaubte, sie als unfähig erkannt zu haben, ins Allgemeine gehoben zu werden. Kunst und geschichtliche Realität sind *in der Gegenwart* unvereinbar. »Wir wollen [. . .] recht nach der Litteratur sehen«, forderte er Heckenast auf, »ihre Flügel in dieser trüben schmuzigen Zeit reinzuerhalten suchen [. . .], und dies umso mehr, je abgeschmaktere widrigere Dinge sie in der Außenwelt

55 SW, Bd. 18, S. 207.
56 Ebd., S. 172.
57 Ebd., S. 135.

treiben [. . .].«[58] In dem, was Stifter glaubte, als seine Gegenwart erfahren zu haben, zerbrach das Vertrauen in die idealistische Kunsttheorie wie in die Vernunft, er löste die im Begriff vom ›Schönen Schein‹ gedachte Aussöhnung von Vernunft und Sinnlichkeit wieder auf und setzte das Generelle erneut in seine Dominanz ein, allerdings nicht in Gestalt der Vernunft, sondern als das Schöne. Und wie die Vernunft in der Aufklärung ihre Rigidität am Ende gegen das Individuum gerichtet hatte, das doch auch ihr Geschöpf gewesen war – so tat es jetzt das Schöne; die Figurinen der Nachsommer-Welt sind noch einmal glücklich, aber um welchen Preis![59]

Diese Funktion freilich, Erscheinungsform des Generellen zu sein, konnte das Schöne für Stifter überhaupt nur übernehmen, weil es ihm noch als ein Zeitloses, quasi als ›Idee‹ galt; »die reinen Quellen sprudeln ewig«, meinte er gegen Hebbel gewandt.[60] Solcher Ontologisierung blieb allerdings verborgen, wie sehr auch der tradierte Kunstbegriff schon vom Zeitgeist durchdrungen war, gegen den er doch gerade als Bollwerk stehen sollte. Wie der Begriff der Vernunft angesichts einer partikularen Realität formalisiert werden mußte, so reduzierte Stifter – im Kontext der bürgerlichen Kunstgeschichte der Nachklassik – das Schöne ganz auf seine formalen Seiten.[61] Deswegen müssen die vielfältigen Kunstgegenstände in der Nachsommer-Welt allesamt dem ursprünglichen Handlungszusammenhang entrissen werden, dem sie ihre Existenz einst verdankten; als reine ästhetische Gegenstände sind sie in zweckfreien Kulträumen, in Bilderzimmern, auf Treppenabsätzen, in Gartennischen, in Mappen, Schubfächern und Sammelkästen neu deponiert. Diese Los-

58 Ebd., S. 52.
59 Vgl. Ulrike Weinhold, »Uneigentliche Eigentlichkeit. Zum Problem der Authentizität in Stifters *Nachsommer*«, in: *Neophilologus* 68 (1984) S. 247–258.
60 SW, Bd. 18, S. 67.
61 Vgl. Marianne Schuller, »Das Gewitter findet nicht statt«, in: *Poetica* 10 (1978) S. 25–52.

lösung aus dem realen Lebenszusammenhang ist die Vorbedingung für die Integrität des Schönen, in welcher die ›Aura‹ des Kunstwerks gewahrt bleibt. Im privaten Museum, unter mattem Licht (381) oder bei zugezogenen Fenstern (369, 418) in neutralisierend inszenierter Umgebung wird es dem filzbeschuhten (368, 381) kontemplativen Genuß ausgestellt.

Entsprechend muß der Begriff des Schönen von allem Inhaltlichen so weit entleert sein, wie es eben möglich ist. Nur sehr allgemein erfährt der Leser etwas über die Sujets der Darstellungen, alles Charakteristische und Bestimmte wird gemieden. Man möchte von einer ›art morte‹ reden. In dem Kunstgespräch, das die Mitte des Romans bildet, führt Risach aus, dem Betrachter, der an zeitgenössischer Kunst orientiert sei, erschienen die vorbildlichen Werke »meistens leer und langweilig« (383); denn das Schöne dürfe seine Gegenstände nicht von einer »bestimmten Seite«, sondern müsse sie in ihrer »Allgemeinheit« zeigen, die alles »Streben nach dem Einzelnen« hinter sich gelassen habe; nur, wo es von allem Interesse gereinigt sei, könne es existieren. Risach faßt diese formalisierte Vorstellung vom Schönen zu einer Aussage zusammen, die in ihrer syntaktischen und rhythmischen Balance selbst schon den Prinzipien gehorcht, welche sie postuliert: »Es ist diese Ruhe jene allseitige Übereinstimmung aller Teile zu einem Ganzen, erzeugt durch jene Besonnenheit [. . .], durch jenes Schweben über dem Kunstwerk und das ordnende Überschauen desselben, wie stark auch Empfindungen oder Taten in denselben stürmen mögen, die das Kunstschaffen des Menschen dem Schaffen Gottes ähnlich macht, und Maß und Ordnung blicken läßt, die uns so entzücken.« (387)[62] Diese Formalisierung des Schönen und die dementsprechende Entleerung des Kunstgegenstands von allem Interesse und von allem Charakteristischen bilden die Voraussetzung für jene Ästhetisierung des Alltags, die das Lebensgesetz des ›Nach-

62 Vgl. auch 382, 389.

sommers‹ ist. Im ›Schönen Schein‹ ist der bürgerliche Alltag seiner nicht bewältigten Realität ledig; die im ästhetisch-melancholischen Glanz von ihren Leidenschaften ›befreiten‹ Figurinen fallen mit dem Allgemeinen zusammen. Nachgerade süchtig unterwerfen sie sich mit leidenschaftsfreier Widerstandslosigkeit dem ästhetisierenden Stilisierungsprinzip, und keine Renitenz belebt sie. In der Nachsommer-Welt gibt es keinen Widerstand des Individuellen gegen die Gewalt des Generellen in der Gestalt des Schönen. So besteht die ›Entwicklung‹ Heinrich Drendorfs am Ende darin, das nachzuvollziehen, was ihm schon lange vorgeschrieben war (vgl. 388). Indem er im *Nachsommer* als Ich-Erzähler diese Unterwerfung unter das Prinzip des ästhetischen Verzichts ebenso widerstandslos nacherzählt, wie sie abläuft, vollzieht er an sich nochmals rechtfertigend das Gesetz des Schönen und gibt sich dem ohne Rest hin.[63] Im Erzählen selbst dominiert das Prinzip des Ästhetisierens ein letztes und überwältigendes Mal.

Ich stimme ganz der Einschätzung Peter Uwe Hohendahls zu, daß sich eine solche Beurteilung des Romans nicht mehr auf die Absichten von dessen Urheber stützen könne, der gerade auf die versöhnende, ja utopische Kraft des Schönen gehofft habe. In der Tat ist es so, daß (in den Worten Hohendahls) »durch die Formalisierung und Ritualisierung bei Stifter noch einmal das humanistische Ideal beschworen wird als Erinnerung an das, was um 1800 eine soziale Utopie war, die sich verwirklichen wollte«.[64] Nur: wie verfährt eine Interpretation, die von den Intentionen des Autors her konzipiert ist, wenn schon die Absichten des Autors selbst an ihren Wider-

63 Vgl. Gerhard Plumpe, »Zyklik als Anschauungsform historischer Zeit. In Hinblick auf Adalbert Stifter«, in: *Bewegung und Stillstand in Metaphern und Mythen*, hrsg. von Jürgen Link und Wulf Wülfing, Stuttgart 1984, S. 201–225.

64 Peter Uwe Hohendahl, »Die gebildete Gemeinschaft. Stifters *Nachsommer* als Utopie der ästhetischen Erziehung«, in: *Utopie-Forschung. Interdisziplinäre Studien zur neuzeitlichen Utopie*, hrsg. von Wilhelm Voßkamp, Bd. 3, Stuttgart 1982, S. 354.

sprüchen scheitern, was Hohendahl u. a. an einem der zentralen Momente des Romans zeigt, daß nämlich »die sorgfältig ausgeführte räumliche Struktur mit ihrem Überschuß an Ordnung, in der die Menschen zu funktionalen Größen verkümmern, und die humanistische Bildungsidee, welche auf die Entfaltung aller individuellen Kräfte zielt, einander widersprechen«?[65] Daß der Text des Romans und die Formulierungen, die der Autor seinen Figuren in den Mund legt und die er vor allem selbst in seinen Briefen und Verlautbarungen benutzt, nicht zur Deckung zu bringen sind, spricht gerade für diesen Roman. Er läßt sich radikaler lesen, als es der Autor »gewollt« hat oder zumindest hat aussprechen können. Nur deswegen ist er heute noch lesbar und mehr als nur ein historisches Dokument. An dieser Bruchstelle ist die Gegenwärtigkeit des *Nachsommers*, die seinen neohumanistischen Interpreten der Nachkriegszeit so selbstverständlich schien, zu bewahren – allerdings nicht von den versteinerten idealistischen Kunstvorstellungen und den zwar groß gedachten, aber von der Wirklichkeit zerstörten humanen Vorstellungen Stifters her, sondern wegen der radikalen ästhetischen Struktur des Textes.

So gelesen, bekommt der Gedanke der Autonomie der Kunst in Stifters *Nachsommer* eine Wendung, die schon Züge des neueren Ästhetizismus umrißhaft erkennen läßt. Konsequent gedacht, begründet sich das Autonomieprinzip nämlich nicht ontologisierend im Kunstwerk selbst, sondern – in gewissem Maße auf Nietzsches Ästhetik vorausweisend – in dessen Herstellung (bzw. dessen Restaurierung oder Inszenierung). Diese Produktion wird als Akt der Konstitution einer anderen (und besseren) Welt betrachtet. »Ich habe wahrscheinlich das Werk [*Der Nachsommer*] der Schlechtigkeit willen gemacht, die im Allgemeinen mit einigen Ausnahmen in den Staatsverhältnissen der Welt in derselben und in der Dichtkunst herrscht«,[66] schrieb der Autor an Heckenast. Er-

65 Ebd., S. 353.
66 SW, Bd. 19, S. 93.

zählen bedeutet, der Realität ein anderes, von ihr unabhängiges Prinzip entgegenzusetzen.[67]
Entsprechend liegt es nahe, ›die Realität‹ des *Nachsommer* nicht allein und in erster Linie im isolierten Werk zu suchen, wie das die ontologisierenden und strukturellen Realismus-Theorien[68] wollen; Realität erscheint vielmehr im Akt des Erzählens selbst, denn Stifter begriff das Erzählen als den Versuch, mit den Mitteln der Kunst Freiheit zu gewinnen gegenüber der Gewalt der historischen Situation (wie er sie erfahren und verarbeitet hatte).
Ein so begriffenes ›Erzählen‹ sichert dem *Nachsommer* gerade auch in einer historischen Interpretation eine gegenwärtige Bedeutung. Denn die (wirklichkeitsgerechte) Einsicht in den Widerstand der historischen Realität gegen ihre reale Überwindung durch die Kunst zwang Stifter zur äußersten Anstrengung; zwar vernichtete er in seiner Erzähl-Doktrin alles Interesse und alle Leidenschaften, aus denen er – wie schon die deutsche Aufklärung – alles Übel der Gegenwart glaubte entspringen zu sehen, aber er mußte zugleich das Generelle so allen Inhalts entleeren, daß alles und alle ins Ununterscheidbare sich verflüchtigten und damit auch die ästhetische Freiheit als der Schein der Versöhnung zwischen Allgemeinem und Besonderem zur bloßen Phantasmagorie wurde. Als Produkt dieser Anstrengung blieb allein die rigide formalisierte Kunst-Welt des *Nachsommer* zurück (der Stifter während seiner Arbeit am Roman zudem noch nicht völlig gewachsen war); sie zeugt von der Unbesiegbarkeit dieser Realität mit den Mitteln der Kunst. Stifter konnte so etwas noch nicht denken – aber für den heutigen Leser könnte Adrian Leverkühns Teufelspakt durchaus als eine der möglichen Reaktionen auf das Innewerden solcher Ohnmacht der klassisch-idealistischen Kunsttheorie in der Fluchtlinie dieses Textes liegen.

67 Vgl. Ketelsen (Anm. 27) S. 314 ff.
68 Vgl. Wolfgang Powroslo, *Erkenntnis durch Literatur*, Köln 1976.

Literaturhinweise

Ausgaben

Adalbert Stifter: Der Nachsommer. Eine Erzählung. 3 Bde. Mit 3 gest. Titeln nach P. J. N. Geiger. [Pest]: Heckenast, 1857.

Adalbert Stifter: Sämtliche Werke. Begr. und hrsg. von August Sauer [u. a.] Bd. 1–25. Prag: J. G. Calve [u. a.],1901–79. [*Der Nachsommer* in: Bd. 6–8,1 (Bibliothek deutscher Schriftsteller aus Böhmen. Bd. 31–33.), 1916–21.] Nachdr. [einz. Bde.] Hildesheim: Gerstenberg, 1972.

Adalbert Stifter: [Werke.] Hrsg. von Max Stefl. 10 Bde. Augsburg: Adam Kraft Verlag, 1950 [–85].

Adalbert Stifter: Sämtliche Werke in fünf Einzelbänden. Mit [je] einem Nachw. von Fritz Krökel und Anm. von Karl Pörnbacher. München: Winkler, 1978.

Adalbert Stifter: Der Nachsommer. Mit einem Nachw. und einer Auswahl-Bibliogr. von Uwe Japp sowie Anm. und einer Zeittaf. von Karl Pörnbacher. Vollst. Ausg. nach dem Text der Erstausg. von 1857. 12., durchges. und erw. Aufl., München: Winkler, 1987.

Forschungsliteratur

Ein Literaturbericht, der bis in die zweite Hälfte der siebziger Jahre reicht, ist enthalten in:

Naumann, Uwe: Adalbert Stifter. Stuttgart 1978. (Sammlung Metzler. 186.)

Von den späteren Arbeiten sind zu erwähnen:

Amann, Klaus: Zwei Thesen zu Stifters *Nachsommer.* In: Vierteljahrsschrift des Adalbert Stifter-Instituts des Landes Oberösterreich 31 (1982) S. 169–184.

Aspetsberger, Friedbert: Der Groß-Sprecher Heinrich Drendorf. Zu A. Stifters *Nachsommer.* In: Vierteljahrsschrift des Adalbert Stifter-Instituts des Landes Oberösterreich 32 (1983) S. 179–219.

Borchmeyer, Dieter: Ideologie der Familie und ästhetische Gesellschaftskritik in Stifters *Nachsommer.* In: Zeitschrift für deutsche Philologie 99 (1980) S. 226–254.

– Stifters Nachsommer – eine restaurative Utopie? In: Poetica 12 (1980) S. 59–82.

Hohendahl, Peter Uwe: Die gebildete Gemeinschaft. Stifters *Nachsommer* als Utopie der ästhetischen Erziehung. In: Utopie-Forschung. Hrsg. von Wilhelm Voßkamp. Bd. 3. Stuttgart 1982. S. 333–356.

Irmscher, Hans Dietrich: Keller, Stifter und der Bildungsroman des 19. Jahrhunderts. In: Handbuch des deutschen Romans. Hrsg. von Helmut Koopmann. Düsseldorf 1983. S. 370–394.

Osterkamp, Barbara: Adalbert Stifters *Der Nachsommer*. In: B. O.: Arbeit und Identität. Würzburg 1983. S. 207–248.

Stahl, August: Die ängstliche Idylle. Zum Gebrauch der Negation in Stifters *Nachsommer*. In: Literatur und Kritik H. 167/168 (1982) S. 19–28.

Walter-Schneider, Margret: Das Licht in der Finsternis. Zu Stifters *Nachsommer*. In: Jahrbuch der Deutschen Schillergesellschaft 29 (1985) S. 381–404.

HELMUTH MOJEM / PETER SPRENGEL

Wilhelm Raabe: *Stopfkuchen* – Lebenskampf und Leibesfülle

Der dicke Mann in der Literatur

Für den Anthropologen Schiller sind bestimmte Formen der Fettleibigkeit ein Zeichen charakterlicher Schwäche, Ausweis eines Mangels an geistiger Aktivität:

> Daher man auch mehrentheils finden wird, daß solche Schönheiten des Baues sich schon im mittlern Alter durch Obesität sehr merklich vergröbern, daß, anstatt jener kaum angedeuteten zarten Lineamente der Haut, sich Gruben einsenken und wurstförmige Falten aufwerfen, daß das *Gewicht* unvermerkt auf die Form Einfluß bekömmt, und das reizende mannichfaltige Spiel schöner Linien auf der Oberfläche sich in einem gleichförmig schwellenden Polster von Fette verliert. Die Natur nimmt wieder, was sie gegeben hat.[1]

Die Sicherheit dieser Diagnose, formuliert in *Über Anmut und Würde* (1793), speist sich aus der physiognomischen Theorie Lavaters,[2] wonach sich in der äußeren Bildung des Menschen sein inneres Wesen ausspricht. Die Eindeutigkeit der Wertung atmet zugleich den Geist der bürgerlichen Gesellschaft, der bis heute dafür sorgt, daß die größere Leibesfülle (in vielen Fällen durch Bedingungen eben dieser Gesell-

1 *Schillers Werke*, Nationalausgabe, begr. von Julius Petersen, Weimar 1943 ff.; Bd. 20: *Philosophische Schriften*, unter Mitw. von Helmut Koopmann, hrsg. von Benno von Wiese, Weimar 1962, S. 275.

2 Vgl. Johann Caspar Lavater, *Physiognomische Fragmente, zur Beförderung der Menschenkenntniß und Menschenliebe*, 1.–4. Versuch, Leipzig/Winterthur 1775–78.

schaftsform veranlaßt) für viele Betroffene zum sozialen und psychischen Problem wird: Dickheit verträgt sich nicht mit dem asketischen Schönheitsideal der Leistungsgesellschaft. So hat denn auch der dicke Mensch in der Literatur der Klassik und Romantik keinen Platz. Es blieb Vertretern des Realismus und verschiedenen Autoren des 20. Jahrhunderts[3] vorbehalten, das Phänomen des dicken Menschen (Mannes) – das uns aus der Dichtung älterer Zeiten ja wohlbekannt ist[4] – wieder literaturfähig zu machen. Besonders nachhaltig geschah dies in Gontscharows Roman *Oblomow* (1859, dt. 1869), der wohl die radikalste Gestaltung einer stationär-passiven Lebensform in der Weltliteratur enthält. Aus psychoanalytischer Sicht stellt sich Oblomow als extremer Oralcharakter dar: »In vielen Fällen bedeutet Oralität eine vollendete Empfängerhaltung; für solche Menschen kann die Welt wie eine riesige Milchflasche erscheinen, durch die sie sich passiv ernähren lassen.«[5] Unbestreitbar gibt es in Gontscharows Roman einen Zusammenhang zwischen Mentalität und Körperlichkeit, nämlich Eßgelüsten und Leibesumfang der Hauptfigur. Ein Slawist schreibt darüber in enger Anlehnung an wörtliche Formulierungen des Romans: »Oblomovs geistig-moralische ›Erschlaffung‹ hat ihren Spiegel in seiner physischen Erscheinung. Gleich im ersten Kapitel des Romans wird er als ›aufgedunsene‹ (obrjuzglyj, puchlyj), farb- und konturlose Person ohne ausgeprägte Gesichtszüge beschrieben, deren Körper als ›für einen Mann zu verweichlicht‹ erscheint. [...] Oblomov, überbehütet und unterfor-

3 Vgl. hier vor allem: Bertolt Brecht, *Baal* (1919); Ernst Barlach, *Seespeck* (entst. 1913/14, veröff. 1948, mit der Schilderung Theodor Däublers); Georg Britting, *Lebenslauf eines dicken Mannes, der Hamlet hieß* (1932).

4 Etwa aus Shakespeares *Henry IV* (1597, mit der Figur Falstaffs) oder aus Rabelais' *Gargantua et Pantagruel* (1532–64).

5 Josef Rattner, »Oblomow oder die Ontologie der Bequemlichkeit«, in: *I. A. Gončarov. Beiträge zu Werk und Wirkung*, hrsg. von Peter Thiergen, Köln/Wien 1989, S. 107–126, hier S. 118. Vgl. ders., *Verwöhnung und Neurose. Seelisches Kranksein als Erziehungsfolge. Eine psychologische Interpretation zu Gontscharows Roman »Oblomow«*, Zürich/Stuttgart 1968.

dert, versinkt bei Agaf'ja endgültig im physisch orientierten Dasein des Essens, Trinkens und Schlafens. Seine Leibesfülle nimmt ständig zu, und der früh prophezeite Schlaganfall ist die Folge.«[6]

So eindeutig der äußere Befund ist, so kontrovers verhalten sich die Deutungen, die Gontscharows Werk bei Kritikern und Literaturwissenschaftlern gefunden hat. Die einen begreifen Oblomow als »aufgedunsenen Faulpelz«, als geistig-moralische Null und »tote Seele«[7] – vielfach unter Hinweis auf die (im Roman genau nachgezeichneten) feudalistischen Strukturen, die eine derartige parasitäre Existenz überhaupt erst möglich machen. »Oblomowerei« ist in diesem Sinne bis in das 20. Jahrhundert hinein in Rußland ein einflußreiches Schlagwort gewesen, ein Inbegriff für überholte gesellschaftliche Strukturen.[8] Andere betonen die Herzenswärme und überlegene Weisheit, ja Heiligkeit[9] dieser Figur, deren Liebenswürdigkeit durch die Handlung selbst erwiesen wird: Oblomow gewinnt – und flieht schließlich – die Liebe Olgas, einer außerordentlich tief angelegten und feinfühligen Frauengestalt. Und ihm gehört seit früher Jugend die Freundschaft des Halbdeutschen Stolz, der vom Autor systematisch als Antipode Oblomows aufgebaut wird. Stolz verhält sich zu Oblomow wie Aktivität zu Passivität, wie bürgerliche Tüchtigkeit zu feudalistischer Mißwirtschaft, fast möchte man sagen: wie das faustische zum russischen Wesen. Tatsächlich hat es nicht an Versuchen gefehlt, Oblomow als »mythisches Sinnbild« Rußlands zu begreifen; immerhin stammt von Gontscharow selbst die Feststellung, sein Held verkör-

6 Peter Thiergen, »Oblomow als Bruchstück-Mensch: Präliminarien zum Problem ›Gončarov und Schiller‹«, in: *I. A. Gončarov* (Anm. 5) S. 163 bis 192, hier S. 182.

7 Ebd., S. 163.

8 Vgl. Rudolf Neuhäuser, »Nachwort«, in: Iwan A. Gontscharow, *Oblomow*, übers. von Josef Hahn, München 1980, S. 657–669, hier S. 659.

9 Vgl. Yvette Louria / Morton I. Seiden, »Ivan Goncharov's Oblomov: The Anti-Faust as Christian Hero«, in: *Canadian Slavic Studies* 3 (1969) S. 39–68.

pere »elementare Eigenschaften des russischen Wesens«.[10] In diesem Sinne ist wohl auch die Kennzeichnung des Oblomow-Freundes Stolz als Sohn eines deutschen Verwalters zu begreifen. Gontscharow selbst war entscheidend durch die Rezeption der westeuropäischen Literatur und Philosophie, nicht zuletzt des deutschen Idealismus geprägt. Von hier aus ist der Streit der Interpreten – und zwar zuungunsten des trägen Helden – zu entscheiden.

Sehr im Gegensatz zur Konzeption Gontscharows ist Dickleibigkeit bei Raabe vielfach mit ökonomischem Erfolg verbunden. »Ausgeweitet nach allen Dimensionen« begegnet in *Alte Nester* (1879) der Vetter Just dem Erzähler wieder, der ihn aus seiner Jugend als »lang aufgeschlodderten, wehleidig-verblüfft um sich stierenden großen Jungen« in Erinnerung hatte.[11] Just, der sich in Amerika zum Selfmademan gemausert hat, ist der Wiederankauf des Bauernhofs gelungen, den er dereinst durch sein träumerisches Wesen verloren hatte; die eigentümliche menschliche Überlegenheit, die ihm schon in jungen Jahren eignete, kann sich nun tatkräftig entfalten. Von ähnlicher Tatkraft und Geschäftstüchtigkeit erweist sich Adam Asche in *Pfisters Mühle* (1884). Er sorgt für das Glück mehrerer Menschen, indem er dem alten Müller zu seinem Recht im Prozeß gegen die naturvergiftende Zuckerfabrik Krickerode verhilft – um schließlich selbst eine chemische Fabrik zu gründen, die der Umgebung Rauchwolken, ihm selbst aber eine behagliche Existenz beschert: »Übrigens fängt mein Exmentor merkwürdig rasch an, beleibt zu werden, und das steht ihm gar nicht übel.«[12]

Hinweise auf die wirtschaftliche Situation der Figuren verdienen in Raabes Werk grundsätzlich Beachtung. Dieser erweist sich als *bürgerlicher* Realist gerade darin, daß er dem

10 Thiergen (Anm. 6) S. 164.

11 Wilhelm Raabe, *Sämtliche Werke*, hrsg. von Karl Hoppe, Bd. 1–20 und Erg.-Bd. 1–4, Freiburg / Braunschweig / [ab 1960] Göttingen 1951 ff. [Braunschweiger Ausgabe], hier Bd. 14, S. 86, 51.

12 Ebd., Bd. 16, S. 165.

Scheitern oder der Bewährung seiner poetischen Geschöpfe an bzw. in der kapitalistischen Ökonomie hohe Signalkraft verleiht.[13] Das gilt auch für *Stopfkuchen* (1891), seinen viertletzten (abgeschlossenen) Roman, der in mancher Hinsicht Motive und Strukturen aus *Alte Nester* fortführt – der im übrigen problematische Begriff der »Braunschweiger Trilogie« (als Zusammenfassung der Romankette *Alte Nester – Stopfkuchen – Die Akten des Vogelsangs*) hat im Hinblick auf solche Zusammenhänge seine relative Berechtigung. Auch Stopfkuchen gelingt der Wiedererwerb eines Bauernhofs, mit dem er in der Jugend eng verbunden war. Auch er besitzt eine ausgeprägte Geschäftstüchtigkeit (dazu unten Näheres), und – vor allem – auch er ist dick.

Die Intensität, mit der Raabe die Dickheit des Helden in diesem Roman thematisiert – bis hin zur Namensgebung und zur Titelwahl –, ist ohne Parallele in seinem gesamten Werk. Es hieße beträchtliche Teile des Werks zitieren, wollte man nur die Stellen auflisten, in denen vom besonderen Leibesumfang Heinrich Schaumanns die Rede ist. Sieht man genauer hin, fällt freilich auf, daß wir über die konkrete Körperlichkeit der Titelfigur im Grunde nicht allzu viel erfahren – außer eben, daß sie dick ist. Das erzählerische Verfahren Raabes verweigert sich herkömmlichen Erwartungen an einen ›anschaulichen‹ Realismus, indem es die leibliche Befindlichkeit nur in Form allgemeiner Aussagen oder in grotesker Überspitzung sichtbar werden läßt. Die größte visuelle Dichte erreicht noch die Beschreibung des Wiedersehens mit dem Erzähler Eduard:

> Die Frau legte das Strickzeug auf den Kaffeetisch, der Mann legte beide fleischigen Hände auf beide Lehnen seines Gartenarmstuhls, wand sich langsam in die Höhe, in seiner gediegenen Breite nun noch mehr zur Erscheinung

13 Vgl. Peter Sprengel, »Interieur und Eigentum. Zur Soziologie bürgerlicher Subjektivität bei Wilhelm Raabe«, in: *Jahrbuch der Jean-Paul-Gesellschaft* 9 (1974) S. 127–176.

> kommend, und – sprang vor. Er tat einen Sprung! Es war der Sprung eines überfetten Frosches, aber ein Sprung war es! (48)[14]

Sonst heißt es nur »Wir wandelten oder watschelten« (57), oder es ist von der »Tiefe seines Wanstes« (58) die Rede. Man muß sich schon die Prämissen des humoristischen Erzählens in Erinnerung rufen, wie sie von Jean Paul vorgebildet und von den Vertretern des Realismus in modifizierter Form übernommen wurden,[15] um angesichts des karikaturistischen Effekts solcher Formulierungen nicht von einer Diskriminierung der Dickheit in *Stopfkuchen* zu sprechen. Zu diesen Prämissen nämlich gehört die bewußte Unangemessenheit von Aussage und Form, Körper und Geist. Der Kontrast zwischen der geistigen Spannkraft, die Heinrich Schaumann im folgenden unter Beweis stellt, und seinem ersten Auftreten (Aufspringen) als fetter Frosch zählt zu den genuinen Wirkungen einer humoristischen Gestaltung.

Gegen den Verdacht einer diskriminierenden Tendenz ist die Behandlung der Dickleibigkeit in diesem Roman ja übrigens schon dadurch salviert, daß die Diskriminierung des Dicken in Kindheit und Jugend – durch Altersgenossen und Erwachsene – als grundlegende Bedingung für die Außenseiter-Karriere Stopfkuchens dargestellt wird. Und daß es einem alten Schulkameraden, der seinerzeit an dieser Diskriminierung aktiv teilgenommen hat, vorbehalten bleibt, nun diese Folgen erzählerisch aufzuarbeiten. Es ist Eduard, der letztlich die oben zitierten Formulierungen zu verantworten hat, und im Kontrast zu ihm und seiner Art einer weltumspannenden äußeren Beweglichkeit entfaltet die Dickheit und Seßhaftigkeit

14 Hier und weiterhin erfolgen die Zitate aus *Stopfkuchen* nach der Ausgabe: Wilhelm Raabe, *Stopfkuchen. Eine See- und Mordgeschichte*, mit einem Nachw. von Alexander Ritter, Stuttgart 1972 [u. ö.] (Reclams Universal-Bibliothek, 9393).

15 Vgl. Wolfgang Preisendanz, *Humor als dichterische Einbildungskraft. Studien zur Erzählkunst des poetischen Realismus*, 2., durchges. Aufl., München 1976.

Heinrichs auch erst ihre volle Bedeutung im symbolischen Beziehungssystem des Romans.[16]
In dieser Konstellation wird sie zum Zeichen der Stärke und Macht – einer Stärke und Macht, die freilich primär auf einer intellektuellen Leistung beruht. Stopfkuchen hat als einziger die Wahrheit über Kienbaums Tod ermittelt; die schrittweise Enthüllung dieses Wissens (eines wahren Herrschaftswissens) stellt vordergründig den Hauptinhalt der Romanhandlung dar. Kennen wir nicht eine ähnliche Verbindung von Dickheit und Verbrechens-Aufklärung aus den Kriminalromanen Rex Stouts? Privatdetektiv Nero Wolfe, in seiner Freizeit Orchideen-Züchter und Gourmet, ist von solcher Leibesfülle, daß er zu seinem Leidwesen selten eine angemessene Sitzgelegenheit findet; die intellektuelle Überlegenheit dieses Dicken gegenüber seinem alerten Assistenten (dem Ich-Erzähler) erinnert an das Verhältnis eines Sherlock Holmes gegenüber Watson ebenso wie an dasjenige Stopfkuchens zu Eduard.

Realismus und Kriminalität

Der kurze Ausflug in die Gefilde der Trivialliteratur ist bestens legitimiert: Raabe selbst tut nichts anderes, wenn er seinem Roman den Untertitel *Eine See- und Mordgeschichte* gibt. Die reißerische Formulierung wird freilich durch die Zähigkeit konterkariert, mit der Stopfkuchen sein Garn abspinnt. Von einer »Seegeschichte« kann ohnehin nicht im Ernst gesprochen werden – außer in dem beschränkten Sinn, daß Eduard seine Aufzeichnungen an Bord des Schiffes anfertigt, das ihn aus Europa zurück in die südafrikanische Kolonialheimat trägt, also genau in die umgekehrte Richtung als die, in der Leonhard Hagebucher, nach dem Raabe das Schiff

16 Zum strukturbestimmenden Gegensatz von »Laufen« und »Sitzenbleiben« vgl. u. a. Hubert Ohl, *Bild und Wirklichkeit. Studien zur Romankunst Raabes und Fontanes*, Heidelberg 1968, S. 127 ff.

beziehungsreich nennt (4, 55), seinerzeit in *Abu Telfan* (1867) aufgebrochen war.
Auch der andere Teil des Untertitels hält nicht ganz, was er verspricht, denn aus juristischer Sicht verdient der Vorgang, der im Hintergrund des Romangeschehens steht, keinesfalls die Bezeichnung »Mord«, wahrscheinlich liegt nicht einmal Totschlag vor. Nach dem Reichsstrafgesetzbuch von 1871 und dem Braunschweigischen Criminalgesetzbuch von 1840 wäre Störzers Steinwurf gegen Kienbaum vielmehr als »Notwehrexzeß« anzusehen gewesen und straffrei geblieben.[17] Wohl gibt es hier also – wenn auch in großer zeitlicher Distanz – die bekannte Leiche, auf die ein Leser von Kriminalliteratur, zumal »Mordgeschichten«, mit Fug rechnen darf, es fehlt aber an einem strafwürdigen Verbrechen und dem dazugehörigen Täter. Wenn dennoch in diesem Roman immer wieder von Mord und Mörder die Rede ist, so nur im Sinne der Verdächtigung, der Zuschreibung von Kriminalität also, oder im Sinne einer juristisch nicht haltbaren Übertreibung. Beide Vorgänge: Zuschreibung oder Übertreibung, beruhen auf der Übertragung populärer Vorstellungsmuster, an denen die Literatur nicht unschuldig ist, auf einen konkreten Fall. Mit einem modernen Schlagwort ausgedrückt, handelt es sich um literarisch vermittelte »Phantasiekriminalität«.[18]
Raabe, der in seinem Spätwerk ein hochkomplexes System intertextueller Bezüge ausbildet und übrigens sogar für die Eßkultur Stopfkuchens eine literarische Instanz bemüht – das seinerzeit weitverbreitete Kochbuch der Henriette Davidis (76), auf dessen bürgerliche »Man-nehme-zwölf-Eier-Ideologie« noch in Grass' *Der Butt* angespielt wird[19] –, bleibt

17 Vgl. Karl Höse, »Juristische Bemerkungen zu Raabes *Stopfkuchen*«, in: *Jahrbuch der Raabe-Gesellschaft* [zit. als: JbRG], 1962, S. 136–146.
18 Heinz Steinert: »Phantasiekriminalität und Alltagskriminalität«, in: *Kriminologisches Journal* 10 (1978) S. 215–223.
19 Günter Grass, *Der Butt*, Darmstadt/Neuwied 1977, S. 551. Vgl. Henriette Davidis, *Praktisches Kochbuch für die gewöhnliche und feinere Küche, mit besonderer Berücksichtigung der Anfängerinnen und angehenden Hausfrauen*, neu bearb. und hrsg. von Luise Holle, Dortmund

auch hier den Literaturnachweis nicht schuldig. Er läßt Schaumann seine Entschlossenheit bekunden, die scheinbar friedliche »Idylle« der Provinzstadt »in den nächsten Band des neuen Pitaval zu bringen« (151). Als *Neuer Pitaval* wurde die »Sammlung der interessantesten Criminalgeschichten aller Länder« bezeichnet, die Julius Eduard Hitzig und Willibald Alexis nach dem Vorbild des Franzosen Pitaval ab 1842 herausgaben. Kennzeichnend für die hier geübte Optik ist das Interesse am Monströsen, an der abgründigen Psychologie eines spektakulären Täters.[20] Diese für die Kriminalliteratur des frühen 19. Jahrhunderts typische Einstellung tritt in der Epoche des Realismus gegenüber nüchterneren Aspekten zurück, wie der Frage der Rechtssicherheit und dem Verhältnis von Schuld oder Unschuld zu Tatverdacht und Vorverurteilung.[21] Fontanes Roman *Unterm Birnbaum* (1885) und Raabes Erzählung *Horacker* sind herausragende Beispiele dafür; in letzterer wird die Prägung des Alltagsbewußtseins durch literarische Klischees (hier: der populären Räuberromane) mit Mitteln der Parodie gestaltet.

In *Stopfkuchen* geht Raabe über die Erzählung von 1876 in

1978 (Nachdr. der 37. Aufl. von 1898); Alois Wierlacher, *Vom Essen in der deutschen Literatur. Mahlzeiten in Erzähltexten von Goethe bis Grass*, Stuttgart [u. a.] 1987, S. 78 f.

20 Vgl. Konstantin Imm / Joachim Linder: »Verdächtige und Täter. Zuschreibung von Kriminalität in Texten der ›schönen Literatur‹ am Beispiel des Feuilletons der *Berliner Gerichts-Zeitung*, der Romanreihe *Eisenbahn-Unterhaltungen* und Wilhelm Raabes *Horacker* und *Stopfkuchen*«, in: *Zur Sozialgeschichte der deutschen Literatur von der Aufklärung bis zur Jahrhundertwende. Einzelstudien*, hrsg. von Günter Häntzschel [u. a.], Tübingen 1985, S. 21–96, hier S. 66 f.

21 Zur Entwicklung der Kriminalliteratur vgl. Hans-Otto Hügel, *Untersuchungsrichter, Diebsfänger, Detektive. Theorie und Geschichte der deutschen Detektiverzählung im 19. Jahrhundert*, Stuttgart 1978; Jörg Schönert, »Zur Ausdifferenzierung des Genres ›Kriminalgeschichten‹ in der deutschen Literatur vom Ende des 18. bis zum Beginn des 20. Jahrhunderts«, in: *Literatur und Kriminalität. Die gesellschaftliche Erfahrung von Verbrechen und Strafverfolgung als Gegenstand des Erzählens. Deutschland, England und Frankreich 1850–1880*, hrsg. von Jörg Schönert,Tübingen 1983, S. 96–125.

zweifacher Hinsicht hinaus: zunächst durch die Einführung einer Detektivfigur in sicherem Gespür für die Weiterentwicklung der Gattung unter dem Einfluß vor allem englischer Vorbilder (Raabes Roman erschien drei Jahre vor der ersten deutschen Übersetzung eines Sherlock-Holmes-Titels[22]). Denn ohne Frage verhält sich Heinrich Schaumann weithin wie ein Privatdetektiv; überhaupt entspricht er dem Typus dieser literarischen Figur – aus einer Gattung, die ihre größte Breitenwirkung ja noch vor sich hat – in beträchtlichem Grade.[23] Das betrifft nicht zuletzt das Selbsthelfertum dieses Detektivs, der die Polizei konsequent ausspart und die Schankstube des Goldenen Arms in dem Moment verläßt, als der Staatsanwalt eintritt – nachdem er seine Erkenntnisse zuvor in einer Manier, die Hercule Poirots würdig gewesen wäre, an die Öffentlichkeit gebracht hat. Eben diese Wendung an die Öffentlichkeit stellt aber auch eine wichtige Abweichung vom Genre dar; sie bezeichnet zugleich den zweiten Punkt, in dem Raabe hier über *Horacker* hinausgeht. Stopfkuchens Vorgehen gegen Störzer, das zwar diesen persönlich schont, aber seine Familie der gesellschaftlichen Ächtung preisgibt, entbehrt einer ausreichenden juristischen und moralischen Grundlage. Der Detektiv wird zum Täter, der dieselben gesellschaftlichen Mechanismen der Verleumdung und Ausgrenzung, von denen er zunächst selbst betroffen war, willkürlich gegen andere einsetzt.

Der Gott der Gewalt

Es ist der eben benannte Tatbestand, den die folgende Interpretation mit einer Methode, die selbst schon detektivische Züge hat, offenzulegen und zu bewerten versucht. Es geht

22 *A Study in Scarlet* von Conan Doyle war 1884 auf englisch erschienen (dt. 1894).

23 Vgl. Ulf Eisele, *Der Dichter und sein Detektiv. Raabes »Stopfkuchen« und die Frage des Realismus*, Tübingen 1979, S. 1 f.

um die moralische Qualität von Stopfkuchens Verhalten gegenüber Störzer und damit indirekt auch gegenüber dessen einstigem Schüler Eduard. Namentlich die ältere Forschung hat *Stopfkuchen* gemäß der Schlußeinsicht des Erzählers gelesen, wonach »die Menschheit [...] immer noch die Macht [habe], sich aus dem Fett, der Ruhe, der Stille heraus dem sehnigsten, hageren, fahrigen Konquistadorentum gegenüber zur Geltung zu bringen« (198), also eine Überlegenheit von Schaumanns unkonventioneller Lebensgestaltung im Verhältnis zu Eduards mehr oder weniger gesellschaftskonformer Existenz pointiert.[24] Dagegen hat in letzter Zeit zunehmend Schaumanns Aggressivität Beachtung erfahren, die sich nur schwer mit der Vorstellung von einem weltüberlegenen Weisen in Einklang bringen läßt.[25] Da diese Aggressivität dem Erzähler Eduard selbst offenbar nicht bewußt ist oder von ihm – wie noch zu zeigen ist – systematisch verdrängt wird, bedarf es einer akribischen Lektüre des Textes, die Aufmerksamkeit auch für Details und scheinbar Obskures entwickelt, um die Korrekturbedürftigkeit der offiziellen Lesart des Romans stichhaltig zu belegen. Ein solches Verfahren ist generell gefordert angesichts der kryptischen Schreibart, die das Spätwerk Wilhelm Raabes in zunehmendem Maße charakterisiert.[26]

24 Vgl. z. B. Herman Meyer, »Raum und Zeit in Wilhelm Raabes Erzählkunst« (1953), zit. nach dem Abdruck in: *Raabe in neuer Sicht*, hrsg. von Hermann Helmers, Stuttgart 1968, S. 98–129, hier S. 111 ff.

25 Vgl. Paul Derks, *Raabe-Studien. Beiträge zur Anwendung psychoanalytischer Interpretationsmodelle: Stopfkuchen und das Odfeld*, Bonn 1976, S. 5 ff., bes. S. 14 ff.; Jeffrey L. Sammons, *Wilhelm Raabe. The Fiction of the Alternative Community*, Princeton 1987, S. 291 ff. (Der *Stopfkuchen*-Aufsatz darin erschien zuerst 1981.)

26 Vgl. zwei neuere Studien zu *Stopfkuchen* zeitlich benachbarten Romanen: Eckhardt Meyer-Krentler, *»Unterm Strich«. Literarischer Markt, Trivialität und Romankunst in Raabes »Der Lar«*, Paderborn 1986; Helmuth Mojem, *Baucis ohne Philemon. Wilhelm Raabes Roman »Das Odfeld« als Idyllenumschrift*, Stuttgart 1989; ferner den Aufsatz von Hans-Jürgen Schrader, »Gedichtete Dichtungstheorie im Werk Raabes. Exemplifiziert an *Alte Nester*«, in: JbRG 1989, S. 1–27.

Zunächst erscheint es verständlich, daß Schaumann als Schüler und Student auf Lehrer, Eltern und schließlich auf die gesamte ihn terrorisierende Umwelt mit Haßausbrüchen reagiert (22, 42). Aber auch der saturierte Rentier schwärmt für Friedrich II. ebenso wie für dessen regionalen Gegner Prinz Xaver einzig wegen ihrer Aggressivität und ihrer Kriegstaten. Diese Lust an Kampf und Zerstörung will mit seiner gemütlichen Leibesfülle nicht recht zusammenstimmen. Der dürre Quakatz hatte einst gesagt: »Spuckt euer Gift aus [. . .]. Es ist besser, als es in sich hineinzufressen« (23). Stopfkuchen hat diesen Rat nicht befolgt, wie sich zuletzt auf seinem Abendspaziergang mit Eduard zeigt. Wenn er sich da die Reaktionen auf seine Eröffnung ausmalt, entwirft er auch ein Bild von sich selbst: »morgen [. . .] werden sie nur noch vom geheimnis*schwangern*, sühne*trächtigen* Schaumann reden und mich den gift*geschwollenen Bauch blähen* sehen« (151; Hervorhebungen von den Interpreten). Was Stopfkuchen also doch in sich hineingestopft, -gefressen hat und erst jetzt zwar nicht ausspuckt, wohl aber »ausschwitzt« (189), ist das »Gift«, der Haß, die Aggressivität, die sich während jahrelanger Diskriminierung in ihm angestaut haben. Darauf verweist auch das Wort »Sühne«. Dadurch, daß Schaumann das Geheimnis um Kienbaums Mörder ans Licht bringt, sühnt er weniger das Unrecht, das Quakatz angetan wurde, als vielmehr das an ihm selbst verübte; anders ist das »Gift« nicht zu verstehen.

Stopfkuchen gewinnt also gegenüber Eduard und den städtischen Philistern die Oberhand wegen seiner größeren Aggressivität, die sich als Dickheit äußert; letztere ist im wahrsten Sinne des Wortes Übergewicht, Machtfülle. Eduard, das erste Opfer, notiert denn auch erschüttert: »Wie die Stadtidylle morgen sich zu dem Körperumfange meines Freundes stellen mochte, mir schwoll er heute schon [. . .] über jeglichen Rahmen hinaus« (151 f.). Angesichts solcher Rundgestalt ist unschwer die Präfiguration von Schaumanns Gang in die Stadt zu erkennen: es handelt sich um die im Giebel seines

Elternhauses steckende Kanonenkugel, die Prinz Xaver von Sachsen einst von der Roten Schanze aus in die Stadt geschossen hat (63);[27] zu denken ist dabei aber ebenfalls an den Erdkloß, den ein Dorfjunge Stopfkuchen an den Kopf schleuderte (104) und schließlich auch an den Steinwurf Störzers, der Kienbaum zum Verhängnis wurde (186). Somit entsteht das Bild einer Welt, die von Gewalttaten geprägt ist, Schüsse werden gewechselt, Stein fliegt um Stein, und Schaumann verkörpert darin keineswegs ein überlegenes Lebensprinzip, er ist lediglich der die anderen dominierende Mittäter, ja, wie die Metaphorik des Romans andeutet, die fleischgewordene Aggression selbst.

Als Argument gegen eine solche negative Einschätzung des Titelhelden könnte sein zweiter Wahlspruch dienen: »Da redete Gott mit Noah und sprach: Gehe aus dem Kasten« (69). Das Bibelwort scheint eine Auserwählung Stopfkuchens zu implizieren, eine göttliche Bestimmung dazu, Tine und ihren Vater aus der Isolation ihres Insellebens, der Verfemung durch die Nachbarschaft zu befreien. Das erreicht Schaumann in der Tat, indem er sich selbst zum allseits respektierten Herren der Roten Schanze macht; welche Motive ihn dabei aber leiten, ob Hilfsbereitschaft oder Eigennutz, steht zumindest in Frage, wenn man den weiteren Kontext des Zitats heranzieht. Da folgt dann nämlich bald der Vers: »Ich will hinfort nicht mehr die Erde verfluchen um der Menschen willen; denn das Dichten des menschlichen Herzens ist böse von Jugend auf.« (Gen. 8,21) Angesichts dieses Verdikts erscheint es hinfällig, nach moralischen Kategorien zu fragen; es nennt ja geradezu die Voraussetzung für den eben beschriebenen Zustand einer aggressionsbestimmten Welt, in der jeder gegen jeden steht und der Sieger immer recht hat. Schaumann spricht sich die Auserwählung eigenmächtig zu und maßt sich somit selbst Gottähnlichkeit an. Die anderen akzeptieren das ohne weiteres. Nach dem Beweis seiner Überlegenheit lautet

27 Vgl. Eisele (Anm. 23) S. 5.

ihre Reaktion: »Was sagst du zu Stopfkuchen? Ist er nicht göttlich?« (196)[28]

Dieser interpretatorische Befund von der Selbstvergottung der Gewalt kann vertieft und konkretisiert werden, wenn man einen weiteren vieldiskutierten Motivkomplex des Romans beleuchtet, nämlich Schaumanns paläontologisches Interesse.[29] Obwohl ihm die diesbezüglichen wissenschaftlichen Theorien keineswegs fremd sind, erweckt Stopfkuchen den Eindruck, die Tiere, deren Knochen er ausgegraben hat, seien Opfer der Sintflut geworden. Das muß selbstverständlich im Zusammenhang mit seinem Motto gelesen werden, wodurch allerdings ein eigenartiges Licht auf diese Such- und Sammeltätigkeit fällt. Denn Schaumann sammelt ausgerechnet die Skelette von jenen, die untergingen, wo er als Auserwählter von eigenen Gnaden erscheint: er erfreut sich an den Überresten der im Lebenskampf Gescheiterten und bestätigt sich auf solche Weise erneut seinen Erfolg.

Das läßt sich sehr genau am Beispiel Störzers zeigen. Der Postbote wird von Schaumann bemerkenswert häufig als »Alter« angesprochen oder bezeichnet (allein auf den Seiten 170–173 zehnmal). Sodann nennt er ihn einen »verjährten Sünder« (175), schließlich einen »betrübten Sünder« (178). Diese an und für sich nicht weiter auffälligen Ausdrücke gewinnen an Bedeutung im Zusammenhang mit dem Ausgrabungsmotiv. Raabe hat hier nämlich, wie auch schon in dem kurz vorher geschriebenen Roman *Das Odfeld*, auf eine Forschungstradition des frühen 18. Jahrhunderts zurückgegrif-

28 Zur »Apotheose« Stopfkuchens vgl. Heinrich Detering, *Theodizee und Erzählverfahren. Narrative Experimente mit religiösen Modellen im Werk Wilhelm Raabes*, Göttingen 1990, S. 206 ff. Schon Sammons (Anm. 25) S. 292 interpretiert das Motto Stopfkuchens als Ausdruck seiner Aggressivität.

29 Vgl. Hubert Ohl, »Eduards Heimkehr oder Le Vaillant und das Riesenfaultier. Zu Wilhelm Raabes *Stopfkuchen*« (1964), zit. nach dem Abdruck in: *Raabe in neuer Sicht* (Anm. 24) S. 247–278, bes. 270 f.; Peter Detroy, *Wilhelm Raabe. Der Humor als Gestaltungsprinzip im »Stopfkuchen«*, Bonn 1970, hier S. 72 ff.

fen, der Paläontologie und biblische Sintflutgeschichte noch keine Gegensätze darstellten und deren berühmtester Vertreter, der Zürcher Theologe J. J. Scheuchzer, der Bibel denn auch die Abbildung eines von ihm gefundenen Skeletts, des sogenannten »homo diluvii testis«, mit der Unterschrift beigab:

> Betrübtes Bein-Gerüst von einem alten Sünder,
> Erweiche Stein und Hertz der neuen Boßheits-Kinder![30]

Daß Cuvier eben diese Knochen später als die eines Riesensalamanders bestimmte, menschliche und tierische Fossilien also als miteinander austauschbar erscheinen, stützt die vorgeschlagene Lesart, in Stopfkuchens Funden die Überreste seiner im Lebenskampf untergegangenen Mitmenschen zu sehen. Darüber hinaus entpuppen sich die oben genannten Worte »alt«, »betrübt« und »Sünder« als Zitat aus Scheuchzer,[31] wodurch Störzer als künftig auszugrabendes Skelett und Sammelobjekt für Schaumanns Museum markiert ist. Das erweist sich auch anhand des Parallelismus, mit dem Stopfkuchen angesichts der Erwägung, ob er den Briefträger gleich oder erst später als Mörder Kienbaums entlarven solle, dem Gerippe seines Riesenfaultiers die Frage vorlegt: »Alter [!] Gesell, was hätte es denn dir gemacht, wenn Stopfkuchen ein paar Wochen oder ein paar Jahre dich später aufgedeckt hätte?« (174) Wenn es soweit ist und Schaumann sich in die Stadt begibt, um »noch ältere und viel schlimmere Totengräberei« als bei »seinen versteinerten Knochenexpeditionen« zu treiben (148 f.), wird er als Geste der aggressiven Besitzergreifung die Faust auf das Kopfende von Störzers Sarg legen (156 f.). Der alte Sünder ist eine neue Trophäe für den triumphierenden Gott.[32]

30 Vgl. Eberhard Rohse, »›Transzendentale Menschenkunde‹ im Zeichen des Affen. Raabes literarische Antworten auf die Darwinismusdebatte des 19. Jahrhunderts«, in: JbRG 1988, S. 168–210, hier S. 194 f.

31 Vgl. Gisela Warnke, »Das ›Sünder‹-Motiv in Wilhelm Raabes *Stopfkuchen*«, in: *Deutsche Vierteljahrsschrift für Literaturwissenschaft und Geistesgeschichte* 50 (1976) S. 465–476, hier S. 472 ff.

32 Eine andere stellt Quakatz dar, auch er ein »alter« (138) bzw. »greiser Sünder« (143).

Das Wort »Sünder« dient nicht nur dazu, den Scheuchzerschen Zitathintergrund aufzurufen, auch sein semantischer Aspekt hat Relevanz im Sinnzusammenhang des Romans, eröffnet wiederum den Zugang zu einer Tiefenschicht des Textes. Der Mörder Störzer trägt das »Zeichen Kains auf der Stirne« (169).[33] Die Ruhelosigkeit des Postboten – der Name Störzer heißt ja ›Läufer, Landstreicher‹ – ist also bestimmt durch den Bibelvers: »Unstät und flüchtig sollst du sein auf Erden.« (Gen. 4,12) Das Kainsmal selbst ist aber laut Gen. 4,15 nicht, wie es im Text anklingt, ein Zeichen der bösen Tat, meint vielmehr die göttliche Schutzgarantie für den verfluchten Täter, den Sünder; Schaumann, der ja Störzer bis zum Tod deckt, unterstreicht mit dieser Handlungsweise abermals seinen Göttlichkeitsanspruch.

Darüber hinaus liefert die Kainstat das Symbol für den Zustand der Welt, in der jeder ein potentieller Mörder ist. Nicht zufällig hängt ein Groschenbild von Kain und Abel in Quakatzens Stube (85), der ein Mörder hätte sein können und von allen dafür gehalten wurde[34] und der doch nur ein Opfer war, wie letztendlich der Briefträger auch, ein Gescheiterter im Lebenskampf, »der Schlacht ums Dasein«. Am impliziten Bezug auf diese von Raabe vielgebrauchte Metapher kann man erkennen, wie sehr darwinistische Vorstellungen ihn beeinflußt haben; ebenso daran, daß es im Grunde eine vertierte Welt ist, die dem Leser vor Augen geführt wird.[35] Sein Lehrer denunziert Stopfkuchen als »Faultier« (77), er selbst bezeichnet seine Mitschüler als »Esel, Affen und Rhinozerosse« (111) und seine Frau als »bissige Katze« (23), zwischenmenschliche Beziehungen, etwa der Kinder untereinander (77), aber auch Stopfkuchens und Tines (82), figurieren unter dem Bild der Jagd – kurz, es gilt das Gesetz des »survival of the fittest«, vom

33 Vgl. Warnke (Anm. 31) S. 468.
34 »In seiner Natur und Stellung zu ihm lag's, Kienbaum totzuschlagen« (187), sagt Störzer, der wirkliche Täter.
35 Vgl. Rohse (Anm. 30) bes. S. 179 ff. und S. 197 f.

Erfolg des Stärksten und Aggressivsten, und der ist Heinrich Schaumann.

Ob Raabe das darwinistische Modell im Sinne einer anthropologischen Wahrheit verstand, mag dahinstehen; konkret anwendbar erscheint es auf die ökonomischen und sozialen Verhältnisse im Roman. Stopfkuchens Behauptung auf der Roten Schanze und die Rehabilitierung seines Schwiegervaters ist vor allem ein wirtschaftlicher Sieg über die Umwohnenden, die ihrerseits vorher die gesellschaftliche Ächtung Quakatzens dazu benutzt hatten, ihn finanziell zu übervorteilen: »Ich bestellte den Acker, von dem ich aß, aber ich sah auch die dazugehörigen schriftlichen Dokumente und sonstigen Papiere im Schreibschranke meines armen, närrischen Schwiegervaters nach. Ich bestellte auch das Vermögen, welches er in Schuldverschreibungen [...] besaß. Des Volkes Stimme erklärte mich darob für den Schlauesten, aber auch Gewissenlosesten aus seiner Mitte.« (141 f.) Von daher entbehrt es nicht der Logik, daß Schaumann zum Zeitpunkt des endgültigen Triumphs über seine vormaligen Verächter keineswegs nur mehr der Bauer von der Roten Schanze ist, vielmehr »Mitgründer und Aktieninhaber einer Zuckerfabrik« (176), also ein kapitalistischer Unternehmer und Selfmademan.

Die Diskriminierung aber, aus der Stopfkuchen Quakatz und sich selber befreit hat, setzt sich – mit Bezug auf Störzers Familie – fort, ja sie dürfte dort noch schlimmere Ausmaße annehmen.[36] Das Bild von der Hecke, das ja auch für Schaumanns Außenseitertum galt,[37] ist das Stichwort. Es spielt eigentlich auf das Los unehelicher Kinder an[38] und wird im Roman zunächst auf das Kind Kienbaums ge-

36 Vgl. Derks (Anm. 25) S. 12 f. und S. 21 ff.

37 »Unter der Hecke hätte ich überhaupt geboren werden sollen«, sagt Stopfkuchen, der sich gar den Namen »Heinrich von der Hecke« wünscht (78).

38 Karl Friedrich Wilhelm Wander, *Deutsches Sprichwörter-Lexikon*, Bd. 2, Leipzig 1870, Sp. 452: »Sie sind hinter den Hecken jung geworden.« – (Von unehelichen Kindern.)

münzt: »Um die Alimente hat er sich nachher weggeschworen, und so ist das Kind unter der Hecke verkommen und sie [die Mutter] im Zuchthause« (183). Tine Quakatz empfindet ihr Kinderschicksal gar als noch härter: »Armes Volk in der Stadt und auf dem Lande muß auch wohl das Seinige ausstehen; [...] und doch – wenn ich unter der Hecke geboren wäre und meiner Mutter aus der Kiepe in das öffentliche Mitleid gefallen wäre, hätte ich es besser gehabt wie als des Bauern von der Roten Schanze einziges wohlhabendes Kind« (98). Wenn Störzers Schwiegertochter aufgrund der Eröffnung Stopfkuchens schließlich, von der gesamten Stadtbevölkerung angegafft, mit ihren zwei kleinen, vaterlosen Kindern dem »armen Sarg« allein folgen muß (197), so schimmert hinter der einprägsamen Szene des Ausgestoßenseins anders als bei Tine Quakatz noch zusätzlich materielles Elend durch: »Jaja, liebe Herren, und wir drei sind nun nur noch allein übrig und wissen heute noch nicht in unserer Verlassenheit, was aus uns werden soll, da der Großvater nicht mehr da ist« (157).

Das ist die Folie für Schaumanns erfolgreichen Lebensweg, der ja zu guter Letzt in die Behaglichkeit einer gutbürgerlichen Idylle führt. Auf dem Hintergrund dieses Kontrastes muß sein Kokettieren mit göttlicher Auserwähltheit, schließlich gar seine zynische Anmaßung des letzten Richteramts, also der Stellung Gottes überhaupt, gelesen werden:[39]

> Daß das arme Menschenkind seinen Knüttel fallen ließ und den dicken Stopfkuchen für den Jüngsten-Gerichts-Boten in Person nahm und abwehrend beide zitternde alte Arme ihm entgegenstreckte, das war in der Ordnung; aber von Überfluß war's, daß es sich selbst fallen ließ und mit einem: ›Herr, Herr! O Jesus, Sie wieder?‹ die Böschung hinabrutschte [...]. (177 f.)

39 Vgl. Detering (Anm. 28) S. 203 ff.

Wie es Stopfkuchen in Wirklichkeit mit dem göttlichen und menschlichen Recht hält, offenbart sich an seiner Umgestaltung von Quakatz' Interieur. Die Groschenbilder der Zehn Gebote werden dem Feuer überantwortet – sie waren allerdings schon von den Fliegen »beschmitzt« (36). Und ein Koprolithenbehälter ersetzt den Schrank, in dem Quakatz das Corpus Juris aufbewahrte. Stopfkuchen bezieht sich also nicht einmal mehr in negativer Weise auf die Gebote der Moral und des Gesetzes; sein Interesse gilt allein dem Mittel ihrer Verhöhnung, dem Kot.

Eduards »Weltverschönerungssinn«

Stopfkuchen erzählt für Eduard; dabei geht diesen die Geschichte – so sollte man meinen – im Grunde gar nichts an, es wäre ihm allenfalls angemessen, ein beiläufiges Interesse zu zeigen, keineswegs aber die existentielle Betroffenheit einer »Betäubung durch einen halben Welteinsturz« (159). Freilich war der von Schaumann als Mörder entlarvte Störzer Eduards Lehrer, der ihm die Liebe zur Geographie, die Sehnsucht nach der Ferne, das, was im Motivgerüst des Romans »Laufen« heißt, vermittelt hat – als tägliches Surrogat, um mit der eintönigen, ja bedrückenden Wirklichkeit fertig zu werden:

> Die Geographie, die Geographie, Eduard! Und so ein Mann wie dieser Levalljang! Was wäre und wo bliebe unsereiner ohne die Geographie und solch ein Muster von Menschen und Reisenden? Nimm nur mal an, so Tag für Tag, jahrein jahraus die nämlichen Wege. [. . .] Könntest du das auf Lebenszeit und immer auf denselben Wegen aushalten, Eduard, ohne deine Gedanken und Einbildungskraft und Phantasien und Lektüre [. . .]? (16 f.)

Nun muß Eduard erfahren, daß das ihm eingeimpfte und von ihm in der Auswanderung konkretisierte Fernweh nichts anderes war als die Fluchtphantasie eines Mörders oder, differenzierter gefaßt, die Sehnsucht eines zum Täter gewordenen

Opfers nach einer friedlichen Welt ohne Gewalt.[40] Ja, er muß wahrhaben, daß auch sein Drang nach der Fremde Glückssuche in tieferem Sinn war, eine Art utopischer Gegenentwurf – nicht zufällig liegt sein Wunschland am Kap der Guten Hoffnung – zu den durch Aggressivität und Brutalität bestimmten Verhältnissen in der Heimat.

In der Tat ist es ein ganzes Panorama der Gewalttätigkeit, das Stopfkuchen in seiner Erzählung dem Besucher vorführt[41] – sei es das Wüten von Oberlehrer Blechhammer (77) oder das sadistische Gehabe Kienbaums (181 ff.), die von den Kindern veranstalteten Lynchszenen (79) oder die haßgeladene Atmosphäre auf der Roten Schanze, ganz zu schweigen von seinen eigenen militanten Phantasien. Selbst konkreten Anschuldigungen sieht Eduard sich ausgesetzt: »Also auch deshalb zuerst von den alten Freunden, von euch nichtsnutzigen, boshaftigen, unverschämten Schlingeln, die ihr, solange ich euch zu denken vermag, euer Bestes getan habt, mir die Tage meiner Kindheit und Jugend zu verekeln! [. . .] Leugne es nicht, Eduard!« (60 f.) Und so wie der alte Freund in dieser Hinsicht Schaumann zustimmt: »um der Wahrheit die Ehre zu geben, ich – wir haben dich einfach sitzenlassen, wie und wo du dich hingesetzt hattest!« (61), so gesteht er auch generell die Richtigkeit des von diesem gezeichneten Bildes ein – allerdings nur insgeheim. Das ist ablesbar an seinem Erzählanfang, der chronologisch ja nach Stopfkuchens Bericht liegt; diese prominente Plazierung verrät außerdem, daß es sich hierbei um ein wichtiges, ein zentrales Thema des Buches handelt.

40 »und hörte den [Störzer] reden von Afrika und wie schön es da sein müsse und wie angenehm es sich von den Abenteuern und der Friedfertigkeit dorten lesen lasse in dem wunderschönen Buche vom Herrn Levalljang« (178 f.).

41 Vgl. Claude David, »Über Wilhelm Raabes *Stopfkuchen*«, in: *Lebendige Form. Interpretationen zur deutschen Literatur. Festschrift für Heinrich E. K. Henel*, hrsg. von Jeffrey L. Sammons und Ernst Schürer, München 1970, S. 259–276, hier S. 260; sowie Detroy (Anm. 29) S. 40 ff.

Eduard beginnt seine Niederschrift mit einer Anspielung auf Platens Komödie *Die verhängnisvolle Gabel* (1826).[42] Die Übereinstimmung zwischen dem Schäfer Mopsus, der »auf dem Vorgebürg der guten Hoffnung mit der Zeit ein Rittergut zu kaufen wünscht und alles diesem Zweck erspart« (3), und dem »Grundbesitzer und großen Schafzüchter am Oranjefluß« (20) Eduard, der also das getan hat, wovon Mopsus träumt, ist ja augenfällig. Mopsus lebt bei Platen in Arkadien, und Eduard übernimmt diesen Begriff, um damit erinnerungsselig seine Heimat zu bezeichnen, ohne sich jedoch zu vergegenwärtigen, daß die traditionelle Idyllen- und Glücksregion in Platens aristophanischer Komödie als wahre Mörderhöhle erscheint, in der Geldgier, Mordlust und überhaupt ein ständiger Kampf aller gegen alle herrscht. Sobald dem Schreibenden bewußt wird – wohl bei dem Namen Störzer –, was er gerade unterschwellig zuzugeben im Begriff ist, bricht er seinen sentimentalen Satz ab und flüchtet in eine nichtssagende Floskel: »Meinen alten guten Freund von der Landstraße der Kinderzeit in der nächsten Umgebung meiner Heimatstadt in Arkadien, also – von allen Landstraßen und Seewegen der weitesten Welt« (3). Die eigentliche Antwort auf die Frage, wie er denn auf den Gedanken gekommen sei, ans Kap der Guten Höffnung auszuwandern (3), lautet also gerade dahin, daß er der Gewalttätigkeit und Brutalität in seinem Vaterlande ausweichen, dem Klima der Aggressivität entfliehen wollte.

Ein möglicher Einwand gegen diese Interpretation wäre, daß es sich bei Platen zwar durchaus um Mord und Totschlag handelt, letztendlich aber doch nur um Theatermorde, die sich in einer Lustspielwelt ereignen. Daß Mopsus seine Frau und seine 14 Kinder mit der von seiner Ahnfrau ererbten Gabel – eben der verhängnisvollen – ersticht, ist einerseits schrecklich, andererseits, vor allem im parodistischen Kon-

42 Vgl. zum folgenden Philip J. Brewster, ›Onkel Ketschwayo in Neuteutoburg. Zeitgeschichtliche Anspielungen in Raabes *Stopfkuchen*‹, in: JbRG 1983, S. 96–118, hier S. 107 ff.

text, auch sehr lustig. Indessen ist zu bedenken, daß Eduard keineswegs zufällig gerade dieses Stück aufgreift, entspricht es doch in seiner Zweideutigkeit von harmlos-spielerisch dargebotener Brutalität offenbar genau seiner Neigung, die unter der Hand eingestandenen mörderischen Zustände in der Heimat zu verdrängen bzw. zu kaschieren,[43] so wie er es schon früher mit mehr oder weniger Erfolg betrieben hat, wenn er etwa nach einer arrogant-gewalttätigen Phrase Stopfkuchens, »wie um die Rede auf was anderes zu bringen«, summt: »Goldne Abendsonne, wie bist du so schön!« (42), ein Verhalten, das die genaue Analogie bildet zu seiner bald darauf angetretenen Flucht.

Zwei exemplarische Reaktionsmöglichkeiten auf die von Gewalt beherrschte Welt, die genau mit den Bildern des »Laufens« und des »Sitzenbleibens« übereinstimmen, werden also in diesem Roman vorgeführt: zum einen die aggressive Behauptung, die Stopfkuchens Sache ist, zum anderen Eduards Weg, der Flucht und Verdrängung heißt.

Konsequenterweise flieht Eduard nach Schaumanns Eröffnung auch wirklich wieder nach Afrika, und – so scheint es zumindest – ebenso konsequent verklärt er die Verhältnisse im Vaterland in seinem während der Rückreise niedergeschriebenen Bericht, gestaltet sie darin zur Idylle. Die Idylle ist die literarische Form der Harmonie und des Friedens. Insofern erstaunt es nicht, daß Eduard eine gewisse Affinität dazu hat, wie man ja auch seiner Sehnsucht nach dem Kap der Guten Hoffnung zwar evasive Tendenz unterstellen muß, ihr den utopischen Charakter jedoch nicht absprechen kann. Allein, wenn er jetzt die Heimat, aus der er sich Hals über Kopf fortmacht, zur Idylle hochstilisiert, so ist das erstens verlo-

43 Vgl. Michael Stoffels, *Phantasie und Wirklichkeit im Spätwerk Wilhelm Raabes. Zur Erzählproblematik im ausgehenden neunzehnten Jahrhundert*, Diss. Freiburg 1974, S. 120 ff.; Sammons (Anm. 25) S. 286 ff.; Eckhardt Meyer-Krentler, *Der Bürger als Freund. Ein sozialethisches Programm und seine Kritik in der neueren deutschen Erzählliteratur*, München 1984, S. 266 ff.

gen, sodann aber erneuter Ausdruck seiner Niederlage gegen Stopfkuchen. Dieser präsentiert sich freilich in der Behaglichkeit einer Idylle, die Eduard vergebens erstrebt und sich nur im Spitzwegschen Sehnsuchtsbild übers Sofa zu hängen vermag, allerdings besteht ein bedeutsamer Unterschied. Eduard erträumt sich Gewaltlosigkeit und Friedlichkeit – man denke an die »feuer-, schloß- und steinlose Flinte« (46) –, Stopfkuchen hingegen läßt keinen Zweifel daran, daß die Grundlage seiner Idylle der *Neue Pitaval* ist (151), daß die seinen Gast so sehr anmutende philiströse Gemütlichkeit der Roten Schanze auf Mord und Totschlag beruht.[44]

Eduard muß seine Utopie, die er flüchtend zu erreichen erhofft hat, von einem andern besetzt sehen, ganz zu schweigen davon, daß ihm hinsichtlich der ihr innewohnenden Fragwürdigkeit die Augen geöffnet wurden, eine Selbsttäuschung darüber fortan eigentlich nicht mehr möglich ist. Da verliert er den festen Boden unter den Füßen, will sagen, eilt auf ein Schiff. Der Ausruf: »Wieder an Bord!« (3) ist als Stoßseufzer der Erleichterung gelesen worden.[45] In Wirklichkeit ist es wohl nur vorgeblich einer. Eduard hat die Unterlegenheit seines Lebensprinzips gegenüber dem Stopfkuchens erkennen, hinnehmen müssen, und wenn er äußerlich so weiter macht wie bisher – fliehen und Idyllen ausmalen –, so kann das nicht darüber hinwegtäuschen, daß ihm die Substanz, der Wesenskern seines Verhaltens abhanden gekommen ist und er sich offenbar bezugslos im Raum bewegt. Er flieht nach Afrika, obwohl er doch erfahren hat, daß am Kap der Guten Hoffnung – Neuteutoburg liegt, daß »zum Laufen hilft [. . .] nicht ›schnell sein‹« (62), daß die »Igel« (15) und nicht die »Hasen« (65, 115) das Wettrennen gewinnen, also das »sitzende« über das »laufende« Prinzip triumphiert oder, völlig unmetaphorisch gesprochen, daß man der Aggression in der Welt über-

44 Vgl. Gerhart von Graevenitz, »Der Dicke im schlafenden Krieg. Zu einer Figur der europäischen Moderne bei Wilhelm Raabe«, in: JbRG 1990, S. 1–21, hier S. 3 f.

45 Etwa von Sammons (Anm. 25) S. 285 f.

haupt nicht ausweichen kann. Und er verklärt; doch nun nicht mehr mit Le Vaillant das friedliche Afrika, sondern er kaschiert das, was eigentlich das Gegenbild seiner Idylle ist, als solche selbst, nämlich die Aggressivität und die Gewalt. Stopfkuchen verhält sich umgekehrt: in zynischer Weise zeigt er gerade das aggressive Potential der philiströsen Idylle. Er hat Eduard das Platen-Zitat suggeriert (76), und er betont die von diesem unterdrückten Aspekte darin durch seine komplementäre Anspielung auf das Rückertsche Kinderlied *Des Hahn Gockels Leichenbegängnis*. Nur allzu empfindsame Gemüter werden in der Tatsache, daß zur Bewirtung Eduards auf der Roten Schanze ein Hahn geschlachtet wird, eine Infragestellung der friedlichen Idylle daselbst sehen. Durch die Art und Weise jedoch, in der Schaumann den Mord an Kienbaum diesem alltäglichen Vorgang assoziiert, fällt ein anderes Licht auf die Dinge: »Und der Gatte warf der Gattin einen schmunzelnd verständnisinnigen Blick zu und zog sich mit der Handkante vor der Gurgel her, den Gestus des Halsabschneidens aufs vollkommenste zur Darstellung bringend« (52). – »›Was hat denn das Vieh? Wer hat denn jetzt wieder Kienbaum totgeschlagen?‹ fragte Stopfkuchen« (sich auf die Unruhe im Geflügelhof beziehend) (53). – »Jaja, jaja, wer erschlug den Hahn Gockel?« (gemeint ist Kienbaum) (160).
Die Tötung eines Hahns für ein bürgerlich-festliches Mittagsmahl wird zum Zeichen; wenn man sich die vorhin erörterte metaphorische Bedeutung der Gefräßigkeit bzw. Dickheit in Erinnerung ruft – sie verkörpert bekanntlich gewalttätige Macht –, so ist man beinahe versucht, von der Zelebrierung eines Ritualmordes zu sprechen. Was Eduard vorgeführt wird, ist ja nichts anderes als die symbolische Wiederholung des Mordes an Kienbaum, der, Sinnbild für die Brutalität der Philistergesellschaft, anfänglich zum Vorwand der Gewalt, die man den Bewohnern der Roten Schanze antat, diente, nun aber – der Hahn wird gegessen, einverleibt – zum Ausdruck der noch größeren Aggressivität wird,

mit der sich Stopfkuchen gegen die Philister richtet und letztendlich über sie den Sieg gewinnt: »Ich habe Kienbaum völlig totgeschlagen [...]. Wenn ein Mensch Kienbaum totgeschlagen hat, so bin ich der Mensch und Mörder.« (75)
Eduard ist anscheinend gewillt, das zu verharmlosen. Aber – Raabe hat sein Thema bis in die äußerste Konsequenz verfolgt – wie verhält er sich wohl, wenn er nicht bloß Zeuge der Gewalttat wird, sondern sie am eigenen Leib verspürt?

Eduard und Stopfkuchen. Stopfkuchen und Eduard

Daß Schaumann sein Geheimnis gerade Eduard mitteilt, ist kein Zufall; er will sich an den früheren Mitschülern, die ihn mißachtet und gedemütigt haben, rächen, und er sieht Eduard, der sich doch seinen Freund nennt, für den geeigneten Vertreter an.[46] Doch zielt Stopfkuchen noch spezieller auf Eduard; er legt ihm nahe, daß er als Störzers Erbe ein potentieller Gewalttäter ist, und präzisiert diese Andeutung, indem er ihn in die Rolle Kienbaums drängt. In seiner Erzählung im Goldenen Arm stilisiert Schaumann Störzers Kindergeschichte bis in den Wortlaut als Parallele zu seiner eigenen:[47] beiden wurden ähnlich lautende Spottnamen angehängt – Storzhammel und Stopfkuchen –, beide bekamen die Aggression ihrer Mitwelt »von Kindsbeinen an, von Schulwegen an« (181) zu spüren, beiden wurde der Unterschied zwischen »einer langsamen Besinnlichkeit und einem hellen Kopf mit Bosheit und großem Maul zu erkennen gegeben« (182). In Störzers Fall tat das alles Kienbaum. Bei Schaumann waren es die Schul- und Altersgenossen, darunter der namentlich gemachte Eduard: »Ein Indianer am Pfahl konnte es unter dem Kriegsgeheul und Hohngebrüll

46 Ohl (Anm. 29) konstatiert, daß Schaumanns Erzählung »auf Eduard zielt« (S. 258) und daß er selbst etwas von einem »rächenden Gott« habe (S. 261). Vgl. auch Sammons (Anm. 25) S. 294.
47 Vgl. Eisele (Anm. 23) S. 10; Sammons (Anm. 25) S. 293.

seiner Feinde nicht schöner haben als Stopfkuchen in euerm muntern Kreise. Nette Siegestänze eurer Überlegenheit habt ihr um mich armen maulfaulen, feisten, schwitzenden Tropf aufgeführt. Und so helle Köpfe waret ihr allesamt! Jawohl habe ich mein Brod mit Tränen gegessen in eurer lieben Kameradschaft.« (62)

Und Eduard hat in der Tat ein schlechtes Gewissen. Wenn er bei der Beschreibung seines ersten Traumes die Angst Störzers vor dem Gewitter als Ausdruck von dessen Schuldbewußtsein, als Angst vor Entdeckung, Gericht, Offenbarung deutlich werden läßt (12 ff.), so gibt er an, das wirkliche Gewitter, das der Anlaß für die Richtung seiner Traumerinnerung gewesen sein dürfte, selbst verschlafen zu haben (20). Wenn aber Stopfkuchen ihm die Geschichte um Kienbaum offenbart, den Mörder entlarvt, so ist es »schwül« (155, vgl. 148), ebenso »gewitterschwül« (184), wie es war, als Störzer den Stein nach Kienbaum schleuderte. Eduard reagiert auf Stopfkuchens Eröffnung denn auch wie auf eine körperliche Verletzung, einen Steinwurf: er sieht »nur wie durch einen Schleier« (159), fühlt eine »Betäubung« (159), kann bloß »durch eine matte Handbewegung antworten« (161). Dieses Gewitter zu verschlafen, war unmöglich; durch die Tatsache, daß Stopfkuchen ihm auf den Kopf zusagt, er sei ein Gewalttäter wie Kienbaum, fühlt Eduard sich wirklich entdeckt, einer Schuld überführt.

Dabei trifft das in diesem Ausmaß gar nicht zu, ist vielmehr von Stopfkuchen inszeniert. Raabe hat ihn wohl nicht zufällig gerade Schaumann geheißen, ein Wort, das an »Schauspieler« anklingt oder – was den Sinn wohl genauer erfaßt – eine Übersetzung des englischen »showman« darstellt (vgl. 161 f.). Stopfkuchen hat Störzer durch einen Theatercoup entlarvt, mit sich selbst als Erinnye (177), so wie sie in der von ihm genannten Schillerschen Ballade *Die Kraniche des Ibykus* agieren (170). In gleicher Weise und in der gleichen Rolle kommt er jetzt den städtischen Philistern und dabei vor allem Eduard – der »giftgeschwollene Bauch« (151) ist hier ein

Theaterrequisit zur Ausstattung der Rachegöttin bzw. eigentlich der Schlangen, die sich um ihr Haupt winden –, und ebenso wie bei Störzer hat die Inszenierung Erfolg. Eduard dürfte im Geiste zitieren:

> Wohl dem, der frei von Schuld und Fehle
> Bewahrt die kindlich reine Seele!
> Ihm dürfen wir nicht rächend nahn,
> Er wandelt frei des Lebens Bahn.
> Doch wehe wehe, wer verstohlen
> Des Mordes schwere Tat vollbracht,
> Wir heften uns an seine Sohlen,
> Das furchtbare Geschlecht der Nacht!
>
> Und glaubt er fliehend zu entspringen,
> Geflügelt sind wir da, die Schlingen
> Ihm werfend um den flücht'gen Fuß,
> Daß er zu Boden fallen muß.
> So jagen wir ihn ohn' Ermatten,
> Versöhnen kann uns keine Reu,
> Ihn fort und fort bis zu den Schatten,
> Und geben ihn auch dort nicht frei.[48]

Welcher Art Schaumanns Affinität zum Drama indes wirklich ist, kann man an seiner Bemerkung ablesen: »Was ich an Dramatischem in mir hatte, ließ ich natürlich ruhig in dem, was ihr meinen Wanst benamsetet, latent bleiben« (110). Damit ist der Haß, die Aggressivität gemeint, die er jahrelang in sich hineinfressen, hineinstopfen hatte müssen und die jetzt zum dramatischen Ausbruch gelangen. Erst in diesem Bedeutungszusammenhang ihrer beiden Namen, *Stopf*kuchen und *Schau*mann, ist das Wesen der Romangestalt angemessen zu erfassen.[49] Schaumann versteht die Welt

48 Schiller (Anm. 1), Bd. 2, 1: *Gedichte. Letzte Gestalt*, hrsg. von Norbert Oellers, Weimar 1983, S. 248 f.

49 Zu anderen Namensauslegungen vgl. Detroy (Anm. 29) S. 45; Eckhardt Meyer-Krentler, »Stopfkuchen – Ein Doppelgänger. Wilhelm Raabe erzählt Theodor Storm«, in: JbRG 1987, S. 179–204, hier S. 202.

als dramatische Konfrontation, als Kampf eines jeden gegen jeden, in dem es nur totale Niederlagen oder aber Triumph und Apotheose geben kann. Das führt er am Beispiel seines Gastes vor.

Eduard wird als Gegenspieler völlig entmachtet, er muß den »Chorus in der Tragödie« spielen (161), d. h. er ist zwar betroffen, jedoch handlungsunfähig. Eher beiläufig wird ihm ein schlechtes Gewissen eingeredet; um was es Stopfkuchen aber eigentlich geht, ist die theatralisch effektvolle Selbstdarstellung. Das ist schon an einer frühen Äußerung zu ersehen: »Hättest du wirklich nie das Bedürfnis gefühlt, Freund meiner Kindheit, o du mein Eduard, deinen greulichen Alten so wie ich den meinigen, und vorzüglich um die Zeit der Versetzung in eine höhere Klasse edelster deutscher Menschenbildung, dort hinter einem jener Gitter unschädlich gemacht, in Sicherheit sitzend zu wissen?« (42) Wenn Eduard so denkt, gibt er es zumindest nicht preis. Dafür etwas anderes: »Und diesen Menschen hatten wir [. . .] für einen Dummkopf gehalten, o wir Esel!« (42) Schaumann präsentiert sich mit Erfolg als Beherrscher des Spiels, als Protagonist, ja Eduard gegenüber, der glaubt ein Täter zu sein, als Über-Täter. Seiner prahlerischen Ankündigung, den Lehrer Blechhammer irgendwann einmal »abzugurgeln« (23), folgt konsequenterweise der machtbewußte Triumph: »Wenn ein Mensch Kienbaum totgeschlagen hat, so bin ich der Mensch und Mörder« (75).

Stopfkuchens Aussage, Kienbaum bzw. Kienbaums Geist totgeschlagen zu haben, meint eigentlich, daß er die Rote Schanze vom Makel des Mordes befreit hat, dadurch daß er, wie Eduard es formuliert, der »Philisterweltanschauung den Fuß auf den Kopf« gesetzt hat (191); Schaumann parallelisiert ja seine vormaligen Peiniger mit Kienbaum. An diesem Satz ist mancherlei bemerkenswert. Zum einen, daß der symbolische Totschlag schon geschehen ist, was bedeutet, daß die Rote Schanze keineswegs mehr verrufen ist, wie man auch an der herzlichen Begrüßung ihres Besitzers in der Stadt un-

schwer erkennen kann (188). Daraus folgt jedoch, daß Stopfkuchen, wenn er Kienbaum nun abermals ermordet, will sagen, Eduard, dem er die Kienbaumähnlichkeit suggeriert hat, seine Eröffnungen an den Kopf wirft, durch keinerlei Notwehr legitimiert ist, seine Tat sich also, was allein durch die Mordmetapher schon anklingt, als reiner Akt der Brutalität verrät, der sich aus Machtgier und Aggressivität speist.
Und in der Tat findet kein dramatischer Agon, keine Auseinandersetzung statt, vielmehr stopft Stopfkuchen Eduard das Maul, macht ihn mundtot, bringt ihn zum Schweigen.[50] Entscheidender noch fast als das, was Schaumann erzählt, ist für die Zerstörung von Eduards Persönlichkeit, wie er es erzählt.
Zunächst stellt sich beim Wiedersehen der Kindheitsbekannten die Frage, wer als erster zu Wort kommen solle, und sogar Stopfkuchen scheint einzuräumen, daß Eduard als weitgereister Mann und »abenteuernder Afrikaner« (52) wohl das eine oder andere zu berichten habe. Doch alsbald muß dieser die Erfahrung machen, daß sein Gastgeber ein »Selbstredner sondergleichen« ist (57), der fragt und die Antworten gleich selbst mitliefert. Dagegen regt sich in dem zum Zuhören Verurteilten anfangs noch leichter Protest: »wie als ob ich aus meinem Leben und aus Afrika nicht das geringste Neue [. . .] zu erzählen gehabt hätte« (67), der aber sehr schnell aufgegeben wird. Das ist auch an der Szene ersichtlich, da Schaumann Resignation heuchelt: »Dieser Mensch war so frech-undankbar, hier wahrhaftig einen Seufzer aus der Tiefe seines Wanstes hervorzuholen. Natürlich nur, um mir sein Behagen noch beneidenswerter vorzurücken. Ich ging aber nicht darauf ein. Den Gefallen, meinerseits jetzt noch tiefer und mit besserer Berechtigung zu seufzen, tat ich ihm nicht.« (58) Nach vier Seiten Stopfkuchenscher Tiraden ist Eduard jedoch soweit: »seufzte ich aus voller Seele, aus allen Lebenserrungenschaften und vom untern Ende Afrikas her« (62). Eduard ver-

50 Vgl. Eisele (Anm. 23) S. 20 ff., der von Schaumann als einem »Diskurs-Täter« spricht.

zichtet auf sein Rederecht, gibt sich dem Wortschwall Schaumanns immer mehr preis; nach einem letzten Verweigerungsversuch – »mit beiden Händen nach beiden Ohren fassend« (91) – kapituliert er endgültig: »Es war gegen den Menschen nicht anzuerzählen« (109), ja ist sogar wider Willen gebannt, gefesselt: »Und wie seine brave, gute, nette, niedliche Frau war ich ihm ohne jegliches Wort und Widerwort verfallen, mußte ihn reden lassen, ließ ihn reden und wartete jedesmal, wenn er mal aufhörte, mit innerlichster Spannung, daß er wieder anfange, sich gehen zu lassen und zu reden« (152).
Das ist um so erstaunlicher, als Stopfkuchen Eduard geradezu geringschätzig behandelt, ihn wiederholt mißachtet und beleidigt und obendrein die Unterhaltung in einer Weise führt, die wahrhaft diktatorisch genannt zu werden verdient. Eduard muß mehrfach feststellen, daß er überhaupt nicht zu Wort kommt (60, 70), versucht er es dennoch, schneidet ihm Schaumann bereits im Ansatz die Rede ab (58, 59, 60, 62, 75). Seinerseits mahnt er Eduard des öfteren, ihn nicht zu unterbrechen (63, 64, 89, 161), und hat auch damit Erfolg, denn sein Gast schweigt schließlich die längste Zeit und bittet gar noch um Entschuldigung, wenn er sich vergißt und doch einmal dazwischenruft (82).
Schlimmer als es Eduard geschieht, kann man gesprächsweise kaum gedemütigt werden, und dennoch hat er sich Stopfkuchen völlig unterworfen, duldet ohne Widerrede dessen versteckte und weniger versteckte Grobheiten, ja bemüht sich, die offenkundige Gewalt, die ihm angetan wird, in Freundschaftlichkeit und Harmonie umzulügen. Er beschwört die Idylle und das schöne Wetter[51] (26, 150), findet es »hübsch im Vaterlande« (4) und charakterisiert Schaumann als »gut, herzensgut« (29), unmittelbar bevor dieser einen neuerlichen Beweis seiner verbalen Brutalität gibt (30 f.).
Daß Eduard sich das alles selbst nicht glaubt, daß die Wirklichkeit und ihre Wiedergabe im Schiffstagebuch, ja selbst

51 Vgl. Eckhardt Meyer-Krentler, »Homerisches und wirkliches Blau. Wilhelm Raabe und sein Wetter«, in: JbRG 1986, S. 50–82, hier S. 73 f.

Eduards subjektives Empfinden und sein Text nicht übereinstimmen, ist offenkundig. Warum sonst, wenn es so »hübsch im Vaterlande« ist (4), beeilt er sich, »den Kopf aus der Geschichte« [will doch wohl heißen: Schlinge] (194) zu ziehen? Und warum sonst kommt er, gleich nachdem er die Hochzeit Stopfkuchens als Schlaraffenland, als Utopie der Gefräßigkeit beschrieben hat, auf einen Haifisch zu sprechen, das gefräßigste aller Tiere, »aus dessen Bauche sich aber gottlob diesmal nichts dem Menschen allzu Greuliches entwickelt. Das Vieh hat, naturgeschichtlich ausnahmsweise, keinen Menschen gefressen« (140).

Es ist Eduard nachzufühlen, daß er sich diesem Dilemma durch Flucht, und sei es auch nur eine ziellose, entziehen will. Um so erstaunlicher mutet es dann an, daß er, wenn er in seiner letzten Nacht im Gasthof ein Fazit des von ihm am Vortag Erfahrenen und Erlebten zieht, Stopfkuchen als jemanden feiert, der in »behaglicher Weltverachtung« den Fuß auf den Kopf der Philisterweltanschauung gesetzt hat (191), also in einer Pose, die Macht, Arroganz und Gewalttätigkeit offen bekundet. Diese Philisterweltanschauung, hinter der sich Mordlust und Aggressivität verbergen, ist es ja, der Eduard nicht ins Auge sehen kann, vor der er zu fliehen versucht hat, und insofern wäre seine Befriedigung über ihre Niederlage verständlich. Aber die gleiche Anschauung hat Stopfkuchen ja auch gegen Eduard selbst in die Tat umgesetzt. Er hat keineswegs den Geist der Philister überwunden, vielmehr sich so verhalten, daß er nicht nur in seinem Äußeren und seiner Wesensart, sondern auch was die Anerkennung durch diese selbst betrifft, als oberster aller Philister erscheint.[52] Das kann Eduard unschwer an den Reaktionen der städtischen Spießbürger ersehen. Sie goutieren das »Angenehm-Unheimliche« (193) an der Geschichte, schwanken, ob sie das Ganze nicht doch lieber »gemütlich« (196) finden sollen, und zeigen ne-

52 Stoffels (Anm. 43) nennt Schaumann einen »extremen Bürger« (S. 136). Vgl. dazu weiterhin Derks (Anm. 25) S. 5 ff., und Sammons (Anm. 25) S. 283 ff.

benbei ungeniert, was für sie die Pointe dabei ist: »Und dieser alte Störzer! Es hielt ihn ja keiner für mehr als für einen guten, unschädlichen, alten Mann und Hammel!« (193) Auf der einen Seite steht wieder Storzhammel (und seine Nachkommen), auf der anderen aber »unser verehrter Herr Schaumann« (193), von dem es schließlich heißt: »Ist er nicht göttlich?« (196) Und Eduard reiht sich mit seiner Bewunderung für Stopfkuchen hier durchaus ein, geht gar noch einen Schritt weiter. Denn er, der die Welt der mordlüsternen Philister fliehen wollte, identifiziert sich nun, da er die Augen vor ihr nicht mehr verschließen kann, ungeachtet der eigenen Demütigung mit ihrem Gewaltherren, ihrem aggressiven Gott, um seinen Widerwillen, seine Abneigung gegen die Roheiten der Philisterweltanschauung ausleben zu können. Da Stopfkuchen ihm seinen Standpunkt oder, besser gesagt, sein Laufziel ohnehin genommen hat, ist es zur völligen Selbstverleugnung, zur Depersonalisierung nur noch ein Schritt: »So wahrscheinlich bald nach Mitternacht hatte ich mich ganz in des Dicken Stelle, das heißt seine Haut versetzt, das heißt war in dieselbe hineinversetzt worden. Ich war zu seinem Leibesumfang angeschwollen und hatte mich auf die Höhe seiner behaglichen Weltverachtung erhoben [...].« (191) Dadurch wird Eduard aber gerade nicht zu Stopfkuchens alter ego inklusive machtvoller Dickheit, sondern zu seinem Satelliten, seinem Trabanten. Der Mann des Davonlaufens ist bei einem Punkt angelangt, der ihn durch seine besondere Anziehungskraft festhält, die Fluchtgerade krümmt sich zum Kreis: »Dafür [um alles hinter sich zu lassen] zog sich doch mein ganzer Aufenthalt in der Heimat jetzt zu sehr um seine dicke Person zusammen« (198).

Dieses Bild findet eine genaue Entsprechung in der Erzählsituation des Romans. Eduard reist ab, aber dabei um-schreibt er Stopfkuchen; dessen Bericht, der ja nichts anderes ist als eine maßlose Selbstdarstellung, die Notierung seiner Zunahme an Gewicht und Umfang, liegt im Zentrum des Schiffstagebuchs, ist sein Schwerpunkt, doch auch die Anfangsabschnitte, die zunächst als allgemeine Erinnerungen Eduards erscheinen, münden in aller Regel bei Heinrich Schaumann. Angesichts dessen kann man ohne weiteres von einer metaphorischen Struktur des Buches, von einer Allegorie der Form sprechen.[53] Dickheit – man denke an die »breite« Erzählweise Schaumanns (177) – verkörpert Autorität und Macht. Von jemandem um etwas herumgejagt werden, bedeutet hingegen Niederlage, Unselbständigkeit, schmähliche Abhängigkeit. So wurde Stopfkuchen von seinem Lehrer »im Kreise nicht um die Welt, sondern um die schwarze Schultafel« gejagt (21), ebenso wie von Quakatz um den Wall der Roten Schanze. Die Sache geht aber anders aus »als wie vor Troja und in der Iliade« (118), wo Achill Hektor um die Stadt herum verfolgt, denn Stopfkuchen stellt Quakatz ein Bein. Aus dem Gejagten wird ein Jäger, der Außenseiter wird auf seiner eroberten Roten Schanze zum Mittelpunkt, der Trojanische Krieg wird umgeschrieben:[54] »Den hellumschienten Achaier von da unten möchte ich sehen, der es fertig kriegte, Patroklos' Schatten zu Ehren und zur Rache den dicken Schaumann um seinen Burgwall herum in Trab oder Galopp zu bringen« (149). Stopfkuchen behält recht, denn er ist es, der Eduard, einen der »hellumschienten Achaier« (80 f.), um seinen Wall führt (56). Wenn sich die Situation wiederholt, hegt der Gast beim Anblick eines wegfahrenden Zuges schon Fluchtgedanken (117). Zuletzt sitzt er tatsächlich im Eisenbahnwagen, flieht, doch in Wahrheit umrundet er bloß erneut Stopfkuchens Ilion, bzw. die Erde, »diesen im Äther schwimmenden Kloß« (16), denn zu solcher Grundsätzlichkeit wächst sich ihm gegenüber die Schaumannsche Position schließlich aus.

Wenn Eduard also sein eigenes Aufschwellen zu Stopfkuchens Dickheit imaginiert, so hat das schlicht die Qualität dessen, was es eigentlich ja auch ist, nämlich eines Trau-

53 Über die Allegorie im *Stopfkuchen* handelt v. Graevenitz (Anm. 44) S. 17 ff.

54 Vgl. Meyer-Krentler (Anm. 43) S. 270.

mes. Im Grunde weiß Eduard sehr wohl, daß er gar nicht das Zeug zum Gewaltmenschen hat, daß er – aus Ressentiment gegen den Geist der Philistergesellschaft – nur ein klammheimlicher Anbeter der Stopfkuchenschen Über-Gewalt ist, der im übrigen seine Hände in Unschuld wäscht und obendrein noch die Momente der Brutalität beschönigt. Eduard nimmt nicht am »Zug« (196) der Beerdigung Störzers teil, was ja hieße, der nun ausgestoßenen Frau und ihren beiden Kindern beizustehen, er hat andere Sorgen: »Mit einiger Mühe gelangte ich in den nach dem Norden abgehenden Zug; aber es war keine unliebe Mühe, und ein Kind habe ich dabei nicht über den Haufen gerannt, auch keinem Weibe durch einen übereiligen Ellbogenstoß den Ausruf ›O mein Gott!‹ entlockt« (198). Bezüglich der Frau, um die es wirklich geht, Störzers Schwiegertochter, beschwichtigt er sein Gewissen mit der allerdings falschen Behauptung, Stopfkuchen habe versprochen zu helfen, der Mann also, der sie von der Höhe seiner behaglichen Weltverachtung aus ins Elend gestürzt hat. Um die Realität, an der er ja durchaus Anteil hat, nicht sehen zu müssen, vernebelt sich Eduard absichtlich den Blick. Zum Schutz vor dem hellen Licht, den scharfen Konturen und den grellen Farben, die ihm die Tränen in die Augen treiben, zieht er im Zug die Fenstervorhänge zu und verharrt in der angenehmen »blauen Dämmerung« (200), man könnte auch sagen, im gedämpften Licht gewollter Blauäugigkeit, die bis zur Stunde der Niederschrift anhält. Und wenn der Tafelberg am Horizont auftaucht, das Land, auf dem Neuteutoburg liegt, so erscheint er als »blaues Wölkchen« (201).[55]

Eduard umschreibt Stopfkuchen also in doppeltem Sinn: er umschreibt ihn als Trabant, als faszinierter Bewunderer des triumphierenden Gewalttäters und Mörders, und er schreibt ihn um, verharmlost ihn vom Mörder und Gewalttäter zum

55 Vgl. Stoffels (Anm. 43) S. 131, sowie Meyer-Krentler (Anm. 51) S. 76 f.

eigenwillig-schrulligen, behaglichen Idylliker. Was kann er seinen Kindern demzufolge mitbringen?
Zum einen ein Exempel für die beschönigenden Lügen der schwachen Schriftsteller angesichts der brutalen Realität.[56] Zum anderen aber ein Exempel für die Faszination des an der bürgerlichen Wirklichkeit leidenden Bürgers durch den starken, den dicken Mann.

56 Eckhardt Meyer-Krentler (Anm. 49) hat überzeugend nachgewiesen, daß *Stopfkuchen* als Auseinandersetzung Raabes mit Theodor Storm gelesen werden kann, darüber hinaus aber von der »Entmachtung poetisch-realistischer Erzähltechnik« handelt, deren Strategie der »poetischen Überhöhung« sich die »disharmonische Welt« verweigert (S. 199).

Literaturhinweise

Ausgaben

Wilhelm Raabe: Stopfkuchen. Eine See- und Mordgeschichte. Berlin: Otto Janke, 1891.

Wilhelm Raabe: Sämtliche Werke. Historisch-kritische Ausgabe. Im Auftrag der Braunschweigischen Wissenschaftlichen Gesellschaft hrsg. von Karl Hoppe. 21 Bde. und 4 Erg.-Bde. Freiburg / Braunschweig: Herm. Klemm, 1951–59 / Göttingen: Vandenhoeck & Ruprecht, 1960 ff. [*Stopfkuchen* in: Bd. 18, ²1969, S. 5–207.]

Wilhelm Raabe: Stopfkuchen. Eine See- und Mordgeschichte. Mit einem Nachw. von Alexander Ritter. Stuttgart: Reclam, 1972 [u. ö.]. (Universal-Bibliothek. 9393.)

Forschungsliteratur

Brewster, Philip J.: Onkel Ketschwayo in Neuteutoburg. Zeitgeschichtliche Anspielungen in Raabes *Stopfkuchen*. In: Jahrbuch der Raabe-Gesellschaft 1983. S. 96–118.

Denkler, Horst: Wilhelm Raabe. Legende – Leben – Literatur. Tübingen 1989.

Detering, Heinrich: Theodizee und Erzählverfahren. Narrative Experimente mit religiösen Modellen im Werk Wilhelm Raabes. Göttingen 1990.

Eisele, Ulf: Der Dicher und sein Detektiv. Raabes *Stopfkuchen* und die Frage des Realismus. Tübingen 1979.

Graevenitz, Gerhart von: Der Dicke im schlafenden Krieg. Zu einer Figur der europäischen Moderne bei Wilhelm Raabe. In: Jahrbuch der Raabe-Gesellschaft 1990. S. 1–21.

Helmers, Hermann: Wilhelm Raabe. 2., neu bearb. Aufl. Stuttgart 1978. (Sammlung Metzler. 71.)

Meyer-Krentler, Eckhardt: Der bürgerliche Freund als inkompetenter Erzähler bei Wilhelm Raabe. In: E. M.-K.: Der Bürger als Freund. Ein sozialethisches Programm und seine Kritik in der neueren deutschen Erzählliteratur. München 1984. S. 241–282.

– Homerisches und wirkliches Blau. Wilhelm Raabe und sein Wetter. In: Jahrbuch der Raabe-Gesellschaft 1986. S. 50–82.

Meyer-Krentler, Eckhardt: Stopfkuchen – Ein Doppelgänger. Wilhelm Raabe erzählt Theodor Storm. In: Jahrbuch der Raabe-Gesellschaft 1987. S. 179–204.

Raabe in neuer Sicht. Hrsg. von Hermann Helmers. Stuttgart 1968. [Aufsätze von Herman Meyer und Hubert Ohl zu *Stopfkuchen*.]

Wilhelm Raabe. Studien zu seinem Leben und Werk. Aus Anlaß des 150. Geburtstages (1831–1981) hrsg. von Leo A. Lensing und Hans-Werner Peter. Braunschweig 1981. [Aufsätze von Jeffrey L. Sammons, Jean Royer und Michael Limlei zu *Stopfkuchen*.]

Rohse, Eberhard: »Transzendentale Menschenkunde« im Zeichen des Affen. Raabes literarische Antworten auf die Darwinismusdebatte des 19. Jahrhunderts. In: Jahrbuch der Raabe-Gesellschaft 1988. S. 168–210.

Sammons, Jeffrey L.: Wilhelm Raabe. The Fiction of the Alternative Community. Princeton 1987.

Schrader, Hans-Jürgen: Gedichtete Dichtungstheorie im Werk Raabes. Exemplifiziert an *Alte Nester*. In: Jahrbuch der Raabe-Gesellschaft 1989. S. 1–27.

Sprengel, Peter: Interieur und Eigentum. Zur Soziologie bürgerlicher Subjektivität bei Wilhelm Raabe. In: Jahrbuch der Jean-Paul-Gesellschaft 9 (1974) S. 127–176.

Stoffels, Michael: Phantasie und Wirklichkeit im Spätwerk Wilhelm Raabes. Zur Erzählproblematik im ausgehenden neunzehnten Jahrhundert. Diss. Freiburg 1974.

Warnke, Gisela: Das Sünder-Motiv in Wilhelm Raabes *Stopfkuchen*. In: Deutsche Vierteljahrsschrift für Literaturwissenschaft und Geistesgeschichte 50 (1976) S. 465–476.

HORST ALBERT GLASER

Theodor Fontane: *Effi Briest* – im Hinblick auf Emma Bovary und andere

Wenn der Ehebruch zu einem Standardmotiv in der Literatur des 19. Jahrhunderts avanciert ist, dann deutet dieser Umstand nicht bloß auf einen Wandel im Arsenal literarischer Motive überhaupt, sondern auf einen in jener gesellschaftlichen Schicht, die diese Literatur trug: der bürgerlichen. Der realistische Roman, der wie kaum eine andere Gattung das Jahrhundert kennzeichnet, beschäftigt sich mit dem Wanken oder den Trümmern von Ehen, die ihre Partner ruinieren, wenn nicht unter sich begraben. Von Goethes *Wahlverwandtschaften* bis zu Theodor Fontanes (1819–98) *Effi Briest* (erste Druckfassung in der *Deutschen Rundschau* 1894) erstreckt sich eine künstlerische Walstatt, die von Trümmern nicht allein bürgerlicher, sondern auch aristokratischer Ehen übersät ist. Betrachtet man, was da übriggeblieben ist von der Ehe des Bankiers de Nucingen (in Balzacs *Splendeurs et misères des courtisanes*), des Landarztes Bovary (in Flauberts *Madame Bovary*) oder des Ministerialbeamten Karenin (in Tolstois *Anna Karenina*), so mag sich der Zerfall erklären aus dem Versuch, Elemente zu amalgamieren, die sich abstoßen müssen. Goethe zielte mit dem der Chemie seiner Zeit entlehnten Terminus der ›Wahlverwandtschaften‹ auf die verschieden starken Triebaffinitäten, die Individuen zusammentreiben und auch wieder auseinanderreißen können, während Fontane in seiner Effi auf die mythologische Melusine anspielt, die – Geschöpf des Wassers – nicht auf dem trocknen Lande und schon gar nicht im leeren Kasten gesellschaftlicher Formen zu leben vermag.

Doch der Ehebruch ist's nicht mehr als die Ehe selbst, die in den Ehebruchsromanen analysiert und – wie das Wort meint

– zerfällt wird. Denn der Ehebruch ist die Katastrophe, die eine Entwicklung abschließt, die im Schoß der Ehe unbemerkt ihren Anfang genommen und den Leib der Familie aufgetrieben und ruiniert hat. Die Trümmer nach der Katastrophe zu mustern, kann nur das Ziel haben, sie zu dem Gebäude in Gedanken wieder zusammenzusetzen, aus dem sie stammen, und in den Bruchflächen die ersten Risse wiederzuerkennen, die das Gebäude durchzogen. So wird denn der Ehebruch zu einem Gericht über die Ehe und was sie ausmacht. Anderes ist nicht möglich, und auch Tolstoi, der wie Fontane die schlechte Ehe mit einer guten (in der Levin-Handlung) balancieren wollte, kann nicht verhindern, daß die Ehe der Karenins nun einmal nicht haltbar war – weder im Hinblick auf die Personen noch in dem auf die Umstände. Angesehen werden soll die Ehe hier als der Punkt, an dem die sexuellen Beziehungen von Individuen als soziale institutionalisiert werden. Insoweit aber ein Naturverhältnis kulturelle Vertragsform annimmt, gerät es unter Bestimmungen, die nicht die seinigen von Haus aus sind. Die fürchterliche Definition, die Kant der Ehe als Vertragsform hat angedeihen lassen, gibt preis, daß das Naturverhältnis in ein Gewaltverhältnis verwandelt werden soll und muß, das notwendigerweise und nur so das sittliche ist. Changiert so Ehe in den Aspekten von Sexualität, Herrschaft und Sittlichkeit, so ist abzusehen, daß die heterogenen Elemente einander fliehen werden, sobald die Bedingungen des sozialen Drucks schwinden, die das Agglomerat zusammenhalten. Eine dieser Bedingungen war die vorindustrielle Organisation der Arbeit, die der Frau Schutz und Unterhalt allein im Familienverband bot. Reuter schreibt in seiner großen Monographie etwas schematisch, aber nicht falsch: »Daß Effis ›Schwäche‹ und ›Knax‹, ihre Verführbarkeit und Verführung nur eine letzte menschliche Konsequenz des als Eheschließung getarnten unmenschlichen Kaufes sind, muß ihr verborgen bleiben, ebenso wie ihren Eltern.«[1]

1 Hans-Heinrich Reuter. *Fontane*. Bd. 2. München 1968. S. 682 f.

Fortschreitende Differenzierung der bürgerlichen Gesellschaft löste im Verlauf des neunzehnten Jahrhunderts auch die archaische Form der Kaufehe auf – selbst ihre subtilere Form, bei der die Familien mehr darauf achteten, daß sich Stand zu Stand und Vermögen zu Vermögen finde als Herz zu Herzen. Insofern focussieren in Ehekonflikten und Ehebrüchen nicht allein sexuelle Affinität und rechtlicher Vertrag, sondern zugleich die Bewegungstendenzen der bürgerlichen Gesellschaft, die individuelle Energien mobilisierte, indem sie ihre archaischen Bindungen löste. Zur Heldin dieser Bewegungstendenzen ist Nora Helmer aufgerückt, die Ibsen ihre Pflichten als Gattin und Mutter aufkündigen läßt, weil sie »die Pflichten gegen mich selbst« wahrnehmen will. Ihrem protestantischen Freiheitspathos, das im Drama allein gegen die Institution der Familie rebelliert, ist allerdings schon das polemische Motiv gegen eine gesellschaftliche Ordnung einbeschrieben, die von der Frau die Opferung für die Familie erwartet: »Ich muß herauskriegen, wer recht hat, die Gesellschaft oder ich« – sagt Nora, und kurz darauf fällt hinter ihr, die Mann und Kinder verläßt, »die Haustür dröhnend ins Schloß«.[2]

Zu solch kritischer Abrechnung mit der sozialen Institution Ehe war Fontane nicht aufgelegt. Aus seiner Abneigung gegen Ibsens Eheanalysen hat er kein Hehl gemacht. Anläßlich Ibsens *Gespenster* schrieb er: »Das Hin und Her vom einen zum andern, das Lieben auf Abbruch, die souveräne Machtvollkommenheit ewig wechselnder Neigungen über das Stabile der Pflicht, über das Dauernde des Vertrages, all das würde die Welt in ein unendliches Wirrsal stürzen und eine Verschlimmbesserung ohne gleichen sein.«[3]

Effie Briest ist denn keine hysterische Tugendheldin, die den

2 Henrik Ibsen, »Nora oder Ein Puppenheim«, 3. Akt, in: H. I., *Dramen*, Bd. 1, München 1973.

3 Theodor Fontane, »Noch einmal Ibsen und seine *Gespenster*, in: Th. F., *Werke, Schriften, Briefe*, Abt. 3, Bd. 2, hrsg. von Siegmar Gerndt, München 1969. S. 713.

Vertrag aufkündigt, ohne ihn gebrochen zu haben, sondern eine Verführerische und Verführte, die ihn umgeht und betrügt. Insofern kann man sie eher eine Schwester im Geiste von Emma Bovary nennen, von der sie doch wieder Schwäche und Moralismus trennen. Daß Fontane – anders als Ibsen und Tolstoi – den Bruch der Ehe weniger als moralischen, denn als sozialen oder bestenfalls psychologischen Casus behandelt, hat Stern bereits beobachtet. Ja, er konstatiert nicht falsch, daß es Fontane durchgängig um die Trennung des Sozialen vom Moralischen gehe.[4] Eine Trennung, die vorher schon Flaubert vorgenommen hatte – und zwar so gründlich, daß die Moral dabei gänzlich abhanden kam. Folgerichtig wurde denn sein Ehebruchsroman vom Staatsanwalt der »offenses à la morale publique et à la religion« beschuldigt und sein Autor zusammen mit dem Verleger und dem Drucker vor Gericht gestellt.[5] Solche Verfolgung widerfuhr Fontane nicht.
Daß Fontane den Ehebruch in der Familie von Innstetten als sozialen Casus ansah, dem er eine sozialpsychologische Behandlung angedeihen ließ, erhellt aus dem Umstand, daß er den Stoff der Chronique scandaleuse der Berliner Gesellschaft entnahm. Das Skelett der Handlung ist der Affäre von Ardenne nachgebildet, die 1886 Schlagzeilen machte. Die erste Fassung des Romans (mutmaßlich von 1890) nennt die Heldin noch Betty (nach Elisabeth von Ardenne), erst die Druckfassung von 1894 bringt den Namen Effi Briest. Wie im Roman endet die Affäre Ardenne mit einem Duell, zu dem

4 »And this dissociation of the moral from the social, as well as this exhortation to avoid the assertion of absolutes, is Fontane's consistent concern.« Weiter unten: »It is, I think, characteristic of this outlook that Fontane has portrayed characters who are lacking in passion and who may consequently be shown within a range of experience for which a direct invocation of the moral theme is not required.« (Joseph Peter M. Stern, »Effi Briest«: »Madame Bovary«: »Anna Karenina«, in: *The Modern Language Review* 52 [1957] S. 370.)

5 Laut ›Réquisitoire‹ des Staatsanwaltes in dem Prozeß des Ministère Publique gegen Gustave Flaubert. Abgedruckt in: G. F., *Œuvres*, Bd. 1, Paris 1951 (Bibliothèque de la Pléiade), S. 615–633.

der düpierte Armand von Ardenne den Galan seiner Frau, Emil Hartwich, forderte. Der Konkurrent, übrigens ein Amtsrichter, unterlag wie im Roman dem Ehegatten, einem Rittmeister, damals bei den Düsseldorfer Husaren.
Es ist nicht ohne Bedeutung, Personen und Verlauf der Affäre Ardenne zu vergleichen mit dem Roman, den Fontane nach diesem Vorbild geschrieben hat. Der Verschiedenheiten sind ungezählte; hier sei allein auf die drei gravierendsten abgehoben. Armand von Ardenne war 22 Jahre alt, als er sich 1871 mit der 17jährigen Elisabeth von Plotho verlobte. Fontane vergrößerte den Altersunterschied auf mehr als zwanzig Jahre und rückte Geert von Innstetten zur Generation der Eltern hinauf. Die Vater-Imago wird komplettiert durch den Hinweis, daß er dereinst zu den Bewerbern um die Hand der Mutter gehörte und insofern auf Effi nicht bloß als Verlobte, sondern außerdem als eine mögliche Tochter blicken konnte. Auch die Zeitspanne, die Fontane verstreichen läßt, bis der Ehegatte vom Ehebruch der Ehegattin erfährt, der unterdessen sieben Jahre zurückliegt, ist eine Zutat. Die entscheidende Veränderung aber stellt der Tod Effis dar, auf den sie nach der Scheidung hinsiecht. Die wirkliche Ehebrecherin war von stabilerer Gesundheit und empfand ihr Leben wohl trotz Auflösung der Familie nicht als vernichtet. Als das Vorbild der Effi 1952 in Lindau am Bodensee starb, war sie nahezu hundert Jahre alt.[6] Nicht beachtet werden soll, wie Friedrich Spielhagen die Affäre in seinem Roman *Zum Zeitvertreib* behandelt hat. Doch bemerkenswert ist, daß Fontane in der früher (1880) entstandenen *L'Adultera* die Ehebrecherin nicht nur nicht zum Tode verurteilt, sondern eher wie eine Nora Helmer aufrechten Hauptes den Ehegatten verlassen und eine neue Ehe mit dem Geliebten eingehen läßt. Hierfür handelte sich Fontane die Beanstandung ein, daß er den Ehebruch nicht der Instanz der ›poetischen Gerechtigkeit‹ unter-

6 Vgl. Hans Werner Seiffert, »Fontanes *Effi Briest* und Spielhagens *Zum Zeitvertreib* – Zeugnisse und Materialien«, in: *Studien zur neueren deutschen Literatur*, hrsg. von H. W. S., Berlin 1964, S. 255–300.

worfen habe, sondern sich an den tatsächlichen Verlauf der Ravené-Affäre hielt – eine Berliner Skandalgeschichte, die auch hier den Vorwurf lieferte. »Soll die Kunst den Moralzustand erhalten oder bessern, so haben *Sie* Recht, soll die Kunst einfach das Leben widerspiegeln, so habe *ich* Recht. Ich wollte nur das Letztre. Die Geschichte verlief so und die Dame, um die sich's handelt, sitzt unter einer Menge von Bälgen, geliebt und geachtet, bis diesen Tag oben in Ostpreußen.«[7] Es ist zu fragen, ob dieser Brief nur eine moralisierende Kritik abfertigen soll, indem Fontane sich aufs höhere Prinzip der realistischen Darstellungsweise berief. Denn weicht er in der Gestaltung der *Effi Briest* gerade vom realen Verlauf der Geschichte ab, so wäre das als Wandel in Fontanes ›Kunstanschauung‹ zu verstehen, derzufolge die Kunst nicht darzustellen, sondern moralisch zu bessern habe. Man wird das kaum annehmen dürfen. Wenn die geschiedene Melanie van der Straaten zu ihrem neuen Gatten sagt, »es braucht nicht alles Tragödie zu sein«,[8] dann klingt aus dieser Selbstbewußtheit etwas so Unbeschwertes, ja fast Fröhliches, daß der glückliche Schluß den Roman ins allzu Leichte und Idyllische verflattern sieht. Aber müssen Ehebrüche allemal in der Katastrophe enden, sobald sich ihrer ein Romancier annimmt, während in Wirklichkeit doch so oft alle Beteiligten weiterleben – unter Umständen glücklicher als zuvor? Fontanes Romane sollten ja keine Hebbelschen Tragödien sein, deren Ehepaare sich notwendigerweise aneinander ruinieren müssen. Die Kunst habe sich, wie Fontane in einem anderen Brief zu *L'Adultera* wissen läßt, »vor allem vor Übertreibungen nach der Seite des Häßlichen« zu hüten. Er gehe »dem Traurigen nicht nach«, ja befleißige sich vielmehr, »alles in jenen Verhältnissen und Prozentsätzen

7 Fontanes Brief an Paul Pollack vom 10. 2. 1891, in: *Briefe an die Freunde. Letzte Auslese*, Bd. 2, hrsg. von Friedrich Fontane und Hermann Fricke, Berlin 1943, S. 483 f.

8 Theodor Fontane, »L'Adultera« in: *Werke, Schriften, Briefe*, Abt. 1, Bd. 2, hrsg. von Walter Keitel und Helmuth Nürnberger, München 1971, S. 119.

zu belassen, die das Leben selbst seinen Erscheinungen gibt«.[9] Lassen Goethe, Flaubert und Tolstsoi ihre Ehebruchsromane in der Katastrophe enden, so ist – abgesehen von allen Erwägungen in Sachen ›poetischer Gerechtigkeit‹ – doch damit vor allem der Schwerkraft dessen Rechnung getragen, was hier zugrunde geht. Es zerfällt mit der sozialen Form auch die moralische, die sie dem Leben und die sich Leben in ihr gegeben hat. Das Leben ohne Halt kann in sich zusammenfallen und still verkümmern. Das war Effis Los, wie es Fontane sah. Emma Bovary stürzt sich dagegen lustvoll in den Abgrund der Laster, um im sozialen Abgrund, der hinter jenem sich öffnet, ein Leben zu zerstören, das sie in seiner sozialen Form nicht halten konnte und nicht halten wollte. Von den zweierlei Katastrophen, mit denen der deutsche und der französische Roman das Leben ihrer Heldinnen beenden, läßt sich einsehen, daß ihr Leben auch ein verschiedenes gewesen ist. Das Verhältnis, in das Fontane und Flaubert jeweils Leben zur sozialen Institution Ehe setzen, ist ein anderes. Der Staatsanwalt, der Flaubert des Immoralismus und des Nihilismus beschuldigte, hatte gewiß nicht Unrecht, wenn er in Emma Bovary diejenige sah, die im Roman Recht erhielt: »Et moi je dis que si la mort est la survenue du néant, que si le mari béat sent croître son amour en apprenant les adultères de sa femme, que si l'opinion est représentée par des êtres grotesques, que si le sentiment religieux est représenté par un prêtre ridicule, une seule personne a raison, règne, domine: c'est Emma Bovary. Messaline a raison contre Juvénal.«[10] Wenn Flauberts Verteidiger hierauf entgegnete, daß die Idee des Romans durchaus moralischer und religiöser Art sei, ja der Roman sich »l'excitation à la vertu par l'horreur du vice«[11] zum Ziel gesetzt habe – dann konnte dies nicht mehr als ein taktisches Argument sein. Zur Ambivalenz der Fontaneschen Romankunst gehört es hin-

9 *Briefe an die Tochter und an die Schwester*, hrsg. von Kurt Schreinert, Berlin 1969, S. 48.
10 ›Réquisitoire‹ (Anm. 5), S. 633.
11 ›Plaidoirie‹ des Verteidigers (Anm. 5), S. 634.

gegen, das Urteil über die Institution Ehe in der Schwebe zu halten. Dafür spricht nicht allein der Umstand, daß Effi nach der Scheidung wieder ins Elternhaus zurückkehrt, und das Schlußtableau des Romans, das die zwei alten Briests in einem heiteren Gespräch versammelt, während sie im Garten des Hauses sitzen und das Grab der toten Effi betrachten. An den alten Briests, die ihre Tochter überleben, wird deutlich, daß die ›poetische Gerechtigkeit‹, soweit von ihr gesprochen werden kann, nicht dem Naturkind Effi Recht und der Ehekonvention Unrecht geben wollte. Dagegen verschlägt nicht, daß Effi nach der Scheidung Züge einer Märtyrerin gewinnt. Schuster hat in einer klugen Analyse nachgewiesen, daß das Leben in der Königgrätzer Straße und später in Hohen-Cremmen einer Passion gleicht, wie überhaupt Fontane, spielend in der Manier des ›disguised symbolism‹, Effis Leben auf christliche Vorstellungsbilder ausgerichtet habe – wenn auch nur in ironischer Brechung.[12]

Ist aber die Verbannung, in der Effi erst in Berlin allein, dann bei ihren Eltern auf Hohen-Cremmen leben muß, ein Martyrium, dann dürfte diesem keine oder doch nur eine problematische Schuld entsprechen. Mit deren Begriff kann denn auch Effi nicht viel beginnen, als sie noch vor der Entdeckung des Fehltritts über ihr Leben nachdenkt. Was sie empfindet, sind nicht Schuldgefühle, sondern solche der Angst und der Scham. Die aber meinen etwas anderes: »Ich schäme mich bloß von wegen dem ewigen Lug und Trug; immer war es mein Stolz, daß ich nicht lügen könne und auch nicht zu lügen brauche, lügen ist so gemein, und nun habe ich doch immer lügen müssen, vor ihm und vor aller Welt, im großen und im kleinen, und Rummschüttel hat es gemerkt und hat die Achseln gezuckt, und wer weiß, was er von mir denkt, jedenfalls nicht das Beste. Ja, Angst quält mich und dazu Scham über mein Lügenspiel. Aber Scham über meine Schuld, die hab ich

12 Peter-Klaus Schuster, *Theodor Fontane. »Effi Briest« – Ein Leben nach christlichen Bildern*, Tübingen 1978, vgl. bes. Kap. 4.

nicht oder doch nicht so recht oder doch nicht genug, und das bringt mich um, daß ich sie nicht habe.« (248)[13]
Entschiedener noch als vor der Entdeckung lehnt Effi es nach der Scheidung ab, Sanktionen im Namen gesellschaftlicher Moral als solche zu akzeptieren. Moralität der Gesellschaft wird am Ende des 33. Kapitels streng von objektiver Schuld abgetrennt. Nachdem sie erlebt hat, wie der Vater die Tochter zur »wenn ich darf«-Phrase abgerichtet hatte, bevor sie ihre Mutter besuchen durfte, bricht im Zorn über den »Schulmeister« und »Erzieher« von Ehemann auch alle Verachtung für eine Moral aus ihr heraus, die meint, daß der Ehebrecherin das Kind zu nehmen sei: »Mich ekelt, was ich getan; aber was mich noch mehr ekelt, das ist eure Tugend. Weg mit euch. Ich muß leben, aber ewig wird es ja wohl nicht dauern.« (313) Doch ob eine Schuld ist, die vom gesellschaftlichen Tugendbegriff nicht abhängt, bleibt unentschieden. Effi will im selben Monolog ihre »Schuld nicht kleiner machen«. Was aber ist der Inhalt dieser Schuld? Fontane trennt offenkundig die Sphäre objektiver Sittlichkeit, an der ein Schuldspruch abzulesen wäre, von der Sphäre gesellschaftlicher Moralität ab, deren Recht zweifelhaft ist. In den letzten Sätzen, die Effi vor dem Tode spricht, wird dem Ehegatten zugestanden, daß er »in allem recht gehandelt« (335) habe. Doch da das rechte Handeln ohne »rechte Liebe« gewesen sein soll, kann, im christlichen Verstande, das rechte Handeln nicht das sittliche sein. Soweit auf Fontanes Werk protestantische Begriffe sich anwenden lassen, wäre das rechte Handeln erst dann das sittliche gewesen, wenn diejenige Nächstenliebe hinzugetreten wäre, in deren Namen Christus der Maria Magdalena verziehen hat. ›Menschlichkeit‹ nennt das Ganze Fontane im Brief an Colmar Grünhagen, in dem er noch schreibt: »[. . .] ich verliebe mich in sie [die Frauengestalten], nicht um ihrer Tugenden, sondern um ihrer Menschlichkeiten, d. h. um ihrer

13 Theodor Fontane, *Effi Briest. Roman*, mit einem Nachw. von Kurt Wölfel, Stuttgart 1969 [u. ö.] (Reclams Universal-Bibliothek, 6961). Die Zitatnachweise im Text beziehen sich auf diese Ausgabe.

Schwächen und Sünden willen. Sehr viel gilt mir auch die Ehrlichkeit, der man bei den Magdalenen mehr begegnet als bei den Genoveven.«[14]

Ist aber sittliches Handeln das menschliche, mit dem Schwächen und Sünden zu vereinbaren sind, wird die Rigidität des Sittengesetzes erweicht, wenn auch noch nicht aufgehoben. Doch führt die Erweichung dazu, daß als erstes alle Substanz aus den moralischen Normen des sozialen Handelns abfließt. Der »Ehrenkultus«, heißt es in dem ersten Gespräch zwischen Innstetten und Wüllersdorf, ist ein »Götzendienst« (269). Ein Gott, der um der Menschlichkeit willen alles verzeiht, verwandelt auf Erden moralisches Handeln in einen ›Götzendienst‹ – an einem Götzen allerdings, der »gilt«. Triebanarchie soll hinwiederum auch nicht herrschen. Nimmt man mithin den Satz vom ›Götzendienst‹ und die Rezension über Ibsens *Gespenster* zusammen, ergibt sich jene ›halbe Komödie‹, die Innstetten sein Duell mit Crampas nennt (276). Ist es aber eine ›halbe‹ Komödie, muß die andere Hälfte wohl oder übel Tragödie sein. Eine halbe Tragödie ist eine halbe Notwendigkeit. Der Götze der gesellschaftlichen Normen ›gilt‹ und gilt nicht. Das heißt: er gilt. Das meint jedenfalls unmißverständlich der Schlußsatz in der Rezension, die Fontane über eine Aufführung der *Gespenster* am 9. Januar 1887 auf der »Freien Bühne« schrieb: »Unsere Zustände sind ein historisch Gewordenes, die wir als solche zu respektieren haben. Man modle sie, wo sie der Modlung bedürfen, aber man stülpe sie nicht um. Die größte aller Revolutionen würde es sein, wenn die Welt, wie Ibsens Evangelium es predigt, übereinkäme, an Stelle der alten, nur scheinbar prosaischen Ordnungsmächte die freie Herzensbestimmung zu setzen. Das wäre der Anfang vom Ende. Denn so groß und stark das menschliche Herz ist, eins ist noch größer: seine Gebrechlichkeit und seine wetterwendische Schwäche.«[15]

14 Fontanes Brief an Colmar Grünhagen vom 10. 10. 1895, in: *Fontanes Briefe*, hrsg. von Gotthard Erler, Bd. 2, Berlin/Weimar 1968, S. 382.

15 Fontane (Anm. 3) S. 714.

Es sollte wohl der Wurm in der Ehe Innstettens gezeigt werden, wenn da einer die Tochter freit, der einst die Mutter hatte freien wollen. Unübersehbar, daß die Ehe von daher weniger Liebes- als Kaufehe war. »Tributopfer der Eltern« nennt Fleig die junge Braut.[16] Doch ebenso unübersehbar ist, daß selbst die Kaufehe sittliche Gewalt als Familie entfaltet. Die sieben Jahre, die der Autor zwischen Ehebruch und dessen Entdeckung legt (und die in der Ardenne-Affäre fehlen), geben kund, daß der ›Ehrengötze‹ nicht hohl und Effis Reden von ›Schuld‹ nicht nur Geplapper sein sollen. Benjamin hat an den *Wahlverwandtschaften* dargetan, welche zerstörerische Gewalt eine in sich nichtige Ehe noch zu entfalten vermag, wenn sie untergehen muß.[17] So erhalten – gut liberal und gut konservativ – Effi und Innstetten Recht. Mit ihrer Ehe soll nicht die Institution Ehe kollabieren.

Flaubert hingegen hebt, was geschieht, nicht in der ironischen Selbstreflexion seiner Personen wieder auf. Die vielberufene ›impassibilité‹ seines Stils meint hier wohl Ironie nur in dem Sinne, daß in dem kalt gezeichneten Kontrast, in dem Emmas Liebessehnsucht und die Moral der Familie zusammenstoßen, sich die eine als alberne Sentimentalität und die andere als hohler Anspruch enthüllen. Rückt Fontane Liebe und Moral in das irritierende Licht seiner ironischen Brechungen, so verharren beide, Liebe und Moral, in der Schwebe – nicht aufgehoben und nicht bestätigt. Flaubert hebt da gründlicher auf. Emma Bovary verwechselt die Welt mit den sentimentalen Romanen, die ihr zu Kopf gestiegen sind, während Charles Bovary als verspießerter Landarzt gegeben wird, den seine Beschränktheit daran hindert zu sehen, mit welch einer Gierigen er verheiratet ist. Wenn die nicht miteinander können, dann sind auch die Ansprüche, die da auf beiden Seiten bestehen, ohne

16 Horst Fleig, *Sich versagendes Erzählen (Fontane)*, Göppingen 1974, S. 73.

17 Walter Benjamin, »Goethes Wahlverwandtschaften«, in: *Gesammelte Schriften*, hrsg. von Rolf Tiedemann und Hermann Schweppenhäuser, Bd. I.1. Frankfurt a. M. 1974.

Substanz. Mit den Helden fallen, wie billig, die Kulissen zusammen, vor denen sie agiert haben. Flauberts objektive Ironie läßt die Dinge mitleidlos kollidieren und ruiniert sie hierdurch konsequenter, als das Fontane zulassen mag, der im ironischen Gespräch bestätigt, daß die Ansprüche der Dinge zwar aufgehoben seien, doch es unentschieden lassen möchte, ob die Aufhebung zu Recht erfolgt sei.

Vergleicht man darüber hinaus Flauberts Roman mit demjenigen Fontanes, fallen weitere Ähnlichkeiten auf. Nicht nur haben die Heldinnen dieselben Anfangsbuchstaben in ihrem Namen: E und B. Fontane muß den Namen Effi Briest mit Bedacht gewählt haben, denn in den Entwurfsskizzen heißt sie noch Betty von Ottersund. (Daß sie ursprünglich aus einem Otternsund, d. h. aus dem Wasser, stammen soll, deutet ganz nebenbei auf das Melusinen-Motiv hin, mit dem Fontane bei den Meeresbildern gerne spielt.) Weiter führt der Vergleich von Kessin und Yonville – der beiden Provinznester, in denen Innstetten als Landrat und Bovary als Landarzt Dienst tun. Auch zwei Apotheker gibt es, die beide ihre Rolle in der Geschichte spielen: Gieshübler und Homais. Ist letzterer bei Flaubert als gefährlicher Karrierist mit politischen Ambitionen geschildert, so ersterer bei Fontane als liebenswürdiger Menschenfreund, der Blumen schickt und Liebhaberaufführungen veranstaltet, auf deren einer Effi unter der Regie von Crampas zu spielen hat – sinnigerweise die Heldin in Wicherts Lustspiel *Ein Schritt vom Wege.* Wie Gieshübler positiv gegen Homais kontrastiert, so auch Innstetten gegen den tumben Charles Bovary. Fontane hat getan, was er konnte, um Innstetten nicht zu dem ›Ekel‹ werden zu lassen, das dann doch die meisten Leser in ihm sehen wollten. Es hat Fontane nichts genutzt, daß er ihn ein »ganz ausgezeichnetes Menschenexemplar« nannte und sich darüber verwunderte, daß »korrekte Leute« allein »um ihrer Korrektheiten willen mit Mißtrauen, oft mit Abneigung betrachtet« werden.[18]

18 Fontanes Brief an Clara Kühnast vom 27. 10. 1895, in: *Neunundachtzig bisher ungedruckte Briefe und Handschriften von Fontane*, hrsg. von Richard von Kehler, Berlin 1936, S. 109.

Auch Kessin ist nicht das trostlose Yonville, sondern allenfalls ein etwas verschlafener Badeort, der sich nur im Sommer etwas belebt. Erscheinen also Kessin und seine Bewohner, soweit Fontane sie vorführt, gehoben in Hinsicht auf Yonville, so rangieren die Verführer ungefähr auf gleicher Stufe: Crampas und Rodolphe sind charmante Filous, denen das Amüsement wichtiger ist als die Folgen, die es haben muß.
Nicht entschieden werden kann und soll an dieser Stelle, ob nun Fontane oder Flaubert als der größere Realist anzusehen ist. Dennoch darf der Frage nicht ausgewichen werden, wie sich denn nun die Romanwirklichkeit jeweils zur Lebenswirklichkeit verhält. Absicht Fontanes war ja, in seinen Romanen alles »in jenen Verhältnissen und Prozentsätzen zu belassen, die das Leben selbst seinen Erscheinungen gibt«.[19] Sind die Prozentsätze der Lebenswirklichkeit sowohl bei Fontane als auch bei Flaubert gewahrt, oder verschiebt der eine das Verhältnis zum Häßlichen hin, wie der andere es zum Schönen? Die Frage zu beantworten heißt, zuvörderst Aufschluß über die realen Verhältnisse einzuholen. Möglich, daß ein Badeort in Pommern (Swinemünde steht im Hintergrund von Kessin) es besser hatte als ein Ackerdorf der Normandie. Diese Untersuchung kann hier nicht vorgenommen werden. Der Staatsanwalt im Immoralismusprozeß schien da anderer Ansicht als Flaubert gewesen zu sein. Für ihn war die Romanwirklichkeit ins Häßliche verzeichnet. Denn: »Qui peut condamner cette femme dans le livre? Personne. Telle est la conclusion. [. . .] S'il n'y a pas une idée, une ligne en vertu de laquelle l'adultère soit flétri, c'est moi qui ai raison, le livre est immoral!«[20] Unklar bleibt an dem Argument allerdings, ob es die Person geben könne, vor deren Lebensführung die Lebensweise Emmas unmoralisch und ihr Leben als unwirklich erscheint – oder ob diese Person aus Gründen der Moral bloß zu fordern ist. Denn weiter oben wird in der Anklageschrift nicht die Verzeichnung der Realität gerügt, sondern

19 Vgl. Anm. 9.
20 ›Réquisitoire‹ (Anm. 5), S. 632.

nur »la nature dans toute sa nudité, dans toute sa crudité«. Kunst und Moral, die hier wohl gleiche Aufgaben haben sollen, hätten »gaze« und »voiles« bereitzustellen, um die nackte Natur zu verhüllen.[21]

Fontane hat selbst gelegentlich von der ›Verklärung‹ gesprochen, derer sich die Kunst des Romans, wie überhaupt alle Kunst, zu befleißigen habe. Verklärung aber heißt, daß das Häßliche der Realität in ein ausgewogenes Verhältnis zum Schönen der Kunst gebracht werden muß. »So wie in den Romanen Zolas *ist* das Leben nicht, und wenn es so wäre, so müßte der verklärende Schönheitsschleier dafür geschaffen werden. Aber dies ›erst schaffen‹ ist gar nicht nötig, die Schönheit ist *da*, man muß nur ein Auge dafür haben oder es wenigstens nicht absichtlich verschließen. Der *echte* Realismus wird auch immer schönheitsvoll sein, denn das Schöne, Gott sei Dank, gehört dem Leben gerade so gut an wie das Häßliche. Vielleicht ist es noch nicht einmal erwiesen, daß das Häßliche präponderiert.«[22]

Die Verklärung, wie sie Fontane sich vorstellte, zielt auf die »Gesamtheit des Lebens«.[23] Diese wird im Roman verfehlt, wenn das Häßliche überwiegt. Ihm habe das Schöne an die Seite zu treten, da das Schöne wie das Häßliche gleichermaßen zur Lebenswirklichkeit gehören. Ist es hier nicht sogleich aufzufinden, so hat die Kunst zumindest die Hoffnung darauf nicht zu nehmen, hat sie das Schöne in Aussicht zu stellen. Genau so sagt es Fontane in einer Rezension der Aufführung des *Tiberius* von Julius Grosse: »Wir wollen nicht fünf Akte lang durch Blut waten, um schließlich den Trost mit nach Hause zu nehmen, daß Tiberius sel. Erbe da sei, und mit frischem Cäsarenwahnsinn das Geschäft fortzusetzen gedenke.

21 Ebd., S. 627.

22 Brief an Emilie Fontane vom 14. 6. 1883, in: *Briefe an den Vater, die Mutter und die Frau*, hrsg. von Kurt Schreinert, Berlin 1968, S. 200.

23 So Aust in seiner minuziösen Verfolgung des Begriffs. – Hugo Aust, *Theodor Fontane. »Verklärung«. Eine Untersuchung zum Ideengehalt seiner Werke*. Bonn 1974. S. 15.

Wir wollen wissen, daß ›Fortinbras klirrend einrückt‹ und daß der wüste Skandal endlich ein Ende nimmt. Selbst Richard III., in dem das ›Kopf herunter‹ wie Morgen- oder Abendsegen mitklingt, entläßt uns mit der Gewißheit, daß ein hellerer Tag heraufzieht und dem Streit der Friede und dem Fieber die Genesung folgt.«[24]

Meint ›Verklärung‹, daß in der Romanwirklichkeit das Häßliche durch das Schöne balanciert werde, weil dies auch den Verhältnissen in der Lebenswirklichkeit entspreche, so ist die Herkunft eines solchen Realismus-Begriffs aus der Schule des ›Poetischen Realismus‹ unübersehbar. Was der poetische Realismus im Unterschied zum kruden Realismus wollte, hat Karl Rosenkranz in der *Ästhetik des Häßlichen* (1853) formuliert: »Das Nachbilden der cruden Erscheinung ist noch nicht Kunst, denn diese soll von der Idee ausgehen, die Natur aber, da sie in ihrer Existenz aller Äußerlichkeit und Zufälligkeit preisgegeben ist, kann oft ihren eigenen Begriff nicht erreichen. Es bleibt Sache der Kunst, die von der Natur angestrebte, allein durch ihr Dasein in Raum und Zeit ihr oft unmöglich gemachte Schönheit, das Ideal der Naturgestalt, zu realisieren. Um aber diese ideale Wahrheit der Naturformen möglich zu machen, muß allerdings die empirische Natur sorgfältig studiert werden, wie dies auch alle echten Künstler tun und wie nur die falschen Idealisten es verschmähen. Die Wahrheit der Naturformen gibt dem Schönen die Korrektheit.«[25]

In solchen Worten hallt, etwas scheppernd schon, die klassische Ästhetik nach, die sich mit dem Häßlichen im aufkommenden Realismus beschäftigt, um es der Botmäßigkeit des Schönen wieder zu unterstellen.

Die »verklärende Aufgabe der Kunst« besteht für Fontane darin, dem erlebten Leben »Intensität, Klarheit, Übersichtlichkeit und Abrundung« zu geben, damit es hierdurch zum erdichteten Leben werden könne.[26] Wird das Prinzip realisti-

24 Fontane, *Werke, Schriften, Briefe* (Anm. 3), Abt. 3, Bd. 2, S. 336.
25 Karl Rosenkranz, *Ästhetik des Häßlichen*, Königsberg i. Ts. 1853, S. 56.
26 Fontane, *Werke, Schriften, Briefe* (Anm. 3), Abt. 3, Bd. 1, S. 569.

scher Romankunst so gefaßt, dann ist erklärt, warum Effis Ehebruch nach sieben Jahren nicht einfach vergessen sein kann. Er muß Konsequenzen ernstlicher Art haben, wenn die Ehe selbst nicht als Bagatelle erscheinen soll. Mit den sieben Jahren, die Fontane einschiebt, ist die Ahndung des Ehebruchs von Gefühlen verletzten Stolzes und Rache abgesondert worden. Die Verletzung der Ehe fordert objektiv Sühne. Was aber verletzt werden und Sühne fordern kann, ist oder muß ein Objektives sein: Sittlichkeit. Dennoch vermag Innstetten, der Crampas im Duell getötet hat, nicht ganz zu glauben, daß die Sittlichkeit jenes Erhabene ist, das von Umständen und Zufälligkeiten der Lebenswirklichkeit nicht relativiert werden könnte. »Ich bin jetzt fünfundvierzig. Wenn ich die Briefe fünfundzwanzig Jahre später gefunden hätte, so war ich siebzig. Dann hätte Wüllersdorf gesagt: ›Innstetten, seien Sie kein Narr.‹ [. . .] Treibt man etwas auf die Spitze, so übertreibt man und hat die Lächerlichkeit. Kein Zweifel. Aber wo fängt es an? Wo liegt die Grenze? Zehn Jahre verlangen noch ein Duell, und da heißt es Ehre, und nach elf Jahren oder vielleicht schon bei zehnundeinhalb heißt es Unsinn. Die Grenze, die Grenze. Wo ist sie? War sie da? War sie schon überschritten? Wenn ich mir seinen letzten Blick vergegenwärtige, resigniert und in seinem Elend doch noch ein Lächeln, so hieß der Blick: ›Innstetten, Prinzipienreiterei . . . Sie konnten es mir ersparen und sich selber auch.‹« (275 f.)
So gilt die Ehe einmal als soziale Institution, ein andermal als sittliche. Analog sind die Neigungen, die Effi aus der langweiligen Ehe in das Abenteuer mit Crampas ziehen, verständlich und insofern berechtigt; nach dem 32. Kapitel aber, mit dem die Reihe der Sühnekapitel anhebt, werden dieselben Neigungen dann doch wieder von Effi als Schuld gesehen, wenn auch nicht recht empfunden. Die Fronten verkehren sich im Verlauf des Geschehens unmerklich. Was vorher sich mit Notwendigkeit zu entwickeln schien und Berechtigung annahm, wird nach dem Fall langsam wieder abgetragen und als Schuld angesehen.

Georg Lukács hat dieses Hin und Her der Beurteilung, dieses Einerseits und Andererseits der Charaktere als die Halbheit der Fontaneschen Romankunst bezeichnet. Lebendiges Interesse und soziale Form decken sich nicht länger, doch hängen sie noch aneinander. Effi fällt aus der Platitüde ihrer Ehe in die Platitüde eines Verhältnisses und spricht trotzdem von Schuld. Innstetten erschießt den Nebenbuhler, aber sagt später: »Also bloßen Vorstellungen zuliebe ... Vorstellungen! ... Und da klappt denn einer zusammen, und man klappt selber nach. Bloß noch schlimmer.« (328) Sie sind denn beide halb das eine und halb das andere. Die Konvention wird als Götze gesehen – doch als geltender Götze. »Aber im Zusammenleben mit den Menschen hat sich ein Etwas ausgebildet, das nun mal da ist und nach dessen Paragraphen wir uns gewöhnt haben, alles zu beurteilen, die andern und uns selbst. Und dagegen zu verstoßen geht nicht; die Gesellschaft verachtet uns, und zuletzt tun wir es selbst und können es nicht aushalten und jagen uns die Kugel durch den Kopf.« (267) Der historische Ort, an dem diese Unterhaltung zwischen Innstetten und Wüllersdorf stattfindet, ist die Wilhelminische Gesellschaft, deren tragende Allianz von Junkertum und Bürgertum in ein prekäres Stadium getreten war. Soziale Wirklichkeit widersprach ihrer politischen Verfassung, die dennoch galt; wie der Ehrenkodex der Aristokratie dem Empfinden der Duellanten widersprach, die dennoch miteinander duellieren, da der Kodex galt. Wenn aber eine Gesellschaft wie die Wilhelminische in solchen Widerspruch zu sich selbst gerät, nur noch halb hinter sich selber steht, mit der anderen Hälfte schon auf der anderen Seite, dann ist der politische Kollaps nicht fern. Lukács meint: »Mit alledem prophezeit der alte Fontane hier ebenfalls – ohne sich darüber auch nur entfernt im klaren zu sein – seinem Bismarckschen Preußen-Deutschland ein neues Jena. Es ist freilich eine passive, eine skeptisch-pessimistische Prophezeiung. Die Kräfte der deutschen Erneuerung liegen völlig außerhalb seines dichterischen Horizontes. Die Lene Nimptsch, die Stine und andere plebejische Gestalten sind letzten Endes ebenso passive Opfer wie Effi Briest. In keiner solchen Gestalt sind auch nur menschliche, unbewußte Keime jener Kräfte sichtbar, die aus dieser Wüste einen fruchtbaren Boden machen könnten.«[27] Wie *Schach von Wuthenow* das Bild der Zeit vor dem Sturm von 1806 beleuchten wollte, so können die Berliner Gesellschaftsromane gelesen werden als Pathographie einer Gesellschaft, deren Bewegungen mechanisch wurden und deren ›Kitt‹ zerbröckelte. Das Erscheinungsjahr der *Effi Briest* war wohl noch zwanzig Jahre von 1914 entfernt, doch Fontane lieferte eine Analyse des gebrochenen Verhältnisses, in dem Bürger und Adlige zu den Formen ihrer Gesellschaft standen – eine Analyse, die in geschichtsphilosophischer Symbolik die politische Katastrophe von 1918 antizipierte. Daß dies unbewußt und ohne politische Spekulation geschah – eine Spekulation, die auf ökonomische Tendenzen oder die Arbeiterbewegung gar gesetzt hätte –, bezeichnet den Fontaneschen Realismus als einen bürgerlichen, nämlich einen skeptischen. Es ist eben nicht so, wie Lukács in gläubiger Einfalt meinte, daß Fontane nur in eine Buchhandlung hätte gehen müssen, um »in den Werken von Marx und Engels Antworten auf alle seine Fragen schwarz auf weiß« zu finden.[28] Es hieße nicht allein den realistischen Roman, sondern die Literatur überhaupt mißverstehen, wollte man von ihr soziologische Analysen der Situationen verlangen, die sie bloß ausdrückt, oder gar den Aufweis eines Programms, wie die Situationen zu überwinden seien.

Dennoch: Fontane hätte mit *Effi Briest* keinen großen Roman geschrieben, wenn in seinem skeptischen Realismus nur halbherziger Liberalismus und halbherziger Konservatismus sich ein wackliges Stelldichein gäben. Der traurige Ausgleich von individueller Neigung und sozialer Form vollzieht sich nämlich allein auf der dargestellten Außenseite des Romans.

27 Georg Lukács, »Der alte Fontane«, in: *Werke*, Bd. 7, Neuwied/Berlin 1964, S. 497.

28 Ebd., S. 467, Anm. 34.

Dort halten Glücksverlangen und Pflicht sich scheinbar die Waage – wenn auch zugestanden wird, daß das möglicherweise eine Täuschung ist. Blickt man tiefer, entdeckt man eine andere Schicht des Romans, auf der nicht einmal die Idee eines (wenn auch äußerlichen) Gleichgewichts sichtbar wird. Es ist die Schicht der ausgesparten Innenwelt. Bei Flaubert wird die Außenwelt des Geschehens balanciert durch die Innenwelt der Personen. Beide Welten korrigieren und vernichten einander. Was dagegen in Effi vorgeht, welche Enttäuschungen sie erlebt in der Ehe mit Innstetten und welche Hoffnungen sie sich auf eine Affäre mit Crampas macht, ja was ihr die Affäre denn bedeutet, als sie nun da ist – hierüber läßt Fontane den Leser nur mutmaßen. Er findet keine ausgedehnten Schilderungen des Phantasielebens seiner Heldin – Schilderungen, die ihr Verhalten erklärten und auch das Mißverhältnis verständlich machten, in dem sie zur banalen Prosa der Außenwelt steht. Darstellung der Innenwelt findet bei Fontane nicht statt. Was Gesten und Handlungen der Personen nicht sichtbar machen, kann allenfalls in den Unterhaltungen zur Sprache kommen. Das bedeutet aber, daß Empfindungen und Wünsche sich stets des Vokabulars der gesellschaftlichen Konversation bedienen müssen, um sich ausdrücken zu können. Doch im gesellschaftlichen Ton dringt Subjektivität nur gedämpft und gebrochen durch. Der Technik des inneren Monologs oder auch nur der erlebten Rede bedient sich Fontane nicht. Die Stilmittel seiner Prosa sind insofern kärglicher als diejenigen Flauberts und Tolstois. Die Scheu vor ›Intimitäten‹, wohl eine preußisch-protestantische Prüderie, hat es zuwege gebracht, daß Fontane die Innenwelt subjektiver Empfindungen und Wünsche hat durch Beschreibungen ihrer Außenseite geben müssen. Indirekte Darstellung ist hier das Stilprinzip Fontanes. Gesten treten an die Stelle von Empfindungen, und nur in Gesprächen wird die geheime Stimme der Leidenschaft hörbar. Nichts kennzeichnet seinen problematischen Konservatismus deutlicher als dieser Versuch, mit der Außenhaut des Geschehens innere Wirklichkeit des menschlichen Lebens einfangen zu wollen. Zeigt diese Außenhaut zudem nur solche Ausschnitte, die vom Anstand und der Konvention zugelassen sind, wird ahnbar, welcher künstlerischen Anstrengung es bedurfte, die knapp bemessene Außenhaut transparent für das Innere des Geschehens zu machen. Trotzdem reicht hier und dort die Außenschilderung nicht zu, alle inneren Vorgänge sichtbar zu machen, die zur Erklärung äußeren Geschehens dienen müssen, ja ohne die das Geschehen unverständlich würde. In die Leerstellen, die von der Außenschilderung und den Gesprächen nicht erreicht werden, treten Symbole. Dies ist die Funktion der Fontaneschen Symbolik, daß sie in Form der Allusion und Prolepse auf Vorgänge verweist, die selbst nicht dargestellt werden (können), doch deren Folgen das Geschehen verändern werden. Fontanes Stil ist insofern das eigenartige Produkt eines Synkretismus von realistischer Darstellung und symbolistischer Poesie. Daß der Romancier eine Karriere als Balladendicher hinter sich hatte, war nicht ohne Bedeutung für die späteren Romane.

Um Effis Charakter zu illustrieren, spielt der Autor häufig und gern mit den Bildern des Fliegens und des Wassers. Im Anfang und am Schluß des Romans stehen beide Bilder in enger Nachbarschaft. Die Mutter sagt ihrer Tochter: »[...] eigentlich hättest du doch wohl Kunstreiterin werden müssen. Immer am Trapez, immer Tochter der Luft.« (5) Selbst im Unglück und kurz vor ihrem Tod kann sie das Schaukeln im Garten nicht lassen und erschreckt Pastor Niemeyer. »Sie sprang hinauf, mit einer Behendigkeit wie in ihren jüngsten Mädchentagen, und ehe sich noch der Alte, der ihr zusah, von seinem halben Schreck erholen konnte, huckte sie schon zwischen den zwei Stricken nieder und setzte das Schaukelbrett durch ein geschicktes Auf- und Niederschnellen ihres Körpers in Bewegung. Ein paar Sekunden noch, und sie flog durch die Luft, und bloß mit einer Hand sich haltend, riß sie mit der andern ein kleines Seidentuch von Brust und Hals und schwenkte es wie in Glück und Übermut.« (320)

Peter Demetz hat im Bild des Fliegens die Idee »schwerelosen Glücks« erkannt – eines Glücks, das aus der »Schwere und der Schwierigkeit gesellschaftlicher Ordnung« herauswill, aber nicht herauskann.[29]
Es fällt auf, daß der Flug oft am Rande oder über das Wasser hingeht. Die Schaukel im Garten von Hohen-Cremmen steht in der Nähe eines Teiches, in dem feierlich die Stachelbeerschalen versenkt werden, wobei Effi »übrigens einfällt, so vom Boot aus sollen früher auch arme unglückliche Frauen versenkt worden sein, natürlich wegen Untreue« (11). Im letzten Kapitel sind es die Nebel, die vom Teich heraufsteigend Effi »wieder aufs Krankenbett warfen« (332). Von ihm soll sie sich nicht mehr erheben. Als sie ein letztes Mal zum Fenster hinaushorchte, hörte sie, »daß es wie ein feines Rieseln auf die Platanen niederfiel. Ein Gefühl der Befreiung überkam sie. ›Ruhe, Ruhe.‹« (335)
Die Schlittenfahrt des 19. Kapitels verläuft am Rande des Meeres und führt, da Crampas späterhin in den Schlitten von Effi steigt, zur entscheidenden Annäherung beider. Die Schlitten haben keine Schutzleder, und Effi erklärt Sidonie von Grasenabb, die sie vorm Hinausfliegen warnt: »Ich kann die Schutzleder nicht leiden; sie haben so was Prosaisches. Und dann, wenn ich hinausflöge, mir wär' es recht, am liebsten gleich in die Brandung.« (176) Des weiteren wird auf dieser Fahrt »etwas wie Musik« hörbar. Es handelt sich um einen »unendlich feinen Ton, fast wie menschliche Stimme . . .«. Effi meint scherzhaft, daß dieser Ton, den allein sie hört, wohl von den Meerjungfrauen kommen müsse (177). Was sich symbolisch hörbar machen soll, ist die mythologische Melusine, jene dem Wasser entstiegene Nixe mit dem Fischschwanz, die einen Menschen heiratet, der mit ihr wie sie mit ihm nicht glücklich werden kann, so daß sie am Ende wieder in das ihr eigene Element zurückkehrt. Wie die Schlittenfahrt

29 Vgl. das Kapitel »Symbolische Motive: Flug und Flocke«, in: Peter Demetz, *Formen des Realismus. Theodor Fontane. Kritische Untersuchungen*, 2. Aufl., München 1966.

im ›Hinausfliegen‹ enden kann, so geht die Kahnfahrt von *L'Adultera* in ein zielloses ›Treiben‹ über. Melanie und Rubehn gleiten auf dem Wasser, dem formlosen Element, in eine Beziehung, die die gesellschaftliche Form der Beziehung zu van der Straaten, ihre Ehe nämlich, auflöst. Effi versinkt dagegen auf der Schlittenfahrt im Schloon. Das ist im Sommer ein »kümmerliches Rinnsal«, kann aber im Winter ansteigen, wenn der Wind nach dem Lande steht. Das aufgestaute Wasser unterspült den Sand, so daß Schlitten und Pferde in ihm versinken, ohne daß man die Gefahr hätte vorhersehen können. Das Bild des Treibsandes, in dem der Instettensche Schlitten stecken bleibt, ist das ausgeführte Bild von Effis Seelenlandschaft: »Da wird es ein Sog, und am stärksten immer dann, wenn der Wind nach dem Lande hin steht. Dann drückt der Wind das Meerwasser in das kleine Rinnsal hinein, aber nicht so, daß man es sehen kann. Und das ist das schlimmste von der Sache, darin steckt die eigentliche Gefahr. Alles geht nämlich unterirdisch vor sich, und der ganze Strandsand ist dann bis tief hinunter mit Wasser durchsetzt und gefüllt. Und wenn man dann über solche Sandstelle weg will, die keine mehr ist, dann sinkt man ein, als ob es ein Sumpf oder ein Moor wäre.« (179) Man geht wohl nicht fehl, wenn man in den unterirdischen Vorgängen ein Bild für die Vorgänge in Effi sieht. Da sie sich unterirdisch vollziehen, sind sie von außen nicht zu beobachten und nicht zu beschreiben. Es sind die Triebbewegungen, die der Kontrolle des Ich entgleiten, das, unterspült, sich aufzulösen und auseinanderzugleiten beginnt. Anders war es Fontane wohl nicht möglich auszudrücken, wie Effis sinnliche Verödung zu einem Triebstau führt, der ihre gesamte Psyche überflutet. Was der Autor über das Eheleben mit Innstetten mitteilt, ist karg, aber bezeichnend: »Um zehn war Innstetten dann abgespannt und erging sich in ein paar wohlgemeinten, aber etwas müden Zärtlichkeiten, die sich Effi gefallen ließ, ohne sie recht zu erwidern.« (114) Wie sie aber leidet und was sie sich von Crampas erträumt, nachdem er aufgetaucht ist, bleibt ungesagt. In einem Brief an die Mutter ist doppelsinnig und zweimal von einem ›Notstand‹ die Rede, aus dem Effi dem neuen Bezirkskommandeur, nämlich Crampas, wie einem »Trost- und Rettungsbringer« entgegensah (115). Wessen Effi in ihrer Ehe entbehrte und wie der Notstand sich in Wunschträumen auswirkte, die aus dem einarmigen Major einen Trostbringer machen, bleibt des Autors Geheimnis. Flaubert ist hier genauer. Wo Fontane sich damit begnügt, Effis sinnliche Frustration anzudeuten, indem er »etwas müde Zärtlichkeiten« erwähnt, da schreibt Flaubert übers Provinzelend seiner Emma: »Mais elle était pleine de convoitises, de rage, de haine. Cette robe aux plis droits cachait un cœur bouleversé, et ces lèvres si pudiques n'en racontaient pas la tourmente. Elle était amoureuse de Léon, et elle recherchait la solitude, afin de pouvoir plus à l'aise se délecter en son image. La vue de sa personne troublait la volupté de cette méditation. Emma palpitait au bruit de ses pas. [. . .] Ce qui l'exaspérait, c'est que Charles n'avait pas l'air de se douter de son supplice. La conviction où il était de la rendre heureuse lui semblait une insulte imbécile, et sa sécurité là-dessus de l'ingratitude. Pour qui donc était-elle sage? N'était-il pas, lui, l'obstacle à toute félicité, la cause de toute misère, et comme l'ardillon pointu de cette courroie complexe qui la bouclait de tous côtés?«[30] Flaubert, der sich nicht – wie der deutsche Autor – genierte, die sexuellen Phantasien seiner Heldin beim Namen zu nennen, bildete auf diese Weise zur gegenständlichen Außenwelt auch eine Innenwelt der Gefühle und Empfindungen aus. Genauer in deren Beschreibung konnte erst Proust werden, der die Bilderwelt des inneren Monologs mobilisierte. Für die deutsche Literatur hat Analoges Schnitzler mit *Fräulein Else* versucht. Da Fontane nur die äußere Schicht des Geschehens beschreibt, erfordert es gelegentlich detektivischen Scharfsinn, die Schicht des inneren Geschehens aus Allusionen und Prolepsen zu erraten. In *Cecile* hat Fontane ein Mei-

30 Gustave Flaubert, *Madame Bovary. Mœurs de province* (Anm. 5), S. 389 f.

sterwerk der zwei Ebenen geschaffen. Das Prinzip, das er befolgt, ähnelt dem des Kriminalromans: Aus der Schicht des berichteten Geschehens wird beständig auf ein anderes, nicht berichtetes Geschehen angespielt und verwiesen. Gelegentlich treibt Fontane den Symbolismus bis zur ironischen Koketterie. Die Symbolforscher, die solches Verfahren naturgemäß auf den Plan rufen mußte, haben im Eifer des Kombinierens die Ironie übersehen, mit der Fontane Symbole selbst wieder parodierte und aufhob. Dietrich Weber hat dem Kopfschütteln selbst eines Hundes nachdenkliche Sätze gewidmet, die der Komik nicht entbehren. Am Schluß des Romans läßt Fontane den Hund Rollo seinen Kopf schütteln, nachdem Frau von Briest sich gefragt hat, ob man denn Effi nicht zu jung verheiratet und insofern auch Schuld auf sich geladen habe: »Fragt man indessen nach ihrem [der Anspielung] Bedeutungsinhalt, so sieht man sich genarrt. Als allgemein verneinende Gebärde, die die vorher gestellte Frage nach der Schuld für abwegig erklärt, sagt Rollos Kopfschütteln nichts anderes und nicht mehr als Briests resignierende Redewendung. Als direkte Verneinung ist es doppeldeutig; es kann sowohl Effis Schuld und alleinige Verantwortung besiegeln wollen als auch umgekehrt ausdrücken, daß Effi, wäre sie auch älter gewesen, dasselbe Schicksal erlitten hätte. Dabei ist diese erste Auslegung zweifellos falsch [. . .].«[31]
Explizit begründet hat Fontane, warum er Effis Fall nicht beschrieben hat. Die Verführungsszene, mit der Flaubert etwa brilliert, findet im preußisch-protestantischen Roman nicht statt. Das 20. Kapitel, das nun das ›Intimitätenkapitel‹ hätte sein müssen, bringt deren keine. Die berühmten »Schilderungen«, auf die das Publikum möglicherweise wartet, nennt Fontane den »Gipfel der Geschmacklosigkeit«.[32] Daß in ›to-

31 Dietrich Weber, *»Effi Briest« – ›Auch wie ein Schicksal‹. Über den Andeutungsstil bei Fontane«*, in: *Jahrbuch des Freien Deutschen Hochstifts 1966*, S. 460.

32 Brief an eine Dame vom 12. 6. 1895, in: Fritz Behrend, *Aus Theodor Fontanes Werkstatt*, Berlin 1924, S. 43.

taler Dunkelheit‹ etwas geschehen sein muß, was die Öffentlichkeit scheut und was auch Fontane sich scheut mitzuteilen, geht indirekt nur aus dem kryptischen Abschiedsbrief hervor, den Effi an einen ungenannten Adressaten schreibt. Erst die drei Zettel von Crampas, die Innstetten nach sieben Jahren zufällig in die Hände fallen, geben einigermaßen kund, was wohl vorgefallen sein mag. Im 20. Kapitel selbst, dem Ehebruchskapitel im strengen Wortsinne, werden auf umständliche Weise nur sonderbare Spaziergänge beschrieben, die Effi zu einem Karussell und einem Holzschuppen führen, von dessen Bank aus sie »nach einem niedrigen Fachwerkhause« hinübersah, »gelb mit schwarzgestrichenen Balken, einer Wirtschaft für kleine Bürger, die hier ihr Glas Bier tranken oder Solo spielten« (193). Die Spaziergänge folgen einem Rebus, dessen Sinn im Lineament der Wege versteckt ist. Effi und auch Crampas verraten ihn nicht. Innstetten muß ihn selbst entdecken. Man mag solche Erzählweise prüde und langweilig nennen, doch es ist nicht zu übersehen, daß das Ungesagte als Bedeutungspotential der Sprache zuwächst. Im Gesagten zittert das Ungesagte nach. Anders die Offenheit Flauberts, dessen Schilderungen der ›chute‹ vom Staatsanwalt lasziv genannt wurden. ›Le drap de sa robe s'accrochait au velours de l'habit, elle renversa son cou blanc, qui se gonflait d'un soupir, et, défaillante, tout en pleurs, avec un long frémissement et se cachant la figure, elle s'abandonna. [...] Alors, elle entendit au loin, au-delà du bois, sur les autres collines, un cri vague et prolongé, une voix qui se traînait, et elle l'écoutait silencieusement, se mêlant comme une musique aux dernières vibrations de ses nerfs émus. Rodolphe, le cigare aux dents, raccommodait avec son canif une des deux brides cassés.«[33] Der ferne Schrei ertönt auch bei Fontane. Doch da er in anderer Situation zu hören ist und als Gesang von Meerjungfrauen erklärt wird, gerät der Orgasmuslaut zum vagen Naturlaut. Dieser Laut begleitet Effi bis in die

33 *Madame Bovary*, in: Flaubert (Anm. 5) S. 438.

Sterbeszenerie des letzten Kapitels. Der Gesang der Meerjungfrauen hat sich hier verdünnt und abgeschwächt zum Rauschen des Regens. »Die Sterne flimmerten, und im Parke regte sich kein Blatt. Aber je länger sie hinaushorchte, je deutlicher hörte sie wieder, daß es wie ein feines Rieseln auf die Platanen niederfiel.« (335)

Die Außenhaut der Erzählung muß, so wurde gesagt, transparent werden für das Nicht-Erzählte. Die Sprache kann auf das unter ihr Liegende verweisen, indem sie seine Bedeutung ins Sinbild ihrer Sätze aufnimmt. Einerseits luzid, muß sie andererseits prägnant werden. So werden die realen Details zu symbolischen Arrangements, in denen das sprachlich und sozial Formlose sein verhängisvolles Spiel treibt. Fontanes Figuren reduzieren sich letzten Endes auf die reine Oberfläche, wenn nicht auf die kahle Redefigur. Insoweit ihr Inneres unbestimmt bleibt, erhalten sich die Figuren in einer Durchsichtigkeit, die ihnen das Aussehen exotischer Fische verleiht, die in einem Aquarium rätselvolle Bahnen ziehen. Dies macht sie zu Verwandten der Personen in Goethes *Wahlverwandtschaften*, die das Geheimnis ihrer Leere in der Durchsichtigkeit verbergen.

Nach der Scheidung schwindet Effi dahin, als sei mit der Ehe auch ihre Nabelschnur zum Leben zerschnitten worden. Bleicher und schwächer werdend, scheint sie unter dem Alp eines Schuldbewußtseins zu verstummen, der ihr das Blut aussaugt, als ob's ein Vampir wäre. Daß Effi außerhalb der sozialen Form nicht leben kann, die die Ehe trotz allem für sie bedeutet haben muß, bezeichnet erneut den Konservatismus Fontanes. Eines Konservatismus, dem die Formen der Vergesellschaftung letzten Endes auch organische Qualität annehmen, so sehr sie von außen betrachtet allein Paragraphengestalt zeigen. Schuster hat hinter Fontanes Symbolbildern gelegentlich Bilder der Präraffaeliten entdecken können, indem er den Hinweisen nachging, die Fontane in Besprechungen von Kunstausstellungen gab. Hunt, Millais und Rossetti sind es insbesondere. deren wächserne Schönheiten für Effi Modell gestanden haben sollen.[34] Effis letzter Aufenthalt in Hohen-Cremmen gleicht einem Verdämmern in präraffaelitischer Schönheit und erlesenem Ornament. Der ›disguised symbolism‹ der Präraffaeliten wird zum offenen Geheimnis von Fontanes poetischem Realismus. Sie nämlich bringen »frappante Wahrheit« und »lyrische Vertiefung« zur Übereinstimmung.

Fern von solch idyllischer Szenerie, wo die Personen hinter Ranken- und Blätterwerk verschwinden, hat Flaubert das Ende Emmas gestaltet. Effis letztes Bild gibt der Grabstein, den Heliotrop einrahmt. Im gärtnerischen Ornament endet der Lebensweg einer, deren Naturtrieb in der Ehe mit einem preußischen Landrat sich nicht erfüllte und den Fontane in (trotzdem geordnete) Natur zurückkehren lassen wollte.

Bei Flaubert löst sich das Leben schwerer aus seinen irdischen Formen. Qualvoll zerreißt der Zusammenhang, denn jenseits ist nichts. Die »souillures du mariage« und die »désillusions de l'adultère« sind das ganze Leben gewesen. Hinter Blättern, Blüten und Teichen dämmert kein Naturschoß, in den das fallierte Naturgeschöpf zurückzugleiten vermöchte. Gräßliche Konvulsionen schütteln Emma, die brutal ihrem Leben selbst ein Ende setzte, indem sie sich eine Handvoll Arsen in den Mund stopfte. Hier endet es auf schmerzhafte Weise und hat keine Fortsetzung im Heliotrop, zu dem Ovids Nymphe Clytia verwandelt wurde. Von Emmas Agonie heißt es nicht im poetischen, sondern in krudem Realismus: »Sa poitrine aussitôt se mit à haleter rapidement. La langue tout entière lui sortit hors de la bouche; ses yeux, en roulant, pâlissaient comme deux globes de lampe qui s'éteignent, à la croire déjà morte, sans l'effrayante accélération de ses côtes, secouées par un souffle furieux, comme si l'âme eût fait des bonds pour se détacher.«[35]

34 Vgl. Fontanes »Briefe aus Manchester«. – Siehe zum ganzen Zusammenhang Schusters Studie (Anm. 12) S. 29–40, 155–163.

35 *Madame Bovary* (Anm. 5). S. 588 f.

Literaturhinweise

Ausgaben

Theodor Fontane: Effi Briest. Roman. Berlin: F. Fontane, 1896.
Theodor Fontane: Sämtliche Werke. Hrsg. von Edgar Groß [u. a.]. 30 Bde. in 5 Abt. München: Nymphenburger Verlagshandlung, 1959–75. [*Effi Briest* in: Abt. 1, Bd. 7.]
Theodor Fontane: Werke, Schriften und Briefe. Hrsg. von Walter Keitel und Helmuth Nürnberger. 20 Bde. in 4 Abt. München: Hanser, 1962 ff. [*Effi Briest* in: Abt. 1, Bd. 4, S. 7–296.]
Theodor Fontane: Effi Briest. Roman. Mit einem Nachw. von Kurt Wölfel. Stuttgart: Reclam, 1969 [u. ö.]. (Universal-Bibliothek. 6961.)

Forschungsliteratur

Behrend, Fritz: Aus Theodor Fontanes Werkstatt. Berlin 1924.
Brinkmann, Richard: Theodor Fontane. Über die Verbindlichkeit des Unverbindlichen. München 1967.
Degering, Thomas: Das Verhältnis von Individuum und Gesellschaft in Fontanes *Effi Briest* und Flauberts *Madame Bovary*. Bonn 1978.
Demetz, Peter: Formen des Realismus. Theodor Fontane. Kritische Untersuchungen. 2. Aufl. München 1966.
Erläuterungen und Dokumente: Theodor Fontane, *Effi Briest*. Hrsg. von Walter Schafarschik. Stuttgart 1972 [u. ö.]. (Reclams Universal-Bibliothek. 8119.)
Fleig, Horst: Sich versagendes Erzählen (Fontane). Göppingen 1974.
Grawe, Christian: Effi Briest. 3. Aufl. Frankfurt a. M. 1990.
Kafitz, Dieter: Figurenkonstellation als Mittel der Wirklichkeitserfassung. Dargestellt an Romanen der zweiten Hälfte des 19. Jahrhunderts (Freytag, Spielhagen, Fontane, Raabe). Kronberg i. Ts. 1978.
Lübbe, Hermann: Fontane und die Gesellschaft. In: Theodor Fontane. Hrsg. von Wolfgang Preisendanz. Darmstadt 1973. S. 354 bis 400.
Lukács, Georg: Der alte Fontane. In: Werke. Bd. 7: Deutsche Literatur in zwei Jahrhunderten. Neuwied/Berlin 1964.
Müller-Seidel, Walter: Theodor Fontane. Soziale Romankunst in Deutschland. Stuttgart 1975.

Reuter, Hans-Heinrich: Fontane. 2 Bde. München 1968.
Radcliffe, Stanley: Effi Briest and the Crampas Letters. In: German Life and Letters 39 (1986) H. 2. S. 148–160.
Riechel, Donald C.: *Effi Briest* and the Calendar of Fate. In: The Germanic Review 48 (1973) S. 189–211.
Rothenberg, Jürgen: Realismus als »Interessenvertretung«. Fontanes *Effi Briest* im Spannungsfeld zwischen Dichtungstheorie und Schreibpraxis. In: Euphorion 71 (1977) S. 154–168.
Schuster, Peter-Klaus: Theodor Fontane. *Effi Briest* – Ein Leben nach christlichen Bildern. Tübingen 1978.
Stern, Joseph Peter M.: *Effi Briest*; *Madame Bovary*; *Anna Karenina.* In: The Modern Language Review 52 (1957) S. 363–375.
Weber, Dietrich: *Effi Briest* – »Auch wie ein Schicksal«. Über den Andeutungsstil bei Fontane. In: Jahrbuch des Freien Deutschen Hochstifts (1966) S. 457–474.
Wölfel, Kurt: »Man ist nicht bloß ein einzelner Mensch«. Zum Figurenentwurf in Fontanes Gesellschaftsromanen. In: Theodor Fontane. Hrsg. von Wolfgang Preisendanz. Darmstadt 1973. S. 329 bis 353.

Die Autoren der Beiträge

Mit Ausnahme der Beiträge über Novalis' *Heinrich von Ofterdingen* von Gerhard Schulz und über Raabes *Stopfkuchen* von Helmuth Mojem und Peter Sprengel handelt es sich bei den vorliegenden Interpretationen um durchgesehene und (teilweise stark) überarbeitete Fassungen von Studien aus folgenden, inzwischen vergriffenen Sammelbänden:
Romane und Erzählungen der deutschen Romantik. Neue Interpretationen, hrsg. von Paul Michael Lützeler, Stuttgart 1981; *Romane und Erzählungen zwischen Romantik und Realismus. Neue Interpretationen*, hrsg. von Paul Michael Lützeler, Stuttgart 1983; *Romane und Erzählungen des Bürgerlichen Realismus. Neue Interpretationen*, hrsg. von Horst Denkler, Stuttgart 1980.

ERNST BEHLER

Geboren 1928. Studium der Philosophie und Literaturwissenschaften an den Universitäten in Mainz, München, Paris (Sorbonne) und Bonn. Dr. phil. Professor für Vergleichende Literaturwissenschaft an der University of Washington in Seattle. Chairman des Department of Comparative Literature.

Publikationen: Friedrich Schlegel. 1966. – Klassische Ironie, Romantische Inronie, Tragische Ironie. 1972. – Studien zur Romantik und zur idealistischen Philosophie. 1988. – Derrida Nietzsche, Nietzsche Deridda. 1988. – Unendliche Perfektibiliät. Europäische Romantik und Französische Revolution. 1989. – Irony and the Discourse of Modernity. 1991. – Confrontations. Derrida, Heidegger, Nietzsche. 1991. – (Hrsg.). Kritische Friedrich Schlegel Ausgabe. [Bisher] 35 Bde. 1956 ff. – (Hrsg.) August Wilhelm Schlegel. Kritische Ausgabe der Vorlesungen. [Bisher] 6 Bde. 1989 ff.

HORST S. DAEMMRICH

Geboren 1930. Studium der Germanistik, Philosophie und Politischen Wissenschaft in Chicago Dr. phil. Professor für Deutsche und

Vergleichende Literaturwissenschaft an der University of Pennsylvania, Philadelphia.

Publikationen: The Shattered Self: E. T. A. Hoffmann's Tragic Vision. 1973. – Literaturkritik in Theorie und Praxis. 1974. – (Zus. mit Ingrid Daemmrich) Wiederholte Spiegelungen. Themen und Motive in der Literatur. 1978. – Messer und Himmelsleiter. Einführung in das Werk Karl Krolows. 1980. – Wilhelm Raabe. 1981. – (Zus. mit Ingrid Daemmrich) Themes and Motifs in Western Literature. A Handbook. 1987. – (Zus. mit Ingrid Daemmrich) Themen und Motive in der Literatur. Ein Handbuch. 1987. – (Mithrsg.) The Challenge of German Literature. 1971. – (Hrsg.) Studies on Themes and Motifs in Literature. 1991. – Aufsätze zur Themenforschung, Literaturtheorie und zur Literatur des 18.–20. Jahrhunderts.

HEIDE EILERT

Geboren 1942. Studium der Germanistik, Romanistik und Philosophie in München. Dr. phil. habil. Privatdozentin für Neuere deutsche Literaturwissenschaft an der Universität München.

Publikationen: Theater in der Erzählkunst. Eine Studie zum Werk E. T. A. Hoffmanns. 1977. – Das Kunstzitat in der erzählenden Dichtung. Studien zur Literatur um 1900. 1991. – (Hrsg.) Eduard Mörike. Maler Nolten. Novelle in zwei Teilen. 1987. – (Hrsg.) Kinderszenen. Geschichten aus zwei Jahrhunderten. Ein Lesebuch. 1987. – Zahlreiche Aufsätze, Lexikonartikel und Rezensionen zur deutschen und französischen Literatur vom späten Mittelalter bis zur Gegenwart. Schwerpunkte: Romantik, 19. Jahrhundert, Jahrhundertwende.

HORST ALBERT GLASER

Geboren 1935. Studium der Literaturwissenschaften, Philosophie und Soziologie an der Universität Frankfurt und der FU Berlin. Dr. phil. Professor für Allgemeine und Vergleichende Literaturwissenschaft an der Universität (GHS) Essen.

Publikationen: Die Restauration des Schönen. Stifters *Nachsommer.* 1965. – Das bürgerliche Rührstück. 1969. – (Hrsg.) Literaturwissenschaft und Sozialwissenschaften I. 1971. – (Hrsg.) Sexualästhetik der

Literatur. 1974. – (Hrsg.) Deutsche Literatur – Eine Sozialgeschichte. Bd. 1–9. 1980–91. – (Hrsg.) Goethe und die Natur. 1986. – (Hrsg.) Rudolf Borchardt, 1877–1945. 1987. – (Hrsg.) Maschinenmenschen. 1988. – (Hrsg.) Gottfried Benn, 1886–1956. 1989. – Aufsätze zur europäischen Literatur des 17.–20. Jahrhunderts.

UWE-K. KETELSEN

Geboren 1938. Studium der Germanistik und Geschichte in Göttingen, Kiel und Berlin (FU). Dr. phil. Professor für Neuere deutsche Literaturwissenschaft an der Universität Bochum.

Publikationen: Heroisches Theater. Untersuchungen zur Dramentheorie des Dritten Reichs. 1968. – Von heroischem Sein und völkischem Tod. 1970. – Die Naturpoesie der norddeutschen Frühaufklärung. 1974. – Völkisch-nationale und nationalsozialistische Literatur in Deutschland (1980–1945). 1976. – Literatur und Drittes Reich. 1992. – (Hrsg.) Klopstock. Messias. Gedichte, Abhandlungen. 1968. – (Hrsg.) Komödien des Barock. 1970. – (Hrsg.) Gottsched, Schriften zu Theorie und Praxis aufklärender Literatur. 1970. – (Hrsg.) C. F. Drollinger. Gedichte. 1972. – Aufsätze zu Hoffmannswaldau, Lohenstein, Benjamin Neukirch, Brockes, Gottsched, Daniel Stoppe, Hagedorn, Gleim, Klopstock, Stifter, v. Wildenbruch, Brecht, Toller, Hacks, Biermann, Brasch.

DIETER KIMPEL

Geboren 1935. Studium der Germanistik, Geschichte, Geographie. Philosophie in Marburg (Lahn), Göttingen und Wien. Dr. phil. Professor für Deutsche Sprache und Literatur an der Universität Frankfurt a. M.

Publikationen: Der Roman der Aufklärung. 1967. ²1976. – (Mithrsg.) Theorie und Technik des Romans im 17. und 18. Jahrhundert. 2 Bde. 1970. – (Hrsg.) Karl Kraus: Die demolierte Literatur. 1972. – (Mithrsg.) Methodische Praxis der Literaturwissenschaft. Modelle der Interpretation. 1975. – (Mithrsg.) Deutsche Literaturgeschichte. Von der Aufklärung bis zur Romantik. 1981. – (Hrsg.) Mehrsprachigkeit in der deutschen Aufklärung. 1985. – Mitarbeit an der Athenäum-

Literaturgeschichte (Hrsg. V. Zmegač). 1978–84 und an der Propyläen-Literaturgeschichte. Bd. 4. 1983. Bd. 5. 1984. – Aufsätze zur europäischen Aufklärung und zum deutschen Idealismus.

HELMUTH MOJEM

Geboren 1961. Studium der Germanistik, Literaturwissenschaft und Linguistik in Stuttgart. M. A. Zur Zeit Doktorand an der Universität Stuttgart.

Publikationen: Baucis ohne Philemon. Wilhelm Raabes Roman *Das Odfeld* als Idyllenumschrift. 1989. – Aufsätze zu Heinrich Heine, Karl May, Manuel Scorza, Wilhelm Raabe, Johann Peter Hebel.

ERNST RIBBAT

Geboren 1939. Studium der Germanistik, Philosophie und evangelischen Theologie in Göttingen, Tübingen und Münster. Dr. phil. Professor für Neuere deutsche Literatur an der Universität Münster.

Publikationen: Die Wahrheit des Lebens im frühen Werk Alfred Döblins. 1970. – Ludwig Tieck. Studien zur Konzeption und Praxis romantischer Poesie. 1978. – (Hrsg.) Ludwig Tieck: Ausgewählte kritische Schriften. 1975. – (Hrsg.) Romantik. Ein literaturwissenschaftliches Studienbuch. 1979. – Aufsätze zur Romantik, zu Weckherlin, Goethe, Kleist, Grabbe, Heinrich und Julius Hart, Döblin, Böll, Bobrowski, Johnson, Handke, zu methodologischen und literaturtheoretischen Fragen.

GERT SAUTERMEISTER

Geboren 1940. Studium der Germanistik und Romanistik in Tübingen, Wien, Paris und München. Dr. phil. Professor für Neuere deutsche Literaturgeschichte an der Universität Bremen.

Publikationen: Idyllik und Dramatik im Werk Friedrich Schillers. Zum geschichtlichen Ort seiner klassischen Dramen. 1971. – Maria Stuart. In: Schillers Dramen. Neue Interpretationen. 1979. Rev. Fass.

1992. – Thomas Mann: Mario und der Zauberer. 1981. – Vom Werther zum Wanderer zwischen den Welten. Über die metaphysische Obdachlosigkeit bürgerlicher Jugend. In: »Mit uns zieht die neue Zeit«. Der Mythos Jugend. 1985. – Gottfried Keller: In: Deutsche Dichter. Leben und Werk deutschsprachiger Auoren. Bd. 6. 1989. – (Mithrsg. und Übers.) Louis-Ferdinand Céline: Kanonenfutter. 1977. – Zahlreiche Aufsätze zur Literatur des 18., 19. und 20. Jahrhunderts. Lexikonartikel zur deutschen und französischen Literatur, Radio- und Feuilletonbeiträge.

GERHARD SCHULZ

Geboren 1928. Studium der Germanistik, Anglistik und Pädagogik in Leipzig. Dr. phil. Professor of Germanic Studies an der University of Melbourne.

Publikationen: Novalis mit Selbstzeugnissen und Bilddokumenten. 1969. – Arno Holz. Dilemma eines bürgerlichen Dichterlebens. 1974. – Die deutsche Literatur zwischen Französischer Revolution und Restauration. Bd. 1. 1983. Bd. 2. 1989. – (Mithrsg.) Novalis. Schriften. 5 Bde. 1960–88. – (Hrsg.) German Verse. [6]1975. – (Hrsg.) Arno Holz: Phantasus. 1968. – (Hrsg.) Novalis. Werke. 1969. [3]1987. – (Hrsg.) Novalis. (Wege der Forschung.) 1970. [2]1986. – (Hrsg.) Prosa des Naturalismus. 1973. – (Hrsg.) Fouqué. Romantische Erzählungen. 1977. [2]1985. – (Hrsg.) Fouqué: Der Zauberring. 1984. – Veröffentlichungen in Sammelbänden und Zeitschriften. Rezensionen.

EGON SCHWARZ

Geboren 1922. Studium der Romanistik und Germanistik. PhD. Rosa May Distinguished University Professor in the Humanities, Washington University, St. Louis.

Publikationen: Hofmannsthal und Calderon. 1962. – Das verschluckte Schluchzen. Poesie und Politik bei Rainer Maria Rilke. 1972 (engl. 1982). – Joseph von Eichendorff. 1972. – Keine Zeit für Eichendorff. Chronik unfreiwilliger Wanderjahre. ›Eine Autobiographie‹. 1979. Erw. Neuaufl. 1992. – Dichtung, Kritik, Geschichte. Essays zur

Literatur 1900–1930. 1983. – Literatur aus vier Kulturen. Essays und Besprechungen. 1987. – (Hrsg.) Nation im Widerspruch. 1963. – (Mithrsg.) Verbannung. Aufzeichnung deutscher Schriftsteller im Exil. 1964. – (Mithrsg.) Exil und Innere Emigration II. 1973. – (Hrsg.) Hermann Hesses *Steppenwolf* in wirkungsgeschichtlichen Zeugnissen. 1980. – Zahlreiche Aufsätze und Rezensionen zur europäischen und amerikanischen Literatur im Sammelbänden, Zeitschriften und Zeitungen.

PETER SPRENGEL

Geboren 1949. Studium der Germanistik und Klassischen Philologie in Hamburg und Tübingen Dr. phil. Professor für Neuere deutsche Literatur an der Freien Universität Berlin.

Publikationen: Innerlichkeit. Jean Paul oder Das Leiden an der Gesellschaft. 1977. – Die Wiklichkeit der Mythen. Untersuchungen zum Werk Gerhart Hauptmanns aufgrund des handschriftlichen Nachlasses. 1982. – Gerhart Hauptmann. Epoche – Werk – Wirkung. 1984. – Die inszenierte Nation. Deutsche Festspiele 1813–1913. 1991. – (Hrsg.) Jean Paul im Urteil seiner Kritiker. 1980. – (Hrsg.) Goethe: Aus meinem Leben. Dichtung und Wahrheit. 1985. – (Hrsg.) Hauptmann/Brahm: Briefwechsel 1889–1912. 1985. – (Mithrsg.) Hauptmann-Forschung. Neue Beiträge / Hauptmann research. New directions. 1986. – (Mithrsg.) Die Berliner Moderne 1885–1914. 1987. – (Hrsg.) Keyserling: Die schwarze Flasche. 1990. – (Hrsg.) Schall und Rauch: Erlaubtes und Verbotenes. Spieltexte des esten Max-Reinhardt-Kabaretts. 1991. – (Mithrsg.) Gerhart Hauptmann – Autor des 20. Jahrhunderts. 1991. – Zahlreiche Aufsätze zur deutschen Literatur und Theatergeschichte des 16.–20. Jahrhunderts.

WALTRAUD WIETHÖLTER

Geboren 1946. Studium der Germanistik und Philosophie in Tübingen. Dr. phil. habil. Professorin am Seminar für deutsche Philologie der Universität Göttingen.

Publikationen: (Mithrsg.) Dichter über ihre Dichtungen: Theodor Fontane. 2 Bde. 1973. 2.. verb. Aufl. 1977. – Witzige Illumination.

Studien zur Ästhetik Jean Pauls. 1979. – (Mithrsg.) Literaturwissenschaft als Geistesgeschichte. Festschrift für Richard Brinkmann. 1981. – Hofmannsthal oder Die Geometrie des Subjekts. Psychostrukturelle und ikonographische Studien zum Prosawerk. 1990. – Aufsätze zu Canetti, Eichendorff, Fontane, Goethe, Handke, Jean Paul. Heinrich Mann, Peter Weiss, Literaturtheorie.

Interpretationen

IN RECLAMS UNIVERSAL-BIBLIOTHEK

zu *Lessings Dramen.* 8411

zu *Dramen des Sturm und Drang.* 8410

zu *Goethes Dramen.* 8417

zu *Goethes Erzählwerk.* 8081

zu *Georg Büchner.* 8415

zu *Erzählungen und Novellen des 19. Jahrhunderts. Band 1.* 8413

zu *Erzählungen und Novellen des 19. Jahrhunderts. Band 2.* 8414

zu Romane des 19. Jahrhunderts. *8418*

zu Fontanes Novellen und Romane. 8416

zu *Dramen des Naturalismus.* 8412

Philipp Reclam jun. · Stuttgart